Liosta traiceanna

Dlúthdhiosca 1

Uimhir traic	Mír uimhir	
1	1.1	An t-athrú fuaime a thagann le séimhiú
2	1.2	Cleachtadh éisteachta 1: cainteoir 1
3	1.3	Cleachtadh éisteachta 1: cainteoir 2
4	1.4	Cleachtadh éisteachta 1: cainteoir 3
5	1.5	Cleachtadh éisteachta 2: fíor nó bréagach
6	1.6	Cleachtadh éisteachta 2: fíor nó bréagach
7	1.7	Cleachtadh éisteachta 2: freagair na ceisteanna
8	1.8	Cleachtadh éisteachta 3: Pádraig
9	1.9	Cleachtadh éisteachta 4: caidreamh clainne
10	1.10	Scrúdú béil: agallamh: mo chlann
11	1.11	Colscaradh le Pádraig Mac Suibhne
12	2.1	Cúinne na fuaime: an t-athrú fuaime a thagann le urú
13	2.2	Cleachtadh éisteachta: cainteoir 1
14	2.3	Cleachtadh éisteachta: cainteoir 2
15	2.4	Cleachtadh éisteachta: píosa nuachta
16	2.5	Scrúdú béil: agallamh: m'áit chónaithe
17	2.6	An tEarrach Thiar le Máirtín Ó Direáin
18	2.7	Agallamh: an saol fadó
19–24	2.8–2.13	Cluastuiscint
25	3.1	Cúinne na fuaime: an t-athrú fuaime a thagann le síneadh fada
26	3.2	Cleachtadh éisteachta 1: fógra 1
27	3.3	Cleachtadh éisteachta 1: fógra 2
28	3.4	Cleachtadh éisteachta 1: fógra 3
29	3.5	Cleachtadh éisteachta 2: éide scoile
30	3.6	Scrúdú béil: agallamh: mo scoil
31	4.1	Cúinne na fuaime: consain chaola agus leathana – ú agus iú
32	4.2	Cleachtadh éisteachta 1: ceol
33	4.3	Cleachtadh éisteachta: bannaí ceoil
34	4.4	Cleachtadh éisteachta 3: Lady Gaga

Uimhir traic	Mír uimhir	
35	4.5	Cleachtadh éisteachta 4: féile cheoil
36	4.6	Cleachtadh éisteachta 5: The Coronas
37	4.7	Scrúdú béil: agallamh: an ceol is fearr liom
38–43	4.8–4.13	Cluastuiscint
44	5.1	Cúinne na fuaime: consain chaola agus leathana – o agus eo
45	5.2	Cleachtadh éisteachta 1: TG4 - súil eile
46	5.3	Cleachtadh éisteachta 2: RnaG
47	5.4	Scrúdú béil: agallamh: na meáin
48	5.5	Mo Ghrá-sa (idir lúibíní) le Nuala Ní Dhomhnaill
49	6.1	Cúinne na fuaime: consain chaola agus leathana – í agus uí
50	6.2	Cleachtadh éisteachta 1-3: Seirbhís Fuilaistriúcháin na hÉireann
51	6.3	Cleachtadh éisteachta 4: sláinte – inné agus inniu
52	6.4	Cleachtadh éisteachta 5: timpiste bhóthair
53	6.5	Cleachtadh éisteachta 6: timpiste
54	6.6	Scrúdú béil: agallamh: sláinte
55	6.7	Géibheann le Caitlín Maude
56	6.8	Cúinne na fuaime: consain chaola agus leathana
57	6.9	Cleachtadh éisteachta 7: spórt

Dlúthdhiosca 2

Uimhir traic	Mír uimhir	
1	6.10	Cleachtadh éisteachta 8: tuairisc spóirt
2	6.11	Scrúdú béil: agallamh: spórt
3–8	6.12–6.17	Cluastuiscint
9	7.1	Cúinne na fuaime: síneadh fada le dhá ghuta
10	7.2	Cleachtadh éisteachta 1: an Ghaeilge
11	7.3	Cleachtadh éisteachta 2: na hÉireannaigh nua
12	8.1	Cúinne na fuaime: an difríocht fuaime idir ío agus ói
13	8.2	Cleachtadh éisteachta: turas thar lear

Uimhir traic	Mír uimhir	
14	8.3	Cleachtadh éisteachta: an Phortaingéil
15	8.4	Cleachtadh éisteachta: an Téalainn
16	8.5	Scrúdú béil: agallamh: laethanta saoire
17	8.6	Cúinne na fuaime: 'h' a leanann consain
18	8.7	Cleachtadh éisteachta: Parlaimint na hEorpa
19–24	8.8–8.13	Cluastuiscint
25	9.1	Cúinne na fuaime: canúintí agus difríochtaí foghraíóchta
26	9.2	Cleachtadh éisteachta 1: deiseanna fostaíochta
27	9.3	Cleachtadh éisteachta 1: fógra
28	9.4	Cleachtadh éisteachta 2: cáilíochtaí
29	9.5	Cleachtadh éisteachta 2: folúntas
30	9.6	Cleachtadh éisteachta 3: ceisteanna
31	9.7	Cleachtadh éisteachta 3: ceisteanna
32	9.8	Scrúdú béil: agallamh: ag fágáil na scoile (Ciara)
33	9.9	Scrúdú béil: agallamh: ag fágáil na scoile (Fiachra)
34	10.1	Cúinne na fuaime: an difríocht idir o agus io
35	10.2	Cleachtadh éisteachta 1: buamadóir féinmharaithe
36	10.3	Cleachtadh éisteachta 1: fuadach!
37	10.4	Cleachtadh éisteachta 1: coiriúlacht
38	10.5	Scrúdú béil: agallamh: coiriúlacht
39–44	10.6–10.11	Cluastuiscint
45	11.1	Cúinne na fuaime: 's' le guta caol agus le guta leathan
46	11.2	An Spailpín Fánach
47	12.1	Cúinne na fuaime: athrú fuaime a thagann le consain dhúbailte
48	12.2	Cleachtadh éisteachta 1: an aeráid, téamh domhanda agus an aimsir
49	12.3	Cleachtadh éisteachta 1: an timpeallacht agus glaseolaíocht
50	12.4	Cleachtadh éisteachta 1: clár faoin bhfuinneamh
51	12.5	Cleachtadh éisteachta 2: an tOllamh Wangari Maathai
52	12.6	Scrúdú béil: agallamh: an comhshaol
53-58	12.7–12.12	Cluastuiscint

Clár

Téarmaí Gramadaí

Téarma	Sainmhíniú	Samplaí
Ainmfhocal	*noun; duine/rud/áit*	doras, cailín, lth 5, 212
Iolra	*plural*	daoine, tíortha, báid, lth 362
Uatha	*singular*	duine, tír, bád, lth 362
Aidiacht	*adjective*	mór, álainn, fuar, lth 271, 339
Aidiacht shealbhach	*possessive adjective*	mo, do, a, ár, bhur, lth 7
Aidiacht bhriathartha	*verbal adjective*	dúnta, lth 275
An chopail	*copula; Is/Ba*	Is fear é, lth 61, 3, 286, 421
Briathar	*verb*	téigh, faigh, oscail, lth 424
Aimsir chaite	*past tense*	chuaigh, fuair, d'oscail, lth 98
Aimsir láithreach	*present tense*	faigheann, osclaíonn, lth 36, 94, 141
Aimsir fháistineach	*future tense*	rachaidh, gheobhaidh, lth 251
Aimsir ghnáthláithreach	*'do be'*	Bím ag dul, bím ag imirt, lth 34
Aimsir ghnáthchaite	*I used to ...*	théinn, bhíodh, lth 50
Modh ordaitheach	*order form*	fág, suigh, imigh, lth 175
Modh coinníollach	*conditional tense*	dá gcuirfeadh, lth 62, 311
Saorbhriathar	*passive*	cuirtear, rugadh, lth 426
San Aimsir Chaite	*past: was killed*	maraíodh, lth 178
San Aimsir Láithreach	*present: is opened*	osclaítear, lth 185
San Aimsir Fháistineach	*future: will be sent*	seolfar, lth 206
Sa Mhodh Coinníollach	*conditional: would be done*	dhéanfaí, lth 337
Sa Ghnáthláithreach	*is being polluted*	á thruailliú, lth 309
Ainm briathartha	*gerund (-ing)*	(ag) dul, fáil, oscailt, lth 62, 175
Caint indíreach nó claoninsint	*indirect speech*	Dúirt sé go bhfuair siad carr nua, lth 175
Forainm	*pronoun*	mé, tú, sé, siad
An chéad, dara pearsa	*1st, 2nd person*	mé, tú
Tríú pearsa	*3rd person*	sé, sí
Tuiseal Ginideach	*h = Genitive Case*	hata an fhir, lth 215, 254, 284, 431
Réamhfhocal	*preposition*	ar, faoi, ó, le, lth 137
Forainm réamhfhoclach	*prepositional pronoun*	orm, fút, dó, lth 137, 367

Na siombailí

 Labhairt

 Éisteacht

 Eolas fánach

Gramadach; Foclóir

 Léamh; Píosaí ceapadóireachta

 Meaitseáil

 Obair bheirte; Deis comhrá

 Obair ghrúpa

Obair idirlín

 Obair scríofa

Scrúdú

 Taighde

Mo Chlann

SAN AONAD SEO FOGHLAIMEOIDH TÚ:

Foghraíocht	An t-athrú fuaime a thagann le séimhiú
Gramadach	Uimhreacha Is/tá An Aidiacht Shealbhach
Tuiscint	Conas píosai cainte agus giotaí scríofa faoin gclann a thuiscint.
Labhairt	Conas labhairt faoi do chlann.
Aiste	'Saol an duine óig sa lá atá inniu ann'
Litríocht	An dán 'Colscaradh' le Pádraig Mac Suibhne.

Mo Chlann

Cúinne na fuaime: An t-athrú fuaime a thagann le séimhiú

Éist agus abair

Mír 1.1
T1

Litir	Séimhiú	Fuaim	Sampla	
B	BH	V nó W	bróg	mo bhróg
C	CH	CH (Gaelach)	cat	mo chat
D	DH	GH (le a,o,u)	deirfiúr	mo dheirfiúr
		Y (le i,e)	Dia	mo Dhia
F	FH		focal	m'fhocal
G	GH	GH	gairdín	a ghairdín
M	MH	V nó W	máthair	a mháthair
P	PH	F	peata	do pheata
S	SH	H	seanathair	do sheanathair
T	TH	H	teach	do theach

Cleachtadh éisteachta 1: mé féin/is mise...

Scríobh na píosaí seo i do chóipleabhar. Ansin éist agus líon na bearnaí.

Cainteoir 1

Mír 1.2
T2

Dia daoibh, is mise _____ agus táim _____ mbliana déag d'aois. Rugadh agus tógadh mé i _____. Tá _____ deartháireacha agam ach níl _____ deirfiúr agam. Is mise an t-aon _____ amháin sa chlann. Is é mo dheartháir _____ an duine is sine. Tá sé _____ mbliana déag d'aois agus tá sé _____. Is é _____ an duine is óige. Réitím go maith le mo _____.

Cainteoir 2

Mír 1.3
T3

Dia daoibh, Dearbhail ____ ainm dom agus táim seacht ____ déag d'aois. ___ i gCorcaigh agus tá ___ i mo theaghlach. _____ mise an duine ____ sine agus is é Diarmuid ____ duine is óige. Tá _____ cúig _____ déag d'aois. Tá sé ard agus tá gruaig _____ air. Is breá _____ spórt.

Cainteoir 3

Mír 1.4
T4

1. Cén aois í?
2. Cad as di?
3. Cé mhéad duine atá sa chlann?
4. Cé hiad an duine is sine agus an duine is óige sa chlann?
5. Tabhair píosa amháin eolais faoi dhuine acu.
6. An réitíonn sí leo?

An ghramadach i gcomhthéacs

1. Tabhair faoi deara

aon, dhá	bhliain	
trí, ceithre, cúig, sé	bliana	23: **trí bliana is fiche**
seacht, ocht, naoi, deich	mbliana	27: **seacht mbliana is fiche**
fiche, tríocha, céad	bliain	

Ceacht: Scríobh iad seo amach.
Mar shampla: 18 ocht mbliana déag

15, 6, 9, 11, 12, 17, 20, 25, 40. Scríobh aois gach duine i do chlann.

2. Is (Tá dhá bhriathar 'to be' i nGaeilge)

Tugtar **An Chopail** ar 'Is'
Is mise an duine is sine
Is **í** Máire an cailín is airde (cailín nó focal baininscneach)
Is **é** Fiachra an duine is cliste (buachaill nó focal firinscneach)

Ceacht: Scríobh abairtí leis an múnla céanna.
Mar shampla: Aoife/is sine: Is í Aoife an duine is sine

1. Mise/is óige
2. Mata/an t-ábhar/is fearr liom
3. Pól/is airde
4. Máire/an cailín/is lú
5. Grá/mothúchán/is láidre
6. Cian/dara duine is óige
7. Ólachán/an fhadhb /is mó
8. Corcaigh/an contae/is mó

Cleachtadh éisteachta 2: cad a dhéanann siad?

Éist leis na giotaí seo agus freagair na ceisteanna

1. Fíor nó bréagach?

Mír 1.5
T5

1. Tá Eoin níos óige ná a dheirfiúr Muireann.
2. Is é Pádraig an duine is sine.
3. Oibríonn a athair ar an bhfeirm agus is bean a' tí a mháthair.
4. Tá a theach suite faoin tuath.

2. Fíor nó bréagach?

Mír 1.6
T6

1. Cónaíonn Sorcha lena máthair.
2. Tá a deirfiúr ina cónaí i nGaillimh.
3. Is innealtóir a hathair.
4. Ba mhaith léi a bheith ina hiriseoir.

3. Freagair na ceisteanna

Mír 1.7
T7

1. Cad a tharla aréir?
2. Cén gaol atá idir Mánus agus Deirdre?
3. Cé eile atá gaolta leis?
4. Cá mbeidh an tsochraid ar siúl?

An ghramadach i gcomhthéacs

3. An tAinmfhocal

Bíonn ainmfhocail i nGaeilge baininscneach nó firinsneach.

- **Tar éis 'an'** bíonn **seimhiú** ar ainmfhocail bhaininscneacha.

Baininscneach	Firinscneach
An b**h**ean An c**h**lann	An fear An múinteoir (fiú más bean an múinteoir)

- **Ní bhíonn séimhiú ar fhocail** a thosaíonn le d, n, t nó l. Tugtar 'dentals' orthu seo.

Baininscneach	Firinscneach
An tír An duilleog	An teach An doras

- **Tar éis 'an'** bíonn **'t'** roimh **ainmfhocal firinscneach a thosaíonn le guta.**

Baininscneach	Firinscneach
An áit An iníon	An t-údar An t-athair

- **Tar éis 'an'** bíonn **'t'** roimh **ainmfhocal baininscneach a thosaíonn le 's'.**

Baininscneach	Firinscneach
An tseachtain An tsráid	An siopa An saibhreas

Tabhair faoi deara

Níl aon **'a'** sa Ghaeilge:

a poet = file

the poet = **an** file

Faigh amach an bhfuil na focail seo baininscneach nó firinscneach. Féach ar www.focal.ie nó i d'fhoclóir agus scríobh na focail bhaininscneacha i gcolún amháin agus na focail fhirinscneacha i gcolún eile.

Cuir **'an'** rompu agus déan pé athrú is gá:

ábhar	contae	deirfiúr	feirm tuath
iníon	baile	máthair	innealtóir
scoil	clann	athair	iriseoir
áit	teaghlach	deartháir	sochraid

Eolas Fánach

Deirtear 'Ar dheis Dé go raibh a anam uasal' nó 'Go ndéana Dia trócaire ar a anam' nuair a fhaigheann duine bás. Is féidir é seo a scríobh ar chárta cuimhneacháin.

Cleachtadh éisteachta 3: Pádraig

Mír 1.8
T8

Éist agus líon na bearnaí.

Seo Pádraig. Tá sé naoi ______ déag d'aois. Tá gruaig _______ air agus tá súile gorma aige. Is mac ______ é in Ollscoil Luimnigh agus tá sé sa dara _______ i gcúrsa Eolaíocht ________. Nuair a bhaineann sé an ______ amach, ba mhaith leis _______ feirmeoireacht agus feirm a athar a _______. Tá spéis aige sa chomhshaol agus sa cheol traidisiúnta. Is breá leis spórt freisin agus ______ sé ar ________ peile an Choláiste. Is duine stuama, ________ é agus réitíonn sé go maith ________ gach duine.

bliain • fhionn • mbliana • léinn • séimh
fhorbairt • macánta • imríonn • dul le
Thalmhaíochta • fhoireann • le • chéim

Faigh agus Foghlaim

Faigh trí fhocal bhaininscneacha agus trí fhocal fhirinscneacha.

An ghramadach i gcomhthéacs

1. Séimhiú nó urú

Cén fáth a bhfuil séimhiú nó urú ar na focail 'fionn' agus 'ceol' agus 'foireann'?

i. Bíonn **séimhiú** ar aidiacht tar éis ainmfhocal atá baininscneach: bean m**h**ór/ gruaig f**h**ionn.

ii. Bíonn séimhiú tar éis **'sa' (ach amháin d, n, t, s – 'dentals'): sa** c**h**eol.

iii. Bíonn **séimhiú tar éis réamhfhocail** (ach amháin ag, as, chuig, le, go): ar f**h**oireann.

Féach Fócas ar an nGramadach (séimhiú agus urú) lth 430

2. An Chopail

Úsáidtear **'is'** le h**ainmfhocal**	Is mac léinn é.
Úsáidtear **'tá'** le h**aidiacht**	Tá sé cliste.

Is féidir aidiacht a chur leis an ainmfhocal: Is mac léinn cliste é.

Ceacht

Úsáid na haidiachtaí seo a leanas chun dhá abairt a chumadh.

Mar shampla: Is duine stuama é Pól. Tá Pól stuama.

cainteach	cineálta	gealgháireach	lách
cantalach	fuinniúil	greannmhar	macánta
mífhoighneach	gníomhach		

Cleachtadh scríofa

Déan cur síos ar dhaoine i do theaghlach féin.

Deis comhrá

Tabhair grianghraif isteach agus inis don rang fúthu. Cuir ceisteanna ar nós:

- Cé hé sin?
- Cén aois é/í? Cá bhfuil sé/sí sa teaghlach?
- Cár rugadh é/í?
- Cá bhfuil sé/sí ina chónaí (Cá bhfuil sé/sí ag cur faoi?)
- Cad atá á dhéanamh aige/aici?
- Cad ba mhaith leis/léi a dhéanamh? Céard is maith leis/léi?
  Céard a dhéanann sé/sí mar chaitheamh aimsire? Cén sórt duine é/í?

An Aidiacht Shealbhach

Séimhiú tar éis **mo, do agus a *(his)***

Mo d**h**eirfiúr	Do d**h**eirfiúr	A d**h**eirfiúr

Urú tar éis **ár, bhur agus a *(their)***

ár **n**deirfiúr	bhur **n**deirfiúr	a **n**deirfiúr

Nuair a thosaíonn focal le **guta**

M'athair/ár **n-**athair/d'athair/bhur **n-**athair/a athair *(his)*/a **n-**athair/a **h**athair (*her*)

Tabhair aire!

his	a d**h**eirfiúr	a athair
her	a deirfiúr	a **h**athair
their	a **n**deirfiúr	a **n-**athair

Ceacht 1

Aistrigh go Gaeilge agus cuir séimhiú/urú mar is gá.

my brother	his grandmother	my cousin
your *(singular)* sister	her mother	your *(plural)* house
our father	his sister	her brother

Ceacht 2

Athscríobh ag cur 'is' nó 'tá' san áit chuí. Cuir isteach séimhiú/urú nuair is gá freisin.

_____ é mo deartháir Pól an duine is sine sa chlann. _____ mo deirfiúr Ciara sa lár agus _____ mise an duine is óige. _____ a seomra féin ag Pól ach roinnimse mo seomra le Ciara. Tá seomra ár tuismitheoirí an-mhór. _____ é Bran ár peata madra. Tá madra ag ár comharsain freisin. Tá a madra i bhfad níos mó ná Bran agus tagann sé isteach inár ngairdín go minic.

An teaghlach sínte!

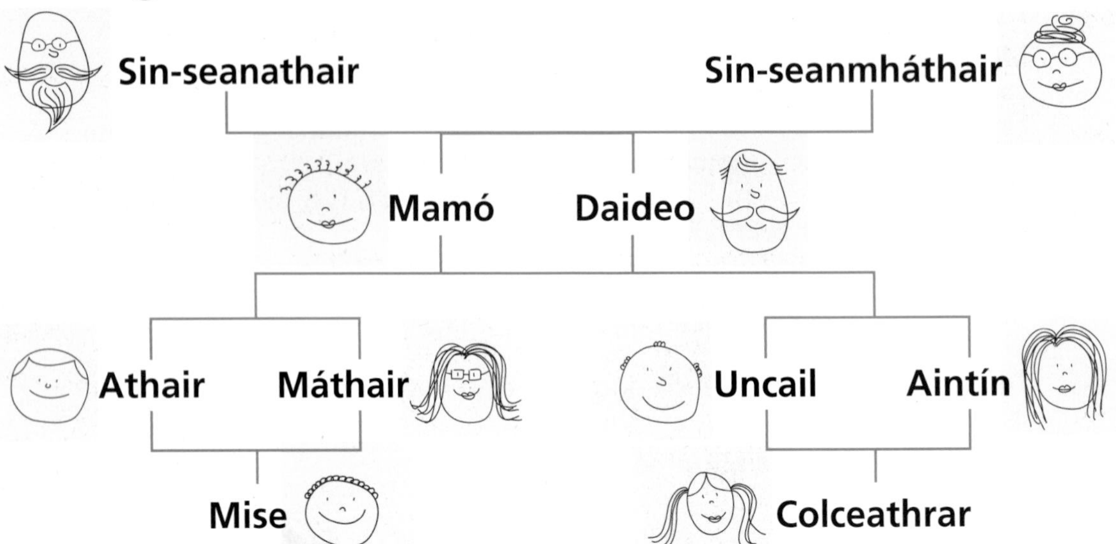

Máthair
Seanmháthair (nó máthair mhór nó mamó)
Athair
Seanathair (nó athair mór nó daideo)
Sin-seanathair
Mac/iníon
Garmhac/gariníon
Aintín/uncail
Nia/neacht
Col ceathrar/col ceathracha/col seisear/col ochtar
Máthair chéile/athair céile

Iníon chéile
Cliamhain*
Deirfiúr chéile/deartháir chéile
Leasmháthair/leasathair
Leasdeirfiúr/leathdheartháir/leathdheirfiúr/teaghlach cumaisc (*blended family*)
Máthair/athair baiste

Eolas Fánach!

Cliamhain

Tagann seo ón bhfocal 'cleamhnas' nó 'cleamhnaithe' a chiallaíonn gaolta trí phósadh. Fadó, dheintí 'cleamhnas' (*match*) do dhaoine. Shocraíodh na tuismitheoirí cleamhnas idir beirt daoine óga. Uaireanta **ní bhíodh an dara rogha** ag cailín ach an fear a roghnaigh a tuismitheoirí di a phósadh! Baineann an t-amhrán 'Téir abhaile Riú' le cleamhnas. (Tá sé le fáil ar YouTube). San amhrán, ní theastaíonn ón gcailín an píobaire a phósadh ('Níl mo mhargadh déanta') ach tá an cleamhnas déanta (pós an píobaire 's / Téir abhaile mar tá do mhargadh déanta').

Cúinne na fuaime

Cuir 'Mo' roimh gach focal thall agus abair os ard é: mo mhamó, mo sheanmháthair, srl. Anois cuir 'a' (*her*), a (*his*) agus 'a' (*their*) rompu agus athraigh an fhuaim mar is gá.

Cleachtadh éisteachta 4: caidreamh clainne

Mír 1.9
T9

Féach ar an bpictiúr thíos agus éist leis an taifeadadh.

1. Cad is ainm d'fhear céile Anna?
2. Cé atá Sarah pósta le?
3. Cé mhéad páistí atá ag Alison
4. Cad is ainm do mhac Alison?
5. Cén aois a hiníon Nóra?
6. Cá gcónaíonn Naomi?
7. Cad is ainm do pháistí Naomi?
8. Cé atá in aice leis an mbrídeog?

Deis comhrá

Tabhair grianghraif de bhainis isteach agus bíodh comhrá agaibh faoi bhur dteaghlach sínte. Cé hí sin? Sin mo sheanmháthair, srl.

Clann Anna

Réitím go maith le mo dheirfiúr mhór Anna, ach ní réitím in aon chor le mo dheirfiúr óg, Siobhán. Cuireann sí déistin orm. Bíonn sí i gcónaí ag tógáil mo chuid stuif agus ní chuireann sí riamh ar ais é. Má deirim aon rud léi ritheann sí go Mamaí ag insint scéalta. Cuireann sí soir mé!

Is minic a bhíonn aighneas idir mé féin agus mo dheartháir Niall. Níl sé ach bliain amháin níos sine ná mé ach ceapann sé gur féidir leis bheith ag ordú orm mar is mian leis. Bíonn raic mhór sa teach nuair a thagann sé abhaile ón gcoláiste ag an deireadh seachtaine. Tá gaol níos fearr agam le mo dheartháir óg Colm. Ar an iomlán réitímid go maith le chéile cé go mbíonn argóintí againn faoi chláir theilifíse ó am go chéile.

Cuireann mo mháthair olc orm! Ní ligeann sí dom aon rud a dhéanamh riamh. Bíonn cead ag mo chairde go léir dul amach ag an deireadh seachtaine ach ní bhíonn cead agamsa dul in aon áit riamh. Is fuath liom í! Tá sí ag milleadh mo shaoil!

Réitím go maith le m'athair cé go mbíonn aighneas eadrainn anois is arís faoi rudaí ar nós spóirt nó obair tí. Leanann seisean foireann rugbaí na Mumhan mar is as Luimneach dó agus leanaimse foireann Laighean. Is minic a bhíonn argóintí againn faoi ag an mbord agus cuirimid déistin cheart ar Mham! Ach ní mhaireann an t-aighneas i bhfad.

Cleachtadh scríofa

1. An réitíonn tú go maith le gach duine i do theaghlach?
2. An mbíonn aighneas eadraibh riamh?
3. Cad a bhíonn sibh ag argóint faoi?
4. An gcuireann aon duine acu déistin ort riamh? Cén fáth?

Scrúdú béil: agallamh: Mo chlann

Mír 1.10 T10

Éist leis an gcomhrá seo.

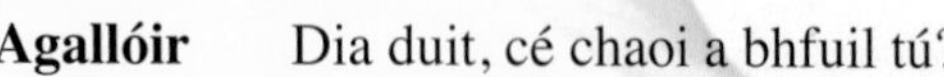

Agallóir	Dia duit, cé chaoi a bhfuil tú?
Sadhbh	Dia is Muire duit. Táim go maith, go raibh maith agat, conas atá tú féin?
Agallóir	Go maith, Inis dom, cad is ainm duit?
Sadhbh	Sadhbh Ní Lochnáin is ainm dom.
Agallóir	An-mhaith. Cén aois tú, a Shadhbh?
Sadhbh	Táim ocht mbliana déag d'aois.
Agallóir	Cad é do dháta breithe?

Sadhbh Rugadh mé ar an dara lá is fiche de mhí Feabhra, míle naoi gcéad nócha a sé.

Agallóir Cad é an seoladh atá agat?

Sadhbh 15 Bóthar na Beithe, Droim Conrach, Baile Átha Cliath 7.

Agallóir Agus cad é do scrúduimhir?

Sadhbh 156094.

Agallóir Iontach, anois inis dom faoi do theaghlach.

Sadhbh Tá beirt deirfiúracha agam, Anna agus Molly, ach níl aon deartháir agam. Is mise an dara duine is sine. Is í Anna an duine is sine agus is í Molly an duine is óige. Réitím go maith leo beirt, **cé go gcuireann Molly déistin orm uaireanta**! Tá Anna fiche bliain d'aois agus tá sí ar an ollscoil i nGaillimh. Tá Molly trí bliana déag d'aois agus tá sí sa chéad bhliain sa mheánscoil anois.

Agallóir Ar fheabhas ar fad. Anois, **an bhféadfá** cur síos a dhéanamh dom ar d**h**uine éigin i do theaghlach?

Sadhbh Cinnte. Tá Anna **cuíosach** ard – níos airde ná mise, **pé scéal é**. Tá sí **tuairim is** aon mhéadar ochtó, nó cúig t**h**roigh naoi n-orlach. Tá gruaig fhada dhonn uirthi agus tá súile gorma aici. Is duine lách, cineálta í agus **ní haon ionadh** go **bhfuil** sí **ag dul le** banaltracht ar an ollscoil. Tá sí **ag siúl amach** le buachaill ó Shligeach **le bliain anuas**. Tá **seisean** an-deas freisin.

Agallóir Agus abair liom, cad iad na rudaí a chuireann déistin ort faoi Mholly?

Sadhbh **Bhuel, ar an gcéad dul síos**, tagann sí isteach i mo s*h*eomra uaireanta gan chead agus tógann sí stuif uaim – smidiú nó éadaí liom, nó iris, b'fhéidir. Freisin, ó tharla gurb í an duine is óige í, is peata críochnaithe í. Bíonn cead aici fanacht ina suí mall ag féachaint ar an teilifís, cé go raibh ormsa dul a chodladh go luath nuair a bhí mise sa c*h*éad bhliain. Chomh maith leis sin, má bhímse ag tabhairt íde béil di, tagann Mam á cosaint i gcónaí, fiú nuair a bhíonn cúis mhaith agam le bheith ag gearán.

Faigh agus foghlaim

Faigh amach cad is ciall leis na nathanna aibhsithe agus scríobh i do chóipleabhar iad. Úsáid iad, más féidir leat, i do fhreagraí.

Ceisteanna

1. Cén aois í Sadhbh?
2. Cé mhéad deartháir agus deirfiúr atá aici?
3. Cé hí an duine is sine?
4. Cá háit sa chlann a bhfuil Sadhbh?
5. Déan cur síos ar Anna.
6. Conas mar a réitíonn Sadhbh le hAnna agus le Molly?
7. Cén fáth a bhfuil séimhiú ar 'gruaig dhonn' agus 'ó Shligeach'?

Ullmhú don scrúdú béil

Anois scríobh na ceisteanna i do chóipleabhar agus tabhair do fhreagra féin orthu.

Sliocht as 'An Nollaig Thiar' le Breandán Ó hEithir

Cuimhní cinn ar an éad a bhí ar an údar nuair a rugadh a dheirfiúr óg agus ar an gcaoi ar shocraigh sé í a mharú le piobar!

D'éirigh mé chomh tuirseach den chur isteach seo ar mo shaol gur shocraigh mé mo dheirfiúr a mharú. Piobar an uirlis a thogh mé, ar chúis éigin nach dtuigim anois. Lá dá raibh an cailín a bhí ag tabhairt aire dúinn amuigh ag cur éadaí á dtriomú, thóg mé an pota piobair den drisiúr agus d'fholmhaigh i mullach Mháirín sa gcliabhán é. Ba ghearr go raibh aiféala orm. Thosaigh Máirín ag síonaíl agus ag sraothairt agus tháinig an cailín isteach faoi dheifir. Nuair a chonaic sí céard a bhí déanta agam bhagair sise mise a mharú chomh luath agus a bheadh an páiste nite agus suaimhnithe aici. Ormsa a bhí an faitíos anois. Thuigeas go rabhas imithe thar fóir agus d'impigh mé ar an gcailín gan insint do mo thuismitheoirí orm. Nuair a bhí Máirín suaimhnithe aici gheall sí dom nach n-inseodh, dá mbeinn umhal di as sin amach. Mura mbeinn, d'inseodh sí orm ar an toirt é.

Mar a thit amach, b'éigean di scéala a dhéanamh orm mar bhí súile Mháirín ataithe de bharr an phiobair agus theastaigh ó mo mháthair a fháil amach cén t-údar a bhí leis. Aisteach go leor, cé gur cuimhin liom gach uile rud i dtaobh na heachtra go dtí an pointe seo, níl cuimhne dá laghad agam ar céard a thit amach nuair a fuair mo mháthair amach céard a bhí déanta agam. Caithfidh sé nach raibh sé ródhona nó chuimhneoinn air.

Nuair a tháinig caint do Mháirín léirigh sí go raibh intinn dá cuid féin aici. Níor thaispeáin sí ómós ar bith do na ceithre bliana a bhí agam uirthi, ná don ghaois go léir a bhí bailithe agam lena linn. Dá bharr sin a d'inis mé di, teacht na Nollag agus sinn ag caint ar bhronntanais. Bhí an t-eolas seo in ainm is a bheith ina rún ach níorbh fhada a d'fhan sé amhlaidh. Chuaigh sí caol díreach chuig mo mháthair agus d'fhiafraigh di an insint na fírinne nó ag déanamh na mbréag a bhí mise. Ba bheag nár thit an t-aer ar an talamh ina dhiaidh sin. Bhí an t-ádh liom go raibh Nollaig ar bith agam an bhliain úd.

Ceisteanna

1. Cad a shocraigh sé a dhéanamh?
2. Cén fáth go raibh aiféala air?
3. Cén fáth go mb'éigean don chailín insint dá mháthair?
4. Cad a d'inis sé dá dheirfiúr teacht na Nollag?
5. Cén sort gaoil a bhí aige lena dheirfiúr óg?
6. Cén cineál scríbhneoireachta é seo?

Féach Cineálacha scríbhneoireachta, lth 452

Meaitseáil

Meaitseáil A le B agus scríobh an dá leagan i do leabhar nótaí agus foghlaim

A	B
ina pheata	gliondar
tá cuimhne agam ar	millte
tharla sé	níor thug sí aon aird orm
leaba do leanbh	ar an toirt
ar eagla go	údar aiféala
d'iarr	feithid
bhí uirthi	ar fhaitíos go
níor bhac sí liom	cliabhán
ar an bpointe boise	d'éiligh
áthas	thar fóir
cúis bhróin a bheith ort	b'éigean di
cuileog nó seangán mar shampla	thit sé amach
an iomarca	is cuimhin liom

Deis comhrá

An cuimhin leat nuair a rugadh do dheartháir nó do dheirfiúr? Cén aois a bhí tú? Conas mar a bhraith tú? An raibh tú riamh in éad le do dheirfiúr nó le do dheartháir? Cén fáth?

Cleachtadh scríofa

Téigh go lth 443. Tá treoir ann chun scéal a scríobh.

Scríobh scéal leis an teideal: 'Éad' nó 'Filleann an feall ar an bhfeallaire'.

Féach lth 452 le haghaidh bhrí an tseanfhocail.

An tairbhe a bhaineann le béile le chéile ...

1. **De réir an taighde is déanaí, tá seans níos lú ann go rachaidh** páistí as clanna a shuíonn síos ag ithe béilí le chéile i muinín na ndrugaí nó an alcóil. **Anuas air sin, deir na saineolaithe** gur lú an seans go mbeidh meabhairghalar orthu agus is cosúil go n-éiríonn níos fearr leo ar scoil freisin! **Más fíor, is fiú go mór** suí síos chun boird le do chlann **ar a laghad** uair amháin i rith an lae. Ach, **ar ndóigh, is minic sa lá atá inniu ann go** mbímíd róghnóthach leis sin a dhéanamh. Itheann páistí i dteach an fheighlí linbh b'fhéidir, agus itheann na tuismitheoirí nuair a thagann siad abhaile ón obair.

2. Ach cén fáth **a bhfuil tairbhe ag baint le béile le chéile, meas tú? Ar an gcéad dul síos tugann sé deis do** pháistí labhairt lena dtuistí faoinar tharla i rith an lae. **Seans gurb é seo** an t-aon uair amháin a bhíonn deis acu labhairt le chéile. Má bhíonn aon rud ag cur isteach ar an bpáiste is féidir é a phlé ag an mbord. Deis is ea é do thuismitheoirí éisteacht lena bpáistí agus **comhairle a thabhairt** dóibh.

3. **Tá buntáistí eile ag baint leis freisin. Dar leis na** saineolaithe, foghlaimíonn páistí conas bia a ithe agus faoin sórt bia ar chóir a ithe óna dtuistí, a bhíonn mar eiseamláirí acu. Drochnós is ea é béile 'éagsúil' a ullmhú do pháistí óga mar **ní rachaidh siad i dtaithí ar** ghnáthbhéilí riamh. **Tá sé de nós** ag roinnt tuismitheoirí sceallóga agus ispíní a ullmhú do na páistí mar nach n-íosfaidh siad an béile atá ullmhaithe dóibh. Ach **moltar** gan é sin a dhéanamh. Foghlaimíonn páistí óga béasa boird freisin agus conas forc agus scian a úsáid ó bheith ag féachaint ar a dtuismitheoirí.

4. Cabhraíonn béilí le chéile freisin chun an páiste a shóisialú. Foghlaimíonn páistí agus déagóirí conas éisteacht lena chéile, conas tuairim a thabhairt agus a chosaint b'fhéidir, conas moltaí nó comhairle a thabhairt, conas argóint a láimhsiú – na scileanna go léir atá ag teastáil chun bheith ag deileáil le daoine. **Moltar** páistí a spreagadh chun cabhrú le béilí a réiteach freisin, an bord a ullmhú agus glanadh suas ina dhiaidh. Mar sin, má tá tú ag iarraidh 'quality time with the kids' a chothú, níl am ar bith níos fearr ná am dinnéir!

Faigh agus foghlaim

1. Faigh agus foghlaim focail sa téacs thuas a chiallaíonn: buntáiste, daoine le saineolas, seans, cleachtadh a fháil ar, gnás nó cleachtas, tugtar comhairle do, an gceapann tú.
2. Scríobh na nathanna aibhsithe isteach i do leabhar nótaí, foghlaim agus cuir in abairtí iad.

Ceisteanna

1. (a) Luaigh dhá rud a deir an taighde is déanaí faoi bhéilí clainne.
   (b) Cén fáth a bhfuil sé deacair béile le chéile a eagrú? (Alt 1)
2. (a) Cén tairbhe a bhaineann leis?
   (b) Tabhair dhá shampla den aidiacht shealbhach. (Alt 2)
3. (a) Ainmnigh dhá rud a fhoghlaimíonn páistí óna dtuismitheoirí.
   (b) Cad a mholtar gan a dhéanamh agus cén fáth? (Alt 3)
4. (a) Cén sórt scileanna sóisialta a fhoghlaimíonn páistí?
   (b) Cén chomhairle eile a thugtar do thuismitheoirí?
   (c) Cén sórt slí bheatha atá ag údar an ailt seo, dar leat? (is leor 5 abairt mar fhreagra) (Alt 4)

Deis comhrá

- An itheann sibh le chéile sa bhaile?
- An itheann sibh go léir an bia céanna?
- An mbíonn argóintí agaibh ag an mbord?
- An réitíonn tú an dinnéar riamh? Cad é an béile is fearr leat?
- An réitíonn tú an bord riamh?
- Cé a ghlanann an bord tar éis an dinnéir?
- Cad a labhraíonn sibh faoi ag an mbord?
- An aontaíonn tú le húdar an phíosa seo?

Obair bheirte: rólghlacadh

Déan rólghlacadh le daltaí eile de theaghlach ag caint ag am dinnéir.

Dán faoi scarúint: Colscaradh

Réamhrá

Tá athrú mór tagtha ar an teaghlach in Éirinn le caoga bliain anuas. An rud is suntasaí faoin lá inniu ná go bhfuil an colscaradh dleathach anois agus go bhfuil teaghlaigh chumaisc (*blended families*) níos coitianta.

An gceapann tú go bhfuil tionchar aige seo ar an tsochaí? Cén sórt tionchair é?

Léigh an dán seo a leanas agus pléigh an téama.

Mír 1.11
T11

Colscaradh

Shantaigh *sé bean*
i nead ***a chine***
faoiseamh *is* ***gean***
ar ***leac a thine,***
aiteas *is greann*
i ***dtógáil chlainne.***

Shantaigh sí fear
is taobh den bhríste,
dídean *is* ***searc***
is leath den chíste,
saoire thar lear
is ***meas*** *na mílte.*

Thángthas ar ***réiteach.***
Scaradar.

Leagan próis

Theastaigh bean uaidh
Óna cheantar dúchais
Scíth agus grá
Cois tine
Spórt agus spraoi
Lena bpáistí óga
Theastaigh fear uaithi
Agus comhionannas sa phósadh
Teach agus grá
Agus leath den airgead
Laethanta saoire thar sáile
Agus stádas sa phobal
Réitigh siad an fhadhb
Shocraigh siad scarúint.

Foclóir

Shantaigh *desired/coveted*
a chine *his race*
faoiseamh *relief*
gean grá *affection*
leac a thine *fireside*
aiteas *fun*
tógáil *raising a family*
dídean *shelter*
searc grá, *love*
meas *respect*
réiteach *solution*

Cúinne na fuaime

Téigh tríd an dán agus cuir líne faoi gach séimhiú. Abair i gceart é. Léigh an dán cúpla uair os ard ag athrú fuaime nuair a bhíonn séimhiú ann.

Ar an gcéad léamh

1. Cad atá á lorg ag an bhfear sa chéad véarsa?
2. Cad atá á lorg ag an mbean sa dara véarsa?
3. An bhfuil siad ag súil le rudaí éagsúla ón bpósadh?
4. I do thuairimse, cén sórt duine é an fear sa dán seo? Cén sórt duine í an bhean? Déan cur síos orthu. Mínigh cén fáth a gceapann tú é sin.
5. An dóigh leat go bhféadfadh pósadh sona a bheith acu? Cén fáth?
6. An gceapann tú gur réiteach maith é scarúint?
7. Cad é meon an fhile i leith an cholscartha, dar leat? An aontaíonn tú leis?
8. An maith leat an dán seo? Cén fáth?

Fíricí faoin bhfile

http://www.educate.ie/próifíl

Pádraig Mac Suibhne

Ar líne 11:15am

Rugadh Pádraig Mac Suibhne in Ard a' Rátha i gCo. Dhún na nGall. Is múinteoir, file agus scríbhneoir é a bhfuil dúil mhór sa drámaíocht agus san aisteoireacht aige. Tá trí chnuasach filíochta agus cúpla cnuasach gearrscéalta foilsithe aige. Tagann an dán seo as an gcnuasach *Solas Uaigneach.*

Nótaí ar an dán

Teideal an dáin

Réiteach dlí is ea colscaradh a ligeann do bheirt a bhí pósta (lánúin) scarúint ó chéile go buan. Focal atá **go mór i mbéal an phobail** is ea é. **Is minic trácht ar** cholscaradh i measc réaltaí scannáin agus daoine cáiliúla **na linne seo** agus tá sé **níos forleithne anois ná mar a bhíodh** sa tír.

Ábhar an dáin

Déanann an file cur síos sa dán ar an tslí ina mbíonn tuairimí éagsúla ag daoine ar an bpósadh agus nuair a bhíonn tuairimí éagsúla ag lánúin is minic a scarann siad **dá bharr**.

An rud is suntasaí faoin dán seo ná go bpléann sé ábhar tromchúiseach (serious) ar bhealach éadrom. **Tá codarsnacht idir** meadaracht éadrom, leanbaí an dáin **agus** ábhar an dáin. **Athraítear** an mheadaracht sa dá líne dheireanacha nuair a thagann an réiteach (colscaradh) **aniar aduaidh*** orainn.

Cleachtadh scríofa

Cad is ciall leis na nathanna aibhsithe?

Eolas fánach

*Tagann sé aniar aduaidh orainn (*takes us by surprise/happens unexpectedly*)

Tá an nath cainte seo bunaithe ar an ngaoth. De ghnáth, in Éirinn is í an ghaoth aniar aneas (*southwesterly wind*) an ghaoth is coitianta – éist le tuar na haimsire agus cloisfidh tú caint faoi go minic. Sa gheimhreadh tagann gaoth anoir aduaidh (*northeasterly*), ach is annamh a shéideann gaoth **aniar aduaidh** (*northwesterly*).
Mar sin, nuair a shéideann gaoth aniar aduaidh is rud neamhghnách, gan choinne (*unexpected*) é.

Téama an dáin

Na luachanna agus na mianta éagsúla a bhíonn ag fear agus bean i leith an phósta is téama don dán seo.

Mothúcháin

Tá an dúil le brath sa dán. Tosaíonn an dá véarsa leis an mbriathar 'Shantaigh' rud a chuireann cíocras (*eagerness, greed*) agus mian (*desire*) in iúl. (Ciallaíonn 'santach' *greedy*). Sa chéad véarsa tá súil ag an bhfear go bhfaighidh sé grá, sonas agus páistí ón bpósadh. Ba mhaith leis go mbeadh spórt agus spraoi acu ag tógáil páistí, 'aiteas agus greann / i dtógáil clainne'. Ba mhaith leis duine dá mhuintir féin: 'Shantaigh sé bean i nead a chine'. Tá **grá**, cion, scíth agus síocháin ag teastáil uaidh sa phósadh, 'faoiseamh is gean ar leac a thine'.

Sa dara véarsa, feicimid go bhfuil **grá** ag teastáil ón mbean, leis, ach gur mhaith léi **stádas agus maoin** a bheith aici, freisin.

Ba mhaith léi bheith ar comhchéim lena fear céile, 'taobh den bhríste'. Tá sí ag lorg tearmainn agus grá, 'dídean is searc'. Ach chomh maith leis sin tá sí ag lorg saibhris agus maoine, 'leath den chíste, saoire thar lear'. Tá sí ag lorg stádais sa phósadh freisin: 'meas na mílte'.Tá tnúthán le brath. Tá an bheirt ag tnúth le rudaí éagsúla sa saol. Ach níl na gnáth-mhothúcháin a shamhlaimíd leis an gcolscaradh le brath sa dán seo in aon chor. Níl uaigneas, brón ná fiú fuath ná fearg le brath. Níl aon mhothúcháin chasta á gcur in iúl. Tuigtear gur comhréiteach sásúil é an colscaradh. Socraíonn an bheirt acu scaradh. Mar sin féin, níl aon mhothúcháin doimhin le brath sa dán, ná léiriú ar aon mhothúchán eatarthu – olc nó maith – mar lánúin.

Ceisteanna

1. Cad é téama an dáin agus conas mar a chuirtear os ár gcomhair é?
2. Scríobh nóta ar na mothúcháin a léirítear sa dán seo.

Teicníochtaí filíochta

Íomhánna

Sa chéad véarsa tá íomhá de lánúin phósta shona. Seo an íomhá atá ag an bhfear den phósadh: bean óna chine agus a chultúr féin, teach teolaí, grá agus sonas agus páistí. Seo é an aisling atá aige den phósadh. Is léir gur brionglóid eile ar fad atá ag an mbean sa dara véarsa. Tá sise ag lorg maoine, stádais agus slí bheatha chompordach. Aisteach go leor, níl aon trácht ar pháistí ina brionglóid siúd. Tá luachanna eile aici, agus tá go leor béime ar an ábharachas. **Léirítear** an bhean mar 'Material Girl': bean nua-aimseartha atá ag lorg comhchéime, 'leath den bhríste agus stádas / meas na mílte', chomh maith le maoin an tsaoil, 'Leath den chíste / saoire thar lear'.

Cuirtear íomhá de lánúin óg, neamhaibí ós ár gcomhair, daoine a bhíonn ag iarraidh a mianta féin a shásamh, ach nach smaoiníonn ar mhianta a bpáirtí. **Déantar** cur síos ar chaidreamh éadoimhin, neamhshubstaintiúil, idir beirt, a chríochnaíonn le socrú simplí: socraíonn siad scaradh nuair a thuigeann siad go bhfuil mianta éagsúla acu.

An ghramadach i gcomhthéacs

Tugtar 'saorbhriathar' (*passive form)*: ar na briathra atá **aibhsithe**
Cuir**tear** *is placed*
Déantar cur síos ar *is described*
Léirítear *is portrayed*

Siombailí/meafair

Is siombail é an 'nead' ar an mbaile, ar an dúchas.

Is siombail é 'taobh den bhríste' ar an gcomhionnanas agus cothroime idir lánúin.

Is siombail í an 'chíste' ar an airgead agus ar mhaoin an tsaoil agus an 'tsaoire thar lear' ar an saol sofaisticiúil mean-aicmeach.

Friotal

Baineann an file úsáid as friotal atá simplí, gonta. Tá codarsnacht idir an téama dáiríre go leor atá idir lámha aige, agus na focail shimplí, pháistiúla fiú, a mbaineann sé úsáid astu: nead; bríste; císte. Tá sé suimiúil go n-úsáideann sé an focal 'shantaigh' ag tús an dá véarsa, rud a thugann le fios dúinn go bhfuil an bheirt beagán leithleasach, b'fhéidir. Ní deir sé 'Theastaigh bean uaidh', mar shampla. Tá 'Shantaigh sé' níos láidre: cuireann sé ainmhí i gcuimhne dúinn, nó duine santach. Tá an dá líne dheireanacha scartha amach, ag léiriú an scartha go fisiciúil.

Codarsnacht

Tá codarsnacht idir: mianta an fhir agus mianta na mná. Ba mhaith leis an bhfear bean ghrámhar sa bhaile, ina áit dhúchais 'i nead a chine' agus clann pháistí.

Tá an bhean ag lorg saibhris, stádais agus slí shofaisticiúil maireachtála. Tá sé soiléir go bhfuil siad ag lorg rudaí éagsúla ón gcaidreamh agus ní haon ionadh mar sin go socraíonn siad scaradh.

An ghramadach i gcomhthéacs

Úsáidtear an Tuiseal Ginideach chun 'of' 'nó 's a rá:

An fear **ach** mianta **an fhir** *the man*'**s** *desires*

An bhean **ach** mianta **na mná** *the woman*'**s** *desires*

Meadaracht

Tá meadaracht rialta ag an dán seo. Tá sé líne sa chéad dá véarsa, dhá bhuille i ngach líne agus comhfhuaim dheiridh idir gach dara líne síos tríd, go dtí an dá líne dheireanacha, 'bean / gean / greann'; 'cine / tine / clainne'; 'bríste / císte / mílte'; 'Fear / lear / searc'. Tá sé cosúil le rann do pháistí go dtí an dá líne dheireanacha. Ansin briseann an mheadaracht nuair a scriostar an aisling agus nuair a scarann siad. Tá éifeacht ag baint leis an tslí ina n-úsáidtear an mheadaracht chun ábhar an dáin a chur in iúl. Tá codarsnacht idir an mheadaracht éadrom agus an t-ábhar dáiríre.

Dearcadh an fhile

Is léir gur dearcadh éadrom, neamhdhoimhin atá ag an bhfile i leith an cholscartha. Ní théann sé ródhoimhin isteach sa scéal. Ach léiríonn sé go mbíonn daoine ag súil le rudaí difriúla uaireanta i gcaidreamh pósta.

Freagraí scrúduithe samplacha

Ceist shamplach 1

'Scríobh nóta gairid ar an gcaoi a ndeachaigh an dán seo i gcion ort.'

Plean

1. **Tús**: conas mar a chuaigh an dán i gcion ort, na teicníochtaí a chuaigh i bhfeidhm ort.
2. **Codarsnacht idir an fear agus an bhean**: na físeanna difriúla atá ag an bhfear agus ag an mbean den phósadh. Véarsa a haon: mianta an fhir, véarsa a dó: mianta na mná.
3. **An mheadaracht**: an rím rialta, comhfhuaim, an dá líne dheireanacha.
4. **Críoch**: achoimre ghairid ar do phointí agus ar do thuairim.

Freagra samplach 1

Chuaigh an dán seo i gcion orm i mórán bealaí Thaitin an chodarsnacht idir dearcadh an fhir agus dearcadh na mná liom. Chuaigh an mheadaracht i bhfeidhm orm freisin.

Sa chéad véarsa, feicimid go bhfuil an fear ag lorg mná óna áit dhúchais féin 'i nead a chine'. Tá sé ag lorg mná a thabharfaidh grá dó agus a chothóidh é, 'faoiseamh is gean / ar leac a thine'. Tá sé ag lorg clainne freisin. De ghnáth, is í an bhean a bhíonn ag lorg na nithe seo, nó ar a laghad sin an steiréitíopa, ach sa chás seo, is é an fear atá ag lorg páistí, agus tá an bhean ag lorg cumhachta, 'taobh den bhríste', stádais, 'meas na mílte' agus maoin an tsaoil, 'leath den chíste / saoire thar lear'. Is léir gur bean nua-aimseartha ise siúd agus gur fear traidisiúnta eisean.

Ar an dara dul síos, chuaigh an mheadaracht i bhfeidhm go mór orm. Tá sé símplí, taitneamhach agus tá comhfhuaim idir gach dara líne. Tá an mheadaracht éadrom, leanbaí cosúil le rann do pháistí. Tá codarsnacht idir an mheadaracht leanbaí agus an téama dáiríre. Tá an mheadaracht rialta síos tríd go dtí an dá líne dheireanacha. Briseann an file an mheadaracht rialta nuair a luann sé colscaradh. Tá an mheadaracht in oiriúint don ábhar.

Úsáideann an file friotal gonta, símplí ach tá sé an-éifeachtach. Is maith liom an tslí ina n-úsáideann sé an focal 'Shantaigh' ag tús an dá véarsa. Caithfidh mé a rá gur thaitin an dán seo liom agus go ndeachaigh an léargas a thugtar den fhear agus den bhean i bhfeidhm go mór orm. Chomh maith leis sin, chuaigh an mheadaracht agus an friotal i bhfeidhm orm. Ach mothaím brónach freisin nuair a léim an dán. Chuaigh an dán seo go mór i gcion orm.

Ceist shamplach 2

'Cén sórt duine an fear sa dán seo, dar leat? Cén sort duine an bhean?'

Freagra samplach 2

I mo thuairimse is duine traidisiúnta é an fear. Ba mhaith leis bean as a cheantar agus as a chine féin, 'Shantaigh sé bean / I nead a chine'. Is maith leis an saol traidisiúnta cois tine, 'ar leac a thine'. Ba mhaith leis páistí freisin, agus is dócha a bhean sa bhaile á dtógáil, 'Aiteas is greann / I dtógáil clainne'. Léiríonn an focal 'Shantaigh' gur duine leithleasach é freisin, b'fhéidir, a smaoiníonn air féin amháin. Is dócha gur duine grámhar, gealgháireach é mar sin féin, mar ba mhaith leis clann a thógáil agus spórt agus spraoi a bheith aige, 'aiteas is greann / I dtógáil clainne'.

Is duine ábharach, nua-aimseartha í an bhean. Ba mhaith léi leath den chíste agus saoire thar lear. Ní luaitear gur mhaith léi páistí – níl suim aici i bpáistí, de réir dealraimh. Ach tá suim aici i stádas. Ba mhaith léi meas na mílte. Ní dóigh liom gurb í an cineál mná í a bheadh sásta fanacht sa bhaile ag tógáil clainne. Tugann an focal 'shantaigh' le fios gur duine leithleasach í freisin. Ceapaim gur* lánúin mí-aibí, anabaí í an lánúin sa dán seo. Níl tuiscint ró-dhoimhin acu ar an bpósadh. Níl siad sásta comhréiteach a fháil. Ina áit sin, scarann siad. Ceapaim go bhfuil* an bheirt acu éadoimhin, leanbaí.

An ghramadach i gcomhthéacs

Tabhair aire!

Is	➔	Ceapaim gur
Tá	➔	Ceapaim go bhfuil

Féach Foclóir agus Nathanna don Litríocht ar lth 456

Ceisteanna scrúdaithe

1. Cad é príomhthéama an dáin seo, dar leat, agus conas mar a chuirtear os ár gcomhair é?
2. 'Is iad an tsímplíocht agus an ghontacht an dá thréith is mó atá le sonrú sa dán seo'. Déan plé ar an ráiteas sin.
3. Déan plé gairid ar an úsáid a bhaineann an file as codarsnacht sa dán seo.
4. Cén pictiúr a fhaighimid de mhianta an fhir agus de mhianta na mná sa dán seo?
5. Déan trácht gairid ar na mothúcháin a mhúsclaíonn an dán seo ionat.

Ceapadóireacht: aiste

Treoir

Féach 455. Tugtar treoir ansin duit ar conas aiste a scríobh. Tá liosta nathanna ann freisin le foghlaim. Foghlaim na nathanna agus déan iarracht iad a úsáid i d'aiste. Ach ar dtús, féach ar an aiste shamplach seo.

Plean

Alt 1: Réamhrá, do phointí
Alt 2: scoil, brú, scrúduithe
Alt 3: bulaíocht
Alt 4: piarbhrú ó na meáin
Alt 5: deiseanna

Saol an duine óig sa lá atá inniu ann

Réamhrá, do phointí

Caithfidh mé rá go bhfuil athrú mór tagtha ar shaol an duine óig* sa atá inniu ann. Is iomaí athrú atá tagtha air ó bhí mo thuismitheoirí féin óg. **San aiste seo, féachfaidh mé** ar shaol an duine óig* ar scoil agus sa bhaile. **Pléifidh mé** an brú uafásach atá ar dhaoine óga* ó mhúinteoirí agus ó thuismitheoirí **de bharr** chóras na bpointí. **Labhróidh mé faoi** phiarbhrú, bulaíocht agus an brú ó na meáin chumarsáide. **Luafaidh mé** freisin na háiseanna atá ar fáil do dhaoine óga. Tá saol maith ag an aos óg. **Tá súil agam go dtabharfaidh mé ábhar machnaimh daoibh.**

Ar an gcéad dul síos, ba mhaith liom sainmhíniú a thabhairt ar 'an duine óg'. Dar liomsa, sin duine atá faoi bhun 21 bhliain d'aois.

Pointe 2: scoil, brú, scrúduithe

Anois féachaimís ar shaol na scoile. **Níl lá dá dtéann thart nach gcloistear** an focal 'scrúdú' i mbéal daltaí meánscoile. **Cuirtear brú uafásach** ar dhaoine óga. Tagann an brú seo ó mhúinteoirí agus ó thuismitheoirí. **Is é an chúis atá leis seo ná** córas na bpointí. Má theastaíonn ó dhuine óg* a **rogha cúrsa** a fháil sa choláiste, **caithfidh sé** nó sí na pointí a fháil. **Is minic a bhíonn** daltaí ag staidéar trí nó ceithre uair an chloig tar éis lá fada a chaitheamh ar scoil. **De réir tuairisce, is in olcas atá an scéal ag dul. Deirtear gur aoibhinn beatha an scoláire,** ach nílim cinnte faoi sin!

Pointe 3: bulaíocht

Ar ndóigh, is cuid lárnach de shaol gach duine óig* na cairde. **Bíonn tionchar an-mhór ag** cairde ar dhaoine óga. **De ghnáth, is dea-thionchar a bhíonn ann, ach ar an drochuair,** is féidir le cairde (**mar dhea!**) saol an duine óig a scrios. **Is iomaí duine óg** a thosaigh ag ól alcóil **de bharr** piarbhrú, nó a thosaigh ag caitheamh tobac, **nó níos measa fós**, ag tógáil drugaí. **Anuas air sin, tá bulaíocht forleathan i measc an aosa óig. Ní gá ach féachaint** ar na nuachtáin **chun méid na faidhbe seo a fheiceáil.**

Pointe 4: Piarbhrú ó na meáin

Caithfear a admháil freisin, go bhfuil tionchar mór ag na meáin chumarsáide ar dhaoine óga*. **Caitheann** daoine óga* **an-chuid ama** ag féachaint ar shobalchláir **agus a leithéid. Is minic a bhíonn easpa féinmhuinine** ar dhéagóirí. **Dá bharr sin, déanann siad aithris** ar dhaoine sna sobalchláir. De ghnáth, bíonn na réaltaí teilifíse tanaí, dathúil, agus mar sin tosaíonn cailíní ar aiste bia chun bheith cosúil leo.

Pointe 5: Deiseanna

É sin ráite, tá saol maith ag aos óg an lae inniu*. **Táid ann a deir** go bhfuil **saol an mhadaidh bháin** acu. **Is beag duine óg*** nach raibh ar saoire thar lear, mar shampla. Tá áiseanna agus acmhainní ann anois nach raibh ann fadó. Tá ríomhaire i ngach teach, tá clubanna óige i ngach paróiste. Tá Cumann Lúthchleas Gael ag obair go dian dícheallach le daoine óga. **Ní féidir a shéanadh go gcuirtear** go leor siamsaíochta **ar fáil** don aos óg*. Tá cearta ag daoine óga anois freisin, nach raibh acu fiche bliain ó shin.

Críoch: achoimre ar na pointí, focal scoir

Is cinnte go mbíonn dhá insint ar gach scéal. Tá **idir mhaith agus olc** i saol an duine óig. **Is fíor go** bhfuil brú **níos mó ná mar a bhí riamh** ar scoláirí le pointí arda a fháil san Ardteistiméireacht. Is fíor freisin go mbíonn piarbhrú ar dhaoine óga agus go ndéantar bulaíocht orthu uaireanta. Cuireann na meáin brú ar dhaoine óga chomh maith. **Ach mar sin féin** tá saol maith ag **aos óg an lae inniu**. Tá áiseanna, acmhainní agus go leor siamsaíochta ann dóibh.

An ghramadach i gcomhthéacs

Tabhair aire!

the young person = an duine óg ach saol an duine óig. Cén fáth?
young people = daoine óga nó an t-aos óg
amongst young people = i measc an aosa óig
young people of today = aos óg an lae inniu
amongst the youth of today = I measc aos óg an lae inniu

Cleachtadh ceapadóireachta

Anois scríobh aiste ar 'Na fadhbanna a bhíonn ag daoine óga sa lá atá inniu ann'.

Súil siar: seicliosta

- **Foghraíocht** Séimhiú
- **Gramadach** Is/tá
  Uimhreacha
  An Aidiacht Shealbhach
  An t-ainmfhocal
- **Foclóir** Foclóir ginearálta
  Foclóir don aiste
  Foclóir don litríocht
- **Labhairt** Comhrá faoi do chlann

Ceist 1 LÉAMHTHUISCINT (100 marc)

A - 50 marc

Léigh an sliocht seo a leanas agus freagair na ceisteanna a ghabhann leis.

Briseann an dúchas...

1. Ar ndóigh tá aithne ag glúin iomlán daltaí ar Mhaidhc Dainín Ó Sé óna leabhar *A Thig ná Tit Orm* atá ar chúrsa na hArdteistiméireachta anois le fada an lá. Dírbheathaisnéis greannmhar, spleodrach atá ann ina ndéanann Maidhc cur síos ar a óige i nGaeltacht Chiarraí sna daicheadaí agus sna caogaidí, an seal a chaith sé i Sasana agus níos déanaí i Meiriceá. Tugann an dírbheathaisnéis léargas cruinn beoga dúinn ar thréimhse staire corraitheach i Meiriceá sna seascaidí, nuair a bhí an ciníochas forleathan. Bhí Maidhc i Chicago le linn na gcíréibeanna i 1966 agus bhí bá aige leis an gcine gorm a d'fhulaing géarleanúint leis na cianta, cosúil leis na hÉireannaigh.

2. Rugadh Maidhc Dainín sa Mhuiríoch i nGaeltacht Chiarraí sa bhliain 1943. Bhí triúr deartháireacha agus deirfiúr amháin aige. Chaith a athair Dainín, tréimhse i Meiriceá agus bhí sé ina shaoránach Meiriceánach, ach tháinig sé ar ais go Gaeltacht Chiarraí chun clann a thógáil, díreach mar a rinne Maidhc féin nuair a phós sé: Briseann an dúchas trí shúile an chait. Cosúil leis an mbradán a snámhann na mílte míle ar ais chuig an abhann ar rugadh í chun a huibheacha a leagadh,

d'fhág Maidhc Chicago sa bhliain 1969 lena bhean chéile Caitlín agus d'fhilleadar ar Éirinn chun a gclann a thógáil. Thuigeadar araon go raibh cultúr agus saibhreas na Gaeltachta ró-luachmhar, ró speisialta le caitheamh uathu agus rinneadar cinneadh lóchrann na Gaeilge a choinneáil lasta agus a bhronnadh ar an gcéad glúin eile. Ach ar ndóigh, ní túisce sa bhaile iad ná gur lean an cultúr a d'fhág siad iad go Ciarraí. Bhí an scannánaíocht do 'Ryan's Daughter' faoi lán seoil nuair a d'fhilleadar agus muintir iarthar Chiarraí ag fearadh fíorchaoin fáilte roimh lucht Hollywood!

3. Bhí cúigear clainne acu. Ní haon ionadh gur lean mac Mhaidhc ag saothrú i ngort na Gaeilge. Cad a dhéanfadh mac an chait ach luch a mharú? Tá aithne ag an saol mór ar Dhaithí Ó Sé, an fear dathúil a tháinig ar ár scáileán mar láithreoir ar réamhaisnéis na haimsire ar TG4 i dtús báire. Níorbh fhada gur scaip an scéal faoin *hunk* ar TG4 agus d'fhás iomrá Dhaithí. Bhí sé mar láithreoir ar chláir éagsúla ar TG4 cosúil le 'Féilte', 'Cleamhnas' agus 'Glór Tíre'. Sa bhliain 2010 b'é an chéad Chíarraíoch é a fuair an onóir na spéirmhná a chur i láthair ina chondae dúchais don fhéile idirnáisúnta Rós Thrá Lí. Chuir sé suim faoi leith i spéirbhean amháin, Rós óg New Jersey, Rita Talty agus phósadar sa bhliain 2012.

4. Tá sé íorónta go bhfuil daltaí na hArdteistiméireachta ag streachailt leis an leabhar *A Thig ná Tit orm* nuair a d'admhaigh Maidhc Dainín nach raibh suim dá laghad aige féin i gcúrsaí léinn. Ach bíonn siúlach scéalach. Nuair a tháinig sé abhaile go Ciarraí, d'éirigh leis post a fháil ag tiomáint bus agus bhí fonn air leabhar a scríobh faoina chuid taistil agus a thaithí thar lear. Bhí úire ag baint leis an leabhar nuair a foilsíodh é agus thóg sé áit *Pheig* ar chúrsa na hArdteistiméireachta sa bhliain 1995. Léargas bríomhar beoga ar shaol na Gaeltachta trí shúile an linbh, agus níos déanaí trí shúile an déagóra, ar shaol an imircigh i Sasana sna caogaidí, agus ar an gciníochas gránna i Meiriceá sna seascaidí atá ann. Tá an greann fite fuaite leis an stair shóisialta síos tríd. Tuigeann Maidhc Dainín go maith cathain gur féidir bheith ag magadh agus cathain gur chóir a bheith dáiríre. Tá an leabhar breac le scéalta greannmhara, ach chomh maith leis sin tugann sé léargas cruinn, tuisceanach dúinn ar shaol truamhéileach na nÉireannach i Sasana agus ar ghéarleanúint an chine ghoirm i Meiriceá. Lean Maidhc leis ag scríobh. Foilsíodh 19 leabhar leis, ceann amháin ar scannánú 'Ryan's Daughter' sa bhliain 1969 agus leabhar eile faoina shaol ó d'fhill sé ó Mheiriceá. Tá leabhair fhicsin scríofa aige freisin. Ba mhinic a thugadh sé cuairt ar scoileanna, ag bualadh le daltaí, ag plé an leabhair agus ag seinm dreas ceoil. Ar ndóigh, ceoltóir cumasach a bhí ann agus sheinn sé sna tithe tábhairne i Londain agus i Chicago. Rinne Bord Scannánaíochta na hÉireann clár faisnéise ar Mhaidhc Dainín ag díriú ar na háiteanna ar thug sé cuairt orthu i Meiriceá nuair a bhí sé ann sna seascaidí. Sa chlár, d'fhill sé ar Chicago, Mississippi agus Alabama i ndeisceart na Stát Aontaithe ag siúl síos bóithrín na gcuimhní, ag déanamh an rud ab ansa leis – ag insint scéalta greannmhara, ag seinm dreasanna ceoil, agus ag labhairt faoin nGluaiseacht Chearta Sibhialta a bhí faoi lán seoil ag an am. B'é seo an tréimhse inar mharaigh an Klu Klux Klan triúr oibrithe Chearta Sibhialta i Mississippi – an eachtra a léirítear sa scannán clúiteach *Mississippi Burning.*

5. I 2013 fuair Maidhc scéal go raibh ailse aige. D'imigh sé chuig an t-ospidéal lena bhean Caitlín, agus le Daithí agus fuaireadar deá-scéal. Ní raibh sé tromchúiseach agus d'fhéadfaí é a leigheas. 'Beidh deich mbliana eile ag an sean-bhoc,' a cheap Daithí. Ar an mbealach abhaile, stopadar i dTigh Flaithearta sa Daingean agus bhí cúpla deoch acu. An mhaidin dár gcionn, chuala Daithí a mháthair ag glaoch. Bhí Maidhc suite sa chathaoir, dath an bháis air. Rinne Daithí iarracht tarrtháil a thabhairt dó ach ní raibh aon mhaith ann. "Tá áthas orm go raibh mise agus mo mháthair ansin in aice leis nuair a bhásaigh sé," arsa Daithí, cé gur tháinig a bhás obann i ndiaidh na dea-scéala aniar aduaidh orthu. Tháinig an teaghlach agus thosaíodar ar an bpaidrín a rá. I rith an pháidrín, ghlaoigh fón a dhearthair, Danny le hamhrán téama Bhenny Hill. Phléasc an comhluadar amach ag gáire. Dar le Daithí "m'athair a chur an glaoch sin. Bhí sé ag ceapadh, 'tá siad ag eirí i bhfad ró dháiríre anseo, b'fhearr dom an t'atmasféar a éadromú.' Gan é ach marbh leathuair agus bhí sé ag cur ag gáire sinn!" *(ó fhoinsí éagsúla)*

Ceisteanna

1. **(a)** Conas a bhain Maidhc Dainín clú amach?
(b) Cén dearcadh a bhí aige i leith an chine ghoirm? (Alt 1) (7 marc)

2. **(a)** Cén fáth a ndeirtear go 'mbriseann an dúchas...?'
(b) Cén fáth go gcuirtear Maidhc i gcomparáid leis an mbradán? (Alt 2) (7 marc)

3. **(a)** Conas mar a chuir an saol mór aithne ar Dhaithí?
(b) Cén onóir a bronnadh air i 2010? (Alt 3) (7 marc)

4. Luaigh dhá thréith a bhaineann leis an dírbheathaisnéis 'A Thig ná Tit orm' (Alt 4) (7 marc)

5. **(a)** Conas gur tháinig bás Mhaidhc aniar aduaidh orthu?
(b) Cad é an cleas deireanach a d'imir Maidhc orthu? (Alt 5) (7 marc)

6. **(a)** Faigh sampla den aidiacht shealbhach in Alt 1 agus uimhir phearsanta in Alt 2
(b) Déan cur síos ar an ngaol a bhí idir Mhaidhc agus a mhac Daithí, ag tabhairt fianaise ón sliocht. **Bíodh an freagra i d'fhocail féin.** Ní gá dul thar 60 focal. (15 marc)

Ceist 3 FILÍOCHT (30 marc)

– AINMNITHE/ROGHNACH – (30 marc)

3A (i) 'Cé gur dán simplí é an dán 'Colscaradh', pléann sé ábhar atá tromchúiseach go leor'. Déan plé gairid ar an ráiteas sin. (14 mharc)

(ii) Tá an dá líne dheireanacha scoite amach sa dán seo. Cén éifeacht a bhaineann leis seo, dar leat? (6 mharc)

(iii) Léirigh mar a chuaigh an dán seo i bhfeidhm ort. (10 marc)

Rush
Lambay Isl
Portrane
Malahide
Portmarnock
Blanchardstown
Irelands Eye
Clontarf
Howth
DUBLIN
Kish
Dun Laogha
Dalkey
Killiney
Black-rock
Bri Chual

EOCHAILL
YOUGHAL 9
CNOC AN ÓIR
KNOCKANORE
CEAPACH CHOINN
CAPPOQUIN 9

2
Mo Cheantar
SAN AONAD SEO FOGHLAIMEOIDH TÚ:
F Foghraíocht An t-athrú fuaime a thagann le hurú
G Gramadach Séimhiú nó urú tar éis réamhfhocail
An Aimsir Láithreach agus an Aimsir Ghnáthchaite
Tá agus bíonn i gClaoninsint
t Tuiscint Conas píosaí cainte agus giotaí scríofa faoi cheantar a thuiscint.
Labhairt Conas labhairt faoi do cheantar, saol na tuaithe agus saol na cathrach, an saol inniu i gcomparáid leis an saol fadó.
Aiste 'Is mór idir inné agus inniu' agus foclóir don aiste
Litríocht An dán 'An tEarrach Thiar' le Máirtín Ó Direáin.

Cúinne na fuaime:
An t-athrú fuaime a thagann le hurú

Mír 2.1 *T12*

Éist agus abair

Litir	Urú	Fuaim	Sampla
B	mB	M	Baile Átha Cliath ➔ i mBaile Átha Cliath
C	gC	G	Corcaigh ➔ i gCorcaigh
D	nD	N	Doire ➔ i nDoire
F	bhF	V nó W	Fiacal ➔ i bhFiacal
G	nG	NG	Gaillimh ➔ i nGaillimh
P	bP	B	Port Láirge ➔ i bPort Láirge
T	dT	D	Tóraigh ➔ i dTóraigh

Paróiste idir dhá abhainn

Léigh an píosa seo agus freagair na ceisteanna a ghabhann leis.

Nuair a labhraíonn muid faoi Chois Fharraige, is é atá i gceist, an paróiste atá suite idir Abhainn an Spidéil agus Abhainn Chrumlainn ar chósta Chuan na Gaillimhe. Thart ar scór bliain ó shin bhí cónaí i mbeagán de na tithe ceann tuí traidisiúnta ach, seachas an corrtheach feirme dhá stór le ceann slinne, is tithe nua aon stór ar fad, nach mór, atá anois ann.

Is Gaeltacht é an ceantar seo ach is Gaeltacht é atá athraithe go mór le cúig bliana is fiche anuas. Maidir le gnó, tá dhá* phríomhshiopa sa pharóiste, Siopa an Phobail agus Siopa Gala. Is trí Ghaeilge ar fad a reáchtáiltear iad - bíonn Gaeilge ag na cúntóirí agus ar na comharthaí agus bíonn na nuachtáin agus irisí Gaeilge ar fáil iontu go rialta. Tá trí theach tábhairne ann, Tigh Chualáin, Tigh Mholly agus An Poitín Stil, agus is í an Ghaeilge atá le fáil iontu. Mar sin, tá an teanga fíorláidir i measc lucht gnó.

Tá fostaíocht ar fáil sna háiteanna thuasluaite, ar ndóigh, agus sna monarchana ar an dá eastát, gan trácht ar na daoine a thaistealaíonn amach as an bparóiste. Bíonn sé deacair staid na Gaeilge taobh istigh de mhonarcha a mheas. Athraíonn sí. Braitheann sí ar dhearcadh na bainistíochta, ar líon na gcainteoirí Gaeilge, ar na saoistí. D'fhéadfadh duine a bheith in amhras uaireanta. Ach gan na monarchana, cá mbeadh na daoine?

Tá líon áirithe daoine as an bparóiste ag obair le Raidió na Gaeltachta, le TG4, le Cló Iar-Chonnacht agus leis na comhlachtaí léiriúcháin teilifíse ar nós Telegael agus Eo Teilifís, mar theicneoirí, léiritheoirí, aisteoirí, scríbhneoirí, eagarthóirí nó riarthóirí. B'fhíor a rá go bhfuil réabhlóid tar éis tarlúint ó thaobh na fostaíochta de. Tá deis ag daoine le hoideachas tríú leibhéal post a fháil go háitiúil, rud nach raibh fíor roimhe seo.

Tá méadú mór tagtha ar an bpobal – tá dhá eastát thionsclaíocha ann agus fostaíocht iomlán ar fáil, tá na scoileanna agus na siopaí méadaithe, tá feabhas ar na bóithre. Is dóigh go bhféadaí a rá go bhfuil éirithe go hiontach leis an bpobal, le cúnamh institiúidí an stáit, an áit a chur chun cinn.

Tá dhá scoil sa bparóiste:* Scoil Sailearna agus an mheánscoil, Coláiste Cholmcille. Tá traidisiún fada fiúntach ó* thaobh na Gaeilge ag Scoil Sailearna. Tá thart ar bheirt mhúinteoirí déag inti agus is í an Ghaeilge teanga na scoile; múintear chuile ábhar trí* Ghaeilge agus úsáidtear í mar* theanga chumarsáide.

Bunaithe ar alt as *Beo*!

2

Faigh agus foghlaim

Faigh agus foghlaim an leagan Gaeilge de na focail/nathanna seo.

situated	besides
as regards	amongst
not to mention	the number of Irish speakers
in doubt	administrators
it's true to say	there has been a big increase in
around 20 years ago	in the last 25 years
available	of course
it depends on	supervisors
producers	editors
opportunity	I suppose it could be said

An ghramadach i gcomhthéacs

Féach lth 430

*Séimhiú agus urú

Tagann séimhiú tar éis:

1. Uimhreacha 1 – 6. Mar shampla: dhá t**h**eanga, (Faigh samplaí eile sa téacs)
2. Tar éis roinnt réamhfhocal. Mar shampla: **ó, trí, faoi, ar, roimh, de, do**: ó thaobh:
3. Tar éis **mar**: mar t**h**eanga

Tagann urú tar éis:

1. 'i'. Mar shampla: i **g**ceist, i **m**beagán
2. Réamhfocal + an. Mar shampla: as an **b**paróiste, ar an **b**pobal
3. Tar éis uimhreacha 7-10. Mar shampla: deich **m**bliana, ocht **d**teach, seacht **b**punt
4. Tar éis 'sa' i nGaeilge an iarthair. Mar shampla: 'sa bparóiste'.

Léigh an sliocht arís agus faigh samplaí eile.

'Tá' agus 'Bíonn'

Tá sé go deas inniu.	**Bíonn** sé ag cur báistí go minic.
Táim/táimid/tá sé/sí/sibh/siad/táthar	Bím/bímid/bíonn sé/sí/sibh/siad/bítear

Usáidtear 'tá' ag caint faoi:

1. An nóiméad seo/anois díreach/faoi láthair: Tá sé fuar inniu/tá sé ag gáire
2. Ag déanamh cur síos ar rud mar atá – tréithe **nach** n-athraíonn. Mar shampla: Tá an crann sin mór/Tá pictiúrlann sa bhaile/Tá Máire cliste/Tá an Leacht suite in iarthar an Chláir.

Usáidtear 'Bíonn' ag caint faoi:

1. Gach lá, go rialta, go minic, i gcónaí. Mar shampla: bíonn sé fuar sa gheimhreadh/bíonn sé i gcónaí ag gáire.
2. Ag caint faoi thréithe neamhbhuana. Mar shampla: bíonn sé crosta uaireanta/bíonn na sráideanna plódaithe le daoine um Nollaig/bíonn féile ann gach bliain.

Ceacht 1

Athscríobh na habairtí seo a leanas agus cuir isteach an leagan ceart de 'tá' nó 'bí'.

1. ... fiche dalta sa rang.
2. ... an buachaill sin i gcónaí ag caint sa rang.
3. ... linn snámha, leabharlann, pictiúrlann agus amharclann sa bhaile.
4. ... féile ar siúl sa bhaile gach samhradh.
5. ... an múinteoir an-dian ach ... sí an-chóir.
6. ... an múinteoir Staire crosta uaireanta mar ... daltaí ag caint sa rang.
7. ... dath fionn ar a cuid gruaige.
8. ... mé sona sásta nuair a ... mé sa bhaile.
9. ... an scannán sin an-mhaith.
10. ... scannáin iontacha ar TG4 ar an Satharn.

Ceacht 2

Léigh an sliocht agus tabhair faoi deara cathain a usáidtear 'tá' agus cathain a úsáidtear 'bíonn'. Pléigh cad é an difríocht eatarthu.

2

Eolas fánach

Nuair a thosaigh muintir na hÉireann ag labhairt i mBéarla, ní raibh aon aimsir cosúil le 'bíonn' sa Bhéarla, mar sin, thosaigh siad ag rá 'does be' chun an aimsir seo a chur in iúl: 'It does be always raining'; 'He doesn't be paying attention'; 'She does be always giving out'. Tugtar 'Hiberno-English' air seo (an Béarla a labhraítear in Éirinn). Bhain an dramatóir John Millington Synge úsáid as struchtúir mar seo ina chuid scríbhneoireachta.

Ceisteanna

1. Cad atá i gceist le ceantar 'Chois Fharraige'?
2. Luaigh difríocht amháin atá le feiceáil sa cheantar le scór bliain anuas.
3. Ainmnigh trí áit ina labhraítear Gaeilge sa cheantar.
4. Cén fáth a mbíonn sé deacair staid na Gaeilge a thomhas i monarcha?
5. Cad é an t-athrú atá tagtha ar an saghas fostaíochta atá ar fáil sa cheantar?
6. Cén sórt traidisiúin atá ag Scoil Sailearna?

Cleachtadh éisteachta: mo cheantarsa

Éist leis an taifeadadh agus freagair na ceisteanna seo a leanas.

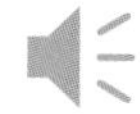

Cainteoir 1

Mír 2.2 T13

1. Cén sórt ceantair ina bhfuil Ciarán ina chónaí?
2. Cad iad na háiseanna atá ann do dhéagóirí?

Cainteoir 2

Mír 2.3 T14

1. Cá bhfuil Deirdre ag fanacht?
2. Abair rud amháin nach dtaitníonn léi faoin áit.
3. Cad a dhéanann sí ag an deireadh seachtaine?

Píosa nuachta

Mír 2.4 T15

1. Cár tharla an dúnmharú?
2. Cén fáth a raibh deacrachtaí ag na seirbhísí tarrthála?
3. Cad ba chóir do thábhairneoirí a dhéanamh, dar leis an nGarda Ó Néill?

An ghramadach i gcomhthéacs

Aimsir Láithreach

1. An Chéad Réimniú

Cuirtear: **(a)im**
(e)ann tú/sé/sí/sibh/siad
(a)imid

- le briathra aonsiollacha: cuir**im** tóg**ann**
- le briathra déshiollacha
  le 'á' sa dara siolla: taispeán**ann** úsáid**eann**

2. An Dara Réimniú

Cuirtear iad seo a leanas le briathra **déshiollacha:**

(a)ím
(a)íonn tú/sé/sí/sibh/siad
(a)ímid

Baintear **(igh)** as briathra a chríochnaíonn ar **(a)igh)**:

dúisigh dúis**íonn** ceannaigh ceanna**íonn**

Baintear an **'(a)i'** as an **dara siolla** i mbriathra a chríochnaíonn ar

-is -il -ir -in:

Inis Ins**íonn** osc**ail** oscla**íonn**

Cuirtear -íonn le briathra a chríochnaíonn ar **-ing -im**:

fulaing fulaing**íonn** tarraing**íonn**

3. Briathra Neamhrialta

Níl ach 11 bhriathar neamhrialta sa Ghaeilge agus níl ach **4 cinn** díobh **neamhrialta san Aimsir Láithreach:**

Tar	**Tagaim**	**Abair**	**deirim/deir sé/deirimid**
Tabhair	**Tugaim**	**Téigh**	**Téann**

- Is féidir cuireann mé a rá in áit cuirim
  cuireann muid a rá in áit cuirimid

Ceacht 1

Scríobh amach agus cuir an fhoirm cheart den bhriathar isteach.

Cad a dhéanann tú de ghnáth nuair a thagann tú abhaile ón scoil?

Gach lá tar éis na scoile (fan) ar scoil ag déanamh staidéir agus (déan) m'obair bhaile. (Tar) abhaile ar a sé a chlog agus (ith) mo dhinnéar agus ansin (lig) mo scíth. (Féach) ar an teilifís ar feadh tamaill nó (téigh) ar an Idirlíon. Uaireanta (cuir) mo chara glao orm agus (bí) ag caint. (Éist) le ceol i mo sheomra.

Ceacht 2

Aimsir Láithreach: -im nó -ím

Cad a dhéanann tú de ghnáth ag an deireadh seachtaine? Scríobh amach an slíocht seo a leanas agus úsáid an fhoirm cheart den bhriathar ann.

(Éirigh) mall ar an Satharn agus (bí) bricfeasta agam ar mo shuaimhneas! (Déan) roinnt obair tí agus ansin (téigh) isteach sa bhaile agus (buail) le mo chairde. (Téigh) ag siopadóireacht agus (ceannaigh) éadaí nó dlúthdhioscaí. (Bí) ag obair uaireanta sa tráthnóna ach muna mbím ag obair (téigh) amach le mo chairde nó féachaim ar an teilifís. Ar an Domhnach (téigh) ar Aifreann agus ina dhiaidh sin téim ag traenáil le m'fhoireann peile. Uaireanta (tar) mo sheanmháthair ar cuairt againn. (Cabhraigh) le mo mháthair an dinnéar a ullmhú agus (déan) m'obair bhaile sa tráthnóna.

Ceacht 3

Scríobh abairt ag míniú cad a dhéanann tú sna háiteanna seo a leanas.

Sampla: pictiúrlann – Féachann tú ar scannáin ann.

leabharlann	cúirt cispheile	amharclann	halla pobail
ollmhargadh	ealaín	linn snámha	cógaslann
neachtlainnín	iarsmalann	ionad fóillíochta	

2

Ceistneoir – d'áit chónaithe féin

Léigh na ráitis thíos, ansin cuir ciorcal timpeall ceann amháin de na huimhreacha atá os comhair gach abairte. Sula dtosaíonn tú, féach ar an eochair.

Eochair

5 = Aontaím amach is amach leis an ráiteas seo.
4 = Aontaím den chuid is mó leis an ráiteas seo.
3 = Tá mé idir dhá chomhairle faoin ráiteas.
2 = Easaontaím den chuid is mó leis an ráiteas seo.
1 = Easaontaím amach is amach leis an ráiteas seo.

1. Tá áiseanna maithe sa cheantar a bhfuil mé i mo chónaí ann faoi láthair.
2. Tá sé furasta (éasca) go leor aithne a chur ar dhaoine sa cheantar.
3. Tá spiorad maith i measc an phobail; bíonn daoine i gcónaí breá sásta cuidiú (cabhair/cúnamh) a thabhairt dá chéile.
4. Tá roinnt mhaith fadhbanna sóisialta sa cheantar (mar shampla, coireacht, creachadóireacht, drugaí, spraoithiomáint).
5. Braithim sábháilte sa cheantar san oíche.
6. Is ceantar maith é le páistí a thógáil ann.
7. Bíonn roinnt mhaith imeachtaí ar siúl san áit i gcónaí.
8. Ba mhaith liom an chuid eile de mo shaol a chaitheamh i mo chónaí ansin.

Ag úsáid na n-abairtí céanna, scríobh alt faoi do cheantar.

Deis comhrá

Cad iad na buntáistí agus na míbhuntáistí a bhainfeadh le bheith i do chónaí i gceantar ciúin tuaithe (in Éirinn, abair) ar bhonn fadtéarmach? Scríobh na buntáistí agus míbhuntáistí a bhaineann le saol na tuaithe agus saol na cathrach. Pléigí iad seo sa rang (mar shampla, aer úr folláin, go leor spáis, caitheamh aimsire, srl.)

Saol na tuaithe	Saol na cathrach
Buntáistí Tá sé suaimhneach síochánta faoin tuath. Tá an t-aer folláin. Tá go leor spáis ann. Is féidir spóirt ar nós marcaíocht ar chapall a dhéanamh. Tá spiorad an phobail láidir faoin tuath.	**Buntáistí** Tá go leor áiseanna sa chathair. Tá córas iompair ar fáil. Is féidir siúl nó bus a thógáil gach áit. Tá do chairde in aice láimhe. Tá fostaíocht ar fáil.
Míbhuntáistí Caithfidh tú taisteal i gcarr gach áit. Níl mórán fostaíochta i gceantair tuaithe.	**Míbhuntáistí** Bíonn tranglaim tráchta ann minic. Ní bhíonn aithne agat ar do chomharsana. In áiteanna bíonn iompraíocht frithshóisialta ann.

Conas a d'fhéadfaí feabhas a chur ar do cheantar? Mar shampla d'fhéadfaí níos mó áiseanna agus poist a chur ar fáil do dhaoine óga, turasóireacht a chur chun cinn sa cheantar. An bhfuil aon tuairim agat féin?

Scrúdú béil: agallamh: m'áit chónaithe

Mír 2.5 *T16*

Éist leis an gcómhrá seo.

Agallóir	Anois, inis dom faoi do cheantar. Cá bhfuil tú i do chónaí?
Colm	Tá mé i mo chónaí i mbruachbhaile Chnoc Liamhna, i ndeisceart Bhaile Átha Cliath. Ar nós aon bhruachbhaile eile, tá go leor eastát tithíochta ann.
Agallóir	Agus an bhfuil tú féin i do chónaí in eastát tithíochta?
Colm	Tá, go deimhin. Táim i mo chónaí i dteach leathscoite dhá stór in eastát le tuairim is seasca teach. Is breá liom an t-eastát mar tá go leor cairde liom ina gcónaí in aice láimhe.
Agallóir	Cad iad na háiseanna agus na seirbhísí atá ar fáil ann?
Colm	Tá gach sórt áise ann. Tá an bhunscoil is mó in Éirinn againn, agus tá Gaelscoil ann chomh maith. Tá meánscoil ann agus tá craobh den Chumann Lúthchleas Gael ann freisin, le páirceanna imeartha den scoth. Tá ionad siopadóireachta, ionad pobail, club óige agus séipéal ann agus níl sé i bhfad ón gCearnóg i dTamhlacht, ionad ollmhór siopadóireachta le gach cineál siopa. Caithfidh mé a rá go bhfuil na háiseanna i mo cheantar ar fheabhas ar fad.
Agallóir	Iontach, ach inis dom, a Choilm, an bhfuil mórán le déanamh ann do dhéagóirí, nó cad a dhéanann déagóirí an cheantair mar chaitheamh aimsire?
Colm	Bhuel, tá mé féin i mo bhall den Chumann Lúthcleas Gael agus gach nóiméad saor a bhíonn agam caithim é ag traenáil nó ag imirt cluiche. Is aoibhinn liom an iománaíocht. Níl spéis dá laghad ag mo dheirfiúr sa spórt ach tá sise ina ball den chlub Karate sa cheantar agus tá crios dubh aici anois – mar sin caithfidh mé a bheith cúramach! Ní féidir liom í a ordú timpeall níos mó!
Agallóir	Gan dabht ní féidir! Agus céard a dhéanann déagóirí istoíche sa cheantar?
Colm	Tá club óige san ionad pobail ar an Aoine agus bíonn dioscó ansin uair sa mhí freisin. Is minic a théimse go teach carad, nó uaireanta buailimid isteach sa bhaile mór chuig ceolchoirm. Tá halla agus beár sa chlub CLG freisin agus uaireanta bíonn oícheanta ceoil agus siamsaíochta ansin chun airgead a bhailiú don chlub.
Agallóir	Inis dom, an gceapann tú go lonnóidh tú sa cheantar seo tú féin amach anseo?
Colm	Sin ceist! Ar ndóigh, tá fonn orm dul ag taisteal – dul go dtí an Astráil b'fhéidir, nuair a bhainim céim amach san ollscoil. Níl a fhios agam, leis an bhfírinne a rá...cá bhfios? Is maith an scéalaí an aimsir, mar a deir an seanfhocal. Cinnte, ceapaim gur ceantar iontach é le páistí a thógáil agus tá gach seans ann go gcuirfidh mé fúm ann amach anseo.
Agallóir	Ar ndóigh, ní gá duit bheith ag smaoineamh air sin go ceann tamaill!

Ullmhú don scrúdú béil

Anois scríobh do fhreagraí féin ar na ceisteanna seo i do chóipleabhar Gaeilge labhartha (ceist 20-30, lth 465 freisin).

Dán faoin saol fadó: An tEarrach Thiar

Réamhrá

Is minic a bhíonn an-ghrá ag daoine dá gceantar dúchais. An maith leatsa do cheantar dúchais? Léigh an dán seo a scríobh Máirtín Ó Díreáin faoina cheantar dúchais féin: Inis Mór, Árann, nuair a bhí sé ag fás aníos ann i dtús na haoise seo caite (Tá agallamh leis ar fáil ar YouTube). Ansin cum do dhán féin faoi do cheantar dúchais.

Mír 2.6 T17

An tEarrach Thiar

*Fear ag glanadh **cré***
*De **ghimseán spáide***
sa gciúnas shéimh
I mbrothall lae:
***Binn** an fhuaim*
San Earrach thiar

Fear ag caitheamh
***Cliabh** dá dhroim*
*Is **an fheamainn** dhearg*
Ag lonrú
I dtaitneamh gréine
*Ar **dhuirling** bhán*
***Niamhrach** an radharc*
San Earrach thiar

Mná i locháin
*In íochtar **diaidh-thrá,***
*A gcótaí **craptha***
***Scáilí** thíos fúthu:*
Támhradharc sítheach
San Earrach thiar

Toll-bhuillí fanna
*Ag **maidí rámha**,*
Currach lán éisc
*Ag teacht chun **cladaigh***
*Ar **órmhuir** mhall*
I ndeireadh lae;
San Earrach thiar.

Foclóir

cré *soil*
ghimseán spáide cos na spáide, *foot of spade*
séimh síochánta, *gentle*
I mbrothall lae I dteas an lae (brothallach = te)
Binn an fhuaim cheolmhar, dheas
Cliabh ciseán a chuirtí ar do dhroim nó ar dhroim asail chun móin nó feamainn a iompar
an fheamainn *the seaweed*
duirling trá nó cladach (trá le clocha)
Niamhrach álainn
diaidh-thrá *at lowtide*
craptha *folded up*
Scáilí *reflections*
Támh-radharc *a relaxing sight*
sítheach *peaceful*
Tollbhuillí fanna *faint, hollow thuds*
maidí rámha *oars*
cladaigh (cladach) *shore*
órmhuir *gold sea*

Cúinne na fuaime

Téigh síos tríd an dán agus cuir líne faoi gach focal le séimhiú nó le hurú. Abair an focal. Léigh an dán os ard ag athrú fuaime do shéimhiú agus d'urú.

Leagan próis

Fear ag glanadh ithir
de bhróigín spáide
agus ciúnas bog ag teas an lae
Deas an gleo
San earrach san iarthar (in Árann)

Fear ag baint
ciseán dá dhroim
Is an fheamainn dhearg
ag soilsiú
sa ghrian dheas
ar thrá chlochach bhán
aoibhinn an radharc
san earrach san iarthar

Mná i locha beaga
nuair a bhíonn an taoide tráite
a gcótaí fillte suas acu
a scáilí le feiceáil fúthu
radharc síochánta
san earrach san iarthar

buillí tolla laga
ag maidí rámha
curach lán le héisc
ag teacht i dtír
ar fharraige órga go déanach
sa tráthnóna
san earrach san iarthar

Fíricí faoin bhfile

http://www.educate.ie/próifíl — Máirtín Ó Direáin

Ar líne 12:35pm

Rugadh agus tógadh Máirtín Ó Direáin i bhFearann a' Choirce ar Inis Mór i 1910. Ba é an duine ba shine sa teaghlach é agus fuair a athair bás nuair nach raibh sé ach seacht mbliana d'aois, mar sin níor fhoghlaim sé riamh ceird na feirmeoireachta óna athair. Páiste éirimiúil, staidéarach, aonrach ab ea é agus nuair a bhí sé ocht mbliana déag d'aois fuair sé post mar chléireach in Ard-Oifig an Phoist i nGaillimh ar feadh blianta. Bhí sé ina bhall de Chonradh na Gaeilge, agus chaith sé seal mar rúnaí air. Bhog sé leis go Baile Átha Cliath níos deireanaí.

D'fhoilsigh sé a chéad chnuasach filíochta, *Coinnle Geala*, i 1942, agus lean sé air ag saothrú mar fhile cruthaitheach go dtí na hochtóidí. Scríobh sé leabhar freisin, *Feamainn Bhealtaine*. Is minic a thráchtann sé ar bhéasa is ar áilleacht oileáin Árann is ar an meath a tháinig ar an saol sin i mblianta deireanacha an fhichiú haois. Fuair sé bás sa bhliain 1988 i mBaile Átha Cliath.

Ba aonaránach é agus níor phós sé riamh, ach is léir ón dán 'Maith Dhom' a scríobh sé, go raibh sé i ngrá tráth le bean a bhris a chroí. Chuir Kila ceol leis an dán agus is féidir éisteacht leis ar YouTube. Is féidir féachaint ar fhíseáin faoi shaol Mháirtín Uí Dhireáin ar YouTube. Is féidir leagan Béarla de An tEarrach Thiar a fháil ar shuíomh idirlín http://www.irishcultureandcustoms.com/Poetry/MairtinODireain.html

Téigh go lth 456 agus foghlaim foclóra

Nótaí ar an dán

An sórt dáin

Tá an dán seo cosúil le peannphictiúr d'Árainn. **Tugann** gach véarsa **pictiúr** osréalaíoch, idéalach **dúinn de** shaol a bhí **ag meath** fiú in aimsir Mháirtín Uí Dhireáin: saol traidisiúnta oileáin Árann. Is *vignette* é gach véarsa **a mheallann an tsúil** agus a **thugann léargas dúinn ar** an sórt saoil a bhí ar an oileán fadó: saol simplí le daoine ag cur glasraí, ag baint feamainne (d'úsáidtí feamainn mar leasú talún), ag bailiú sliogán, ag iascaireacht. Bhí muintir an oileáin **féinleorga** (*self-sufficient*). Tá sé suimiúil go bhfuil gluaiseacht nua ag iarraidh daoine a spreagadh lena gcuid bia féin a fhás arís: **rotha mór an tsaoil, mar a deirtear** i bhFraincis, '*plus ça change, plus ç'est la même chose*'!

Téama an dáin

Is é áilleacht an oileáin agus an tsaoil thraidisúnta **ann is téama don dán seo.** **Cuireann an file** ceithre phictiúr den oileán **os ár gcomhair**. **Léiríonn** na pictiúir seo an sórt saoil a bhí á chaitheamh ag muintir an oileáin. **Feictear iad** ag obair agus ag saothrú sa timpeallacht seo. Is minic a scríobh an file go ceanúil faoina áit dúchais agus **ba é** an difríocht idir an saol sin agus an saol a bhí aige i mBaile Átha Cliath **ba théama do** chuid mhaith dá dhánta.

An ghramadach i gcomhthéacs

Tabhair faoi deara!

An Chopail

Is é ... téama an dáin seo.

Is iad ... na mothúcháin is láidre sa dán seo.

Mothúcháin

Is dócha gurb iad cumha agus uaigneas i ndiaidh an tsaoil ar an oileán na mothúcháin is láidre atá le brath sa dán seo. Tá an file ag smaoineamh ar na radhairc éagsúla is **cuimhin leis** ar an oileán. Is dócha, mar a tharlaíonn go minic, **gur cuimhin leis** an áilleacht ach go ndearna sé dearmad ar **chruatan agus ar anró an tsaoil** sin.

Léirítear freisin an **suaimhneas agus an tsástacht** a bhaineann le saol simplí, nádúrtha an oileáin, áit a mbíonn gach duine i mbun oibre ag saothrú a chuid.

Ceisteanna

1. Cad is brí leis na nathanna aibhsithe? Cuir in abairtí iad (Féach ar lth 456).
2. Cad a bhí mar théama leanúnach i ndánta an Direánaigh?
3. Tabhair roinnt eolais faoin bhfile.
4. Cad é téama an dáin?
5. Cad iad na mothúcháin atá le brath sa dán?

2

Ceist shamplach

Déan trácht ar na mothúcháin a mhúsclaíonn an dán seo ionat.

Plean

Tús; suaimhneas; síocháin; véarsa 1, 2, 3, 4; cumha; críoch

Freagra samplach

Caithfidh mé a rá nuair a léigh mé an dán seo, gur mhúscail sé a lán mothúchán ionam. Mhúscail sé suaimhneas agus síocháin ionam agus fresin mhúscail sé cumha ionam.

I dtús báire, mhúscail sé suaimhneas agus síocháin ionam. Cuireann an file ceithre phictiúr nó *vignette* os ár gcomhair sa dán seo. Is íomhánna suaimhneacha, síochánta iad.

Sa chéad véarsa léirítear fear ag glanadh a spáide: 'Fear ag glanadh cré / de ghimseán spáide'. Tá an áit chomh ciúin gur féidir an fear a chloisteáil ag glanadh na spáide. Is fuaim dheas í: 'Binn an fhuaim'.

Leantar leis an atmaisféar suaimhneach sa dara véarsa, nuair a fheicimid fear ag bailiú feamainne: 'Fear ag caitheadh / cliabh dhá dhroim'. Tá an fheamainn ag soilsiú sa ghrian: 'Is an fheamainn dhearg / ag lonrú'. Tá an ghrian ag taitneamh agus tá sé te, rud a threisíonn an t-atmaisféar suaimhneach seo.

Sa tríú véarsa cuirtear íomhá os ár gcomhair de na mná ag bailiú bairneach nó carraigín, b'fhéidir. Arís tá suaimhneas agus áilleacht ag baint leis an radharc seo: 'Tamhradharc sítheach'. Sa cheathrú véarsa, mealltar an chluais le fuaim shéimh, shuaimhneach na maidí rámha: 'Tollbhuillí fanna / ag maidí rámha'.

Tá na híomhánna a chuirtear os ár gcomhair sa dán seo go hálainn ar fad. Cuireann siad cumha orm i ndiaidh an tsaoil shimplí fadó. Is léir go raibh cumha ar an bhfile freisin. Músclaíonn an dán suaimhneas, síocháin agus cumha ionam.

Cleachtadh duitse

Anois bain triail as an gceist seo a fhreagairt.

Cad iad na mothúcháin is mó atá le brath sa dán seo?

Teicníochtaí filíochta

Íomhánna

Baineann an file úsáid as íomhánna **a bhaineann le** saol oileán Árann **i lár na haoise seo caite. Sa chéad véarsa, cuireann sé íomhá** d' fhear, ag glanadh a spáide tar éis lá oibre ar an talamh, **os ár gcomhair. Is léir** gur obair chrua, fhisiciúil a bhí ar siúl ag muintir an oileáin. Is íomhá í seo a mheallann an chluas: 'Binn an fhuaim'.

Sa dara véarsa feicimid íomhá d'fhear ag iompar feamainne i gcliabh mar a dheinidís fadó. **Déanann an file cur síos** aoibhinn ar an bhfeamainn 'ag lonrú ... ar dhuirling bháin'. **Dar leis,** is 'niamhrach an radharc' é. **Baineann sé úsáid as** dathanna: 'an fheamainn dhearg, ar dhuirling bháin', **chun an tsúil a mhealladh**.

Sa tríú véarsa léirítear mná an oileáin ag obair cois trá, ag baint carraigín b'fhéidir, nó ag piocadh diúilicíní. Arís is aoibhinn an radharc é: 'Támhradharc sítheach'.

Baineann an íomhá dheiridh leis an bhfarraige: na hiascairí ag teacht ar ais le bád lán le héisc. **Meallann an íomhá seo an tsúil agus an chluas**. Tá dath an óir ar an bhfarraige: **'órmhuir'**. **Déantar cur síos** ar fuaim thaitneamhach na maidí rámha, 'Tollbhuillí fanna / ag maidí rámha'. **Cuireann an file** íomhánna áille, idéalacha* **os ár gcomhair den** saol in Árainn le linn a óige. Baineann na híomhánna go léir le hobair. Tá muintir an oileáin ag saothrú a mbeatha i ngach aon *vignette*.

Friotal agus meadaracht

Baineann an file úsáid as friotal simplí, nádúrtha, gonta. Tá sé bunaithe ar chaint nádúrtha na ndaoine. Tá **athrá** ag deireadh gach véarsa: 'san Earrach thiar'. Is abairt fhada amháin é gach véarsa agus **úsáideann** an file línte gearra a ritheann isteach ina chéile, cosúil le gnáthchaint. Tá ceol ag baint leis an bhfriotal a úsáideann sé. Is focal **débhríoch** é 'thiar'. Ciallaíonn sé 'iarthar' (*west*), ach ciallaíonn sé 'ar ais' (*back*) freisin. Deirtear 'thiar sa mbaile' (*back home*). Tá **maoithneachas** (*sentimentality*) ag baint leis an bhfocal. **Seo samplaí d'uaim**: 'caitheamh cliabh' / 'órmhuir mhall' agus d'aicill* freisin: rámha / lán.
Is é an tsaorvéarsaíocht a chleachtar sa dán seo.

Féach lth 456

Eolas fánach

I gConamara nuair a bhíodh daoine ag tabhairt treoracha, in áit 'clé' agus 'deas' a rá, dheiridís soir/siar/ó thuaidh/ó dheas. I mBéarla deirtear '*back the road*' i gcomhair 'siar an bóthar' agus '*over the road*' i gcomhair 'soir an bóthar'. Chuaigh sí siar an bóthar go dtí an siopa: *'She went back the road to the shop'* (.i. *she went west*).

Dathanna

Déanann an file trácht go minic ar dhathanna: 'an fheamainn *dhearg*, ar dhuirling *bhán*, ar *ór*mhuir'. Cabhraíonn sé seo le pictiúr álainn, idéalach a thabhairt den oileán.

Atmaisféar

Cruthaítear atmaisféar suaimhneach, síochánta sa dán. Cruthaítear íomhá aoibhinn, shuaimhneach i ngach véarsa. Sa chéad véarsa, níl le cloisteáil ach fuaim spáide á ghlanadh. Is fuaim bhinn í, agus tá an lá go deas te. Tá suaimhneas le brath sa dara véarsa freisin, áit a gcuirtear íomhá d'fhear ag iompar feamainne os ár gcomhair. Leantar le híomhá shuaimhneach sa tríú agus sa cheathrú véarsa. **Is díol spéise é** go bhfuil na daoine **gníomhach ag saothrú a mbeatha i dtiún leis an nádúr** i ngach aon véarsa. **Léirítear** saol suaimhneach, síochánta an oileáin agus an t-atmaisféar suaimhneach, diamhrach a ghabhann leis, **go héifeachtach** sa dán.

Cleachtadh scríofa

Cuir na focail aibhsithe in abairtí.

Ceist shamplach

'Is aoibhinn an léargas a fhaighimid sa dán seo ar shaol na ndaoine ar oileán Árann fadó.' É sin a phlé.

Is féidir úsáid a bhaint as na habairtí aibhsithe, na nótaí agus na habairtí ar lth 456

Plean

Tús: Is féidir i gcónaí aontú leis an ráiteas, mar sin is féidir do fhreagra a thosú le: Aontaím leis an ráiteas seo, is fíor go bhfaighimid léargas aoibhinn, álainn ar shaol na ndaoine ar oileáin Árann san am atá thart.

Alt 1: Véarsa 1, íomhá: Sa chéad véarsa, cuireann an file íomhá os ár gcomhair de 'fear ag glanadh cré'. Tá an lá te agus tá ciúnas agus síocháin le brath. Is íomhá aoibhinn, idéalach é. Ní chuireann an fhuaim isteach air, is maith leis é: 'Binn an fhuaim'. Bhí an fear ag tochailt an lá go léir, agus bhí sé ag glanadh a spáide ag deireadh an lae. Meallann an íomhá seo an chluas. Léiríonn sé an obair fhisiciúil a bhíodh ar siúl ag muintir an oileáin, ag cur glasraí agus fataí. Baineann an file úsáid as friotal atá simplí, gonta, nádúrtha. Tá comhfhuaim idir na focail cré/séimh/lae ag deireadh línte 1,3, agus 4. Anois lean ort ...

Alt 2: Sa dara véarsa cuirtear íomhá de ... os ár gcomhair. Is íomhá ... é seo/fadó d'úsáidtí ... mar ... /Léirítear Árainn mar áit... /Luann an file dathanna/meallann an íomhá seo an tsúil...

Alt 3: Sa tríú véarsa feicimid ... Tugtar léargas dúinn ar ... Is íomhá ... í seo. Tá ... agus ... le brath sa véarsa seo.

Alt 4: Sa véarsa deiridh, faighimid léargas ar ghné eile de shaol an oileáin. Tá ... Baineann an file úsáid as uaim (sampla) agus aicill (sampla) sa véarsa seo. Úsáideann sé dath freisin (sampla). Meallann an íomhá seo ... agus an ...

Críochnaigh le tagairt don cheist arís: Tá an t-oileán geall le* neamh ar thalamh-útóipe. Is léir go bhfuil an file maoithneach** san earrach agus é ag smaoineamh siar. Déanann sé cur síos ar an oileán san earrach, agus an ghrian ag taitneamh. Níl aon dabht ach go dtugtar léargas aoibhinn, álainn dúinn ar an saol ar oileáin Árann fadó sa dán seo.

* cosúil le ** *sentimental/nostalgic*

Ceisteanna scrúdaithe

1. 'Is léir ón dán 'An tEarrach Thiar' go bhfuil cumha ar an bhfile i ndiaidh a áit dhúchais.' É sin a phlé.
2. Cad é príomhthéama an dáin seo agus conas a chuirtear é os ár gcomhair?
3. 'Tá an file mar Oisín i ndiaidh na Féinne* sa dán seo agus é ag cur síos ar oileáin Árann' (*ag smaoineamh go brónach ar an am atá thart – féach 238). Pléigh an tuairim seo.
4. 'Tugtar léargas sa dán seo dúinn ar an saol ar Inis Mór, Árainn fadó.' Pléigh.
5. 'Tá idir ghrá dá áit dhúchais agus mhaoithneachas le brath sa dán seo.' Pléigh.
6. Scríobh nóta ar (i) shuíomh an dáin (ii) an usáid a bhaintear as dathanna sa dán.

Agallamh: an saol fadó

Mír 2.7 T18

Agallamh le Pádraig Ó Céidigh faoin saol in Éirinn sna tríochaidí. Is mór idir inné agus inniu: an saol anois agus an saol fadó. Tá an saol a dtugann Máirtín Ó Direáin léargas air an-éagsúil leis an saol sa lá atá inniu ann. Éist leis an gcomhrá seo le Pádraig Ó Céidigh atá os cionn 80 bliain d'aois. Déanann sé cur síos ar cheantar Chois Fharraige nuair a bhí seisean ag fás suas sna tríochaidí.

2

Agallóir Inis dom, a Phádraig, rugadh agus tógadh thusa in Indreabhán i gceantar Chois Fharraige, nach ea?

Padraig Rugadh, rugadh mé sa bhaile. Ag an am sin- sna tríochaidí, ní théadh mná go dtí an t-ospidéal chun páistí a bheith acu, d'fhanaidís sa bhaile. Chuirfí fios ar an dochtúir agus thagadh sé go dtí an teach. Dúirt mo mháthair liom gur rugadh mise sular tháinig an dochtúir. Bhí deifir orm ag teacht ar an saol, is dócha!

Agallóir Agus, a Phádraig, is dócha go raibh clann mhór ag do mháthair, an raibh?

Pádraig A mhuise, bhí, bhí deichniúr againn ann ar fad. Sin mar a bhíodh fadó, bhíodh clannta móra i ngach teach. Ní raibh aon trácht ar *chontraceptives* an t-am sin!

Agallóir Is iomaí athrú atá tagtha ar an saol, cinnte. Inis dom, cad iad na hathruithe is mó a thugann tú faoi deara?

Pádraig Ó a Mhaighdean! Is mór an t-athrú atá tagtha ar an saol. Rugadh mise i dteach ceann tuí, mar shampla. Is beag duine atá ina chónaí i dteach mar sin sa lá atá inniu ann cé is moite de chorr-phoncánach saibhir. Agus is cuimhin liom bhaineadh muid an mhóin gach samhradh agus thógtaí an mhóin ar ais go baile ar asal agus cairt. Ní raibh aon *hopper* ann mar atá inniu, ná leoraí leis an mhóin a thabhairt abhaile.

Agallóir Bhíodh ar dhaoine oibriú go crua an t-am sin, nach mbíodh?

Pádraig Ó bhíodh, bhíodh. Ní bhíodh aon *holidays* againn i Lanzarote, chaitheadh muid laethanta saoire an tsamhraidh ag cabhrú ar an bportach, nó théadh muid ag baint bairneach cois trá agus thógadh muid abhaile iad agus d'fhiuchadh mo mháthair iad agus d'itheadh muid iad le fataí agus cabáiste ón ngairdín. D'fhásadh gach teach a nglasraí féin ag an am sin. D'úsáidtí feamainn mar leasú talún. Bhí gach rud orgánach an t-am sin agus ní bhíodh ort airgead mór a íoc as bia orgánach.

Agallóir Agus inis dom, a Phádraig, céard a dheineadh sibh mar chaitheamh aimsire?

Pádraig Bhíodh céilí sa teach againn. Théadh daoine ar cuairt go teach na gcomharsan agus d'insídís scéalta, nó sheinnidís ceol, b'fhéidir. Ní bhíodh raidió in aon teach an t-am sin, gan trácht ar theilifís. Ach caithfidh mé a rá go mbíodh an-chraic go deo againn.

Agallóir Inis dom, a Phádraig, an bhfuil an saol níos fearr inniu?

Pádraig Aisteach go leor, a Mháire, cé go raibh an saol fadó crua, ceapaim féin go raibh daoine níos sásta ná mar atá anois. Ní raibh mórán againn an t-am sin ach bhí daoine sásta lena gcuid. Feictear dom go bhfuil an-bhrú inniu ar dhaoine óga jab a fháil, teach a cheannach agus morgáiste a íoc.

Agallóir Ábhar machnaimh ansin dúinn, cinnte! Go raibh maith agat as ucht caint liom ar maidin, a Phádraig.

An ghramadach i gcomhthéacs

An Aimsir Ghnáthchaite

Ag cur síos ar rud a rinne tú go rialta fadó: *I used to go …*

Láithreach	Gnáthchaite
Itheann daoine bia ó gach cearn den domhan inniu.	Fadó **d'ithidís** bia a d'fhás siad féin.

Láithreach	Gnáthchaite
Bíonn	Bhíodh
Téann	Théadh
Tagann	Thagadh
Itheann	D'itheadh
Insíonn	D'insíodh

Ceacht

Pioc amach na briathra go léir atá san Aimsir Ghnáthchaite san agallamh ar lth 49. Cuir na habairtí sa cholún cuí.

	Inniu	Fadó
Itheann daoine i mbialanna.		
D'insítí scéalta cois tine.		
Ceannaítear bia san ollmhargadh.		
Ní théadh aon duine ar saoire.		
Tá oideachas meánscoile saor in aisce.		
D'fhásadh gach teaghlach glasraí.		
Téann daoine thar lear ar saoire.		
Bhíodh táillí ann don mheánscoil.		
Ní cheannaítí ach tae, siúcra agus plúr sa siopa.		
Ní fhásann daoine a mbia féin.		
Féachann daoine ar an teilifís.		
D'ithidís sa bhaile.		

Ceapadóireacht: alt nuachtáin/irise

Léigh an t-alt thíos, ansin labhair le do sheanmháthair nó seanduine a bhfuil aithne agat air nó uirthi agus scríobh alt faoi na difríochtaí idir an saol fadó agus an saol inniu. Ceap teideal oiriúnach don alt nuair a bhíonn sé scríofa agat – teideal suimiúil, mealltach.

Treoir

Tá alt nuachtáin nó alt irise cosúil le haiste ach amháin go bhfuil sé dírithe ar an bpobal i gcoitinne, mar sin ba chóir go mbeadh sé suimiúil don ghnáthdhuine, bríomhar agus ba chóir tagairt a dhéanamh do dhaoine eile agus a dtuairimí.

Caithfear a adhmháil go bhfuil athrú mór tagtha ar an saol le caoga bliain anuas. Ar ndóigh, níl aon chuimhne agam-sa ar an am sin ach bhí mé ag caint le déanaí le Pádraig Ó Céidigh as Indreabhán, agus **is iomaí athrú** a thugann seisean faoi deara.

Rugadh Pádraig i 1932 i dteach beag ceann tuí, gan ach trí sheomra ann agus bhí deichniúr clainne ag a mháthair. B'é Pádraig an dara duine ab óige sa chlann. Sa bhaile a rugadh é. Bhí an oiread sin deifir air nár fhan sé don dochtúir! Ach ba chuma, bhí seanchleachtadh ag a thuismitheoirí ar bhreith linbh faoin am seo.

D'fhásaidís a gcuid glasraí féin sa gharraí agus d'usáidtí feamainn mar leasú. Saol simplí, nádúrtha, orgánach a bhí ann – is dócha nach raibh sé ró-dhifriúil ón saol a chuireann Máirtín Ó Direáin síos air sa dán 'An tEarrach Thiar'. Bhí siad **féinleorga**, is é sin ní raibh siad ag brath ar aon duine eile chun bia a chur ar an mbord. Bhí iasc acu ón bhfarraige, glasraí ón ngarraí agus móin ón bportach. Ba le hasal agus cairt a thugtaí an mhóin abhaile. Ní raibh aon hopper ná leoraithe ann ag an am sin.

Rinne Pádraig cur síos ar an mbothántaíocht freisin. Thagadh daoine ar cuairt chucu agus bhíodh caint agus comhluadar acu timpeall na tine. Is cuimhin leis céilithe sna tithe agus ceol agus damhsa. Bhíodh an-chraic acu ag caint ag scéalaíocht, ag canadh agus ag ceol.

Níl fhios agam **an bhféadfainn** saol mar sin **a shamhlú** – gan raidió, gan teilifís, gan ríomhaire, gan fón póca! Nuair a deirim é sin le Pádraig, tosaíonn sé ag gáire. "Aos óg an lae inniu," a deir sé "Tá a bpus sáite sa bhfón póca nó sa ríomhaire acu ó mhaidin go hoíche!" Smaoiním ar an stoirm a bhí ann tamaill ó shin nuair a fágadh gan leictreachas muid ar feadh oíche. Bhíomar go léir inár suí le chéile sa seomra suite timpeall na tine le coinnle, mar go raibh an chuid eile den teach préachta. Thosaigh Mamaí ag insint scéalta dúinn faoina hóige, agus ansin thosaigh Daid ag caint faoin gcéad uair a leag sé súil ar Mham! Bhíomar sna tríthí gáire. De ghnáth bímíd go léir inár seomraí ar an ríomhaire nó ar an bhfón póca nó ag féachaint ar an teilifís.

Nuair a deir Pádraig, mar sin, go gceapann sé go raibh an saol níos fearr fadó, tuigim cad tá i gceist aige. Mar sin féin, táim sásta le mo ríomhaire glúine agus m'fhón póca! An mbeidh mise lá éigin ag labhairt le duine óg ag insint dó faoin saol iontach a bhí agam nuair a bhí mé óg? An mbeidh mé ag rá leis faoin ngléas iontach seo a bhí ann: an fón póca? Agus an mbeidh sé ag féachaint orm le súile lán le trua ag ceapadh gur créatúirín bocht mé? Cá bhfios? Is maith an scéalaí an aimsir!

Súil siar: seicliosta

Foghraíocht	Urú
Gramadach	Tá agus bíonn An Aimsir Láithreach agus an Aimsir Ghnáthchaite
Foclóir	ginearálta don Aiste don litríocht
Labhairt	Comhrá faoi do cheantar

Cluastuiscint (60 marc)

FÓGRA A hAON

Mír 2.8 T19

1. Cén gaol le Máire atá marbh?
2. Cé mhéad garpháistí atá aici?
3. Cá mbeidh sí á tórramh?
4. Cá gcuirfear í?

FÓGRA A DÓ

Mír 2.9 T20

1. Cá bhfuil Gaeltacht Mhaigh Eo suite?
2. Cad iad na gníomhaíochtaí éagsúla atá ar fáil don turasóir?
3. Cén sórt tírdhreacha atá sa cheantar?

CÓMHRÁ A hAON

Mír 2.10 T21

1. Cén gaol atá idir Ian agus Síle?
2. Cé acu is sine, Luke nó Ian?
3. Cad atá á dhéanamh ag Luke?

CÓMHRÁ A DÓ

Mír 2.11 T22

1. Cén fáth go bhfuil cur amach ag Sadhbh ar Chonamara?
2. Cad nach maith le Sadhbh faoi Chonamara?
3. Cad atá tagtha ar Ghaillimh le blianta beaga anuas, dar le Sadhbh?

PÍOSA A hAON

Mír 2.12 T23

1. Cén gaol a bhí ag Breandán leis an scríbhneoir Liam Ó Flaithearta?
2. Cad a bhain an t-úrscéal 'Lig Sinn i gCathú' amach nuair a foilsíodh é?
3. Conas mar a fuair Breandán Ó hEithir bás?

PÍOSA A DÓ

Mír 2.13 T24

1. Cé a d'fhógair an plean forbartha?
2. Cén fáth a bhfuil gá le feabhas a chur ar an infrastruchtúr sa cheantar?
3. Cén sórt post a chruthóidh an scéim tithíochta?

Ceapadóireacht

(100 marc)

Freagair do rogha CEANN AMHÁIN de A, B nó C anseo thíos.

Nóta: Ní gá níos mó ná 500-600 focal nó mar sin a scríobh i gcás ar bith.

A – AISTE nó ALT NUACHTÁIN / IRISE – 100 marc

Scríobh ar AISTE **NÓ** ALT NUACHTÁIN / IRISE ar CHEANN AMHÁIN de na hábhair seo.

(a) Fadhbanna an aosa óig sa lá atá inniu ann

(b) Tá an tír seo athraithe as cuimse le fiche bliain anuas

(c) Aois na hóige aois na glóire

(d) Éire sa lá atá inniu ann

(e) Níl aon mheas ar sheandaoine sa tír seo

B – SCÉAL – 100 marc

Ceap scéal a mbeadh do rogha **CEANN AMHÁIN** díobh seo oiriúnach mar theideal air.

(a) Óige

(b) Aoibhinn beatha an scoláire

C – DÍOSPÓIREACHT / ÓRÁID – 100 marc

Freagair do rogha **CEANN AMHÁIN** díobh seo a leanas.

(a) Scríobh an *chaint* a dhéanfá i ndíospóireacht scoile ar son an rúin seo a leanas **nó** ina aghaidh.

Ní thuigeann aos óg an lae inniu cé chomh bog is atá an saol acu.

(b) Scríobh an píosa cainte a thabharfá sa rang Gaeilge faoi:

Tugtar aire níos fearr do phriosúnaithe na tíre seo ná mar a thugtar do sheandaoine.

3

Cúrsaí Scoile

SAN AONAD SEO FOGHLAIMEOIDH TÚ:

Foghraíocht	An t-athrú fuaime a thagann le síneadh fada
Gramadach	An tAinm Briathartha Is/tá An Modh Coinníollach
Labhairt	Conas labhairt faoin scoil; ábhair; áiseanna; éide scoile; rialacha; saghsanna scoileanna
Aiste	Tuairimí faoin gcóras oideachais a thabhairt.
Litríocht	'Hurlamaboc' le hÉilís le Ní Dhuibhne

Cúrsaí Scoile

Cúinne na fuaime
An t-athrú fuaime a thagann le sineadh fada

Fabhalscéal: Bhí bean uasal ann uair agus chuaigh sí ar saoire. D'fhág sí nóta dá garraíodóir ar phíosa páipéir: 'A Thomáis, gearr an fear, le do thoil'. Nuair a chonaic an garraíodóir an nóta, níor thuig sé é. Ag an nóiméad sin tháinig fear an phoist. 'Aha', arsa an garraíodóir. Phioc sé suas scian agus ghearr sé fear an phoist. Ag an gcás cúirte a lean, dúirt an garraíodóir go raibh sé ag leanúint treoir a fhostóra, agus thaispeáin sé an nóta don chúirt. Cuireadh fios ar an mbean uasal. 'Ó', arsa an bhean 'Séard a bhí i gceist agam ná "Gearr an féar." Níl ann ach gur fhág mé amach an síneadh fada trí thimpiste.'

"Agus ceapann tú go gcreidfimís a leithéid de leithscéal?" arsa an breitheamh.

Níor chreid an giuiré í. Fuarthas an bhean ciontach as griosú chun mórdhíobháil choirp a dhéanamh agus cuireadh i bpríosún í. Ceacht: Ná fág síneadh fada amach riamh!

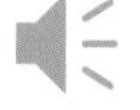

Mír 3.1
T25

Éist agus abair

I	Í	bith	bí	nith	ní	cith	cíor
E	É	te	té	le	léigh	ceist	céard
A	Á	maith	má	ban	bán	cas	cás
O	Ó	ola	ól	mol	mór	lon	lón
U	Ú	uladh	úlla	mura	múr	cur	cúr

Cleachtadh éisteachta 1: rialacha

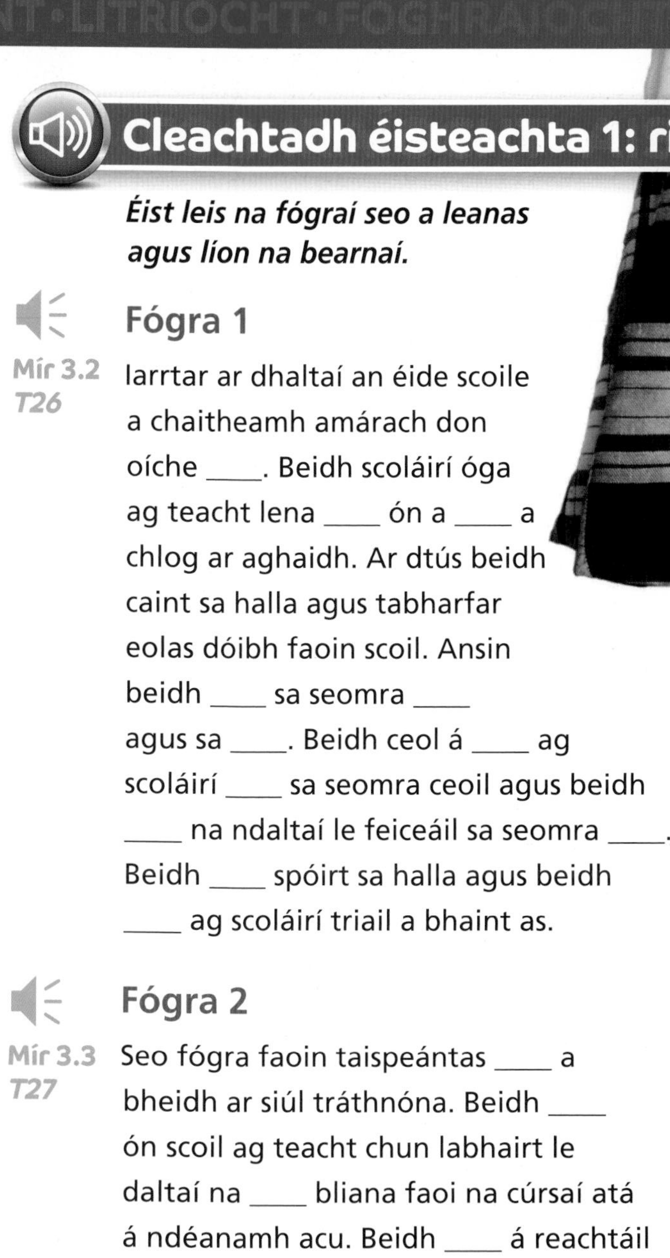

Éist leis na fógraí seo a leanas agus líon na bearnaí.

Fógra 1

Mír 3.2
T26

Iarrtar ar dhaltaí an éide scoile a chaitheamh amárach don oíche ____. Beidh scoláirí óga ag teacht lena ____ ón a ____ a chlog ar aghaidh. Ar dtús beidh caint sa halla agus tabharfar eolas dóibh faoin scoil. Ansin beidh ____ sa seomra ____ agus sa ____. Beidh ceol á ____ ag scoláirí ____ sa seomra ceoil agus beidh ____ na ndaltaí le feiceáil sa seomra ____. Beidh ____ spóirt sa halla agus beidh ____ ag scoláirí triail a bhaint as.

Fógra 2

Mír 3.3
T27

Seo fógra faoin taispeántas ____ a bheidh ar siúl tráthnóna. Beidh ____ ón scoil ag teacht chun labhairt le daltaí na ____ bliana faoi na cúrsaí atá á ndéanamh acu. Beidh ____ á reachtáil óna sé a chlog go dtí a hocht istoíche. Beidh mac léinn ____, mac léinn ____, agus mac léinn ____ ann chomh maith le hiardhaltaí atá ag obair i ____, in ____ agus sa tionscal ____. Ba chóir go mbainfeadh daltaí tairbhe agus taitneamh as.

Fógra 3

Mír 3.4
T28

1. Breac síos trí riail atá sa scoil.
2. Cén riail atá á sárú?
3. Cén píonós a chuirfear ar dhaltaí a leanfaidh leis an gcleachtas seo?
4. Cad a iarrtar ar dhaltaí a dhéanamh?

Cleachtadh éisteachta 2: éide scoile

Éist leis an gcomhrá.

Mír 3.5
T29

Rose An bhfuil éide scoile agaibh?

Caoimhe Tá, tá sciorta breacáin gorm, dubh agus bán againn nó bríste dubh, blús bán, geansaí gorm le suaitheantas na scoile air, stocaí dubha agus bróga dubha. Tá carbhat dubh agus gorm ag na buachaillí.

Rose Tá bhur n-éide scoile i bhfad níos deise ná ár gceann. Ní maith liom m'éide scoile ar chor ar bith. Ceapaim go bhfuil sé gránna. Caithfimid sciorta fada glas a chaitheamh, geansaí glas, léine uachtar agus carbhat gránna. Agus mar bharr ar an donas caithfimid cóta scoile gránna glas a chaitheamh! Tá ár bpríomhoide an-dian ar fad agus má thagann tú ar scoil gan é, faigheann tú coinneáil istigh.

Caoimhe Níl siad chomh dian sin i mo scoilse ach ceapaim féin go bhfuil éide scoile amaideach. Ceapaim gur chóir deireadh a chur leis ar fad. Tá cara liom i scoil chuimsitheach agus níl aon éide scoile acusan. Nach mbeadh sé sin togha!

Rose Ó, níl a fhios agam faoi sin. Ceapaim féin go bhfuil sé úsáideach éide scoile a bheith agat, mar ansin, ní gá duit bheith ag smaoineamh ar cad a chuirfidh tú ort gach lá, ach ceapaim gur chóir go mbeadh cead ag daltaí an éide scoile a dhearadh. Ba chuma liom éide scoile a chaitheamh dá mbeadh éide scoile deas againn.

Caoimhe An rud a chuireann déistin ormsa ná nach bhfuil cead buataisí a chaitheamh, fiú i lár an gheimhridh!

Faigh agus foghlaim

Faigh an Ghaeilge ar na nathanna seo agus cuir in abairtí iad.

school crest
we have to
you don't need to
I wouldn't mind
they're not that strict
at all
to make matters worse
even
what annoys me is that we're not allowed
I think they should ...

Faigh samplaí den Mhodh Coinníollach sa phíosa.

Deis comhrá

Déan plé ar an éide scoile i do scoilse. Ar chóir fáil réidh le héide scoile ar fad? Cad a cheapann tú? Déan liosta de bhuntáistí agus de mhíbhuntáistí a bhaineann le héide scoile. Féach ar na samplaí thíos.

Buntáiste	Míbhuntáiste
Ní gá duit smaoineamh ar cad a chaithfidh tú gach lá. Sábhálann sé airgead ar thuismitheoirí. Bíonn gach dalta ar comhchéim.	Ní féidir le daltaí a bhféiniúlacht a léiriú. Ní réitíonn sé daltaí do shaol na hoibre. Ní bhíonn deis ag daltaí a stíl éide féin a fhorbairt.

Freagair na ceisteanna seo a leanas i do chóipleabhar Gaeilge labhartha.

Ceisteanna

1. An maith leat d'éide scoile?
2. Déan cur síos ar d'éide scoile.
3. An gceapann tú gur chóir deireadh a chur le héide scoile?
4. Ar chóir an éide scoile a athrú?

RIALACHA

Níl cead tobac **a chaitheamh.**
Níl cead **bróga reatha a chaitheamh.**
Níl cead **guma a chogaint.**
Níl cead **fón póca a bheith agat** sa rang.
Níl cead **an scoil a fhágáil** ag am lóin.
Níl cead **deochanna súilíneacha a ól.**
Caithfear **obair bhaile a dhéanamh.**
Caithfear **an éide scoile a chaitheamh.**
Caithfear **éisteacht sa rang.**
Caithfear **treoracha a leanúint.**

An ghramadach i gcomhthéacs

An tAinm Briathartha

Féach ar na briathra sa liosta thuas. Tugtar 'an t-ainm briathartha' ar an gcuid sin den bhriathar. Is é an chuid chéanna den bhriathar a leanann 'ag'.

Tá sé **ag caitheamh** tobac: Níl cead tobac a **chaitheamh**.

Seo mar a dhéantar an t-ainm briathartha.

-amh	-adh	-áil	-aint/úint	-acht
seas**amh**	glan**adh**	tóg**áil**	cog**aint**	te**acht**
caithe**amh**	dún**adh**	f**áil**	lean**úint**	fan**acht**
déan**amh**	brise**adh**	íoslód**áil**	seach**aint**	éiste**acht**
smaoine**amh**	can**adh**	fág**áil**	féach**aint**	ime**acht**

- Cuirtear 't' le roinnt briathra: labhair**t**, tabhair**t**, seachain**t**
- Briathra aonsiollacha a chríochnaíonn le -igh: suí, ní, luí

Samplaí

Dún an doras: Dúirt mé leat an doras **a dhúnadh**.

Caith tobac: Níl cead **tobac a chaitheamh**.

Ceacht 1

Cuir 'Níl cead' roimh na horduithe seo agus athraigh mar is gá.

Sampla: cogain guma Níl cead guma a chogaint.

caith bróga reatha	Níl cead …
caith fáinne sróine	
déan damáiste do threalamh scoile	
fág an scoil i rith an lae gan nóta	
ól deochanna súilíneacha	
labhair gan chead sa rang	

Ceacht 2

Anois cuir 'Caithfear' nó 'Ní mór' roimh na horduithe seo agus athraigh mar is gá.

1. Éist sa rang
2. Déan d'obair bhaile
3. Bí béasach i gcónaí
4. Bíodh meas agat ar dhaltaí eile agus ar mhúinteoirí
5. Bíodh do leabhair agat don rang
6. Tar in am don rang

An Chopail

Usáidtear **'Is'** le **hainmfhocal:**

m.sh. **Is** riail mhaith í ➔ Ceapaim **gur** riail mhaith í

agus **'Tá'** le **haidiacht:**

m.sh. **Tá sé** amaideach ➔ Ceapaim **go bhfuil** sé amaideach

Is féidir 'ceapaim' *nó* 'measaim' *nó* 'sílim' a rá

Ag tabhairt tuairime

Ba chóir ➔ Ceapaim **gur** chóir an riail seo a athrú ...

Níor chóir ➔ Ceapaim **nár** chóir deireadh a chur le ...

Mar shampla:

Ba chóir go mbeadh cead ag daltaí buataisí a chaitheamh — **Ceapaim gur** chóir go mbeadh cead ag daltaí buataisí a chaitheamh

Níor chóir go mbeadh cead guma a chogaint — **Ceapaim nár** chóir go mbeadh cead guma a chogaint mar....

Ceacht 1

Féach ar an liosta rialacha seo a leanas agus abair cad a cheapann tú fúthu.

1. Níl cead bróga reatha a chaitheamh.
2. Níl cead fáinní cluaise silteacha a chaitheamh.
3. Níl cead fáinne sróine a chaitheamh.
4. Níl cead smidiú a chaitheamh.
5. Níl cead an scoil a fhágáil ag am lóin.

Ceacht 2

Déan liosta de rudaí gur/nár chóir go mbeadh cead ag daltaí a dhéanamh agus pléigh iad leis an rang.

1. Cad a cheapann tú faoi rialacha na scoile?
2. An bhfuil aon riail amaideach ag an scoil?

An Modh Coinníollach

Úsáidtear an Modh Coinníollach mar a úsáidtear 'would', 'could' nó 'should' sa Bhéarla.

Mar shampla: I **would do** that if **I had** the money ➔ **Dhéanfainn** é sin **dá mbeadh** an t-airgead agam.

Tá an Modh Coinníollach beagán cosúil leis an Aimsir Fháistineach ach tá an fhoghraíocht éagsúil.

Aimsir Fháistineach -fidh = hig nó hee*
Modh Coinníollach -f(e)adh = huch ('ch' Gaeilge cosúil le huck, ach le fuaim scornúil)
Aimsir Fháistineach -(e)oidh = oh-wig/oh-wee/oh
Modh Coinníollach -(e)odh = óch

Aimsir Fháistineach	Modh Coinníollach (Tabhair faoi deara an séimhiú)
Cuirfidh	C**h**uirfeadh
Tógfaidh	T**h**ógfadh
Labhróidh	Labhródh
Tosóidh	T**h**osódh

*I gcanúint na Mumhan deirtear 'hig', i gcanúint Chonnacht 'heh', i gcanúint Dhún na nGall 'hee'.

- Cuirtear f(e)adh nó -(e)odh leis an mbriathar sa Mhodh Coinníollach. Mar shampla: cheannódh, thógfadh
- Bíonn **dhá** bhriathar in abairt choinníollach:
  - Cuirtear **urú** (nó n le guta) ar an mbriathar tar éis **'Dá'**:
    dá **m**beadh dá **n**ólfadh
  - Cuirtear **séimhiú** (nó d' le guta) ar an mbriathar eile:
    C**h**eannódh sé d'ólfainn

Úsáidtear an fhoirm tháite le 'mé/tú/muid/siad'.

C**h**uirfinn (hin) *I would put*	**D'**inseoinn (dinshowin) *I would tell*
C**h**uirfeá (faw/haw) *You would put*	**D'**inseofá (dinshowfaw) *You would tell*
C**h**uirfeadh sé/sí sibh (huch) *He/she would put*	**D'**inseodh sé/sí sibh (óch) *he/she/ye would tell*
C**h**uirfimis (himeesh) *we would put*	**D'**inseoimis(dinshowmeesh) *we would tell*
C**h**uirfidís (hideesh) *they would put*	**D'**inseoidís (dinshowdeesh) *they would tell*

Seo a leanas na briathra neamhrialta sa Mhodh Coinníollach

Faigh: Gheobhainn/gheofá/gheobhadh; dá bhfaighinn/an bhfaighfeá
Téigh: Rachainn/rachfá/rachadh sé; dá rachaimis/an rachaidís
Tar: Thiocfainn/thiocfá/thiocfadh sé; dá dtiocfaimis/an dtiocfaidís
Bí: Bheinn/bheifeá/bheadh sé; dá beimis/an mbeimís
Ith: D'íosfainn/d'íosfá/d'íosfadh; dá n-íosfaimis/an íosfaidís
Abair: Déarfainn/déarfá/déarfadh; dá déarfaimis/an ndéarfaidís
Beir: Bhéarfainn/bhéarfá/bhéarfadh; dá mbéarfaimis/an mbéarfaidís
Tabhair: Thabharfainn/thabharfá/thabharfadh/thabharfaimis/thabharfaidís

➔ **Féach liosta iomlán na mbriathra neamhrialta sa Mhodh Coinníollach ar lth 427**

Ceacht 1

Léigh an píosa seo a leanas.

Cad a dhéanfá dá mbeifeá i do phríomhoide ar do scoilse?

N.B. *I would...* **-finn** nó **-eoinn**

Dá **mbeinn** i mo phríomhoide, **thabharfainn** níos mó saoirse do dhaltaí, go háirithe daltaí sinsearacha. Níl sé ceart go **mbeadh** na rialacha céanna ann do dhaltaí sa chéad bhliain agus do dhaltaí sa séú bliain. **Thabharfainn** cead do dhaltaí sinsearacha dul suas an baile ag am lóin. **Chuirfinn** feabhas ar na háiseanna. Níl halla spóirt ceart sa scoil, mar shampla. **Chuirfinn deireadh le** roinnt rialacha amaideacha. **Bheadh** cead ag daltaí buataisí a chaitheamh. **Dhéanfainn** infheistíocht i dtrealamh nua spóirt agus **thógfainn** halla nua.

Anois scríobh do fhreagra féin ar an gceist i do chóipleabhar Gaeilge labhartha.

3

Ceacht 2

Scríobh na habairtí seo i do chóipleabhar agus cuir an leagan ceart den bhriathar isteach.

Cad a dhéanfá dá mbeifeá i do thaoiseach?

Dá mbeinn i mo thaoiseach (cuir) níos mó post ar fáil. (Déan) infheistíocht i gcomhlachtaí beaga Éireannacha ar fud na tíre agus (tabhair) níos mó airgid do scoileanna agus d'ospidéil. (Cuir) iallach ar dhaoine ar ioncam ard níos mó cánach a íoc agus (laghdaigh) an cháin do dhaoine ar ioncam íseal. Freisin (úsáid) níos mó fuinnimh in-athnuaite.

Anois scríobh do leagan féin den cheist chéanna.

Ceacht 3

Cad a dhéanfása? An athrófá aon rud i do scoilse? Úsáid na briathra seo a leanas.

Chuirfinn deireadh le
Chuirfinn iallach ar
Thógfainn
Chuirfinn ... ar fáil
Dhéanfainn
Cheannóinn
D'athróinn

Ceist a chur

Tá dhá bhealach chun iarraidh ar dhaoine rud éigin a dhéanamh: an bealach díreach agus an bealach 'béasach'.

Mar shampla:
Díreach: 'Dún an doras.' (*Shut the door.*)
Béasach: 'An ndúnfá an doras?' (*Would you shut the door?*)

Ceacht 4

Athraigh an leagan díreach go dtí an leagan béasach anseo.

1. Oscail an fhuinnneog.
2. Tabhair dom an peann.
3. Faigh an leabhar.
4. Téigh go dtí an oifig.
5. Cuir sa bhosca é.
6. Tar liom.
7. Cabhraigh liom.
8. Inis dom cén fáth.
9. Ith suas do dhinnéar.
10. Déan d'obair bhaile.

Scrúdú béil: agallamh: mo scoil

Éist leis an gcómhrá seo.

Mír 3.6
T30

Agallóir	Inis dom, cá dtéann tú ar scoil?
Ana	Freastalaím ar Scoil Chuimsitheach na Ceathrún Buí.
Agallóir	Cén cineál* scoile í?
Ana	Is meánscoil í do chailíní agus buachaillí.
Agallóir	Inis dom faoin scoil. Cad iad na **háiseanna** atá ann?
Ana	Is scoil bheag í, níl ach thart ar thrí chéad dalta ann agus cúigear is fiche múinteoirí. Is seanscoil í, agus **is oth liom a rá nach** bhfuil na háiseanna **thar moladh beirte** ann. Tá saotharlann, seomra eacnamaíocht bhaile, seomra adhmadóireachta, seomra miotalóireachta agus siopa beag ann, ach **seachas sin, is beag** áis eile atá ann. **Cé go bhfuil** seomra ríomhairí sa scoil, tá na ríomhairí sean agus ní oibríonn siad leath den am. **Anuas air sin**, níl aon halla spóirt ceart againn, agus tá na páirceanna peile is gaire ar an taobh eile den bhaile. Tá tithe réamhdhéanta againn freisin mar go bhfuil **easpa** seomraí ranga ann**. Is mór an náire é** i ndáiríre.

Agallóir Agus cad a dhéanfása chun **feabhas a chur ar** chúrsaí?

Ana Bhuel, ar an gcéad dul síos, **thógfainn** scoil nua ar fad, scoil a bheadh inslithe go maith, le córas teasa éifeachtach. Bíonn an scoil préachta maidin Dé Luain. **Rud eile a dhéanfainn ná chuirfinn** na háiseanna **cuí** ar fáil – seomra ríomhairí le **trealamh** cothrom le dáta agus cláir idirghníomhacha i ngach seomra ranga. **Gheobhainn réidh leis** na tithe réamhdhéanta agus **cheannóinn** roinnt talún in aice leis an scoil chun páirceanna peile a chur ar fáil.

Agallóir Agus cá **bhfaighfeá** an t-airgead chun é sin go léir a dhéanamh?

Ana **Gheobhainn é ar ais nó ar éigean!**

Agallóir Cén bhliain ina bhfuil tú ar scoil?

Ana Táim sa chúigiú bliain.

Agallóir Inis dom, **cad iad na hábhair atá á ndéanamh agat** don Ardteist?

Ana **Tá** Gaeilge, Béarla, Fraincis, Bitheolaíocht, Eacnamaíocht Bhaile, Stair agus Mata **á ndéanamh agam**.

Agallóir Cad é an t-ábhar is fearr leat? (Cad **iad na h**ábhair is fearr leat?)

Ana **Caithfidh mé a rá gur** breá liom Stair agus Gaeilge, ach ceapaim gurb é Béarla an t-ábhar is fearr liom. Is breá liom léitheoireacht agus drámaíocht agus filíocht.

Agallóir Agus an bhfuil aon ábhar nach maith leat?

Ana Ní maith liom Mata, agus **níl mé róthógtha le** Bitheolaíocht.

*sórt/saghas

3

Faigh agus foghlaim

Faigh agus foghlaim na focail nó nathanna a chiallaíonn.

téim go
sórt
chomh maith leis sin
níl sé rómhaith
ní maith liom
níl mórán
ganntanas
níl go leor
oiriúnach
cé is moite de sin
tuairim is
fearas
tá brón orm a rá...,
Tá sé scannalach
é a dhéanamh níos fearr
deireadh a chur le
ar bhealach éigin.

Scríobh i do leabhar nótaí agus foghlaim.

1. Faigh samplaí den Modh Coinníollach.
2. Scríobh na nathanna aibhsithe go léir i do chóipleabhar, foghlaim agus úsáid iad.

Ullmhú don scrúdú béil

Scríobh na ceisteanna i do chóipleabhar agus tabhair do fhreagraí féin orthu. Freagair ceist 31 ar lth 466 freisin.

Níos mó eolaithe óga cliste ag cur i láthair as Gaeilge anois

1. Tá an **t-ullmhúchán** déanta, na hallaí taispeántais réitithe, **sceitimíní** ar na mic léinn agus tús mór á chur leis an Taispeántas Eolaí Óg na Bliana inniu. Ón 518 **togra** atá cáilithe don Chraobh san RDS, tá 40 acu curtha i láthair i nGaeilge. Tá an líon is airde ag teacht as Baile Átha Cliath, le 15 **iarratasóirí**, agus le Dún na nGall sa dara háit, le 12 iarratasóir as Gaeilge.Tá Ciarraí sa tríú háit le ceithre iarratas as Gaeilge. Ciallaíonn sé seo go bhfuil teideal agus **taighde** na dtograí as Gaeilge agus caithfidh na scoláirí iad a mhíniú as Gaeilge.Tá an **taispeántas** Eolaí Óg na Bliana eagraithe agus urraithe ag BT na hÉireann. Labhair *Foinse* le Daithí Ó hAimheirgín, Comhairleoir Teicniúil, Réamh-Dhíolacháin BT na hÉireann faoi.
2. Deir Daithí go mbíonn duais speisialta ar leith don togra is fearr as Gaeilge."Tá beagnach ocht faoin gcéad de na hiarratais as Gaeilge agus tá na figiúir seo láidir agus **suntasach** go leor. "Tá beagnach leath de na hiarratais as Dún na nGall as Gaeilge agus an líon is mó ag teacht as BÁC (ach caithfear cuimhneamh go dtagann an líon is mó iarratas don chomórtas ar fad as BÁC).
3. "Tá sé suimiúil freisin go bhfuil iarratais as Luimneach agus as Muineachán as Gaeilge." Bíonn achan ceann d'iarratais Choláiste Ailigh as Dún na nGall i gcónaí as Gaeilge agus deir Daithí go mbíonn **caighdeán an-ard** iontu seo i gcónaí. Tá samplaí spéisiúla de na tograí Gaeilge le feiceáil ó na mic léinn. Mar shampla, Sadhbh Halpin ó Ghaelcholáiste Luimnigh, atá ag féachaint ar an éifeacht a bhíonn ag saghsanna difriúla ceoil ar ráta croí. Tá Míde Nic an Aoire as Coláiste Íosagáin i mBaile Átha Cliath ag déanamh staidéir ar dhearcadh tiománaithe óga i leith cúrsaí tiomána.
4. Tá Aedín Ní Dhónaill, Róisín Nic Uileagóid agus Jenny Ní Mhuireagáin as Coláiste Íosagáin i mBaile Átha Cliath chun na contúirtí agus na míbhuntáistí a ghabhann le spórt a chur i gcomparáid agus chun breathnú ar cad a tharlóidh muna n-itear agus muna n-óltar i gceart nuair a imrítear spórt. Ina réamhfhocal sa treoirleabhar ón bPríomhfheidhmeannach, Chris Clark, deir sé gur iomaí **buntáiste** a fhásann as **rannphairtíocht** sa taispeántas seo. Spreagann sé **díograis** chun na scileanna cuí a fhorbairt sa todhchaí. Is deis iontach é do dhaltaí a bhfuil suim acu san fhiontraíocht a gcuid smaointe a chur chun cinn agus a gcuid tallann a thaispeáint. Is deis é freisin do ghnólachtaí agus don earnáil phoiblí teacht le chéile le lucht oideachais chun comhairle a chur ar na mic léinn. Bíonn spraoi den scoth ag gabháil leis an taispeántas agus na mílte daltaí agus cuairteoirí eile ag baint suilt as an draíocht agus as an iontas a ghabhann leis an eolaíocht agus an teicneolaíocht.

Bunaithe ar alt as *Foinse* le Neasa Ní Choistealbha

Foclóir

ullmhúchán *preparation*
sceitimíní *excitement*
togra *proposal*
iarratasóir *applicant*
taighde *research*
taispeántas *exhibition*
suntasach *significant*
caighdeán ard *high standard*
buntáiste *advantage*
díograis *enthusiasm/diligence*

Ceisteanna

1. (a) Cad as a dtagann an líon is mó **iarratas** as Gaeilge? (Alt 1)
   (b) Cé a dhéanann **urraíocht** ar an Taispeántas Eolaí Óg? (Alt 1)
2. (a) Cén céatadán de na hiarratais atá i nGaeilge? (Alt 2)
   (b) Cén fáth a dtagann an líon is mó d'iarratas Gaeilge ó Bhaile Átha Cliath? (Alt 2)
3. (a) Luaigh rud amháin atá **suntasach** faoi na hiarratais a thagann as Coláiste Ailigh i nDún na nGall? (Alt 3)
   (b) Déan cur síos ar **thogra** amháin Gaeilge sa taispeántas. (Alt 3)
4. Luaigh buntáiste amháin a eascraíonn as rannpháirtíocht sa taispeántas seo. (Alt 4)
5. Cén deis iontach a chuirtear ar fáil do (i) dhaltaí (ii) ghnólachtaí. (Alt 4)

3

Deis comhrá

- Ar chuir tú iarratas isteach ar Thaispeántas an Eolaí Óig riamh?
- Ar chuir tú iarratas isteach ar aon chomórtas riamh?
- Cad é an tairbhe a bhaineann leis an Taispeántas Eolaí Óig?

Faigh agus foghlaim

Faigh amach cad is ciall leis na focail seo.

tionscadal	dúthracht	páirt a ghlacadh i	a fhorbairt
tairbhe	meon	seans	dainséir

Scríobh na nathanna aibhsithe i do chóipleabhar agus foghlaim.

Ceapadóireacht: aiste

Léigh an aiste shamplach seo agus scríobh na nathanna aibhsithe i do chóipleabhar aistí. Foghlaim agus úsáid iad i d'aiste féin.

Níl an córas oideachais sa tír seo oiriúnach do shaol an lae inniu.

Bhuail cúpla smaoineamh mé nuair a chonaic mé teideal na haiste seo. Is fíor go bhfuil roinnt den fhírinne sa ráiteas seo, ach tá dhá insint ar gach scéal. San aiste seo, labhróidh mé faoi na hábhair a mhúintear ar scoil agus an curaclam, na háiseanna atá ag scoileanna agus an córas measúnachta, is é sin, na scrúduithe agus córas na bpointí. **Pléifidh mé an cheist agus tabharfaidh mé mo thuairim phearsanta féin ar an scéal. Tá súil agam go dtabharfaidh mé ábhar machnaimh daoibh.**

Ar an gcéad dul síos, labhróidh mé faoin réimse ábhar atá ar fáil i scoileanna na tíre seo. **Is cinnte go bhfuil** réimse leathan ábhar ar fáil: ceol, teangacha, eolaíocht, stair, tíreolaíocht **agus mar sin de. Níl aon dabht ach** go ndéantar iarracht oideachas leathan a thabhairt do dhaltaí na tíre seo. Déanann daltaí staidéar ar shé nó ar sheacht n-ábhar san Ardteist, **i gcomparáid** leis an mBreatain, áit nach ndéanann daltaí ach trí nó ceithre ábhar do na scrúduithe A-leibhéal. **I mo thuairimse, is maith an rud é seo** mar bíonn dearcadh níos leithne ag daltaí na tíre seo.

Ach ar an láimh eile, caithfear a admháil gur ábhair acadúla den chuid is mó atá ar fáil. **Ní chuirtear dóthain béime** ar ábhair phraiticiúla sa chóras oideachais sa tír seo. **Ní bhíonn ach** tréimhse amháin corpoideachais ag daltaí sa tseachtain, agus tréimhse amháin ríomhairí. **Ceapaim féin gur cheart go mbeadh níos mó béime ar** scileanna praiticiúla, agus scileanna sóisialta, scileanna a bheadh oiriúnach do shaol an lae inniu. **Is fíor go** ndéanann cúrsa na hidirbhliana iarracht na scileanna seo **a fhorbairt**, ach níl an idirbhliain **éigeantach** agus, **pé scéal é**, níl sí ar fáil i ngach scoil. Is cúrsa iontach é an Ardteistiméireacht Fheidhmeach freisin, **a dhéanann iarracht** freastal ar dhaltaí le scileanna neamhacadúla, ach arís níl sé ar fáil i ngach scoil.

Anois, labhróidh mé faoi na háiseanna sna scoileanna. **Féach timpeall ort**. Tá an chuid is mó de scoileanna na tíre seo ag titim as a chéile, le daltaí sáite i seomraí ranga réamhdhéanta gan chuma ná caoi orthu. **Níl sé ceart ná cóir. Níl lá dá dtéann thart nach gcloistear faoi** scoil **ag cur thar maoil** agus daltaí á gcur ó dhoras. **Níl aon dabht ach go bhfuil na coinníollacha sna scoileanna go hainnis ar fad**. I mo scoil féin, mar shampla, **táthar ag caint le fada** faoi scoil nua a thógáil, **ach mo léan, níl ann ach caint san aer. Tá sé in am ag an rialtas beart a dhéanamh de réir a bhriathair agus a gheallúintí a chomhlíonadh.**

Ar ndóigh, ní féidir gan an córas measúnaithe **a lua.** Sa tír seo, tá todhchaí gach dalta ag braith ar rud amháin: An Ardteistiméireacht. Oibríonn daltaí go crua ar feadh sé bliana, agus ansin bíonn gach rud **ag brath ar** sheachtain amháin. **Oireann** an córas seo do dhaltaí áirithe ach ní oireann sé in aon chor do dhaltaí eile. **Ceapaim féin gur chóir go mbeadh i bhfad níos mó béime ar** mheasúnú leanúnach. Is córas lochtach é córas na bpointí.

Níl aon dabht ná gur ceist achrannach í an cheist seo. Cé go bhfuil córas oideachais maith againn sa tír seo, **níl sé gan locht. Cuirtear an iomarca béime ar** an acadúlacht agus **ní chuirtear dóthain béime ar** ábhair phraiticiúla. Tá na háiseanna sna scoileanna go dona agus cuireann córas na bpointí an-bhrú ar dhaltaí. **Caithfear féachaint arís ar** an gcóras agus é a chur in oiriúint do shaol an lae inniu. **Muna ndéantar é seo, is dúinne is measa é.**

3

Faigh agus foghlaim

Faigh agus foghlaim focail nó nathanna san aiste thuas a chiallaíonn.

go dona	plódaithe	níl sé foirfe
a chur chun cinn	gach lá	ní chuirtear go leor
rogha fhairsing	cúinsí	i dtús báire
níl aon amhras	déan mar a deir tú	cuirfidh mé ag smaoineamh sibh
ní gá é a dhéanamh	tá sé feiliúnach do	tá sé mícheart

Cleachtadh scríofa

Tabhair faoi deara!
Cuirtear an iomarca béime ar ... Ní chuirtear dóthain béime ar ...
Ba chóir níos mó béime a chur ar ...

Cum abairtí faoi do scoil ag usáid na struchtúir seo.

Cleachtadh scríofa

Cad é an mórphointe atá i ngach alt san aiste thuas?

Foclóir

córas measúnaithe *assessment system*
acmhainní *resources*
éigeantach *compulsory*
riachtanaisí speisialta *special needs*
tacaíocht foghlama *learning support*
seach-churaclaim *extra-curricular*
litearthacht *literacy*
córas na bpointí *points system*
fearas/trealamh (spóirt) *(sports) equipment*
roghnach *optional*
cúntóir riachtanas speisialta *special needs assistant*
torthaí *results*
cáilíocht *qualification*
áiseanna *facilities*
réimse leathan *wide range*
measúnú leanúnach *continuous assessment*
múinteoir acmhainne *resource teacher*
curaclam *curriculum*
gairmthreoir *career guidance*
tionscnamh *project*
bunábhar *core subject*

Feabhas ar chúrsaí oideachais?

Tá **ceithre oiread daoine** ag fáil oideachais tríú leibhéal anois ná mar a bhí **sna seascaidí** ach tá go leor daoine fós nach bhfuil **deis acu teacht i dtír ar an réimse leathan** cúrsaí atá ar fáil. Bhí tuairisc sa pháipéar **faoi thaighde** Patrick Clancy ar na daoine a théann ar aghaidh chuig oideachas tríú leibhéal, agus **is bocht an scéal é** maidir leis an gcomharsanacht ina bhfuil DCU. Ach i 1992, d'fhreastail 17.5% d'aos óg Bhaile Munna agus Fhionnghlais ar oideachas tríú leibhéal. Sa stát **ina iomláine**, téann beagnach 50% de mhic léinn Ardteiste ar aghaidh go dtí an tríú leibhéal, ach tá an figiúr thíos faoi 40% do lár na tíre (contaetha mar Uíbh Fháilí agus Laois), agus thuas ag 57% i gcás na Gaillimhe agus 77% i gcás Charraig an tSionnaigh i mBaile Átha Cliath.

Bunaithe ar alt as *Beo!* le Emma Ní Bhrádaigh

Faigh agus foghlaim

Cad is brí leo seo a leanas:

teacht i dtír   deis   réimse leathan   taighde   ina iomláine

Cleachtadh scríofa

1. Tabhair trí thoradh ón suirbhé a rinneadh.
2. Cad a deir sé faoi rannpháirtíocht in oideachas tríú leibhéal?

Cleachtadh ceapadóireachta

Anois scríobh d'aiste féin. Pioc ceann de na teidil seo a leanas.

Téigh go hAonad na nAistí agus foghlaim foclóir agus leagan amach.

Díospóireacht: Déantar leatrom ar dhaltaí áirithe sa chóras oideachais atá againn. Is córas lochtach é an córas oideachais atá againn sa tír seo.

Aiste: Laethanta scoile – na laethanta is fearr i do shaol.

Alt: Chuir tú agallamh ar sheandaoine faoina laethanta ar scoil. Scríobh alt bunaithe ar an agallamh sin.

Caint: Scríobh an chaint a thabharfá do dhaltaí sa chéad bhliain agus tú ag fágáil na scoile.

Réamheolaire fochéime

Léigh an sliocht seo as Réamheolaire Fochéime** (Undergraduate Prospectus) **Ollscoil na hÉireann, Gaillimh.

Is cúrsa ceithre bliana é an BA sa Chumarsáid agus is é aidhm an chúrsa **tú a chumasú** don ré dhigiteach sna meáin, ina mbeidh teicneolaíocht cumarsáide ag teacht le chéile mar bhunchloch don tsochaí úr – sochaí an eolais. Déanfar sin trí shárscileanna praiticiúla a thabhairt duit san iriseoireacht, sa léiriú teilifíse agus raidió, agus sna hilmheáin.

Déanfar do chumas teanga sa Ghaeilge, idir labhairt agus scríobh, **a fhorbairt** chun go sealbhóidh tú na scileanna teanga **cuí** le feidhmiú go gairmiúil sa mhargadh. Sa chéad agus sa dara bliain **tugtar léargas agus oiliúint phraiticiúil duit** ar na bunscileanna cumarsáide agus iriseoireachta. Sa tríú bliain beidh **deis** ag mic léinn bliain a chaitheamh i mbun **socrúchán** oibre in **earnáil na cumarsáide**.

Is deis é seo do mhic léinn **léargas a fháil** ar na hearnálacha ina mbeidh siad ag obair amach anseo. Déanfaidh siad teagmhálacha thar a bheith luachmhar agus sealbhóidh siad scileanna nach féidir a fháil ach san ionad oibre – scileanna a chabhróidh leo nuair a bheidh **an cúrsa céime** críochnaithe acu. Sa cheathrú bliain déanfaidh mic léinn **taighde ar ghné ar leith** den chumarsáid agus cuirfidh siad **barr feabhais** ar a gcuid scileanna.

3

Foclóir

tú a chumasú *to prepare you*
a fhorbairt *develop*
cuí *appropriate, relevant*
tugtar léargas agus oiliúint phraiticiúil duit *you are given practical insight and experience*
deis *opportunity*
socrúchán *preparation*
earnáil na cumarsáide *the communications sector*
léargas a fháil *gain insight*
an cúrsa céime *the graduate course*
taighde ar ghné ar leith *research in a particular field*
barr feabhais *excellence*

Deiseanna fostaíochta

Tá éileamh ar chéimithe oilte cumarsáide i mórán réimsí de na meáin, den mhargaíocht agus den chaidreamh poiblí. Ina measc tá: RTÉ; TG4; RTÉ Raidió na Gaeltachta agus BBC; nuachtáin náisiúnta agus áitiúla; agus comhlachtaí léirithe neamhspleácha.

Breisoideachas

Ar chríochnú an chúrsa seo dóibh, beidh deis ag mic léinn dul ar aghaidh agus cúrsaí breise a dhéanamh ag **leibhéal iarchéime**. Tá an tArd-Dioplóma i gCumarsáid Fheidhmeach (Raidió & Teilifís) **á thairiscint** ag Ollscoil na hÉireann, Gaillimh.

Sonraí an chúrsa

Cód CAO: GY106

Leibhéal an chúrsa: 8 Fad an chúrsa: 4 bliana

Riachtanais iontrála

Fáilteofar roimh iarratais ó dhaoine a bhfuil Grád C3 (Ardleibhéal) bainte amach acu i nGaeilge agus in ábhar amháin eile, agus Grád D3 nó os a chionn bainte amach i gceithre ábhar eile i scrúdú na hArdteistiméireachta – Béarla agus teanga eile **san áireamh**. Pointí CAO 2009: 340 Líon na mac léinn: 20

Cad a deir mic léinn faoin gcúrsa

Is aoibhinn an áit í Acadamh na hOllscolaíochta Gaeilge chun forbairt agus foghlaim a dhéanamh trí mheán na Gaeilge **i gcroílár na craoltóireachta Gaeilge** ar an gCeathrú Rua. Is cosúil le clann bheag muid agus gach duine ag cabhrú agus ag comhrá lena chéile. Bíonn na léachtóirí i gcónaí **ar fáil chun comhairle ar bith a chur orainn** agus bíonn na daltaí ag meascadh lena chéile agus ag spreagadh a chéile. Bíonn deiseanna **den scoth** ar fáil do na scoláirí atá ag freastail ar an Acadamh, **go háirithe ó tharla** go bhfuil TG4 agus Raidió na Gaeltachta in aice linn. Bíonn atmaisféar álainn i gcónaí san Acadamh agus i mo thuairimse ceapaim go bhfuil sé sin **fíorthábhachtach** i saol an choláiste.

Sláine Hutchinson, An Ceathrú Bliain,
BA (Cumarsáid)

Tuilleadh eolais

Acadamh na hOllscolaíochta Gaeilge
T +353 91 595 802, F +353 91 595 041
R cumarsaid@oegaillimh.ie
www.oegaillimh.ie/acadamh

Foclóir

Tá éileamh ar *there is a demand for*
leibhéal iarchéime *postgraduate level*
á thairiscint *being offered*
san áireamh *including*
ar fáil chun comhairle ar bith a chur orainn *available to offer advice*
i gcroílár na craoltóireachta Gaeilge *at the centre of Irish broadcasting*
den scoth *exceptional*
go háirithe ó tharla *particularly since*
fíorthábhachtach *of critical importance*

Ceisteanna

1. Ainmnigh réimse amháin ina dtugtar sárscileanna praiticiúla don mhac léinn.
2. Cén deis a bheidh ag mic léinn sa tríú bliain?
3. Ainmnigh dhá chomhlacht a thugann fostaíocht do chéimithe oilte.
4. Cad is ainm don chúrsa iarchéime atá ar fáil?
5. Cad iad na riachtanais iontrála? Cé mhéad pointe CAO is gá a fháil don chúrsa seo?
6. Cá bhfuil Acadamh na nOllscolaíochta Gaeilge lonnaithe?
7. Cad a dhéanann na léachtóirí do na scoláirí?
8. Cad é ríomhphost an acadaimh?
9. Cé mhéad mac léinn a thógtar ar an gcúrsa seo?
10. Tabhair trí shampla den Aimsir Fháistineach in alt 3.
11. Luaigh trí rud sa sliocht seo a mheallfadh daoine óga chun an cúrsa seo a dhéanamh.

Scéal faoin saol sna bruachbhailte: Hurlamaboc

Réamhrá

Seo sliocht as úrscéal faoi thriúr dhéagóirí atá ag déanamh na hArdteistiméireachta i mBaile Átha Chliath. Sa chéad chaibidil, cuirimid aithne ar dhuine acu, Ruán, agus ar a theaghlach. Faighimid léiriú ar shaol baile Ruán áit a bhfuil a thuismitheoirí ag réiteach dá gceiliúradh fiche bliain pósta. Faighimid léargas ar shaol scoláire as ceantar rachmasach i mBaile Átha Cliath.

3

rí-rá, ruaille buaille

Hurlamaboc*

Éilís Ní Dhuibhne

Caibidil 1: Fiche Bliain Faoi Bhláth

Ruán

Fiche bliain ó shin a pósadh Lisín agus Pól.

Bheadh an **ócáid**[1] iontach á ceiliúradh acu i gceann seachtaine. Bhí an teaghlach ar fad ag tnúth leis. Sin a dúirt siad, pé scéal é.

'Beidh an-lá go deo againn!' a dúirt Cú, an mac ab óige. Cuán a bhí air, **i ndáiríre**,[2] ach Cú a thugadar air go hiondúil. Bhí trí bliana déag **slánaithe aige**.[3]

'Beidh sé cool,' arsa Ruán, an mac ba shine. Ocht mbliana déag a bhí aige siúd. Níor chreid sé go mbeadh an cóisir cool, chreid sé go mbeadh sé crap. Ach bhí sé de nós aige an rud a bhí a mháthair ag iarraidh a chloisint a rá léi. Bhí an nós sin ag gach duine.

[1] *occasion*

[2] go fírinneach, *actually*

[3] bainte amach aige

Agus bhí Lisín sásta. Bhí a fhios aici go mbeadh an ceiliúradh go haoibhinn, **an fhéile caithréimeach**,[4] mar ba chóir di a bheith. Caithréim a bhí bainte amach aici, dar léi. Phós sí Pól nuair nach raibh ann ach **ógánach anabaí**,[5] **gan maoin ná uaillmhian**.[6] Ag obair i siopa a bhí sé ag an am. Ise a d'aithin na **féidearthachtaí**[7] a bhí sa bhuachaill **aineolach**[8] seo. Agus anois fear saibhir, léannta a bhí ann, fear a raibh meas ag cách air, ardfhear. Teach breá aige, clann mhac, iad cliste agus dathúil.

Bhí a lán le ceiliúradh acu.

[4] *the triumphant occasion*
[5] duine óg leanbaí, *immature youth*
[6] *without possessions or ambitions*
[7] *possibilities*
[8] gan eolas, *ignorant*

Faigh agus foghlaim

Faigh agus foghlaim focail eile a chiallaíonn:

ócáid cheiliúrtha	duine óg	bainte amach ag
mí-aibí	maoin	ag súil le

Ceisteanna

1. Cá fhad a bhí Lisín agus Pól pósta?
2. Cé mhéad clainne a bhí acu?
3. Cérbh é an duine ba shine?
4. Cén nós a bhí aige?
5. Cén leasainm a bhí ar an deartháir ab óige?
6. Cén fáth a raibh Lisín sásta?
7. Cén sórt duine a bhí i bPól nuair a bhí sé óg?
8. Cén t-athrú a tháinig air?

Deis comhrá

- Cad é an chéad rud a ritheann leat faoi na carachtair seo?
- Cén duine is mó a thaitníonn/nach dtaitníonn leat agus cén fáth?
- Tarraing pictiúr de na daoine seo mar spórt agus cuir na leaganacha i gcomparáid le chéile – cad iad na cosúlachtaí agus na difríochtaí atá eatarthu?

[9] *handmade*
[10] *for all the guests*
[11] *polish*
[12] *jars, vases*

Maidir leis an gcóisir féin, bhí gach rud idir lámha aici – bhí sí tar éis gloiní agus fíon a chur ar ordú sa siopa fíona; bhí an reoiteoir lán le pióga agus ispíní agus bradán agus arán **lámhdhéanta**[9] den uile shórt. Bhí an dara reoiteoir tógtha ar cíos aici – is féidir é seo a dhéanamh, ní thuigfeadh a lán daoine é ach thuig Lisín, b'in an saghas í – agus bhí an ceann sin líonta freisin, le rudaí deasa le hithe. Rudaí milse den chuid is mó de, agus rudaí nach raibh milis ach nach raibh i Reoiteoir a hAon. Dá mbeadh an lá go breá bheadh an chóisir acu amuigh sa ghairdín, agus boird agus cathaoireacha le fáil ar iasacht aici ó na comharsana. Agus mura mbeadh an lá go breá bhí an teach mór go leor **do na haíonna ar fad**.[10] Bhí gach rud ann glan agus néata agus álainn: péint nua ar na ballaí, **snas**[11] ar na hurláir, bláthanna sna **prócaí**.[12]

3

Mar a bhí i gcónaí, sa teach seo. Teach Mhuintir Albright. Teach Lisín. Bean tí den scoth a bhí i Lisín. Bhí an teach i gcónaí néata agus álainn, agus ag an am céanna bhí sí féin néata agus álainn. De gnáth is rud amháin nó rud eile a bhíonn i gceist ach níorbh amhlaidh a bhí i gcás Lisín.

[13] ar go leor slite, *in many ways*

[14] *fashionable*

[15] *make-up*

[16] gan locht, *perfect*

'Ní chreidfeá go raibh do mháthair pósta le fiche bliain,' a dúirt an tUasal Mac Gabhann, duine de na comharsana, le Ruán, nuair a tháinig sé go dtí an doras lá amháin chun glacadh leis an gcuireadh chuig an gcóisir. 'Agus go bhfuil stócach mór ar do nós féinig aici mar mhac! Tá an chuma uirthi gur cailín óg í.'

'*Yeah*,' arsa Ruán, gan mórán díograise. Ach b'fhíor dó. Bhí an chuma ar Lisín go raibh sí ina hógbhean fós. Bhí sí tanaí agus bhí gruaig fhada fhionn uirthi. Bhuel, bhí an saghas sin gruaige ar na máithreacha go léir ar an mbóthar seo, Ascaill na Fuinseoige. Bóthar fionn a bhí ann, cé go raibh na fir dorcha: dubh nó donn, agus, a bhformhór, liath. Ach ní raibh gruaig liath ar bhean ar bith, agus rud ab iontaí fós ná sin ní raibh ach bean amháin dorcha ar an mbóthar – Eibhlín, máthair Emma Ní Loingsigh. Ach bhí sise aisteach **ar mhórán bealaí**.[13]

Ní raibh a fhios ag aon duine conas a d'éirigh léi teach a fháil ar an mbóthar. Bhí na mná eile go léir fionn, agus dathúil agus **faiseanta**,[14] b'in mar a bhí, bhí caighdeán ard ar an mbóthar maidir leis na cúrsaí seo, ní bheadh sé de mhisneach ag bean ar bith dul amach gan **smidiú**[15] ar a haghaidh, agus éadaí deasa uirthi. Fiú amháin agus iad ag rith amach leis an mbruscar bhíodh gúnaí oíche deasa orthu, agus an ghruaig cíortha go néata acu, ionas go dtuigfeadh na fir a bhailigh an bruscar gur daoine deasa iad, cé nár éirigh siad in am don bhailiúchán uaireanta. Ach bhí rud éigin sa bhreis ag Lisín orthu ar fad. Bhí sí níos faiseanta agus níos néata ná aon duine eile. I mbeagán focal, bhí sí **foirfe**.[16]

Cleachtadh scríofa

Cuir in abairtí na nathanna seo a leanas.

maidir le	ar iasacht	i gceist
idir lámha	den scoth	níorbh amhlaidh
den chuid is mó de	de ghnáth	aíonna

Ceisteanna

1. 'Bhí an dara reoiteoir tógtha ar cíos aici – is féidir é seo a dhéanamh, ní thuigfeadh a lán daoine é ach thuig Lisín, b'in an saghas í.'
   Cén sórt duine í Lisín ón gcur síos seo?
2. Cad a bhí sa dara reoiteoir?
3. An mbeadh an chóisir sa ghairdín nó sa teach?
4. Cén sórt tí a bhí ag Lisín?
5. Abair ar bhealach eile na nathanna/focail seo a leanas: Bhí an chuma uirthi; gan mórán díograise; de mhisneach ag; ionas go; aisteach.
6. 'Bóthar fionn a bhí ann.' Cad a bhí i gceist leis sin?
7. Cén fáth, an gceapann tú, a raibh Eibhlín 'aisteach ar mhórán bealaí'?
8. Cén sórt daoine a chónaigh ar Ascaill na Fuinseoige?
9. Ón gcur síos a thugann sí ar Ascaill na Fuinseoige, cén sort ceantair é? An gceapann tú gur áit dheas í?

[17] *sigh*

[18] (M) saghas *tapa*

[19] sásta, dearfach *sunny, enthusiastic*

[20] lecturer

[21] ní mar sin a rinne sé a chuid airgid, (comhthéacs = *context*)

[22] in éad le

Lig Ruán **osna**[17] ag smaoineamh uirthi. Bhí grá aige dá mháthair. Níor thuig sé cén fáth gur chuir sí lagmhisneach air an t-am ar fad, nuair nár thug sí dó ach moladh. Moladh agus spreagadh.

'Inseoidh mé di go mbeidh tú ag teacht. Beidh áthas uirthi é sin a chloisint.' Dhún sé an doras, **cuibheasach tapa**.[18] Bhí rud éigin faoin uasal Mac Gabhann a chuir isteach air. Bhí sé cairdiúil agus **gealgháireach**[19] agus ba mhinic grinnscéal de shaghas éigin aige. Ach bhí súile géara aige, ar nós na súl a bhíonn ag múinteoirí. Fiú amháin agus é ag caint ag an doras bhí na súile sin ag stánadh ar Ruán, agus an chuma orthu go raibh x-ghathú á dhéanamh acu ar a raibh laistigh dá intinn agus ina chroí.

Bean thanaí, dhathúil, ghealgháireach, bean tí iontach, agus ag an am céanna bhí a lán rudaí eile ar siúl ag Lisín. Ní raibh post aici. Cén fáth go mbeadh? Bhí ag éirí go sármhaith le Pól; bhí sé ina **léachtóir**[20] san ollscoil, i gcúrsaí gnó, **ach ní sa chomhthéacs sin a rinne sé a chuid airgid**,[21] ach ag ceannach stoc ar an Idirlíon. Bhí sé eolach agus cliste agus ciallmhar, agus bhí raidhse mór airgid aige um an dtaca seo, agus é go léir infheistithe sa chaoi is nach raibh air mórán cánach a íoc. Bhí árasáin agus tithe aige freisin, anseo is ansiúd ar fud na hEorpa, agus cíos á bhailiú aige uathu.

Ní raibh gá ar bith go mbeadh Lisín ag dul amach ag obair. Mar sin d'fhan sí sa bhaile, ach bhí sí gnóthach, ina ball de mhórán eagraíochtaí agus clubanna: clubanna a léigh leabhair, clubanna a rinne dea-obair ar son daoine bochta, clubanna a d'eagraigh éachtaí ar stair áitiúil agus geolaíocht áitiúil agus litríocht áitiúil, agus faoi conas do ghairdín a leagan amach ionas go mbeadh sé níos deise ná gairdíní na gcomharsan nó do theach a mhaisiú ionas go mbeadh do chairde go léir **ite le formad**.[22] Murar leor sin, d'fhreastail sí ar ranganna teanga – Spáinnis, Rúisis, Sínis, Seapáinis. Bhí suim aici i scannáin agus i ndrámaí. Ní raibh sí riamh díomhaoin agus ba bhean spéisiúil í, a d'fhéadfadh labhairt ar aon ábhar ar bith faoin ngrian.

Dáiríre.

Faigh agus foghlaim

Faigh agus foghlaim focail eile a chiallaíonn.

gan locht	scéal greannmhar	in éad le
taobh istigh de	go leor airgid	faoin am seo

Ceisteanna

1. 'Níor thuig sé cén fáth ar chuir sí lagmhisneach air an t-am ar fad, nuair nár thug sí dó ach moladh.' Cén fáth an gceapann tú ar chuir Lisín lagmhisneach ar a mac, Ruán?
2. Cén sórt duine é an tUasal Mac Gabhann? An duine deas é? An maith le Ruán é?
3. Cén fáth nach raibh post ag Lisín?
4. Cén sórt oibre a bhí idir lámha ag athair Ruán, Pól Albright?
5. Cad a rinne Lisín mar chaitheamh aimsire?

An t-údar

http://www.educate.ie/próifíl

Éilis Ní Dhuibhne

Ar líne 1:27pm

Rugadh Éilis Ní Dhuibhne i mBaile Átha Cliath agus bhain sí amach céim sa Bhéarla, agus dochtúireacht ina dhiaidh sin. Ba chainteoir dúchais ó Dhún na nGall é a hathair agus chuaigh sí go scoil lánGhaeilge. Tá go leor úrscéalta, drámaí, gearrscéalta agus scripteanna teilifíse foilsithe aici agus tá scripteanna scríofa aici do RTÉ agus do TG4. Scríobhann sí i nGaeilge agus i mBéarla. Bhuaigh sí duais Oireachtais i 2006 don leabhar seo, agus gradam Bisto i 2007. Ghnóthaigh sí duais Gradam Stewart Parker do dhráma agus bhí a húrscéal 'The Dancers Dancing' ar an ngearrliosta don duais Orange sa bhliain 2000. D'oibrigh sí sa Leabharlann Náisiúnta ar feadh na mblianta. Is ball d'Aosdána í.

Nótaí ar an scéal

Comhthéacs

Sliocht as úrscéal is ea an píosa seo. Seo an chéad chaibidil as an úrscéal 'Hurlamaboc' le hÉilis Ní Dhuibhne. Scéal is ea é faoi bhruachbhaile i mBaile Átha Cliath agus faoi ghrúpa daoine óga atá ina gcónaí ann: Ruán, Emma agus Colm. Comharsana ar comhaois iad, agus tá an triúr acu ag ullmhú don Ardteistiméireacht ach tá siad éagsúil ó thaobh cúlra agus pearsantachta de. Sa chéad chaibidil, cuirimid aithne ar dhuine acu, Ruán, agus ar a chlann agus a chúlra siúd. Déantar tagairt do mháthair Emma sa sliocht – deirtear go raibh sí 'aisteach ar mhórán bealaí'. Ní thuigimid fós go díreach cén fáth ach músclaíonn sé seo ár bhfiosracht. Is aoir é an leabhar seo, ar aon dul le scéalta 'Ross O'Carroll Kelly'. Tá an t-údar ag spochadh as saol meán-aicmeach dheisceart Chontae Bhaile Átha Cliath.

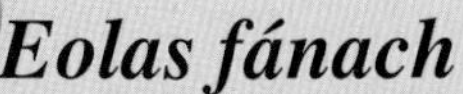

Eolas fánach

Fadó bhíodh na filí an-chumhachtach. D'íocadh na taoisigh iad chun dánta molta a scríobh fúthu ach dá mbeadh file feargach le duine éigin scríobhadh sé aoir faoi. Bhíodh eagla ar dhaoine roimh na filí dá bharr. Nuair a thagadh file ar cuairt chuig caisleán an taoisigh thugtaí aire mhaith dó ar eagla go scríobhfadh sé aoir ag cáineadh an líon tí!

Achoimre

Scríobh an achoimre seo isteach i do chóipleabhar agus cuir na focail chuí sna bearnaí.

Tá ceathrar i gclann Albright: Pól, an t-athair, Lisín, an ____ , Ruán, an mac is sine, atá ____ mbliana déag, agus Cuán, nó Cú mar a thugaidís air, an mac is ____, atá trí bliana déag d'aois. Tá tuismitheoirí Ruán, Lisín agus Pól __ __ pósta agus tá an mháthair, Lisín, ag réiteach don chóisir a bheidh acu leis an ócáid seo a ____. Ligeann Ruán air go gceapann sé go mbeidh an chóisir ar fheabhas, cé nach gceapann sé é seo ar chor ar bith. Tá Lisín an-bhródúil aisti féin agus as a fear céile agus a clann. Tá a fear céile saibhir, tá teach álainn acu agus tá beirt mhac chliste, dhathúla acu.

Is bean tí iontach í Lisín agus bíonn a teach i gcónaí glan, néata agus álainn. Tá sí sár-eagraithe: tá bia aici sa ____ agus tógann sí reoiteoir eile ar cíos chun bia ____ a choinneáil ann don chóisir. Cé go bhfuil sí fiche bliain pósta, níl an chuma sin uirthi. Tá sí cosúil le cailín óg. Tá sí tanaí agus tá gruaig fhada fhionn uirthi. Ach tá na mná go léir ar Ascaill na Fuinseoige fionn, cé is moite de bhean amháin, Eibhlín, máthair Emma, atá beagán aisteach. Bíonn na mná ann i gcónaí gléasta go deas, fiú nuair a bhíonn siad ag cur an bhosca bruscair amach. Ach tá Lisín níos fearr agus níos deise ná na mná comharsana – tá sí ____.

Tagann comharsa, an tUasal Mac Gabhann, go dtí an doras chun a rá go mbeidh sé ag teacht go dtí an chóisir. Deir sé go bhfuil Lisín cosúil le cailín óg. Ní thaitníonn an tUasal Mac Gabhann le Ruán mar ceapann sé go mbíonn sé ag déanamh grinstaidéir air, ag tabhairt breithiúnais air, cé go mbíonn sé i gcónaí cairdiúil, gealgháireach.

Níl post ag Lisín mar níl aon ghá leis. Tá a fear céile, Pól ag ____ go leor airgid. Is léachtóir é agus chomh maith leis sin, ceannaíonn sé stoc ar an idirlíon agur déanann sé ____ lena chuid airgid. Tá tithe agus árasáin aige thar lear agus ligeann sé ar cíos iad. Caitheann Lisín a cuid ama saor ag glacadh páirt in ____ éagsúla. Bíonn sí i gcónaí ____. Is ball í de chlub leabhar agus de chlub staire áitiúil, agus d' eagraíocht ____. Tá cúrsaí ____ tí agus gairdín déanta aici chomh maith le ranganna teanga, ina measc Spáinnis agus Sínis, agus tá suim aici freisin i scannáin agus i ndrámaí. Is duine an-suimiúil í. Is féidir léi labhairt faoi aon rud faoin spéir.

mháthair • ocht • reoiteoir • infheistíochtaí • gnóthach • dearadh • tuilleadh foirfe • imeachtaí • óige • fiche bliain • cheiliúradh • carthanachta • breise

Na carachtair

Sa sliocht seo déantar cur síos ar Lisín, máthair Ruáin. Faighimid roinnt eolais faoi Ruán, Pól (athair Ruáin), Eibhlín, máthair Emma Ní Loingsigh, agus an tUasal Mac Gabhann, comharsa. Féach ar na tréithe seo a leanas. Pioc cinn a oireann do phearsa amháin, agus tabhair sampla a léiríonn an tréith sin sa phearsa sin:

Eochairfhocail na gcarachtair

uaillmhianach
iomaíoch
bródúil
néata
mímhacánta
eolach
dúthrachtach
ildánach
eagraithe
snasta
ábharaíoch
géarchúiseach *(astute)*
cliste ciallmhar
stuama
glic
éagsúil
údarásach
eaglach
goilliúnach
lagmhisniúil
neamhspleách
muiníneach
dathúil
criticiúil
breithiúnach *(judgemental)*
slachtmhar
cumasach
foirfe
cúramach
caithréimeach
tíosach
rathúil
neamhghnách
réchúiseach *(easygoing)*

3

An ghramadach i gcomhthéacs

Tabhair faoi deara!

Is féidir: 'Tá sí/sé néata' **nó** 'Is duine néata í/é' a rá (lth 6)

Bain úsáid as an dá leagan.

Mar shampla:

Is léir go bhfuil sí néata/Feicimid gur duine eolach é/í.

Le gach tréith tabhair sampla ón téacs a léiríonn an tréith sin:

Tréith ➔ Fianaise ➔ líne ón téacs

Mar shampla:

(Tréith) Tá Lisín **bródúil as** a teach.

(Fianaise) Tá gach rud in ord ann.

(Líne ón téacs) tá sé 'néata agus álainn'.

Freagra samplach

Is duine **ildánach, cumasach** í Lisín. Tá sí ina ball de go leor clubanna, agus tá sí an-eolach ar chúrsaí dearaidh agus ar theangacha. Chomh maith leis sin, tá sí go maith ag eagrú na cóisire. Is **bean tí den scoth** í agus tá sí **eagraithe, tíosach** mar a léirítear nuair a fhaigheann sí an dara reoiteoir ar cíos. Tá an bia go léir don chóisir ullmhaithe aici.

Coinníonn sí an teach go hálainn, agus tá sí **dathúil, tanaí** freisin. Deirtear sa sliocht go bhfuil sí 'foirfe' agus go bhfuil rud éigin 'sa bhreis' aici ar na mná comharsa eile.

Ach is léir gur duine **ábharaíoch, uaillmhianach, iomaíoch í** freisin. Is léir go bhfuil sé tábhachtach di gur duine 'saibhir, léannta' é a fear. Deirtear linn go raibh sé 'gan maoin gan uaillmhian' nuair a chas sí leis. Tugtar le fios dúinn gurb é a tionchar siúd a rinne fear saibhir de.

Tá sí **iomaíoch**. Tá ardchaighdeán aici agus déanann sí iarracht bheith níos fearr ná aon duine eile ar an mbóthar. 'Bhí rud sa bhreis ag Lisín.' Ba mhaith léi go mbeadh gach duine 'ite le formad', mar sin déanann sí cúrsaí dearadh tí agus gairdín.

Tá sí **údarásach, ceannasach**. Bíonn faitíos ar Ruán a thuairim a nochtadh léi agus deirtear go bhfuil an nós céanna ag gach duine, 'Bhí nós aige an rud a bhí a mháthair ag iarraidh a chloisint a rá leí. Bhí an nós sin ag gach duine.' Is léir go gcuireann sí eagla ar dhaoine agus go bhfuil cleachtadh aici ar smacht a fháil ar dhaoine – a clann ach go háirithe.

Is dócha go dtuigeann Ruán gur duine uaillmhianach í agus gurb é sin an fáth go gcuireann sí lagmhisneach air 'cé nár thug sí dó ach moladh.' Tuigeann sé gur **foirfeoir** (*perfectionist*) é a mháthair agus is dócha go mbraitheann sé go gcaithfidh seisean a bheith foirfe freisin. Tuigeann sé go bhfuil ardchaighdeán ag teastáil ó Lisín i ngach rud a dhéanann sí agus braitheann sé nach bhfuil sé féin maith go leor.

Tomhas

Anois léigh na tuairiscí agus tomhas cé atá i gceist. An féidir leat cur leis na nótaí?

1. Is duine cliste stuama é. Tá sé rathúil ina chuid oibre, agus tá meas ag cách air dá bharr. Tá sé uaillmhianach agus is léir go bhfuil sé eolach agus glic. Is beag eile a fhoghlaimímid faoi sa sliocht. Cé hé?
2. Is duine géarchúiseach é. Tá sé gealgháireach, cairdiúil ach mar sin féin cuireann sé míshuaimhneas ar dhaoine. Cé hé?
3. Is duine neamhghnách í. Ní leanann sí an slua. Tá a stíl féin aici. Cé go bhfuil na mná eile go léir ar an mbóthar fionn, tá sise dorcha. Tá sí corr. Is duine suimiúil í agus músclaíonn sí ár bhfiosracht. Tuigtear dúinn gur duine í atá sásta bheith éagsúil. Cé hí?
4. Deirtear linn go bhfuil sé cliste agus dathúil. Ach is féidir leis bheith mímhacánta. Ní insíonn sé an fhírinne i gcónaí. Is dócha nach maith leis fearg a chur ar éinne mar sin insíonn sé 'bréaga bána' chun iad a shásamh. Tuigtear dúinn go bhfuil easpa féinmhuiníne air. Tá sé grámhar. Cé hé?

Ceist shamplach

'Déan trácht ar an ngaol atá ag Ruán lena mháthair sa scéal ***Hurlamaboc***.'

Freagra samplach

Tugtar noda dúinn sa scéal faoin ngaol atá idir an mháthair, Lisín agus a mac, Ruán. Ar ndóigh is minic gurb é an mháthair an tionchar is mó i saol an duine agus is léir go bhfuil an-tionchar ag Lisín ar a mac.

I dtús báire, tá eagla air roimpi. Níl sé de mhisneach aige a thuairim a thabhairt faoin gcóisir, mar deirtear linn go raibh sé 'de nós aige an rud a bhí a mháthair ag iarraidh a chloisint a rá léi.' Tuigimid ón sonra seo gur duine í an mháthair nach bhfuil sásta éisteacht le haon duine atá ar mhalairt tuairime léi agus go bhfuil seanchleachtadh ag Ruán ar ghéilleadh di. Is dócha gur duine réchúiseach é Ruán agus nár theastaigh uaidh fearg a chur ar a mháthair nó achrann a tharraingt air féin.

Tá gaol casta eatarthu. Cé go mbíonn Lisín i gcónaí á mholadh, cuireann sí lagmhisneach air. Cuireann Lisín rud amháin in iúl lena cuid cainte agus rud eile lena gníomhartha. Tá an dá theachtaireacht ag teacht salach ar a chéile. Cé go dtugann sí moladh dó, is léir nach gcreideann sé í, mar tá teachtaireacht eile á fáil aige. Is dócha go bhfeiceann sé cé chomh foirfe is atá Lisín: tá sí saibhir, sona (mar dhea) agus rathúil. Tá sí eolach, suimiúil, agus sofaisticiúil. Tá sí cumasach, críochnúil agus chomh maith leis sin, tá sí tanaí, dathúil agus cosúil le cailín óg. Tá sí foirfe i ngach bealach, agus dá bharr, braitheann sé féin nach bhfuil sé maith go leor. Is minic nuair a bhíonn tuismitheoirí an-uaillmhianach go mbíonn easpa féinmhuiníne ar na páistí.

Tugann Ruán faoi deara go bhfuil Lisín iomaíoch. Tá sí 'níos faiseanta agus níos néata ná aon duine eile.' Agus tuigeann sé gur mhaith léi go mbeadh seisean foirfe freisin. Tá imní air nach bhfuil sé foirfe go leor dá mháthair. Ach, ar ndóigh, tá an-ghrá aige dá mháthair, agus is cinnte go bhfuil an-ghrá aici dó, agus nach dtuigeann sí go bhfuil an tionchar seo aici air.

Teicníochtaí scéalaíochta

Téamaí

An **réamhchlaonadh** agus an **tseoinínteacht a bhaineann le saol meánaicmeach** na mbruachbhailte is téama don sliocht seo. Léirítear saol mná tí foirfe dúinn, saol atá leamh agus leadránach. Tá an scéal suite i gceantar rachmasach i mBaile Átha Cliath.

Is saol é ina mbíonn na comharsana in iomaíocht le chéile. Seoinínteacht atá i gceist nó '*keeping up with the Jones*' mar a deirtear sa Bhéarla. Bíonn éadaí galánta agus smidiú ar na mná, agus tá gruaig fhionn orthu go léir: 'Bóthar fionn a bhí ann...bhí na mná go léir fionn, dathúil agus faiseanta...bhí caighdeán ard ar an mbóthar maidir leis na cúrsaí seo.' Déanann Lisín cúrsaí dearadh gairdín agus tí ionas go mbeidh a gairdín 'níos deise ná gairdíní na gcomharsan' agus go mbeidh a cairde 'ite le formad'.

Léirítear **réamhchlaonadh** nuair atáthar ag caint faoi Eibhlín. Deirtear linn go bhfuil gruaig dhorcha uirthi, agus go bhfuil sí 'ait ar mhórán bealaí'. Ach is léir go bhfuil an t-údar ag aoradh na ndaoine a chónaíonn ar Ascaill na Fuinseoige. Tá siad **claonta** in aghaidh aon duine atá difriúil. Is léir go bhfuil drochmheas acu ar Eibhlín. Deirtear freisin nach 'raibh fhios ag aon duine conas a d'éirigh léi teach a fháil ar an mbóthar'. Is léir gur cheap muintir na háite nach raibh sí maith go leor. Is daoine galánta, ardnósacha iad – ar nós carachtair Ross O'Carroll-Kelly.

Mothúcháin

Tá **sásamh, déistin, formad, bród agus éad le** brath sa sliocht seo. Tá Lisín compordach, **sásta** ina saol. Tá gach rud mar ba cheart ina saol. Tá sí bródúil as an méid atá bainte amach aici. Tá fear saibhir aici, teach álainn agus beirt mhac. Ach is sásamh bogásach é. Níl aon dúshlán fúithi, agus sa deireadh is saol leamh, leadránach, éadoimhin atá aici.

Tá déistin ar Ruán leis an Uasal MacGabhann, agus b'fhéidir lena mháthair freisin. Tá na comharsana in éad le Lisín toisc go bhfuil sí foirfe agus go bhfuil saol an mhadaidh bháin aici le fear céile saibhir agus beirt mhac.

Léargas

Tugtar léargas dúinn sa sliocht seo ar an saol i mbruachbhaile rachmasach meánaicmeach i mBaile Átha Cliath. Tá an chlann sa sliocht saibhir agus tá an chuma air go bhfuil siad go léir sona sásta, ar an taobh amuigh.

- Is léir go bhfuil na luachanna céanna ag gach duine sa cheantar, seachas corrdhuine ar nós máthair Emma, Eibhlín, atá difriúil.
- Bíonn na comharsana in iomaíocht le chéile cé nach ligeann éinne orthu go bhfuil.
- Is léir freisin go bhfuil an t-údar ag aoradh an sórt saoil agus cultúir seo agus go bhfuil sí ag magadh faoin tseoinínteacht agus faoi na réamhchlaonta atá le brath i mbruachbhailte meánaicmeacha.

Maidir leis na ráitis thuas, faigh fianaise agus samplaí ón téacs a léireodh fírinne na ráiteas. Mar shampla: tá na luachanna céanna acu mar caitheann na mná go léir smidiú agus éadaí deasa: 'Ní bheadh sé de mhisneach ag bean ar bith dul amach gan smidiú ... agus éadaí deasa.'

Coimhlint agus teannas

Tá coimhlint agus teannas idir Ruán agus a mháthair cé nach n-admhaíonn siad é. Ceapann Ruán go mbeidh an chóisir '*crap*' ach ní deir sé é seo lena mháthair. Tá an teannas idir é féin agus a mháthair le brath freisin nuair a deir sé go gcuireann sí lagmhisneach air. Tá teannas le brath idir é féin agus an tUasal Mac Gabhann freisin. Ní maith leis é. Is léir nach bhfuil Ruán go hiomlán ar a shuaimhneas sa timpeallacht mheánaicmeach seo.

Stíl scríbhneoireachta

Is léir go bhfuil macallaí Ross O'Carroll-Kelly le sonrú sa sliocht seo. Tá an scríbhneoir ag déanamh cur síos ar bhruachbhaile meánaicmeach agus ar theaghlach meánaicmeach. Úsáideann sí stíl shimplí, ghreannmhar agus chliste.

Cuireann sí pictiúr de theaghlach sona sásta os ár gcomhair, ach ansin tugann sí sonraí dúinn a léiríonn nach bhfuil an saol chomh foirfe sin. Mar shampla, deir sí go bhfuil an teaghlach go léir ag tnúth leis an gcóisir, ach díreach ina dhiaidh deirtear 'sin a dúirt siad pé scéal'. Agus feictear dúinn ansin nach mar a shíltear a bítear.

Baineann an t-údar úsáid as íoróin agus searbhas chun an saol seo a aoradh. Cé go ndeir sí go bhfuil Lisín 'foirfe' is léir nach bhfuil sé seo fíor. Ag an deireadh nuair a deir sí gur bean spéisiúil í Lisín a d'fhéadfadh labhairt ar aon ábhar ar bith faoin ngrian, críochnaíonn sí leis an bhfocal 'dáiríre' a thugann le fios nach bhfuil sé seo fíor in aon chor. Is léir ón gcur síos go bhfuil Lisín sáite i saol leamh, leadránach, teoranta na mbruachbhailte.

Déanann an t-údar cur síos ar an saol trí shúile Lisín agus na gcomharsan, rud a léiríonn an tseoinínteacht agus an réamhchlaonadh a bhaineann leis an saol sin. Mar shampla, nuair a labhraíonn sí faoi Eibhlín, máthair Emma, deirtear go raibh sí 'aisteach ar mhórán bealaí. Ní raibh fhios ag aon duine conas a d'éirigh léi teach a fháil ar an mbóthar'. Ní hé seo dearcadh an údair, ach dearcadh Lisín agus na gcomharsan eile.

Teicníocht eile a úsáideann an t-údar ná athrá agus béarlagar. Luann sí an focal 'teach' go minic, ag léiriú tábhacht an tí mar shiombal stádais sa saol meánaicmeach seo. Deir sí 'néata agus álainn' go minic ag déanamh cur síos ar Lisín agus ar a saol. Tá na focail seo leamh agus teoranta. Léiríonn na focail '*cool*' agus '*crap*' an saol teoranta meánaicmeach seo freisin. Tá íoróin ag baint le sloinne an teaghlaigh freisin: 'Albright'.

Ceisteanna scrúdaithe

1. 'Tugtar léargas iontach dúinn sa sliocht seo ar an saol bréagach, éadoimhin sa bhruachbhaile.' É sin a phlé.
2. Déan cur síos ar an gcaidreamh idir Lisín agus a mac Ruán sa sliocht seo.
3. An tseoinínteacht agus an réamhchlaonadh atá i réim in Éirinn inniu is téama don sliocht seo. Déan plé gairid ar an ráiteas sin.
4. Déan trácht ar an tslí ina n-úsáideann an t-údar greann éadrom sa sliocht seo chun muintir na mbruachbhailte meánaicmeacha a aoradh.
5. Scríobh nóta ar an úsáid a bhaineann an t-údar as íoróin, searbhas agus áibhéil sa sliocht seo.

Ceist shamplach

'Tugtar léargas greannmhar dúinn ar bhruachbhaile meánaicmeach in Éirinn inniu sa sliocht seo as '***Hurlamaboc***.' Pléigh.

Plean

Alt 1: Muintir Albright agus Lisín **Alt 2:** An ceantar, na comharsana
Alt 3: Sampla den tseoinínteacht agus den réamhchlaonadh **Alt 4:** Críoch

Freagra samplach

Is fíor go dtugtar léargas greannmhar dúinn sa sliocht seo ar bhruachbhaile meánaicmeach. Cuireann an t-údar teaghlach meánaicmeach in aithne dúinn atá sona, sásta agus foirfe, mar dhea: Muintir 'Albright'. Is léir gur ainm íorónta é. Déantar cur síos ar an máthair: Tá sí foirfe ar gach bealach. Tá sí fionn, tanaí, néata, dathúil. Tá sí brodúil as a clann. Tá a fear céile saibhir agus tá a beirt mhac cliste agus dathúil, deirtear linn. Tugtar le fios dúinn go bhfuil gach rud go breá sa saol seo, ach tugann an t-údar sonraí dúinn a léiríonn nach mar a shíltear a bítear go minic. Deirtear linn go gceapann Ruán go mbeidh an chóisir '*crap*' ach ní bheadh sé de mhisneach aige é sin a rá lena mháthair. Tá eagla air roimpi: 'Ach bhí sé de nós aige an rud a bhí a mháthair ag iarraidh a chloisint a rá léi. Bhí an nós sin ag gach duine.'

Tuigimid ón abairt seo go bhfuil Lisín ceannasach údarásach agus go bhfuil smacht docht aici ar a teaghlach. Nuair a smaoiníonn sí ar a fear céile nuair a phós sí é deir sí go raibh sé 'anabaí, gan maoin ná uaillmhian'. Anois tá sé saibhir, léannta. Is léir go gceapann Lisín gurb í féin faoi deara an t-athrú seo air. Úsáidtear athrá ag déanamh cur síos ar Lisín agus ar a teach. Tá siad araon 'néata agus álainn'. Baineann an t-údar úsáid as aidiachtaí leamha gnácha le cur síos ar an saol leamh, gnách atá ag Lisín agus a teaghlach. Tugtar nod dúinn go bhfuil teannas sa ghaol idir Lisín agus a mac Ruán nuair a deirtear linn go gcuireann sí lagmhisneach air, ainneoin go mbíonn sí i gcónaí á mholadh.

Tugtar léargas greannmhar, áiféiseach dúinn den cheantar ina bhfuil siad ina gcónaí freisin agus meon agus dearcadh na ndaoine ann. Deirtear gur 'bóthar fionn a bhí in Ascaill na Fuinseoige', toisc go raibh gruaig fhionn ar gach aon bhean ann. Tuigimid uaidh seo go raibh na comharsana ar fad ag iarraidh bheith cosúil lena chéile. Deirtear go raibh 'caighdeán ard' ar an mbóthar maidir le cúrsaí faisin. Is léir go mbíonn comórtas agus iomaíocht idir na comharsana agus go ndéanann siad go léir tréaniarracht bheith níos fearr ná a chéile. Ní théann na mná amach gan smidiú orthu, gan an ghruaig cíortha, mar ba mhaith leo go gceapfadh gach duine – fiú na fir bhruscair – gur 'daoine deasa' iad. Deirtear linn gurb í Lisín an bhanríon, í 'níos faiseanta agus níos néata'.

Tá sampla den tseoinínteacht agus den réamhchlaonadh a bhaineann leis na bruachbhailte le feiceáil sa chaoi ina gcaitear le daoine áirithe atá ina gcónaí ar Ascaill na Fuinseoige. An bhean amháin atá dorcha ar an mbóthar, Eibhlín, máthair Emma, deirtear go bhfuil sí 'aisteach ar mhórán bealaí'. Ní maith leis na daoine seo aon duine a bhriseann na rialacha, aon duine atá 'difriúil'.

Is léir go bhfaighimid léargas greannmhar, áiféiseach ar an saol i mbruachbhaile rachmasach sa sliocht seo.

Súil siar: seicliosta

- Foghraíocht — Síneadh fada
- Gramadach — An tAinm Briathartha; An Modh Coinníollach
- Labhairt — Comhrá faoi do scoil: éide, rialacha, áiseanna, ábhair, cad a dhéanfá ...
- Aiste — Ar chúrsaí oideachais
- Litríocht — 'Hurlamaboc'

Ceist 1 LÉAMHTHUISCINT (100 marc)

A – 50 marc

Léigh an sliocht seo a leanas agus freagair na ceisteanna a ghabhann leis.

Edna O'Brien: Bean as an ngnáth

1. Is ceann de mhór-scríbhneoirí na hÉireann í Edna O'Brien, an bhean cheannrua, cheanndána sin a chuir sceon ar an Eaglais Chaitliceach sa tír seo lena húrscéalta lán le gnéas agus mí-mhoráltacht sna seascaidí. Níor tharla a leithéid a mhaígh siad, i dtír Chaitliceach cosúil le hÉirinn. B'iad cailíní na hÉireann, cailíní tuaithe ach go háirithe, na cailíní ba shuáilcí ar domhan a dúradar agus d'aontaigh formhór den ghlúin cheartchreidmheach chráifeach sin leo. B'í seo an ghlúin a throid go fíochmhar in aghaidh an cholscartha agus an ghinnmhilte sna hochtóidí. Bhí an bhean dána, gan náire seo ag scríobh faoi chailíní óga Éireannacha ag suirí agus ag léim isteach sa leaba le fir pósta. Bhí sí ag caint go hoscailte faoi chúrsaí gnéis. Bhí a fhios ag gach mac máthair nár tharla a leithéid in Éirinn, oileán na Naomh is na nOllamh. Ní haon ionadh gur tugadh bata agus bóthar di óna tír dúchais. Bhí a máthair féin náirithe aici os comhair an tsaoil.

2. Ba chailín tuaithe í Edna féin, mar sin ní fhéadfaí a chur ina leith nach raibh aithne aici ar a téamaí ná ar a carachtair. Rugadh ar an 15ú Nollaig 1930 í i dTuam Ghréine in oirthear an Chláir i dteaghlach chráifeach.

Bhí a tuismitheoirí dian agus smachtúil. D'fhreastail sí ar an mbunscoil náisiúnta agus ansin ar Chlochar na Trócaire i mBaile Locha Riabhach sula ndeachaigh sí go dtí an Coláiste Oilúna Chógaisíochta i mBaile Átha Cliath. Phós sí an scríbhneoir Seic-Éireannach Ernest Gébler sa bhliain 1954 in aghaidh toil a máthar agus bhog an lánúin go Londain, áit a rugadh a mbeirt mhic, Carlo agus Sasha. Níor thaitin sé le hErnesto go raibh a bhean chéile níos rathúla ná é mar scríbhneoir agus chuir sé as chomh mór sin don chaidreamh eatarthu gur scaradar sna seascaidí. Bhuail tinneas Ernest i 1991 agus fuair sé bás i 1997. Lean Carlo le traidisiún liteartha a theaghlaigh agus scríobh sé leabhar a foilsíodh sa bhliain 2000 dar teideal 'Father and I' faoin ngaol idir é féin agus a athair: Cad a dhéanfadh mac an chait ach luch a mharú!

3. Foilsíodh 'The Country Girls' an chéad úrscéal le hEdna sa bhliain 1960. Cáineadh go fíochmhar é agus chuir Bord Cinsireachta na hÉireann cosc láithreach ar é a dhíol in Éirinn. Ní mó ná sásta a bhí a sagart paróiste i dTuam Ghréine ach an oiread agus dhóigh sé cóipeanna den leabhar go poiblí ina heaglais áitiúil ansin. Bhí a tusimitheoirí ar buile lena n-iníon. Ach ar ndóigh mar a tharlaíonn go minic mhúscail an cosc suim an phobail ann, go háirithe daoine óga agus – ar aon dul le James Joyce agus JM Synge – bhí an-tóir ar an leabhar dá bharr agus bhain Edna clú amach mar 'chailín dána' na litríochta. Thall i Sasana, tugadh urraim don scríbhneoir óg nua seo. Bhuaigh sí Gradam Kingsley Amis i 1962 agus moladh a cuid scríbhneoireachta go hard. Dar leis an seanghlúin in Éirinn, ní raibh anseo ach fianaise breise (dá mbeadh gá lena leithéid) gur scobaide gan náire í a thug cúl dá dúchas agus dá creideamh ach bhí glúin óg na seascaidí agus na seachtóidí ag eirí amach in aghaidh cúngaigeantacht agus seobhaineacht an tsochaí Éireannaigh, agus b'í Edna a laoch. Lean dhá leabhar eile agus cuireadh cosc orthu freisin, ach glactar leis an tríológ seo anois mar chlasaicí i litríocht nua-aimseartha na hÉireann. Tugann na leabhair cuntas ar na fadhbanna a bhí ag mná óga i sochaí breithiúnach, seobhaineach, frithbhanda na seascaidí. Lean Edna uirthi ag scríobh agus faoi dheireadh na seascaidí bhí cosc curtha ag Bord Cinsireachta na hÉireann ar chúig leabhar léi.

4. Scríbhneoir bísiúil, torthúil is ea Edna agus tá os cionn 20 leabhar fhicsin scríofa aici thar tréimhse caoga bliain. Cé go bhfuil cáil uirthi mar scríbhneoir fhicsin tá saothair neamhfhicsin scríofa aici freisin mar aon le gearrscéalta, drámaí stáitse agus raidió, leabhair do pháistí, aistí agus scripteanna scannán. Pléann sí lear mór téamaí ina leabhair: colscaradh i 'Tide and Time', an IRA i 'The House of Splendid Isolation' agus ní chloíonn sí le mná agus cúrsaí ban amháin. Ina húrscéal 'The Shovel Kings' tugann sí léargas cruinn, báúil dúinn ar shaol dian, truamhéileach na *navvies* Éireannacha a thochail agus a thóg cathracha na Breataine in athuair tar éis léirscrios an Chogaidh. Ní dhearna sí dearmad ar a ceantar dúchais. Tá an t-úrscéal 'In the Forest' bunaithe ar scéal tragóideach Imelda Riney, cailín óg a chuir fúithi i Whitegate in aice le Tuam Gréine agus a fuadaíodh agus a maraíodh i dteannta a mic óig agus an sagart a chuaigh chun labhartha leis an bhfear óg suaite, Brendan O'Donnell, a rinne an feall.

5. Is é James Joyce a laoch agus a céad ionspráid. Maíonn sí gur shocraigh sí bheith ina scríbhneoir nuair a léigh sí 'A Portrait of the Artist as a Young Man'. Dar le John Banville, scríbhneoir agus léirmheastóir, tagann sí go mór faoi anáil Chekhov freisin. I measc a saothar neamhfhicsin tá 'James and Nora' leabhar faoin ngaol idir James Joyce agus a bhean chéile Nora agus i 1999 scríobh sí beathaisnéis James Joyce. Bhí sé fóirstineach, mar sin gur bronnadh Bonn Ulysses, gradam ó Choláiste na hOllscoile, Baile Átha Cliath, uirthi ar an 15ú Meitheamh 2005 i dTeach Newman, an áit inar fhreastail James Joyce ar léachtanna agus inar ghlaic sé páirt i ndíospóireachtaí an L&H (Cumann Liteartha agus Staire an choláiste) agus é ina mhac léinn san ollscoil sin ag tús na haoise seo caite. Rinne an tOllamh sa choláiste Declan Kiberd comparáid idir Edna agus James ag rá gur deoraithe iad beirt a theith a dtír dhúchais de bharr cúngaigeantachta ach ní dhearna ceachtar acu dearmad ar a ndúchas mar is léir ón gcur síos cruinn beacht a thugann siad ar shaol na hÉireann ina gcuid scríbhneoireachta. *(ó fhoinsí éagsúla)*

Ceisteanna

1. **(a)** Cén fáth ar chuir Edna fearg ar an Eaglais Chaitliceach?
(b) Cén fáth nár tharla a leithéid in Éirinn dar leo? (Alt 1) (7 marc)

2. **(a)** Cad a rinne Edna nár thaitin lena máthair?
(b) Cén fáth go ndeirtear 'Cad a dhéanfadh mac an chait ach luch a mharú?' (Alt 2) (7 marc)

3. **(a)** Cad a tharla de bharr an choisc a cuireadh ar an leabhar?
   (b) Cén fáth gurbh í Edna 'laoch' na glúine óige? (Alt 3) (7 marc)
4. **(a)** Luaigh dhá théama a phléann Edna ina leabhair
   (b) Cad air atá an t-úrscéal 'In the Forest' bunaithe? (Alt 4) (7 marc)
5. **(a)** Cén dá údar a raibh tionchar acu uirthi?
   (b) Luaigh dhá chosúlacht idir Edna agus James Joyce. (Alt 5) (7 marc)
6. **(a)** Tabhair sampla d'ainmfhocal uatha sa tuiseal ginideach, ainmfhocal iolra sa tuiseal ginideach agus aidiacht sa tuiseal ginideach in Alt 4.
   (b) Tabhair cuntas gairid ar Edna agus an sórt duine í ón bhfianaise sa téacs seo. Bíodh an freagra i d'fhocail féin. Ní gá níos mó ná 60 focal a scríobh. (15 mharc)

3

Ceist 2 PRÓS (30 marc)

A – PRÓS AINMNITHE nó PRÓS ROGHNACH – (30 marc)

Freagair 2A ***nó*** 2B thíos.

2A. Prós Ainmnithe

'Tugtar léargas iontach dúinn sa sliocht seo as *Hurlamaboc* ar an tseoinínteacht i gceantar meánaicmeach i ndeisceart Bhaile Átha Cliath.' É sin a phlé.

2B. Prós Roghnach

Maidir le húrscéal roghnach a ndearna tú staidéar air le linn do chúrsa, déan plé ar dhá ghné den úrscéal a chuaigh i bhfeidhm ort.

Ceist 3 FILÍOCHT (30 marc)

B – FILÍOCHT AINMNITHE nó FILÍOCHT ROGHNACH – (30 marc)

Freagair Ceist 3A ***nó*** Ceist 3B thíos.

3A. Filíocht Ainmnithe

(i) Tugtar léargas iontach dúinn ar an saol ar Inis Mór, Árainn ag tús an fichiú aois sa dán 'An tEarrach Thiar'. (16 mharc)
(ii) Scríobh nóta gairid ar an bhfile agus ar a shaothar. (6 mharc)
(iii) Conas mar a chuaigh an dán i gcion ort? (8 marc)

3B. Filíocht Roghnach

(i) I gcás dán a ndearna tú staidéar air le linn do chúrsa scríobh cuntas gairid ar théama an dáin agus mar a chuirtear os ár gcomhair é. (16 mharc)
(ii) Scríobh nota ar an bhfile. (6 mharc)
(iii) Conas mar a chuaigh an dán seo i gcion ort? (8 mharc)

4

Ceol

SAN AONAD SEO FOGHLAIMEOIDH TÚ:

F	**Foghraíocht**	Consain chaola agus leathana: ú agus iú
G	**Gramadach**	Aimsir Láithreach agus Aimsir Chaite Focail bhaininscneach agus fhirinscneacha
t	**Tuiscint**	Conas ailt as nuachtáin/píosaí cainte a thuiscint
	Labhairt	Conas comhrá a dhéanamh faoi chúrsaí ceoil
	Litríocht	An gearrdhráma 'An Lasair Choille'
a	**Alt**	Conas alt a scríobh mar fhreagra ar litir a léigh tú

Ceol

Cúinne na fuaime: Consain chaola agus leathana: Ú agus IÚ

Éist agus abair:

Mír 4.1
T31

Abú	B'fhiú	Cú	Ciúin	Dúil	Diúl
Fúm	Fiú	Gúna	Giúirléid	Múr	Miúisc
Púdar	Piútar	Túr	Tiún		

Cleachtadh éisteachta 1: ceol

Mír 4.2
T32

Éist leis seo agus abair an bhfuil sé fíor nó bréagach:

1. Seinneann Molly an giotár agus an fheadóg stáin.
2. Ní sheinneann Adam aon uirlis cheoil.
3. Éisteann Molly le Raidió na Gaeltachta.
4. Téann Adam go seisiún ceoil gach Déardaoin.
5. Ní théann Molly go ceolchoirm riamh.
6. Is fuath le hAdam ceol tíre.

An ghramadach i gcomhthéacs

An Aimsir Láithreach

	Ceisteach	Diúltach
	+ Urú	+ Séimhiú
Mar shampla:	An **d**téann tú?	Ní t**h**éim

Samplaí

An seinneann tú uirlis cheoil?	Ní sh*einnim *sh = 'h' *Ní hi-nam*
An dtéann tú go ceolchoirmeacha?	Ní théim

Ceacht 1

Scríobh amach agus cuir an fhoirm cheart den bhriathar isteach.

Cad a dhéanann tú de ghnáth nuair a thagann tú abhaile ón scoil?

Gach lá tar éis na scoile (fan) ar scoil ag déanamh staidéir agus (déan) m'obair bhaile. (Tar) abhaile ar a sé a chlog agus (ith) mo dhinnéar agus ansin (lig) mo scíth. (Féach) ar an teilifís ar feadh tamaill nó (téigh) ar an Idirlíon. Uaireanta (cuir) mo chara glao orm agus (bí) ag caint. (Éist) le ceol i mo sheomra nó (léigh) leabhar. (Téigh) a chodladh ar a 10:30 nó mar sin.

Le briathra déshiollacha a chríochnaíonn ar -igh, fágtar -igh amach. Seo mar a bhíonn:
Éirigh: éir -ím/-ímid/-íonn tú/sé/sí/sibh/siad
Ceannaigh: ceann -aím/-aímid/aíonn tú/sé/sí/sibh/siad

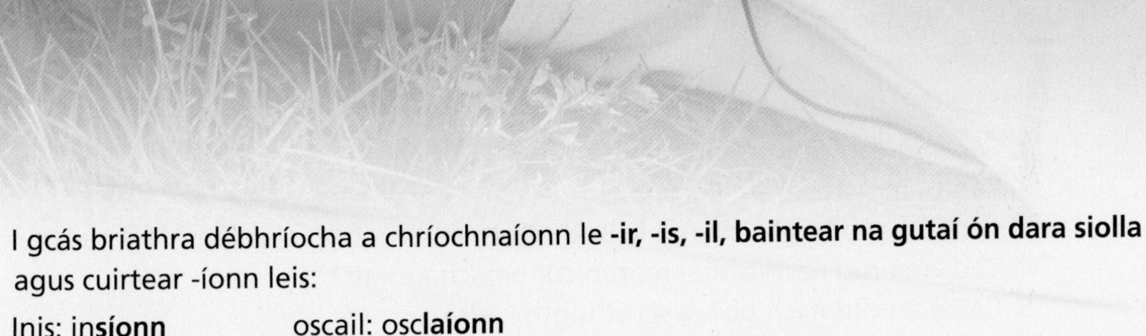

I gcás briathra débhríocha a chríochnaíonn le **-ir, -is, -il, baintear na gutaí ón dara siolla** agus cuirtear -íonn leis:

Inis: in**síonn** oscail: osc**laíonn**

Ceacht 2

Scríobh amach agus úsáid an fhoirm cheart den bhriathar.

Cad a dhéanann tú de ghnáth ag an deireadh seachtaine?

(Éirigh) mall ar an Satharn agus (bí) bricfeasta agam ar mo shuaimhneas. (Déan) roinnt obair tí agus ansin (téigh) isteach sa bhaile agus (buail) le mo chairde. (Téigh) ag siopadóireacht agus (ceannaigh) éadaí nó dlúthdhioscaí. (Bí) ag obair uaireanta sa tráthnóna ach muna mbím ag obair (téigh) amach le mo chairde nó féachaim ar an teilifís. Ar an Domhnach (téigh) ar Aifreann agus ina dhiaidh sin téim ag traenáil le m'fhoireann peile. Uaireanta (tar) mo sheanmháthair ar cuairt chugainn. (Cabhraigh) le mo mháthair an dinnéar a ullmhú agus (déan) m'obair bhaile sa tráthnóna.

Scríobh do fhreagra féin ar an gceist.

Cleachtadh éisteachta 2: bannaí ceoil

Éist leis an gcomhrá seo.

Mír 4.3
T33

Bríd	A Antaine! Múch é, nó athraigh an stáisiún, in ainm Dé, is fuath liom an ceol sin.
Antaine	Tóg go bog é, a stóirín mo chroí, nach maith leat ________?
Bríd	Ní maith. Is fuath liom an grúpa sin **ar aon nós**. Cé hiad féin?
Antaine	___ is ainm dóibh. Is breá liom féin iad. Inis dom – cén sórt ceoil a thaitníonn leat féin?
Bríd	Ó, **gach cineál ceoil**. Is maith liom ______ agus ______ agus **is í _______ an t-amhránaí is fearr liom**. Is breá liom a cuid liricí.
Antaine	Mise freisin. An maith leat ceol?
Bríd	**Leis an bhfírinne a rá, níl mórán cur amach agam air**. Agus **níl mé róthógtha le leithéidí ________** – is breá le m'athair é, ceart go leor.
Antaine	**Ar chuala tú riamh trácht ar _______**?
Bríd	**Mar a tharlaíonn**, chuala. Is aoibhinn liom iad.
Antaine	**An raibh tú riamh** ag ceolchoirm leo?
Bríd	Ní raibh, **cé go** raibh mé ag ceolchoirm **le déanaí** le Imelda May agus bhí sí **ar fheabhas ar fad**.
Antaine	Bhí sí ag Oxegen an bhliain seo caite agus bhí sí go hiontach. Gabh i leith, tá dhá thicéad agam anseo do cheolchoirm Kíla anocht má theastaíonn uait dul liom?
Bríd	**Togha!** Ba bhreá liom dul! Go raibh míle maith agat.

Ceisteanna

1. Cén sórt ceoil nach maith le Bríd?
2. Cén t-ainm atá ar an ngrúpa?
3. Cén sórt ceoil a thaitníonn le Bríd? Cé hí an t-amhránaí is fearr léi?
4. Cad é an rud nach bhfuil mórán cur amach aici air?
5. Cad é an rud nach bhfuil sí róthógtha leis?
6. Cén grúpa ar chuala sí trácht air?
7. Breac síos na nathanna aibhsithe agus úsáid iad ag freagairt na gceisteanna seo.
8. Cén sórt ceoil a thaitníonn leat?
9. Cén sórt ceoil nach dtaitníonn leat?
10. Cad é an t-amhránaí/an grúpa is fearr leat?
11. Cén stáisiún raidió a n-éisteann tú leis?
12. An maith leat ceol Gaelach?

Cleachtadh taighde

An bhfuil aon chur amach agat ar ghrúpaí a chanann as Gaeilge? Cuardaigh na grúpaí seo a leanas ar YouTube: Kíla, Líadan, Altan, Téada, Anúna, Clannad agus déan cur i láthair sa rang ar ghrúpa amháin.

An ghramadach i gcomhthéacs

Bíonn ainmfhocail na Gaeilge firinscneach nó baininscneach.
Cuirtear 'séimhiú' ar ainmfhocail bhainiscneacha tar éis 'an'.

Baininscneach	Firinscneach
an f**h**idil*	an pianó
an f**h**eadóg* mhór	an méarchlár
an c**h**ruit	an bosca ceoil
an c**h**láirseach	an consairtín
an f**h**liúit	an giotar
an c**h**láirnéid	an bainseó
	na drumaí

*Ní fhuaimnítear an 'fh': an fhidil = an 'idil'

4

Cleachtadh éisteachta 3: Lady Gaga

Éist leis an bpíosa seo agus freagair na ceisteanna.

Mír 4.4
T34

Ceisteanna

1. Cé hí Stefani Joanne Angelina Germanotta?
2. Cén áit agus cén bhliain ar rugadh í?
3. Cá ndeachaigh sí ar scoil?
4. Conas a bhain sí clú amach ar dtús?
5. Cé na hamhráin léi a raibh rath orthu?
6. Cathain a eisíodh a halbam 'The Fame Monster' agus conas mar a d'éirigh leis?
7. Cad atá ar fáil ar YouTube?

brits.co.uk

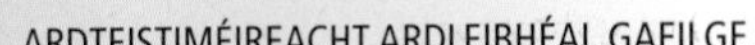

Cleachtadh éisteachta 4: féile cheoil

Mír 4.5
T35

Éist leis an gcur síos seo.

Bhí mé ag Oxegen an bhliain seo caite. Bhí sé iontach ar fad. Chuaigh mé le beirt chairde. Thógamar an bus suas agus d'fhanamar i bpuball. Bhí an aimsir uafásach. Bhíomar báite go craiceann, ach ba chuma. Sheinn Vampire Weekend agus na Coronas an chéad oíche, ansin bhí Florence and the Machine agus na Black-Eyed Peas ar siúl ar an Satharn. Ach an lá is fearr ar fad, an Domhnach, bhí sé dochreidte: Eminem, Paolo Nutini, Mumford and Sons, The Prodigy. Ba é an cheolchoirm ab fhearr dá bhfaca mé riamh é. Beidh mé ag dul i mbliana arís gan teip.

An ghramadach i gcomhthéacs

An Aimsir Chaite

- Bíonn séimhiú san Aimsir Chaite — thóg, chuir
- Ceisteach: 'ar?' — **ar** thóg tú?
- Diúltach: 'níor' — **níor** thóg
- Cuirtear d' roimh ghuta nó 'fh' — **d'**ól, **d'**fhág
- Níl d' tar éis ar, níor — ar ól? níor fhág
- Chuir muid = chuir**eamar** — Cheannaigh muid = cheann**aíomar**

Tá **6 bhriathar neamhrialta** a thógann **'an'** agus **'ní'**

Bí	Bhí	Ní raibh	An raibh?	Bhíomar / Ní rabhamar
Déan	Rinne	Ní dhearna	An ndearna?	Rinneamar/ Ní dhearnamar
Feic	Chonaic	Ní fhaca	An bhfaca?	Chonaiceamar/ Ní fhacamar
Téigh	Chuaigh	Ní dheachaigh	An ndeachaigh?	Chuamar/ Ní dheachamar
Faigh	Fuair	Ní bhfuair	An bhfuair?	Fuaireamar/ Ní bhfuaireamar
Abair	Dúirt	Ní dúirt	An ndúirt?	Dúramar/Ní dúramar

Tá 4 bhriathar eile neamhrialta san Aimsir Chaite.

Tabhair	Thug	Níor thug	Ar thug?	Thugamar
Clois	Chuala	Níor chuala	Ar chuala?	Chualamar
Tar	Tháinig	Níor tháinig	Ar tháinig?	Thángamar
Beir	Rug	Níor rug	Ar rug?	Rugamar

Ceacht 1

Freagair na ceisteanna seo. Cuir ar do pháirtí iad:

1. An raibh tú riamh thar lear?
2. An raibh tú riamh i Meiriceá?
3. An raibh tú riamh sa Ghaeltacht?
4. An ndeachaigh tú riamh go cluiche peile i bPáirc an Chrócaigh?
5. An ndeachaigh tú riamh go féile Oxegen?
6. An ndeachaigh tú riamh go ceolchoirm san O2?
7. An bhfaca tú an nuacht aréir?
8. An bhfaca tú timpiste bóthar riamh?
9. An bhfaca tú an scannán 'Cry Freedom'?
10. An ndearna tú an Teastas Sóisearach?
11. An ndearna tú an idirbhliain?
12. An ndearna tú an scrúdú tiomána?
13. An ndearna tú d'obair bhaile aréir?
14. An bhfuair tú bronntanais dheasa don Nollaig?
15. An bhfuair tú airgead póca nuair a bhí tú níos óige?
16. An bhfuair tú éadaí nua ag an deireadh seachtaine?
17. An bhfuair tú post samhraidh anuraidh?
18. An ndúirt tú le do thuismitheoirí go raibh tú ag dul amach?
19. An ndúirt tú leis an múinteoir go raibh tú tinn?

Cum do cheisteanna féin ag úsáid na mbriathra thuas.

4

Ceacht 2

Scríobh amach i do chóipleabhar agus cuir an fhoirm cheart de na briathra thíos.

A. Cad a rinne tú an deireadh seachtaine seo caite?

___ mé abhaile ón scoil ar an Aoine agus ___ mé mo dhinnéar. Ansin ___ mé m'obair bhaile. ___ mé a chodladh mall go leor agus ___ mé ar a haon déag ar an Satharn. ____ cith agam, ____ mé mé féin agus ____ mé mo bhricfeasta. ____ mé go lár an bhaile agus ____ mé le cúpla cara. ____ an lá ag siopadóireacht. ___ dul go scannán an oíche sin. Dé Domhnaigh ____ mé ar Aifreann agus ____ cuairt ar mo sheanmháthair. Tráthnóna Dé Domhnaigh ____ mé roinnt staidéir ansin ____ mé ar an teilifís ar feadh tamaill. ____ mé a chodladh go luath.

B. An raibh tú riamh thar lear?

Anuraidh ____ mé féin agus mo chlann go dtí an Spáinn. ____ go luath ar maidin agus ____ go hAerfort na Sionna. ____ Malaga ag meán lae. ____ tacsaí go dtí ár n-árasán cois trá. ____ an aimsir go hálainn agus ____ an lá ag snámh agus ag grianadh. San iarnóin ____ i mbialann. ____ cuairt ar Granada agus ar an Alhambra. Caithfidh mé rá gur ____ mé an-taitneamh as an tsaoire.

sroich • caith • éirigh • téigh • bí • tiomáin • ith • tabhair • bain • faigh

Anois scríobh do fhreagra féin ar an dá cheist i do chóipleabhar labhartha.

Ullmhú don scrúdú béil

Anois scríobh do fhreagra féin ar an dá cheist i do chóipleabhar labhartha agus déan cur síos ar cheolchoirm a chonaic tú.

Cleachtadh éisteachta 5: The Coronas

Mír 4.6
T36

Éist leis an bpodchraoladh seo ó i-Club, ar Raidió na Gaeltachta, agus freagair na ceisteanna seo: (i-Club, 09 Eanáir 2009, Na Coronas).

Tá Caoimhe Seoighe agus Caoimhe Ní Chualáin ag cur síos ar an ngrúpa na Coronas, a bheidh ag casadh ar an gCeathrú Rua Dé hAoine seo chugainn.

Ceisteanna

1. Cén uair agus cá mbeidh an cheolchoirm ar siúl?
2. Cé mhéad ticéad atá díolta cheana féin? An bhfuil ticéid fós ar fáil?
3. Cén t-ainm atá ar an ngrúpa a bheidh ag tacú leis na Coronas?
4. Cad dó an táille isteach sa cheolchoirm?
5. Anois scríobh alt gearr don nuachtán áitiúil ag tabhairt eolais faoin gceolchoirm.

Scrúdú béil: agallamh: an ceol is fearr liom

Mír 4.7
T37

Agallóir Inis dom, cén sórt ceoil a thaitníonn leat?

Colm Is aoibhinn liom rac-cheoil. Is é Arctic Monkeys an grúpa ceoil is fearr liom. Is grúpa rac indie iad as Sasana agus tá ceathrar sa ghrúpa. Chonaic mé iad ag Oxegen an bhliain seo caite agus bhí siad ar fheabhas ar fad.

Agallóir Inis dom faoi Oxegen. Chuala mé gur féile iontach é.

Colm Bhí sé go hiontach ar fad. Chuaigh mé ann le slua cairde agus bhíomar ag campáil ar feadh trí lá. Bhí an t-ádh dearg linn go raibh an aimsir sách maith. Uaireanta bíonn sé ag doirteadh báistí. D'fhanamar i bpuball agus bhí suas le fiche grúpa ag seinm gach lá. Bhí gach sórt ceoil ar fáil ann agus bhaineamar an-taitneamh as. Ar ndóigh, ba é Arctic Monkeys an buaicphointe domsa, caithfidh mé a rá. Ní fhaca mé riamh beo iad go dtí sin agus nuair a chonaic mé mo laochra ar stáitse bhí mé iontach sásta!

Agallóir An bhfuil aon spéis agat i gceol traidisiúnta?

Colm Caithfidh mé a rá nach bhfuil mórán cur amach agam ar cheol traidisiúnta. Ní sheinnim féin aon uirlis cheoil. Ach is maith liom bheith ag éisteacht le ceol traidisiúnta ar an raidió ó am go chéile, agus ar chuala tú riamh trácht ar Kíla?

Agallóir Chuala.

Colm Caithfidh mé a rá gur breá liom a gcuid ceoil.

Agallóir An gceannaíonn tú dlúthdhioscaí nó an íoslódálann tú ceol ón idirlíon?

Colm Tá sé i bhfad níos saoire ceol a íoslódáil ón idirlíon agus chomh maith leis sin is féidir leat éisteacht leo ansin ar do iPod. Tá sé i bhfad níos áisiúla.

Agallóir Cad a cheapann tú faoi YouTube?

Colm Ceapaim gur iontach an áis é. Tugann sé deis do ghrúpaí ceoil atá ag tosú a gcuid ceoil a chur os comhair an tsaoil. Mar a tharlaíonn, sin mar a thosaigh Arctic Monkeys. Anois tá grúpaí óga in ann a n-amhráin a chur ar YouTube ar bheagán costais agus lucht éisteachta domhanda a aimsiú.

Ullmhú don scrúdú béil

Scríobh na ceisteanna i do chóipleabhar labhartha agus tabhair do fhreagraí féin orthu.

Ceol traidisiúnta na hÉireann

Cuid lárnach de chultúr na hÉireann is ea an ceol traidisiúnta agus bíonn sé le cloisteáil go rialta má chaitheann tú seal sa tír. Sna tithe tábhaine is mó a **thionóltar** na séisiúin cheoil agus de ghnáth cuirtear fáilte roimh gach aon cheoltóir.

Ceol rince, den chuid is mó, is ea ceol traidisiúnta na hÉireann ach sa lá atá inniu ann is minic a sheinntear é don lucht éisteachta amháin – gan rinceoirí ar bith. Bíonn cineálacha éagsúla fonn le cloisteáil ach is fearr le ceoltóirí ríleanna agus poirt a sheinm.

Ní bhíonn aon nótaí ceoil le feiceáil os comhair ceoltóirí traidisiúnta mar bíonn gach aon fhonn **de ghlan mheabhair** acu. Ní bhíodh na ceoltóirí in ann nótaí a léamh san am atá caite agus bíonn lucht an lae inniu **beag beann orthu** freisin. Is iad an fhidil, an cairdín, an fheadóg agus an bainseó na huirlisí ceoil is minice **a bhíonn idir lámha acu**.

Más maith leat ceol taifeadta a cheannach tá go leor grúpaí anois ag déanamh an cheoil **go gairmiúil**. Tá clú agus cáil **bainte amach** ar feadh na mblianta ag na Chieftains, grúpa a chloíonn leis an bhfíorthraidisiún ach atá ag éirí aosta anois. Tá grúpa níos óige, Téada, ag leanúint leis an traidisiún seo, ag cloí leis an oidhreacht shaibhir cheoil sa tír. Tá ceoltóirí nua-aimseartha cosúil leis an sárbhoscadóir Sharon Shannon, ag iniúchadh a gceirde agus go nádúrtha bíonn tionchar ag an bpopcheol agus ag ceol tíre ó thíortha eile orthu. Grúpaí **móra le rá** eile is ea Clannad, Dervish agus Kíla. Ceoltóirí eile clúiteachta is ea Máire Brennan agus Altan.

Scríobh na focail aibhsithe i do chóipleabhar agus foghlaim iad.

Faigh agus foghlaim

Faigh agus foghlaim focail sa sliocht a chiallaíonn:

neamhspleách ar	ar eolas	aimsithe
a mbíonn siad ag plé le	cáiliúil	go proifisiúnta

Ceisteanna

1. Cén áit is mó a gcloistear ceol Gaelach?
2. Cén sórt ceoil é ceol traidisiúnta, den chuid is mó?
3. Cén fáth a mbíonn ceoltóirí traidisiúnta beag beann ar nótaí ceoil?
4. Cén difríocht atá idir na Chieftains agus Téada, agus grúpaí eile?

Eolas fánach

Is é Toirdh… …ir agus an
cumadóir is… …mallpox)
nuair a bhí… …ad na tíre
ag cumadh f… …n sé os
cionn 300 tiú… …ióga.
Théadh sé a c… …bhíodh
tiún nua ina cl…

dhorcha - dark
leanunach - continuous
dhalladh - blinded
Bhogann - moves
draíocht - magic
bhaininscneacha - feminine
fhirinscneacha - masculine

Cleachta…

Pioc ceoltóir a… …nga faoi don rang. Bain úsáid as Power…

Éirim cheo… …imone

Tá Colm Ó Snódaigh splanctha i ndiaidh Nina Simone i ndiaidh dá chuid suime a bheith múscailte inti in athuair le déanaí.

Sa charr ag tiomáint ó dheas i dtreo Bhrí Chualainn. Oíche dhorcha. An bháisteach a bhí ag titim an mhí ar fad ag teacht go leanúnach. Soilse na gcarranna eile do mo dhalladh. Leaba agus codladh uaim.

Ar an raidió, tá ceol á sheinm ag Dónal Dineen, draoi ceoil Today FM. Ceol ildaite a roghnaíonn sé – ceol a bhogann mé ó áit go háit go héasca. Go tobann, tá draíocht ghleoite ag teacht tríd an gcóras fuaime. Moillím an carr. Éistim. Ciúnaím. Ardaím an fhuaim.

Ansin, tosaíonn Nina ag canadh – ní gá dom níos mó a rá ná go bhfuilim ceannaithe, beannaithe, díolta agus múchta aici.

'...Sinnerman where you gonna run to...'

Ba thrí fhógra teilifíse de chuid Chanel No 5 a tarraingíodh aird an domhain mhóir ar Nina Simone i 1987. Cinnte, bhí cáil uirthi roimhe sin, go mór mór sna Stáit Aontaithe. Ach de thoradh an fhógra a bheith á thaispeáint timpeall na cruinne gach lá ar feadh cúpla mí, níorbh fhada go raibh an t-amhrán '*My Baby Just Cares for Me*' le cloisteáil ar gach stáisiún raidió. Ba é seo an *hit* ba mhó a bhí aici riamh. Íorónta go maith, b'amhrán óna céad albam é, a bhí taifeadta aici chomh fada siar le 1958. B'amhrán éadrom é nach raibh mórán téagair ag baint leis, a cheap sí féin!

Rugadh Eunice Kathleen Waymon, nó Nina Simone mar is fearr aithne uirthi, sa bhliain 1933 in South Carolina. Duine d'ochtar clainne ab ea í a raibh féith an cheoil inti riamh – ina croí, ina méara agus ina guth. Agus í dhá bhliain d'aois, thosaigh sí ag seinm an phianó agus bhí sí páirteach sa chór eaglasta ó bhí sí ábalta canadh.

Ach bhí fearg inti freisin. Nuair a bhí sí aon bhliain déag d'aois, bhí sí ag seinm lá amháin i halla áitiúil. Dúirt sí leis an slua a bhí i láthair nach mbeadh sí sásta leanúint ar aghaidh lena cuid seanma mura dtabharfaí cead dá tuismitheoirí teacht ar ais go dtí a gcéad rogha suíochán – a bhí chun tosaigh – i ndiaidh gur tugadh a suíocháin do dhaoine geala. Aimsir dhorcha ab ea é sna Stáit Aontaithe ó thaobh an chiníochais de. Ní nach ionadh, mar sin, go raibh sí iomlán gafa, agus í ina duine fásta, le gluaiseacht na gCeart Sibhialta a bhí ar siúl faoi stiúir Martin Luther King.

Guth mór, crosta, maorga na gluaiseachta ab ea í a raibh amhráin mar *'Mississippi Goddam'*, *'Young Gifted and Black'* agus *'We Shall Overcome'* aici.

Tar éis dom *'Sinnerman'* a chloisteáil, chuaigh mé chuig Tower Records i lár chathair Bhaile Átha Cliath agus cheannaigh mé trí albam dá cuid le go bhféadfainn mé féin a bhá ina ceol! Tá mé báite!

4

Thart fá cúig bliana ó shin, rinne mé iarracht *'Feeling Good'* a fhoghlaim.

'...It's a new dawn, a new day, a new life, for me

And I'm feeling good...'

Bhí sé ródheacair mo rian féin a fhágáil air – bhí modh seinnte agus amhránaíochta ag Simone a bhí chomh cliste, oilte, snoite agus snasta go mbeadh sé deacair ar dhuine aon ní nua a chur leis an amhrán. Ach anois – agus mé faoi uisce, báite agus briste – tá mé ag luí isteach ar an amhrán arís. Mar sin, má fheiceann tú mé i lár tráchta agus mé ag screadaíl liom os ard mar a bheadh amadán ionam, cuir an locht ar Nina Simone. Agus ar Dhónal Dineen, dar ndóigh!

Bunaithe ar alt as *Beo!* le Colm Ó Snodaigh (Ceoltóir agus ball den ghrúpa ceoil 'Kíla')

Ceisteanna

1. Conas mar a tarraingíodh aird an domhain ar Nina Simone ar dtús?
2. Faigh trí ainmfhocal bhaininscneacha agus trí ainmfhocal fhirinscneacha sa chéad alt.
3. Cén fáth a raibh 'fearg inti'?
4. Cén fáth nárbh aon ionadh é go raibh sí go hiomlán gafa le gluaiseacht na gCearta Sibhialta sna seascaidí?
5. Cad atá á dhéanamh ag údar an phíosa faoi láthair?
6. Cén cineál scríbhneoireachta é seo? Cad iad na comharthaí sóirt atá sa phíosa?

Faigh agus foghlaim

Faigh agus foghlaim focail/nathanna sa sliocht a chiallaíonn:

timpeall an domhain	cuir an milleán ar	tá bua an cheoil ag
díríodh air	do mharc féin a chur ar	ní haon ionadh
tuairim is	go háirithe	ghlac sí páirt i
piocann	tógtha le	

Foghlaim na nathanna seo agus úsáid iad nuair is féidir.

Tionchar an cheoil ar an aos óg

Léigh an t-alt seo a leanas agus freagair na ceisteanna ina dhiaidh.

Féach ar gach stad bus agus feicfidh tú iad. Cuir ceist ar d'iníon agus nuair nach bhfreagraíonn sí thú, labhair níos airde, tosaigh ag screadaíl fiú. Ag screadaíl, cloisim tú ag rá. Nach bhfuil fhios agat nár chóir screadaíl ar dhaoine óga? (Níl sé 'PC' níos mó 'páistí', nó fiú 'déagóirí' a rá, caithfear 'daoine óga' a thabhairt orthu). Tuig gur cath é seo – cath idir tusa, gnáththuismitheoir, agus meaisín atá chomh beag gur féidir é a chur i do phóca ach chomh mór agus chomh cumhachtach sin gur féidir leis d'iníon nó do mhac a chur faoi gheasa, a smachtú, a rialú go huile is go hiomlán sa chaoi is nach bhfeiceann siad thú (bíonn na súile go minic dúnta), nó nach gcloiseann siad thú go dtí go mbíonn tú réidh len iad a thachtadh.

Táim ag caint, ar ndóigh, faoin seinnteoir MP3, nó an iPod. Ach is faoiseamh é nach tú an t-aon duine atá ag fógairt catha ar an meaisín céanna. Ar scoil, thug múinteoirí faoi deara go raibh feabhas mór tagtha ar dhaltaí áirithe a bhí ina suí go ciúin agus cuma orthu go raibh siad ag éisteacht – bhí siad ag éisteacht ceart go leor, ach ní leis an múinteoir: le Beyoncé b'fhéidir, nó Eminem nó Rihanna nó Kings of Leon: aon duine ach an múinteoir! I ngan fhios don mhúinteoir, i bhfolach go díscréideach faoin ngruaig nó faoi scaif, a bhíonn na cluasáin.

Sea, tá go leor iomaíochta amuigh ansin d'aird d'iníne nó do mhic agus níl i do ghlórsa ach guth fánach i lár an fhásaigh. Ní féidir a

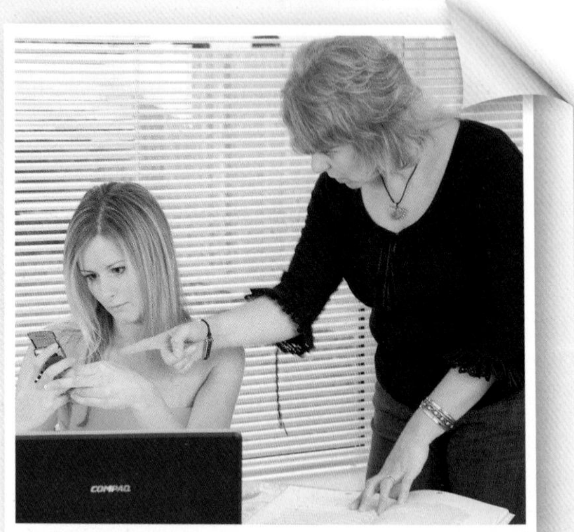

shéanadh go bhfuil an-tionchar ag ceol ar aos óg an lae inniu. Ar ndóigh ní drochrud é sin, cloisim tú ag rá arís – nach maith an rud é? Nár chóir daoine óga a spreagadh chun éisteacht le ceol? Ar ndóigh. Ach ní le Mozart atá formhór d'aos óg na tíre ag éisteacht. Tá siad ag éisteacht le ceol rap, rac-cheol, miotal crua agus a leithéidí. B'fhiú d'aon tuismitheoir an seinnteoir MP3 a ghoid lá éigin agus éisteacht leis na liricí. Tá mise á rá leat go mbainfidh siad geit asat! Mallachtaí, eascainí, foréigean, agus tagairtí do ghnéas a chloisfidh tú. Tá staidéar á dhéanamh ar an tionchar a bhíonn ag liricí foiréigneacha ar dhaoine óga agus de réir an taighde is déanaí tá an-drochthionchar ag an gceol seo ar an aos óg – ní nach ionadh.

B'fhéidir go bhfuil sé in am ag tuismitheoirí na tíre seo na cluasáin sin a tharraingt as na cluasa agus an meaisín beag sin a chaitheamh amach. Muna ndéanann is dúinn is measa é.

Ceisteanna

1. Cad atá i gceist leis an 'gcath' a luaitear san alt seo?
2. Cén fáth a ndeir an t-údar go bhfuil an seinnteoir MP3 cumhachtach?
3. Cad a chloistear sna liricí a mbíonn daoine óga ag éisteacht leo?
4. Cad a deir an taighde?
5. Cén sórt duine a scríobh an t-alt seo? Tabhair fianaise ón téacs.

Ceapadóireacht: alt nuachtáin/irise

Léigh tú an t-alt sin agus chuir sé déistin ort. Scríobh freagra ar an alt ag cosaint daoine óga agus an ceol a n-éisteann siad leis.

Plean

Alt 1: Caithfidh mé a rá gur chuir an t-alt seo/le báiní mé/déistin cheart orm/ag smaoineamh mé.

Ní féidir liom aontú leis an údar nuair a deir sé/sí go...

Cuireann sé déistin orm nuair a deir...

Níl fírinne dá laghad leis seo/Ní fíor go n-éisteann daoine óga le ceol mar sin.

Alt 2, Mórphointe 1: Ní chaitheann daoine óga an lá go léir ag éisteacht le ceol, mar a deir an t-údar, tá saol gnóthach acu. Bíonn siad ar scoil/ag staidéar/ag imirt cluichí/ag caint le cairde...

Alt 3, Mórphointe 2: Is masla é a rá go n-éisteann daoine óga le liricí gránna foréigneacha – éisteann daoine óga le gach saghas ceoil. Ar éist an t-údar riamh le liricí grúpaí ar nós ... agus...? Ar chuala sé/sí riamh trácht ar leithéidí...?

Alt 4, Mórphointe 3: Má éisteann tú le liricí áirithe, cloisfidh tú go bhfuil teachtaireacht láidir iontu. (tabhair samplaí) Tá liricí áirithe an-mhaith ar fad ag amhránaithe áirithe (tabhair samplaí). Is léir nach bhfuil aon chur amach ag údar an ailt ar .... Cuireann daoine óga iad féin in iúl tríd an gceol, mar shampla.... Bíonn dea-thionchar ag ceol ar dhaoine óga: sampla...

Alt 5, Críoch: Do thuairim arís, ní aontaíonn tú ar chor ar bith le húdar an ailt/ léirítear easpa tuisceana/i gcónaí ag caitheamh anuas ar dhaoine óga/ní maith leat an toin searbhasach a úsáideann sí/sé.

4

Snagcheol CeolTíre NaGormacha
Rac-cheol Rap-cheol CeolClasaiceach
CeolTraidisiúnta Dlúthdhioscaí
UirlisCheoil Fidil Feadóg FeadógMhór
Giotár Cláirseach Kila Liadan Altan
Téada Anúna Clannad LiamÓMaonlaí
Consairtín Méarchlár Amhránaí Ceoltóir
Ceolchoirm Eisíodh FleáCheoil
Gléasceoil Tionlacan Taifead
CórasFuaime Fuaimrian

Scrúdú béil: freagra samplach

Scoil Samhraidh Willie Clancy

Anuraidh chuaigh mé go Scoil Samhraidh Willie Clancy i Sráid na Cathrach in Iarthar an Chláir, don chéad uair riamh. Dúirt mo chairde liom go mbíonn an craic go hiontach ann. Chláraigh mé do rang fidle. Seinnim an fhidil i ngrúpa ceoil i bPort Láirge. Bhí Oisín Mac Diarmada mar mhúinteoir agam, agus caithfidh mé a rá gur ceoltóir den scoth é. D'fhoghlaim mé a lán uaidh. Bhí na ranganna ar siúl gach maidin óna deich go dtí a haon.

Ach is ansin a thosaigh an spraoi! Tar éis lóin, chuamar go ceann de na tithe tábhairne ar an mbaile agus thosaíomar ag seinm. Is minic go raibh dhá nó trí sheisiún ar siúl sa teach tábhairne céanna. Bhí togha na gceoltóirí ó gach cearn den tír ann ag seinm agus roinneadar a dtalann go fial le foghlaimeoirí. Lean an ceol ar aghaidh go mall san oíche. Oíche amháin d'fhilleamar abhaile ag breacadh an lae!

Bhí an-chraic agam agus bhain mé an-taitneamh as. Beidh mé ar ais arís gan teip an samhradh seo chugainn.

Dráma faoi ghéibheann agus saoirse: An Lasair Choille

Tá rogha idir é seo agus 'Cáca Milis'.

Réamhrá

Is breá le gach duine bheith ag canadh, mar an gcéanna leis an Lasair Choille sa dráma seo. Ach cén fáth a bhfuil an t-éan beag balbh? Cén fáth nach bhfuil sé ag canadh faoi mar is dual dó?

An Lasair Choille

Séamas: A Bhinncheoil! 'Bhinncheoil! (*Fead*) Cas poirtín dom. Tá tú an-chiúin inniu. Ní fhéadfadh aon údar bróin a bheith agat sa teach seo. Tú **te teolaí**[1] agus neart le n-ithe agat. (*Fead*) Seo, cas port amháin.

Micil: As ucht Dé ort, a Shéamais, agus éist leis an éan sin, nó an gceapann tú go dtuigeann sé thú?

Séamas: Á, mhuis, ní raibh mé ach ag caint leis. Shíl mé go raibh tú i do chodladh.

Micil: Cén chaoi a bhféadfainn codladh sa teach seo agus **do leithéidse d'amadán**[2] ag bladaireacht in ard do ghutha.

[1] *warm and cosy*
[2] *a fool like you*

[3] ar fad

[4] *turf*

[5] Cad a tharla duit?

[6] Bailigh

[7] an méid airgid atá againn

[8] Stop ag caint faoin airgead

[9] *tongs*

[10] fiche

[11] Ní bhaineann sé leat, *what business is it of yours?*

[12] ag dul (C)

[13] *matchstick head/ featherhead*

Séamas: Tá aiféala orm.

Micil: Tá, má tá. Tabhair aníos an t-airgead anseo chugam.

Séamas: Tá go maith. (*Téann sé suas chuige*) Tá tuilleadh i mo phóca agam.

Micil: Cuir sa sciléad **uilig**[3] é.

Séamas: 2, 3, 4 agus sé pinne – a dhiabhail, ní hea.

Micil: Seo, déan deifir.

Séamas: 5, -a 1- 2 -3 -4 -5 -6 -7 -8, agus sé pinne.

Micil: £9 – £10 – £11 – is mór an t-ionadh go raibh an ceart agat. Dhá phunt eile is beidh mé in ann an carr asail a cheannacht ó Dhúgán. Sin é an uair a dhéanfas mé an t-airgead. Meas tú, cé mhéad lucht móna atá agam faoi seo?

Séamas: Deich gcinn nó b'fhéidir tuilleadh.

Micil: **Móin**[4] bhreá í. Ba cheart go bhfaighinn dhá phunt an lucht uirthi. Sin scór. Slám deas airgid. Tabhair dom peann is páipéar.

Séamas: Tá go maith. (*Téann síos*) A Bhinncheoil, poirtín amháin (*Fead*) A Mhicil! (*Torann sa seomra*)

Micil: A Shéamais, 'Shéamais! Tá mé gortaithe.

Séamas: Go sábhála Mac Dé sinn. **Céard d'éirigh dhuit?**[5] Cén chaoi ar thit tú as an leaba? Maróidh tú thú féin.

Micil: Ó! (*Osna*) Tá an t-airgead ar fud an urláir.

Séamas: Ná bac leis an airgead. Fan go gcuirfidh mé isteach sa leaba thú. 'Bhfuil tú gortaithe?

Micil: Tá mé ceart. Tá mé ceart. **Cruinnigh**[6] suas an t-airgead go beo. Breathnaigh isteach faoin leaba. 'Bhfuil sé agat? **Chuile phinn**?[7]

Séamas: Tá. Tá. B'fhearr duitse aire a thabhairt duit féin. Céard a dhéanfá dá mbeinnse amuigh?

Micil: Imigh leat síos anois. Tá mé ceart. (*Téann Séamas síos leis an sciléad.*)

Séamas: Thit sé as a leaba, a Bhinncheoil. Nach air a bhí an t-ádh nach raibh mé amuigh? (*Fead*) Féach a bhfuil d'airgead againn.

Micil: **Ach an éistfidh tú leis an airgead**?[8] Ach ar ndóigh tá sé chomh maith dom a bheith ag caint leis an **tlú**.[9]

Séamas: A dhiabhail, a Mhicil, céard a dhéanfas muid leis?

Micil: Nár dhúirt mé leat cheana go gceannóinn carr asail leis?

Séamas: Ach leis an **scór**[10] a dhéanfas tú ar an móin?

Micil: **Nach mór a bhaineann sé dhuit**?[11]

Séamas: Ní raibh mé ach á fhiafraí dhíot.

Micil: Céard tá ort anois? Céard tá **ag gabháil**[12] trí **cheann cipín**[13] anois?

Séamas: Dheamhan tada. (*Stad*) Bhí braith orm imeacht.

Micil: Imeacht. Imeacht cén áit?

Séamas: Go Sasana.

[14](C) is minic a chuirtear séimhiú ar 'tú' agus 'tusa'

[15](C) cuirtear 's' ag deireadh briathar: bhéas/fiafrós

[16]*the intelligence of an insect/a tick*

[17]*I was only...*

[18] ag cur as dúinn, *bothering us.* I mBéarla na hÉireann cloistear daoine fós ag rá *'with no one putting in nor out on us'*

[19] as mo stuaim féin, *off my own bat*

[20]ar strae

[21]*locht, blame*

[22]gan (níl aon chosa agamsa agus níl aon éirim agatsa)

[23]tá brón orm

[24]nach mé atá amaideach

Micil: Go Sasana! Céard sa diabhal a thabharfaidh **thusa**[14] go Sasana? Níl gnó ar bith acu d'amadáin i Sasana.

Séamas: Ach shíl mé...

Micil: Ach shíl tú. Céard a shíl tú? Cé a bhí ag cur na seafóide sin i do cheann?

Séamas: Bhí mé ag caint leis an mBúrcach inné.

Micil: Hu! Coinnigh leis an mBúrcach, a bhuachaill, is beidh tú ceart. Ach céard a dhéanfása i Sasana?

Séamas: Is dóigh nach ndéanfainn mórán ach...

Micil: Nuair a **fhiafrós**[15] siad díot céard a bhí tú a dhéanamh sa mbaile céard a bheas le rá agat? 'Bhí mé ar aimsir ag cláiríneach.' Níl seanduine thall ansin ag iarraidh an dara péire cos agus lámh. Agus sin a bhfuil ionatsa. Níl **éirim sciortáin**[16] ionat. Ní bhfaighidh tú an dara duine a inseos duit le 'chuile shórt a dhéanamh, mar a dhéanaimse. Ar ndóigh ní choinneoidh aon duine eile thú ach mé féin.

Séamas: Tá a fhios agam. **Ní raibh mé ach**[17] ag caint.

Micil: Bhuel, ná bíodh níos mó faoi anois. Nach bhfuil muid sona sásta anseo? Gan aon duine **ag cur isteach ná amach orainn**.[18]

Séamas: Tá a fhios agam, ach ba mhaith liom rud éigin a dhéanamh **as mo chonlán féin.**[19]

Micil: Choíche, muis, ní dhéanfaidh tusa aon rud as do chonlán féin. Ach an fhad a bheas mise anseo le comhairle a thabhairt duit ní rachaidh tú i bhfad **amú**.[20]

Séamas: Déanfaidh tusa mo chuid smaoinimh dhom. B'in é atá i gceist agat.

Micil: Is maith atá a fhios agat, nach bhfuil tú in ann smaoineamh a dhéanamh dhuit féin. Déanfaidh mise an smaoineamh dhuit. Beidh mise mar cheann agat.

Séamas: Is beidh mise mar chosa is mar lámha agatsa. B'in é é!

Micil: Céard atá ort, a Shéamais? Tá tú dhá bhliain déag anseo anois. Ar chuir mise **milleán**[21] nó bréag nó éagóir ort riamh sa bhfad sin?

Séamas: Níor chuir. Níor chuir. Níor chuir, ach dúirt an Búrcach...

Micil: Ná bac leis an mBúrcach. Níl a fhios aigesean tada fút. Níl a fhios aige go mbuaileann na fits thú. Céard a dhéanfá dhá mbuailfeadh siad siúd thú thall i Sasana?

Séamas: Níor bhuail siad le fada an lá anois mé.

Micil: Hu! Bhuailfeadh siad siúd thú, an uair is lú a mbeadh súil agat leo.

Séamas: Ní raibh mé ach ag rá. Ní raibh mé dáiríre. Tá a fhios agat go maith nach bhféadfaidh mé gabháil in aon áit. Bheidís uilig ag gáire fúm.

Micil: Nach bhfuil tú ceart go leor anseo? Mar a chéile muid. Beirt chláiríneach. **Easpa**[22] géag ormsa agus easpa meabhrach ortsa. Ach ní bheidh aon duine ag gáirí fúinn anseo.

Séamas: **Tá aiféala orm.**[23] **Nach seafóideach an mhaise dom**[24] é ar aon chaoi? Ar ndóigh, ní bheadh tada le déanamh ag aon duine liomsa?

4

[25] (C) ní gá

[26] lán, *overflowing*

[27] In ainm Dé

[28] cófra, *press*

[29] *shakes*

[30] *I'm finished*

[31] níl aon fhuaim as, níl giog ná míog as

Micil: Déan dearmad air. Cuir an clúdach ar an scillidín agus leag suas é.

Séamas: **Níl aon chall**[25] clúdaigh air.

Micil: Tuige nach mbeadh? Nach bhfuil sé beagnach **ag cur thar maoil**?[26] (*Tógann Séamas trí nó ceathair de chlúdaigh a an gcófra. Titeann ceann. Titeann siad uilig.*) Céard sin? Céard tá tú a dhéanamh anois?

Séamas: Thit an clúdach.

Micil: **As ucht Dé ort**[27] agus cuir an clúdach ar an sciléad!

Séamas: Cé acu an ceann ceart?

Micil: Ní ann ach aon cheann ceart amháin.

Séamas: Thóg mé cúpla ceann as an b**preas**.[28] Ní raibh a fhios agam cérbh é an ceann ceart.

Micil: Bain triail as cúpla ceann eile.

Séamas: Tá siad róbheag.

Micil: Tá ceann acu ceart.

Séamas: Ní gá é a chlúdach, a Mhicil. Tá a fhios agat go maith nach bhfuil mé in ann aon rud mar seo a dhéanamh.

Micil: Déan iarracht agus ná bí i do pháiste. Nach gcuirfeadh duine ar bith clúdach ar sciléad?

Séamas: Ach níl a fhios agam cé acu. A Mhuire anocht! Tá **creathaí**[29] ag teacht orm. **Tá mé réidh**![30]

Micil: Agus tusa an fear a bhí ag gabháil go Sasana!

Séamas: Éist liom. Éist liom. (*Sos*)

Micil: Fág ansin é mar sin.

Séamas: (*Sos – ansin labhraíonn le Binncheoil.*) Níl **smid**[31] asat anocht. Céard tá ort? (*Fead*) A Mhicil!

Micil: Céard é féin (*Leath ina chodladh*)

Séamas: Cuirfidh mé síos an tae?

Micil: Tá sé róluath. Ná bac leis go fóill.

Séamas: Cén uair a gheobhas muid an carr asail?

Micil: Nuair a bheas an t-airgead againn.

Séamas: An mbeidh mise ag gabháil go Gaillimh leis?

Micil: Beidh má bhíonn tú sách staidéarach. (*Sos*)

Séamas: Scór punt! Slám breá. A Mhicil!

Micil: Céard sin? Is beag nach raibh mé i mo chodladh.

Séamas: Codail mar sin. (*Fead*) A Mhicil!

Micil: Céard tá ort anois?

Séamas: Áit mhór í Sasana?

[32]ag déanamh amaidí

[33]*a wink of sleep*

[34]Bímse ag smaoineamh ortsa, ag déanamh rudaí ar do shon, ar do leas

[35]amaideacha, gan chiall

[36](C) téigh

[37]*as dumb (silent) as a trout*

[38]*a bar – sing a tune or two*

[39]agus tú féin, *same to you*

[40]*you would escape*

4

Micil:	Bíodh beagán céile agat. Gabh i leith anseo chugam. Breathnaigh isteach sa scáthán sin. An dtuigfidh tú choíche nach mbeidh ionat ach amadán thall ansin? Ní theastaíonn uathu ansin ach fir atá in ann obair a dhéanamh, agus obair chrua freisin. Chomh luath is a labhraíonn duine leatsa tosaíonn tú **ag déanamh cnaipí**.[32]
Séamas:	Ní raibh mé ach ag rá.
Micil:	Síos leat anois agus bíodh beagán céille agat. Bí ciúin nó ní bhfaighidh mé **néal codlata**.[33]
Séamas:	Tá go maith. (*Sos*)
Micil:	A Shéamais!
Séamas:	Is ea.
Micil:	Ná tabhair aon aird ormsa. **Ar mhaithe leat a bhím**.[34]
Séamas:	Tá sé ceart go leor. Ní raibh mé ach ag iarraidh a bheith ag caint le duine éigin.
Micil:	Cuir na smaointe **díchéillí**[35] sin faoi Shasana as do cheann. Níl tú ach do do chur féin trína chéile.
Séamas:	Tá a fhios agam. **Téirigh**[36] a chodladh dhuit féin anois. (*Sos*) A Bhinncheoil, tá tú **chomh balbh le breac**.[37] **Cas barra**[38] nó dhó. Fuar atá tú? Tabharfaidh mé gráinne mine chugat. (*Fead*) Seo, cas port. (*Buailtear an doras*) Gabh isteach. (*Míoda isteach*)
Míoda:	Dia anseo.
Séamas:	**Go mba hé dhuit**.[39]
Míoda:	Go méadaí Dia sibh agus an mbeadh greim le n-ithe agaibh? Tuige an bhfuil tú ag breathnú orm mar sin?
Séamas:	Ar ndóigh ní tincéara thú? Ní fhaca mé do leithéid de chailín riamh cheana.
Míoda:	Sílim gur fearr dom a bheith ag gabháil sa gcéad teach eile.
Séamas:	Ná himigh, ná himigh. Ní dhéanfaidh mise tada ort. Ach ní cosúil le tincéara thú.
Míoda:	Is maith atá a fhios agamsa céard atá ort.
Séamas:	Ní leagfainnse lámh ort, a stór. A Bhinncheoil, an bhfaca tú a leithéid riamh cheana? A haghaidh bhog bhán. As Gaillimh thú?
Míoda:	Leat féin atá tú anseo?
Séamas:	Is ea. Ní hea. Tá Micil sa seomra. Tá sé ar an leaba. As Gaillimh thú.
Míoda:	Ní hea.
Séamas:	Ní faoi ghaoth ná faoi bháisteach a tógadh thusa.
Míoda:	Ní hea. Is beag díobh a chonaic mé riamh. (*Go hobann*) Meas tú an dtabharfá cabhair dom?
Séamas:	Tuige? Céard a d'éirigh dhuit?
Míoda:	Dá n-inseoinn mo scéal duit b'fhéidir **go sceithfeá orm**.[40]
Séamas:	Ní sceithfinn.

[41]do dhuine ar bith

[42]níor scaoil sé amach mé

[43]*fond of*

[44]níl mórán ama fágtha aige, geobhaidh sé bás go luath

[45]*sight – he never let me out of his sight*

[46]*despair*

[47]Nach bhfuil tú

[48]fir saibhre

[49]*beautiful, glittering jewels*

[50]bhásaigh sí tamall fada ó shin

Míoda:	(*Osna*) Níor ith mé greim le dhá lá ná níor chodail mé néal ach an oiread.
Séamas:	Ach céard a d'éirigh dhuit? Cá bhfuil do mhuintir?
Míoda:	Inseoidh tú orm má insím duit é.
Séamas:	Ní inseoidh mé **do dhuine ná do dheoraí**[41] é.
Míoda:	Buíochas le Dia go bhfuil trua ag duine éigin dom.
Séamas:	Déanfaidh mé a bhféadfaidh mé dhuit. Inis do scéal.
Míoda:	Tá mé ag teitheadh ó m'athair.
Séamas:	Ag teitheadh ó t'athair? Cérb as thú?
Míoda:	As Baile na hInse. Is é m'athair an tIarla – Iarla Chonnacht.
Séamas:	Iarla Chonnacht! Tháinig tú an t-achar sin uilig leat féin.
Míoda:	(*Go searbh*) D'éirigh mé tuirseach den 'Teach Mór' is de na daoine móra.
Séamas:	Fear cantalach é d'athair?
Míoda:	Ní hea ná ar chor ar bith. Níor dhúirt sé focal riamh liom a chuirfeadh brón ná fearg orm. Ach **níor lig sé thar dhoras**[42] riamh mé.
Séamas:	'Bhfuil sé sean?
Míoda:	Ceithre scór. Sin é an fáth a raibh sé chomh **ceanúil**[43] orm. Tá a fhios aige **gur gearr uaidh**[44] agus ní raibh aon rud eile aige le h**aiteas** a chur ar a chroí. Níor lig sé as a **amharc**[45] riamh mé. D'fheicinn aos óg an bhaile ag gabháil chuig an gcéilí agus mé i mo sheasamh i bhfuinneog mhór an pharlúis agus an brón agus an **doilíos**[46] ag líonadh i mo scornach.
Séamas:	Ach nach raibh neart le n-ithe agus le n-ól agat? Céard eile a bhí uait?
Míoda:	Bhí ach cén mhaith a bhí ann. Ba chosúil le héinín lag i ngéibheann mé. Cosúil leis an éinín sin ansin.
Séamas:	Tá Binncheol lántsásta anseo. **Nach bhfuilir**,[47] a Bhinncheol? Ach céard a dhéanfas tú anois?
Míoda:	Níl a fhios agam, ach ní rachaidh mé ar ais chuig an gcaisleán ar aon chaoi. Cé go mbeidh dinnéar mór agus coirm cheoil ann anocht. Beidh **na boic mhóra**[48] uilig ann faoi éide is faoi **sheoda áille soilseacha**.[49] Ach ní bheidh an dream óg ann. Ní bheidh sult ná spórt ná suirí ann. Fir mhóra, le boilg mhóra, leath ina gcodladh le tinneas óil.
Séamas:	Beidh do mháthair uaigneach.
Míoda:	Níl aon mháthair agam. **Is fada an lá básaithe í**.[50] Dá mbeadh deirfiúr nó deartháir féin agam.
Séamas:	Ní hionadh go raibh t'athair chomh ceanúil ort is gan aige ach thú.
Míoda:	Ach dhearmad sé go raibh mo shaol féin amach romham agus gur orm féin a bhí é a chaitheamh. Cén mhaith, cén mhaith a bheith beo mura bhféadfaidh tú a dhéanamh ach ithe agus ól? Tá mé ag iarraidh rud éigin níos fearr a dhéanamh dhom féin agus bualadh amach faoin saol.

[51]stiúctha, *starving*
[52]tamall beag
[53]*unfortunately*
[54]muintir na háite i mo dhiaidh
[55]*lump of rock*
[56]*in store for me*
[57]*God help us*
[58]*after I have a rest*
[59]*whether it goes well or not*
[60]duine ar bith (bealach eile chun 'duine ná deoraí' a rá)
[61]*parlour*
[62](C) thaitin
[63]*beneficial*
[64](C) Conas

Séamas: (*Go simplí*) Níos fearr! Ní fhéadfá mórán níos fearr a dhéanamh, ná a bheith i t'iníon ag Iarla Chonnacht.

Míoda: B'fhearr staid ar bith ná an staid ina raibh mé.

Séamas: Íosfaidh tú rud éigin? Tá tú **caillte leis an ocras**.[51]

Míoda: Tá mé ceart go fóillín. Is mó an tuirse ná an t-ocras atá orm. Suífidh mé síos **scaithimhín**[52] mura mhiste leat.

Séamas: Suigh. Suigh. Cén t-ainm atá ort?

Míoda: Míoda

Séamas: Míoda! Nach deas, Séamas atá ormsa.

Míoda: Ainm bhreá d'fhear breá.

Séamas: Tá sé maith go leor. Binncheol atá air féin.

Míoda: Ó, a leithéid d'ainm álainn! (*Sos*)

Séamas: Cá rachaidh tú anois?

Míoda: Níl a fhios agam. Go Sasana b'fhéidir.

Séamas: Go Sasana? Ach ní fhéadfá a ghabháil ann leat féin.

Míoda: Dar ndóigh níl le déanamh ag duine ach gabháil go Baile Átha Cliath agus bualadh ar an mbád ag Dún Laoghaire.

Séamas: Is ní bheidh leat ach thú féin?

Míoda: Nach liom féin a bhain mé amach an áit seo is nach beag a bhain dom. Ach tá easpa airgid orm.

Séamas: Nach bhféadfá a ghabháil go Gaillimh is jab a fháil?

Míoda: **Faraor**[53] nach bhféadfainn. Tá leath na **dúiche ar mo thóir**[54] ag m'athair cheana féin. Má bheirtear orm, beidh mo chaiscín déanta. Caithfidh mé filleadh ar an g**carcair**[55] sin de chaisleán. Ná fága mé an teach seo beo más sin é **atá i ndán dom**.[56]

Séamas: **Go sábhála Dia sinn**,[57] ná habair é sin, ach céard a dhéanfas tú ar chor ar bith?

Míoda: Ná bíodh imní ar bith ort fúmsa. **Nuair a bheas mo scíth ligthe agam**,[58] buailfidh mé bóthar arís, **téadh sé olc, maith dom**.[59] (*Sos*) Cén sórt éin é sin?

Séamas: Lasair choille.

Míoda: Nach mór an spórt é? Go deimhin, is mór an náire é a choinneáil i ngéibheann mar sin. Nach mb'fhearr i bhfad dó a bheith saor amuigh faoin spéir?

Séamas: Níorbh fhearr dó muis. Níl **sioc ná seabhac**[60] ag cur isteach air anseo. (*Sos*) Gléas ceoil é sin agat. An bhfuil tú in ann casadh?

Míoda: Táim. Is minic a chaith mé an tráthnóna uilig ag casadh do m'athair **sa bparlús**.[61] Bratacha boga an urláir, coinnleoirí óir is 'chuile shórt ann. Cé nár **thaitnigh**[62] sé liom beidh sé **tairbheach**[63] anois.

Séamas: **Cén chaoi**?[64]

4

[65] *if I fail*
[66] *I'm just a stranger*
[67] go deo, ever

Míoda: Nach bhféadfadh mé corrphort a chasadh i leataobh sráide **má chinneann orm**[65] – gheobhainn a oiread is a choinneodh mé ar aon chaoi.

Séamas: Ní bheidh ortsa é sin a dhéanamh. Nach bhfuil scoil ort? Gheobhfása post in oifig go héasca? Ní bheidh ortsa gabháil ó dhoras go doras.

Míoda: Is dóigh gur fíor duit é. Ach cén fáth a mbeifeása ag bacadh liom? **Níl ionam ach strainséara**.[66]

Séamas: Ní hea, ná ar chor ar bith. Seanchairde muid le deich nóiméad. Ní fhaca mé cailín taobh istigh den doras seo riamh cheana agus riamh i mo shaol, ní fhaca mé do leithéidse de chailín.

Míoda: Ach, is beag an chabhair a fhéadfas tú a thabhairt dom, a Shéamais. Dhá mhéad míle bóthair a fhéadfas mé a chur idir mé féin agus Baile na hInse, is ea is fearr. Agus casfaidh mé ceol i leataobh sráide má chaithim...

Séamas: Ní chaithfidh tú, ná **choíche**,[67] a stór. (*Sos*) Cas port dom. B'fhéidir go dtosódh Binncheol féin nuair a chloisfeadh sé thú.

[68] *refuse*
[69] *whining*
[70] tapaidh
[71] *throw her out, show her the door*
[72] *throwing her out*
[73] (C) Tar anseo
[74] *It isn't for my sake*
[75] *she sought us out*
[76] *She would steal the eye from your head*
[77] (C) Cad eile

Míoda: Ní maith liom thú a **eiteach**[68] ach ní ceol a bheas ann ach **giúnaíl**.[69] Céard a chasfas mé?

Séamas: Rud ar bith.

Míoda: Céard faoi seo? (*Port **sciobtha***)[70]

Micil: A Shéamais! Céard é sin?

Míoda: Cé atá ag caint?

Séamas: Níl ann ach Micil. Tá sé sa leaba. Tá cailín anseo, a Mhicil.

Micil: Céard tá uaithi?

Séamas: Greim le n-ithe.

Micil: Níl ár ndóthain againn dúinn féin, ní áirím do 'chuile chailleach bóthair is bealaigh dá mbuaileann faoin doras.

Séamas: Ní cailleach ar bith í.

Micil: Céard eile atá inti! **Tabhair an doras amach di**.[71]

Míoda: Imeoidh mé. Ná lig anuas é.

Séamas: Ara, níl sé in ann siúl.

Micil: M'anam, dá mbeinn, ní bheinn i bhfad **ag tabhairt bóthair duit**.[72]

Séamas: Ach ní tincéara í, a Mhicil. Nach í iníon Iarla Chonnacht í?

Micil: Iníon Iarla Chonnacht! Chreidfeá an diabhal é féin. Cuir ar an tsráid í, a deirim.

Séamas: Tá sí ag teitheadh óna hathair. Tá siad á tóraíocht.

Micil: **Gabh aníos**[73] anseo, a iníon Iarla Chonnacht, go bhfeicfidh mé thú.

Míoda: Ní rachaidh mise sa seomra.

Micil: Céard sa diabhal a bheadh iníon Iarla Chonnacht a dhéanamh ag imeacht ag casadh ceoil ó dhoras go doras?

Míoda: Mura gcreidfidh tú mé tá sé chomh maith dhom a bheith ag imeacht.

Séamas: Ná himigh. Cá rachaidh tú anocht? Fan scaithimhín eile.

Micil: **Ní ar mhaithe liomsa**[74] ná leatsa **a thaobhaigh sí sin muid**[75] ar chor ar bith. Iníon Iarla Chonnacht! Go dtuga Dia ciall duit.

Míoda: Ní raibh uaim ach greim le n-ithe.

Micil: Tháinig tú isteach ag goid, a raicleach. Coinnigh súil uirthi, a Shéamais. **Ghoidfeadh a leithéid sin an tsúil as do cheann**.[76]

Séamas: Muise, éist leis an gcréatúr bocht. Tá ocras agus fuacht uirthi.

Micil: A Shéamais, a Shéamais, an t-airgead! Cá bhfuil sé?

Séamas: Ar an gcófra?

Micil: Cén áit ar an gcófra?

Séamas: Sa sciléad. **'Deile**?[77]

Micil: Dún do chlab is ná cloiseadh sí thú!

Míoda: Caithfidh sé go bhfuil an diabhal is a mháthair ann leis an gcaoi a bhfuil tú ag caint.

4

[78]thuill, *earned*
[79]*stuck*
[80]*poorhouse*
[81]iontach
[82]*she's seduced you*
[83]*suffocating*
[84]amadán baineann
[85]*we will use it*
[86]*reward*

Séamas: Tá aon phunt déag ann.

Micil: Dún do chlab mór, a amadáin!

Míoda: Ná bac leis sin. Ag magadh fút atá sé. Níl sé ach ag iarraidh searbhónta a dhéanamh díot. 'Chuile shórt a dhéanamh dhósan is gan tada a dhéanamh dhuit féin.

Séamas: Ach níl mé in ann aon rud a dhéanamh, a Mhíoda.

Míoda: Ná bíodh seafóid ort. Déarfaidh sé sin leat nach bhfuil tú in ann rud a dhéanamh, ionas go gcoinneoidh sé anseo thú ag freastal air. Agus, cé leis an t-aon phunt déag sin?

Séamas: Le Micil.

Míoda: Le Micil! Cé a **shaothraigh**[78] é? An cláiríneach sin?

Séamas: Ní hé. Mise.

Míoda: Nach leatsa mar sin é? Níl baint dá laghad ag Micil dó.

Micil: Cuir amach í.

Míoda: Tá sé in am agatsa a bheith i t'fhear, agus mórán de do shaol á chur amú ag tabhairt aire don tseanfhear sin.

Séamas: Níl a fhios agam céard a dhéanfas mé.

Míoda: Mura bhfuil a fhios agatsa é, tá a fhios agamsa é. Seo é do sheans. Tá an bheirt againn **sáinnithe**[79] i ngéibheann ar nós an lasair choille sin. Tabharfaidh an t-aon phunt déag sin go Sasana muid.

Séamas: Go Sasana! Is ea!

Micil: As do mheabhair atá tú, a Shéamais! Ní fhágfá anseo liom féin mé th'éis a ndearna mé dhuit riamh?

Séamas: Níl a fhios agam. Ba mhaith liom imeacht.

Míoda: Má ba mhaith féin tá an ceart agat. Nach fearr i bhfad dó sin a bheith thoir i **dTeach na mBocht**[80] ná a bheith ag cur do shaoilse amú.

Séamas: An dtiocfása in éineacht liom, a Mhíoda? Ní imeoinn asam féin.

Míoda: Thiocfainn gan amhras.

Micil: A Shéamais!

Míoda: D'éireodh **thar barr**[81] linn. Gheobhadsa post breá thall ansiúd agus d'fhéadfá gabháil i do rogha áit agus do rogha rud a dhéanamh.

Micil: Ní fheicfidh tú aon amharc uirthi sin arís go brách má thugann tú di an t-airgead. Sin a bhfuil uaithi sin.

Séamas: Ach, céard tá uaitse? Mo chosa is mo lámha? Mo shaol fré chéile.

Micil: **Tá tú meallta aici**[82] cheana féin.

Míoda: Níl uaim ach an fear bocht a ligean saor uaitse. Bhí orm mé féin a scaoileadh saor ón ngéibheann cheana. Seanduine ag iarraidh beatha is misneach duine óig a **phlúchadh**.[83] Ní **óinseach**[84] ar bith mise. Tá an deis againn anois agus **bainfidh muid leas as**.[85] Tá saol nua amach romhainn agus **luach saothair**[86] an ama atá caite.

Séamas: Tá mé ag gabháil go Sasana, a Mhicil.

Micil:	Ar son anam do mháthar, a Shéamais!
Séamas:	Tá mé ag iarraidh rud éigin a dhéanamh ionas nach mbeidh daoine ag gáirí fúm.
Míoda:	Cé a dhéanfadh gáirí faoi fhear bhreá?
Séamas:	An gceapfása gur fear breá mé, a Mhíoda? Ní dhéanfása gáirí fúm?
Míoda:	Tuige a ndéanfainn? Tá mé ag inseacht na fírinne. (*Torann sa seomra*)
Micil:	A Shéamais. a Shéamais!
Séamas:	Thit sé as an leaba.
Micil:	Gabh i leith, a Shéamais. Gabh i leith.
Míoda:	Ara, lig dó. Ag ligean air féin atá sé sin go bhfeicfidh sé an bhfuil máistreacht aige ort fós.
Séamas:	Gabhfaidh mé suas chuige.
Míoda:	Ná téirigh. Lig dó. Bíodh aige.
Séamas:	Ní fhéadfaidh mé é a fhágáil 'na luí ar an urlár. An bhfuil tú gortaithe?
Micil:	Ar ndóigh, ní imeoidh tú, a Shéamais? Ní fhágfá anseo liom féin mé. An t-airgead! **Fainic**[87] an t-airgead.
Míoda:	Go deimhin, ní leagfainnse méar ar do chuid seanairgid **lofa**.[88]
Micil:	Ardaigh aníos mé. Cuir 'mo shuí suas mé, ní bheinn in ann tada a dhéanamh **de t'uireasa**.[89]
Míoda:	Ach, dhéanfadh Séamas togha gnó de d'uireasa-sa.
Séamas:	Éist leis, a Mhíoda.
Micil:	Is fearr an aithne atá agamsa ortsa ná atá ag aon duine ort. Ag magadh fút a bheas siad. **Titfidh an t-anam asat**[90] 'chuile uair a dhéanfas tú **botún**.[91] Beidh an domhan mór ag faire ort. Níl anseo ach mise agus ní bheidh mise ag magadh fút.
Míoda:	Is maith atá a fhios agat go bhfuil an cluiche caillte agat, a sheanchláirínigh lofa. Éist leis. Lig dó a thuairim féin a bheith aige.
Micil:	Tá a fhios agat go maith, a Shéamais, go bhfuil mé **ag inseacht**[92] na fírinne. **Níl maith ná maoin leat**[93] ná ní bheidh go deo. Níl meabhair ar bith ionat. Cuireann an ruidín is lú **trína chéile**[94] thú. Fan anseo, áit nach gcuirfear aon aird ort.
Séamas:	Níl a fhios agam, a Mhicil, ach ar ndóigh, tá an ceart agat. Níl maith ná maoin liom.
Míoda:	Stop ag caint mar sin. Fear breá láidir thú. Dhéanfá rud ar bith dá ndéanfá iarracht. Breathnaigh, tá ár ndóthain dár saol curtha amú againn **faoi bhois an chait**[95] ag amadáin **nach gcuirfeadh smacht**[96] ar mhada beag. Seanfhear agus cláiríneach. Níl tada cearr leatsa. Dhéanfása rud ar bith.
Séamas:	Meas tú?
Micil:	Má imíonn tú ní ligfidh mé taobh istigh den doras arís choíche thú.
Míoda:	Thoir i dTeach na mBocht da chóir duitse a bheith le fiche bliain.

[87] (C) Bí cúramach
[88] salach, *filthy*
[89] *without you*
[90] caillfidh tú misneach, *you'll lose confidence*
[91] *mistake*
[92] (C) ag insint
[93] níl maitheas ar bith ionat, *you're no good*
[94] *distressed*
[95] *under the thumb*
[96] *who couldn't control*

4

97 *shut up*
98 *advice*
99 *we intend to*
100 *we'd better, we may as well*
101 *gloom, sadness*

Séamas: Bíonn togha lóistín ann ceart go leor, a Mhicil. B'fhearr an aire a thabharfaidís duit ná mise. Gheobhfá 'chuile shórt ann!

Micil: B'fhearr liom a bheith in ifreann! Ná fág liom féin mé! Ar son anam mo mháthair!

Séamas: Mura n-imím anois ní imeoidh mé go deo. B'fhéidir gurb é an seans deireanach é.

Micil: Níl aon mhaith dhomsa a bheith ag caint mar sin. Imigh! Imigh!

Míoda: D'imeodh sé ar aon chaoi.

Micil: An imeodh?

Míoda: Céard a dhéanfadh sé dá bhfaighfeása bás? Fágtha leis féin é ag ceapadh nach raibh maith ná maoin leis. **Dún suas**[97] anois. Tabhair freagra ar an gceist má tá tú in ann.

Séamas: Tá cion agam ort, a Mhicil. Níl aon rud i t'aghaidh agam. Ach tá mé tuirseach den áit seo.

Micil: Ní chuirfidh mise níos mó **comhairle**[98] ort.

Séamas: Beidh mé ag imeacht mar sin. Tabharfaidh mé liom an t-airgead.

Míoda: Míle moladh le Dia, tháinig misneach duit sa deireadh.

Séamas: Meas tú gur ceart dom é?

Míoda: Má imíonn tú beidh a fhios agat sin.

Séamas: Ach ní raibh mé amuigh faoin saol cheana riamh.

Míoda: Níl sa saol ach daoine. Cuid acu ar nós Mhicil. Cuid acu ceart go leor. Éireoidh thar barr leat. Má **tá fúinn**[99] imeacht **tá sé chomh maith dhúinn**[100] tosú ag réiteach. Céard a thabharfas tú leat?

Séamas: Níl agam ach a bhfuil ar mo chraiceann. Ar ndóigh, ní chaithfidh muid imeacht fós?

Míoda: Caithfidh muid. Gheobhaidh muid marcaíocht go Gaillimh fós?

Séamas: An dtabharfaidh muid Binncheol linn?

Míoda: Ní thabharfaidh. Bheadh sé sa mbealach.

Séamas: Céard faoi Mhicil? Caithfidh muid a inseacht do dhuine éigin go bhfuil sé anseo leis féin.

Míoda: Ar ndóigh, buaileann duine éigin isteach anois is arís.

Séamas: Beidh siad ag teacht leis an mbainne ar maidin.

Míoda: Cén **chlóic**[101] a bheas air go dtí sin? Seo, cá bhfuil do chóta?

Séamas: Sa seomra.

Míoda: Déan deifir. Faigh é.

Séamas: Níl mé ag iarraidh gabháil sa seomra.

Míoda: Ara, suas leat. Ná bíodh faitíos ort roimhe sin. B'fhéidir go dtosódh sé ag báisteach.

Séamas: Tá go maith, a Mhicil, sílim go bhfuil an ceart agam. A Mhicil, mura labhróidh tú liom, mar sin, bíodh agat. Cén áit i Sasana a rachas muid?

[102] convenience, good turn

[103] bhfeicfidh mé

[104] brostaigh ort, déan deifir

[105] anois, ar an bpointe boise

[106] *if you don't*

[107] *[I'll] die*

[108] i gceann tamall, *in a while*

[109] *of me*

[110] *neighbourhood*

[111] *as long as*

[112] *tight (stingy)*

Míoda: Londain.

Séamas: Nach mór an **gar**[102] dom tusa a bheith liom, a Mhíoda. Ní dheachaigh mé ag taisteal riamh cheana. (*Osna*) Meas tú an mbeidh sé ceart go dtí amárach leis féin?

Míoda: Déan dearmad air anois. Ní fheicfidh tú arís go brách é.

Séamas: Is dóigh nach **bhfeicfead**.[103]

Míoda: **Téanam**.[104] 'Bhfuil tú réidh?

Séamas: Tá, ach ní imeoidh muid fós.

Míoda: Mura n-imeoidh, beidh aiféala ort. Téanam **go beo**.[105] Céard atá ort?

Séamas: Níl a fhios agam. B'fhéidir nach dtiocfainn ar ais go deo.

Míoda: **Mura dtaga**[106] féin, ní dochar é sin.

Micil: Ná himigh, a Shéamais.

Séamas: Caithfidh mé, a Mhicil.

Micil: **Caillfear**[107] i dTeach na mBocht mé.

Míoda: Is gearr uait ar aon chaoi.

Micil: Fágfaidh mé agat an teach is an talamh **ar ball**[108] má fhanann tú.

Séamas: Cén mhaith ar ball.

Micil: Fágfaidh mé agat anois é.

Séamas: Níl aon mhaith dhuit a bheith ag caint. Tá bean anseo agus bean dheas – nach gceapann gur amadán mé. Ar mhaithe leat féin a choinnigh tú anseo mé. Is beag an imní a bhí ort fúmsa riamh.

Micil: Admhaím gur beag a d'fhéadfainn a dhéanamh **asam féin**,[109] ach cá bhfuil an dara duine a choinneodh thusa? Fuist, a bhean, tagann fits air. Céard a dhéanfas tú ansin?

Míoda: A Shéamais!

Séamas: Níor tháinig na fits orm riamh ó bhí mé i mo pháiste.

Míoda: Téanam! Cá bhfios dúinn nach bhfuil fir an Tí Mhóir sa g**comharsanacht**?[110]

Séamas: Fan scaithimhín eile. Gheobhaidh muid marcaíocht go Gaillimh go héasca.

Míoda: Cá gcuirfidh muid an t-airgead? Aon phunt déag!

Micil: Sin a bhfuil uaithi sin. Mar a chéile í féin agus 'chuile bhean eile. Coinneoidh siad leat **a fhad is atá**[111] do phóca **teann**.[112]

Míoda: Éist do bhéal thusa! (*Buailtear an doras*) Ó!

Séamas: Fir an Tí Mhóir!

Míoda: Stop! S-S-shhhhh!

Guth: (*Amuigh*) A Mhíoda, Mhíoda!

Míoda: Ná habair tada.

Guth: (*Fear isteach*) A Mhíoda!

Séamas: Cé thú féin?

Fear: Cá raibh tú ó mhaidin? Is dóigh nach bhfuil sciúrtóg faighte agat?

Séamas: A Mhíoda, cé hé féin?

Fear: Is mór an t-ádh ort, a bhuachaill, nó thabharfadh mise **crigín faoin gcluais**[113] duit. Ceapann tú go bhféadfaidh tú do rogha rud a dhéanamh le cailín tincéara?

Séamas: A Mhíoda!

Míoda: Dún do bhéal, a amadáin!

Séamas: Tincéara thú.

Míoda: Ar ndóigh, ní cheapann tú gurb é seo Iarla Chonnacht agat?

Séamas: Ach dúirt tú...

Míoda: Dúirt mé – 'deile, céard eile a déarfainn, nuair a cheap amadán gur bean uasal a bhí ionam? 'Ar ndóigh, ní tincéara thú!' Há! Há! Há!

[113] *a clip around the ear*

114 *If I wasn't lazy*
115 Bhuailfinn tú, *I'd hit you*
116 t-am
117 *guilty*
118 *oh no!*
119 *May God forgive you*
120 *complete, total*
121 *pathetic*
122 *rushed*
123 tá an saol aisteach

4

Fear: Gabh abhaile, a óinseacháin, chuig do champa – áit a rugadh is a tógadh thú.

Míoda: Níl ionam ach tincéara, a Shéamais, nach bhfuil in ann rud ar bith a dhéanamh ach goid is bréaga.

Séamas: Céard faoi Shasana?

Míoda: Sasana! Brionglóidigh álainn ghlórmhar! Níl gnó dhíom ach in áit amháin – sa gcampa. Tá mé chomh dona leat féin. Fan le do sheanchláiríneach.

Fear: Déan deifir. Ná bac le caint. Tá bóthar fada amach romhainn.

Míoda: (*Ag gabháil amach*) Iníon Iarla Chonnacht. Há! Há! Há! A amadáin! Há!

Fear: Ba chóir duit náire a bheith ort. **Murach leisce a bheith orm,**[114] **chuirfinnse néal ort**.[115] Ag coinneáil Mhíoda go dtí an **tráth**[116] seo. Ag déanamh óinseach di.

Séamas: Ach dúirt sí –

Fear: Dúirt sí! Ise ba **chiontach**.[117] Cé a chreidfeadh tincéara? Agatsa atá an ceart **mo léan**.[118] **Go maithe Dia dhuit é**.[119] (*Imíonn*)

Séamas: (*Stad*) A Bhinncheoil! Rinne sí amadán díom.

Micil: Anois, tá a fhios agat é, is níl aon ghá dhomsa é a rá leat.

Séamas: Tá a fhios agam é.

Micil: Rinne sí amadán **críochnaithe**[120] dhíot.

Séamas: Rinne. Ach, ar bhealach, ní dhearna. D'oscail sí mo shúile dhom. 'Bhfuil a fhios agat cén fáth ar choinnigh tusa mise anseo, ag sclábhaíocht duit, agus cén fáth a gcoinníonn an tincéara sin Míoda agus cén fáth a gcoinnímse Binncheol? Inseoidh mise dhuit cén fáth. Mar tá muid uilig go **truamhéalach**.[121] Tá muid mar 'tá muid. Tá tusa i do chláiríneach agus bhí tú ag iarraidh cláiríneach a dhéanamh díomsa freisin. Agus, tá an tincéara ag iarraidh Míoda a choinneáil ina chuid salachair agus ina chuid brocamais féin. Agus coinnímse Binncheol i ngéibheann ionas go mbeidh sé chomh dona liom féin. Ceapaim, má cheapaim, go maródh an sioc is an seabhac é dá ligfinn saor é – ach níl ansin ach leithscéal. Ach, ní i bhfad eile a bheas an scéal mar sin. (*Éiríonn. Imíonn amach leis an gcás. Sos.*)

Micil: A Shéamais, cá raibh tú?

Séamas: Scaoil mé amach Binncheol. Agus an bhfuil a fhios agat céard é féin – chomh luath is a d'oscail mé an doras **sciuird**[122] sé suas i mbarr an chrainn mhóir agus thosaigh sé ag ceol.

Micil: 'Bhfuil tú ag imeacht, a Shéamais, nó ar athraigh tú t'intinn.

Séamas: **Is ait an mac an saol**.[123] Ní bheadh a fhios agat céard a tharlódh fós. Tiocfaidh athrú ar an saol – orainne agus ar 'chuile shórt. Ach ní bheidh Binncheol ná éan ar bith i ngéibheann sa gcás sin arís go brách. (*Tógann suas an cás.*)

Brat anuas.

Na húdair

http://www.educate.ie/próifíl

Caitlín Maude agus Mícheál Ó hAirtnéide

Ar líne 3:54pm

Rugadh Caitlín Maude agus Mícheál Ó hAirtnéide sa bhliain chéanna 1941, agus fuair an bheirt acu bás go hóg: Caitlín i 1982 den ailse agus Mícheál i 1999 toisc go raibh sé an-tugtha don ól. Rugadh Mícheál i gCromadh i gCo Luimnigh agus d'fhoghlaim sé Gaeilge óna sheanmháthair a bhí ina cainteoir dúchais. Bhain sé cáil amach mar fhile sa Bhéarla ar dtús, ach sa bhliain 1975 rinne sé cinneadh scríobh i nGaeilge amháin. Rinne sé amhlaidh ar feadh deich mbliana. D'aistrigh sé dánta fhilí móra na Gaeilge go Béarla, ina measc Daithí Ó Bruadair agus Nuala Ní Dhomhnaill.

Nótaí ar an dráma

Ceisteanna ar an gcéad léamh

1. Cad a cheapann tú faoi Mhicil? Cad a cheapann tú faoi Shéamas?
2. Déan liosta de na tréithe atá acu – tabhair fianaise ón dráma a léiríonn an tréith atá i gceist.
3. Cén carachtar is fearr leat?
4. Cad é do thuairim faoi Mhíoda?
5. Cén sórt gaoil atá idir Micil agus Séamas?
6. An bhfuil trua agat do Mhicil? Do Shéamas? Do Mhíoda?
7. Dá mbeadh ort lá a chaitheamh le pearsa amháin sa scéal, cé a roghnófá? Cad a déarfá leis/léi?

An cineál scríbhneoireachta

Is gearrdhráma é seo atá suite i nGaeltacht Chonamara, i dteach Mhicil. Tá beirt phríomhcharachtar agus beirt mhioncharachtar sa dráma. Tá an stáitse roinnte in dhá leath. Tá seomra leapa Mhicil ar thaobh amháin agus tá an chistin ar an taobh eile. Fanann Micil sa seomra leapa ó thús deireadh an dráma agus fanann Míoda sa chistin, ach téann Séamas ó sheomra go seomra. Is teicníocht éifeachtach é seo chun éiginnteacht Shéamais a chur in iúl.

Achoimre

I dteach Mhicil atá an dráma seo suite. Is cláiríneach é Micil atá imithe in aois. Is fear óg é Séamas atá ag tabhairt aire do Mhicil le dhá bhliain déag anuas. Tá Micil srianta go fisiciúil. Níl sé in ann siúl agus caitheann sé an lá sa leaba, ach tá sé cliste, glic, údarásach agus tá smacht iomlán aige ar Shéamas. Fear óg is ea Séamas, cúig bliana is fiche d'aois. Is duine simplí saonta é agus níl mórán muiníne aige as féin.

Ag tús an dráma, tá Séamas ag caint leis an lasair choille – éinín atá i gcás aige sa teach. Tá an t-éan ina thost agus tá Séamas ag iarraidh air canadh. Tosaíonn Micil ag comhaireamh an airgid go léir atá aige sa scileád ach titeann sé as a leaba agus titeann an t-airgead ar fud an urláir. Cabhraíonn Séamas leis dul ar ais sa leaba agus bailíonn sé an t-airgead.

Deir Micil go gceannóidh sé cairt asail leis an airgead. Ansin, deir Séamas leis gur mhaith leis dul go Sasana. Níl Micil pioc sásta nuair a chloiseann sé é seo, agus deir sé le Séamas nach mbeadh sé in ann post a fháil ansin mar gur amadán é. Luann sé freisin na '*fits*' a thagann ar Shéamas. Tá easpa féinmhuiníne ar Shéamas agus glacann sé lena bhfuil á rá ag Micil.

Ar ndóigh 'is ar mhaithe leis féin a dhéanann an cat crónán'. Ní theastaíonn ó Mhicil go rachadh Séamas go Sasana mar dá rachadh ní bheadh aon duine ann chun aire a thabhairt dó siúd. Is léir go bhfuil caidreamh thar a bheith míshláintiúil eatarthu.

Coinníonn Micil Séamas faoi bhois chait. Deir sé leis nach bhfuil aon mhaith ann, agus toisc nach bhfuil aon fhéinmhuinín ag Séamas, creideann sé Micil.

Ansin tagann cailín chuig an doras – Míoda. Deir sí le Séamas gur iníon Iarla Chonnacht í agus gur éalaigh sí ón mbaile mar go gcoinníonn a hathair mar phríosúnach í. Tá Séamas an-tógtha leis an gcailín óg seo agus deir sé léi go raibh sé féin ag smaoineamh ar dhul go Sasana. Deir Míoda go rachaidh sí leis. Tá Micil ar buille agus maslaíonn sé Míoda.

Nuair a choiseann Míoda go bhfuil airgead sa teach, deir sí le Séamas an t-airgead a thógáil don turas go Sasana. Tosaíonn an bheirt acu ag réiteach le dul go Sasana. Impíonn Micil ar Shéamas fanacht. Bíonn siad díreach ar tí imeacht nuair a thagann fear go dtí an doras. Athair Mhíoda atá ann. Is tincéir é, ní iarla. Is léir go raibh Míoda ag insint bréige. Imíonn sí lena hathair, agus fágtar Séamas ansin. Deir Micil leis go ndearna Míoda amadán de, ach an freagra a thugann Séamas ná 'Rinne, ach ar bhealach, ní dhearna. D'oscail sí mo shúile dom'.

Scaoileann Séamas an t-éan Binncheol as a chás agus tosaíonn Binncheol ag canadh an nóimeád a bhíonn sé saor. Maidir le Séamas, tá athrú meoin tagtha air. Tuigeann sé go raibh sé féin ag coinneáil Binncheoil i ndaoirse agus tuigeann sé freisin go bhfuil Micil á choinneáil i ndaoirse. Cé nach n-imíonn Séamas, tuigtear dúinn go bhfuil sé níos críonna anois agus go bhfuil seans ann go bhfágfaidh sé uair éigin.

Na carachtair

Séamas: Fear óg cúig bliana is fiche atá ann. Tá sé fostaithe ag Micil le haire a thabhairt dó le dhá bhliain déag anuas. Is geall le príosúnach é sa teach.

- Tá sé **saonta, soineanta**: Creideann sé gach rud a deir Micil leis. Creideann sé Míoda nuair a deir sí gur iníon Iarla í.
- Tá sé **cineálta, grámhar**. Cabhraíonn sé le Micil nuair a thiteann sé as a leaba. Cuireann sé fáilte roimh Mhíoda.
- Tá sé dílis. Cé go dteastaíonn uaidh dul le Míoda, tá drogall air Micil a fhágáil.
- Bíonn sé **imníoch** faoi.
- Níl sé glic, ach tá sé **smaointeach, fealsúnach**. Ag deireadh an dráma, tuigeann sé an bac a bhí Micil ag cur air, agus braithimid go mbeidh an caidreamh eatarthu an-difriúil as seo amach.
- Is duine **cneasta, séimh** é. Bíonn sé cineálta le gach duine. Ní éiríonn sé teasaí ná crosta le Micil ná le Míoda cé go mbíonn siad gránna leis
- Tá **easpa féinmhuiníne** air, agus mar sin creideann sé Micil nuair a deir sé leis nach bhfuil aon **éirim** aige. Ach ag deireadh an dráma, feicimid go bhfuil éirim ag Séamas, agus go dtuigeann sé cleasa Mhicil, 'Tá tusa i do chláiríneach agus bhí tú ag iarraidh cláiríneach a dhéanamh díomsa freisin'.

Micil: Is cláiríneach é. Tá sé sean. Ní féidir leis siúl mar sin fanann sé sa leaba. Tugann Séamas aire dó.

- Tá sé **maslach, gránna, cruálach, mailíseach**.
- Maslaíonn sé Séamas an t-am ar fad ('Níl éirim sciortáin ionat'). Déanann sé dúshaothrú air. Caitheann sé go dona leis. Tá Séamas mar sclábhaí aige.
- Tá sé **sprionlaithe, santach**. Nuair a thiteann sé as a leaba, ní smaoiníonn sé ar aon rud ach an t-airgead. Ní thugann sé aon airgead do Shéamas. Ní theastaíonn uaidh dídean a thabhairt do Mhíoda.
- Tá sé **truamhéalach, searbh**. Is dócha gurb é an saol a rinne searbh é. Níl sé in ann bogadh as a leaba. Nuair a thiteann sé as a leaba bíonn ar Shéamas cabhrú leis. Bíonn eagla air nuair a thuigeann sé go bhfuil Séamas ag imeacht.
- Tá sé **leithleach**. Ní smaoiníonn sé ar aon duine ach air féin.
- Tá sé **glic**. Nuair a cheapann sé go bhfuil Séamas ag imeacht titeann sé as a leaba chun trua a mhúscailt i Séamas.
- Tá sé **teasaí, mífhoighneach**. Nuair a bhíonn Séamas ag cur an airgid sa scileád deir sé,'Seo, déan deifir'. Bíonn sé crosta nuair a chloiseann sé go bhfuil Míoda sa teach agus maslaíonn sé í.

Míoda: Is bean óg, dathúil í. Is ball den lucht siúil í.

- Tá sí **mímhacánta,** insíonn sí bréag do Shéamas. Ligeann sí uirthi gur iníon Iarla í.
- Tá sí **géarchúiseach, cliste**. Tuigeann sí go bhfuil Séamas soineanta agus cuireann sí dallamullóg air.
- Tá sí **santach**. Nuair a chloiseann sí go bhfuil airgead sa teach gríosaíonn sí Séamas chun an t-airgead a thógáil agus dul léi go Sasana.
- **Níl sí iontaofa**. Nuair a thagann a hathair athraíonn sí a port. Socraíonn sí dul abhaile lena hathair.
- Tá sí **glic**. Meallann sí Séamas ar mhaithe léi féin.
- Ach braithimid nach bhfuil sí smaointeach agus nár tháinig athrú meoin ná catairsis uirthi, mar a tharla do Shéamas.
- Tá sí **míthrócaireach, crúálach**. Is cuma sa tsioc léi faoi Mhicil. Níl aon bhá aici leis.
- Nuair a thagann a hathair, tosaíonn sí ag gáire faoi Shéamas.
- Tá trua againn di, mar sin féin, sa deireadh mar tuigimid go bhfuil **easpa féinmhuiníne** uirthi freisin. Nuair a thagann a hathair, níl sé de mhisneach aici an fód a sheasamh. Téann sí abhaile leis, agus déanann sí dearmad ar a brionglóidí, 'Níl gnó dhíom ach in áit amháin – sa gcampa'.

Teicníochtaí scéalaíochta

Téamaí

Saoirse, daoirse, an comhspleáchas, féinmhuinín agus cumhacht na hintinne, sin roinnt de na téamaí atá faoi chaibidil sa dráma seo. Baintear úsáid as siombailí chun an téama a chur os ár gcomhair. Seasann Binncheol, an lasair choille sa chás, don daoirse. Tá sé i ngéibheann, ach is é Séamas a chuir an t-éan i ngéibheann. Léiríonn sé seo an comhspleáchas agus tuigeann Séamas é seo ag deireadh an dráma. Tuigeann sé nach bhfuil sé ag coinneáil Binncheoil i gcás ar mhaithe leis an éan ach ar mhaithe leis féin: 'Coinnímse Binncheol i ngéibheann ionas go mbeidh sé chomh dona liom féin. Ceapaim, má cheapaim, go maródh an sioc is an seabhac é dá ligfinn saor é – ach níl ansin ach leithscéal.'

Tá an caidreamh comhspleách céanna le feiceáil idir Micil agus Séamas.

Coinníonn Micil Séamas i ngéibheann ionas go mbeidh sé cosúil leis féin. Tá bac fisiciúil ar Mhicil – ní féidir leis siúl – ach tá bac intinne ar Shéamas. Níl sé ró-éirimiúil agus tagann *'fits'* air. Cuireann Micil ina luí ar Shéamas nach mbeadh sé in ann maireachtáil gan é (Micil). Deir sé le Séamas nach bhfuil 'éirim sciortáin' ann. Léirítear an caidreamh comhspleách eatarthu nuair a deir Micil, 'Déanfaidh mise an smaoineamh dhuit. Beidh mise mar cheann agat', agus an freagra a thugann Séamas air, 'Is beidh mise mar chosa is mar lámha agatsa'.

Ag deireadh an dráma, áfach, tagann tuiscint, nó catairsis *(catharsis)* chuig Séamas. Tuigeann sé go bhfuil Micil ag iarraidh bac a chur air, 'Tá thusa i do chláiríneach agus bhí tú ag iarraidh cláiríneach a dhéanamh dhíomsa freisin'.

Treisítear an téama seo sa dráma arís le Míoda agus a hathair. Seo an tríú caidreamh comhspleách sa dráma. Tá Míoda faoi smacht ag a hathair agus nuair a thagann sé ar a tóir imíonn sí abhaile go humhal. Tá easpa féinmhuiníne ar Mhíoda freisin. Creideann sí nach bhfuil aon mhaith léi, 'Ní ionam ach tincéara ... níl gnó dhíom ach in áit amháin ... sa gcampa'. Thug Séamas uchtach di nuair a chreid sé gur bhean uasal í, ach nuair a thagann a hathair, níl aon mhisneach ag Míoda níos mó.

Léiríonn an t-athrú a thagann ar Mhíoda agus ar Shéamas sa dráma cumhacht na hintinne, nó ár meon. Má chreidimid ionainn féin is féidir linn rud ar bith a dhéanamh, ach muna gcreideann, fanaimid mar atáimid, i ngéibheann ag ár meon, ár n-easpa féinmhuiníne, ár gcaidreamh comhspleách. Léiríonn an dráma le JM Synge *'The Playboy of the Western World'* an téama céanna. Nuair a chreid daoine gur laoch é Christy Mahon, d'athraigh a phearsantacht agus bhí féinmhuinín aige.

Cleachtadh scríofa

Cad é príomhthéama an dráma, dar leat? Déan plé gairid ar an gcaoi a chuirtear os ár gcomhair é.

Mothúcháin

Tá go leor mothúchán le feiceáil sa dráma seo: saint, eagla, fearg agus tnúthán. Tá Séamas agus Míoda agus Binncheol ag tnúth le saoirse. Tá Micil santach. Ba mhaith leis an t-airgead a choinneáil dó féin. Bíonn eagla ar Mhicil nuair a chloiseann sé go bhfuil Séamas ag smaoineamh ar dhul go Sasana. Bíonn fearg ar Mhicil le Míoda nuair a ghríosaíonn sí Séamas chun dul go Sasana agus an t-airgead a thógáil. Bíonn fearg ar athair Mhíoda le Séamas mar go gceapann sé go raibh Séamas ag mealladh Mhíoda. Tá eagla ar Mhíoda roimh a hathair agus imíonn sí ar ais go dtí an campa leis.

Músclaítear mothúcháin ionainne, an lucht féachana freisin. Músclaíonn Séamas ár mbá. Bíonn trua againn dó mar go bhfuil sé faoi smacht ag Micil, agus bíonn fearg orainn le Micil mar go mbíonn sé i gcónaí ag maslú agus ag cáineadh Shéamais. Bíonn áthas orainn nuair a thugann Míoda misneach do Shéamas agus bíonn brón orainn nuair a chailleann sí a misneach agus nuair a théann sí abhaile lena hathair. Críochnaíonn an dráma le nóta dóchais nuair a thagann athrú meoin ar Shéamas. Tuigeann sé go bhfuil Micil á choinneáil i ngéibheann.

Ceisteanna

1. Tabhair cuntas gairid ar na mothúcháin a léirítear sa dráma seo.
2. Cad iad na mothúcháin a mhúsclaíonn an dráma seo ionatsa?

Stíl agus teicníochtaí drámatúla

Gearrdhráma aonradhairc atá anseo. Caint nádúrtha a chleachtar agus is i gcanúint Chonamara atá sí scríofa. Is geall le hagallamh beirte an dráma go minic. Tá an comhrá gasta, nádúrtha gan mórán óráidí fada.

Baintear úsáid as stáitsiú éifeachtach a léiríonn téama an dráma. Bíonn an stáitse roinnte ina dhá leath le seomra Mhicil agus Micil ann an t-am ar fad, ar thaobh amháin, agus an chistin ar an taobh eile. Fanann Míoda sa chistin agus diúltaíonn sí dul isteach i seomra Mhicil. Bíonn Séamas ag dul ó sheomra go seomra. Bíonn Míoda agus Micil ag iarraidh é a mhealladh. Níl Séamas cinnte cé ar chóir dó éisteacht leis nó léi. Tá Micil agus Míoda araon glic, agus déanann an bheirt acu iarracht é a mhealladh. Cosúil le go leor daoine glice, ceapann siad go bhfuil Séamas dúr, simplí, ach níl. Is stáitsiú éifeachtach é chun aicsean an dráma a chur in iúl.

Baintear úsáid éifeachtach as siombailí freisin sa dráma. Is siombail den tsaoirse é an Lasair Choille. Ach tá an t-éan i ngéibheann sa chás, díreach mar atá na carachtair go léir sa dráma. Nuair a scaoiltear an t-éan saor sa deireadh tugann sé dóchas dúinn. Bíonn muid ag súil go mbeidh Séamas saor freisin, cé go bhfágtar an críoch oscailte.

Fágtar an críoch oscailte ionas gur féidir linn féin a shamhlú cad a tharlóidh leis na carachtair agus ár gcríoch féin a shamhlú. Is teicníocht éifeachtach eile é seo a thugann misneach agus dóchas don lucht féachana.

Freagraí scrúdaithe samplacha

Ceist shamplach 1

'Is é saoirse téama an dráma seo ach ní saoirse fhisiciúil atá faoi chaibidil ach saoirse intinne.' Déan plé ar an ráiteas seo.

Freagra samplach 1

Caithfidh mé a rá go n-aontaím go huile is go hiomlán leis an ráiteas seo. Is léir gurb é saoirse – nó easpa saoirse – téama an ghearrdhráma seo, ach is léir freisin gur saoirse (nó daoirse) intinne atá i gceist, seachas daoirse fhisiciúil. Sa fhreagra seo, pléifidh mé an dá sórt saoirse agus labhróidh mé faoin triúr carachtar sa dráma agus an chaoi a bhfuil siad go léir i ndaoirse. Cé nach bhfuil saoirse fhisiciúil acu, is léir gurb é a n-intinn atá ag coimeád smacht orthu.

I dtús báire, cad atá i gceist le saoirse fhisiciúil agus saoirse intinne nó mheabhrach? 'Séard atá i gceist le saoirse fhisiciúil, dar liomsa, ná bheith in ann dul pé áit is mian leat. Saoirse intinne, nó mheabhrach, sin bheith saor chun cinntí a dhéanamh agus smacht a fháil ar do shaol féin.

Tá bac fisiciúil ar Mhicil. Is cláiríneach é agus tá sé imithe in aois. Ní féidir leis bogadh as a leaba. Tá sé srianta go fisiciúil. Tá easpa saoirse air. Tá sé íorónta, mar sin, gurb é Micil an pearsa is mó sa dráma a bhfuil smacht agus máistreacht aige ar a shaol. Tá Séamas aige mar sclábhaí, mar sin tá sé in ann fanacht sa bhaile. Tá dóthain airgid aige. Ach mo léan, níos déanaí sa dráma, tá Micil i mbaol an tsaoirse seo a chailliúint. Luann Míoda gur féidir leis dul go Teach na mBocht má théann Séamas go Sasana. Ta sé suimiúil go n-athraíonn meon Mhicil go hiomlán i dtreo Shéamais nuair a cheapann sé go bhfuil Séamas ag imeacht. Deir sé leis go dtabharfaidh sé an teach agus an talamh dó má fhanann sé.

Ach is é Séamas, an príomhcharachtar, atá srianta ag a intinn. Ag tús an dráma, nuair a deir sé le Micil go bhfuil sé ag smaoineamh ar dhul go Sasana, tosaíonn Micil ag rá leis nach bhfuil aon éirim aige, gur amadán é agus go mbeadh muintir Shasana ag gáire faoi. Creideann Séamas Micil toisc go bhfuil easpa féinmhuiníne air. Tá sé in aimsir ag Micil ó bhí sé trí bliana déag d'aois agus is léir go raibh tionchar mór ag Micil air. Toisc go bhfuil easpa saoirse fisiciúla ar Mhicil, cuireann sé Séamas i ngéibheann intinne – ag rá leis nach mbeadh sé in ann maireachtáil gan Mhicil, 'Is maith atá fhios agat nach bhfuil tú in ann smaoineamh a dhéanamh dhuit féin'. Tá Séamas óg agus soineanta agus creideann sé Micil, 'Tá fhios agam go maith nach bhféadfaidh mé dul aon áit. Bheidís uilig ag gáire fúm.'

Nuair a thagann Míoda ar dtús, tugann sí uchtach do Shéamas. Creideann sí ann agus socraíonn an bheirt acu dul go Sasana le chéile. Nuair a mhaslaíonn Micil Séamas, cosnaíonn sí é agus tugann sí misneach dó, 'Fear breá láidir thú. Dhéanfá rud ar bith dá ndéanfá iarracht.' Feiceann sise an gaol atá idir an bheirt fhear agus tuigeann sí go bhfuil Séamas faoi bhois chait ag Micil, 'Déarfaidh sé nach bhfuil tú in ann rud a dhéanamh, ionas go gcoinneoidh sé anseo thú ag freastal air.'

Cé go bhfeiceann Míoda go soiléir gurb é a intinn – a easpa féinmhuiníne – atá ag coinneáil Séamas i ndaoirse, nuair a thagann a hathair, tuigimid go bhfuil Míoda mar an gcéanna – srianta ag a hintinn, a heaspa féinmhuiníne féin: 'Níl ionam ach tincéara, a Shéamais, nach bhfuil in ann rud ar bith a dhéanamh ach goid agus bréaga'.

Is léir gurb é a n-intinn atá ag cur srian ar an mbeirt, Séamas agus Míoda. Ach ag deireadh an dráma, tá comhartha dóchais ann nuair a fheicimid go dtuigeann Séamas anois go bhfuil sé i ngéibheann ag a intinn féin. Is léir gur saoirse intinne, nó saoirse shíceolaíoch, seachas saoirse fhisiciúil atá chun tosaigh sa ghearrdhráma seo.

Ceist shamplach 2

Déan plé gairid ar an gcaidreamh idir aon bheirt charachtar sa dráma 'An Lasair Choille' agus ar an bhforbairt a thagann ar an gcaidreamh sin síos tríd an dráma.

Freagra samplach 2

Is dócha gurb é an caidreamh is láidre sa dráma seo ná an caidreamh idir Micil agus Séamas. Tá an bheirt acu ar an stáitse ó thús deireadh agus is léir go bhfuil caidreamh fadseasmhach eatarthu. Is léir freisin go dtagann athrú suntasach ar an gcaidreamh sin ag deireadh an dráma.

Ón gcéad nóiméad, tuigimid go bhfuil caidreamh éagothrom, comhspleách eatarthu. Labhraíonn Micil go borb le Séamas: 'As ucht Dé ort, a Shéamais agus éist leis an éan sin...' Maslaíonn sé é gan trua gan trócaire: 'Cén chaoi a bhféadfainn codladh sa teach seo agus do leithéidse d'amadán ag bladaireacht in ard do ghutha.' Ach ní mhaslaíonn Séamas Micil. Ní deir sé ach 'Tá aiféala orm.' Feicimid, mar sin, go bhfuil Micil i gceannas. Is é siúd a thugann na horduithe agus umhlaíonn Séamas dó: 'Tabhair aníos an t-airgead ... cuir sa sciléad uilig é ... Déan deifir ... Tabhair dom peann is páipéar'. Orduithe díreacha iad ar fad, agus ní chloisimid na focail 'le do thoil' riamh as béal Mhicil.

Nuair a thiteann Micil as a leaba, cabhraíonn Séamas leis dul isteach sa leaba. Feicimid go bhfuil Micil go hiomlán spleách ar Shéamas agus tá codarsnacht ghéar idir laige fhisiciúil Mhicil agus a phearsantacht údarásach, chumhachtach. De réir a chéile, feicimid gur caidreamh an-mhíshláintiúil, comhspleách atá eatarthu. Ní stopann Micil de bheith ag maslú Shéamais. Deir sé nach bhfuil aon éirim aige, gur amadán é, agus nuair a chloiseann sé go bhfuil Séamas ag smaoineamh ar dhul go Sasana, deir sé nach mbeadh sé in ann maireachtáil gan Mhicil. Ar ndóigh, a mhalairt ar fad atá fíor, agus tuigeann an lucht féachana é seo ach, mo léan,creideann Séamas Micil. Léirítear an comhspleáchas eadartha go soiléir: 'Beidh mise mar cheann agat' ...' Is beidh mise mar chosa agus mar lámha agatsa'.

Ach ansin, tagann athrú ar an scéal nuair a thagann Míoda. Feiceann Míoda an rud a fheicimidne, an lucht féachana, agus nuair a mhaslaíonn Micil í, níl eagla uirthi an fhírinne a insint: 'Níl sé sin ach ag iarraidh searbhónta a dhéanamh dhíot. Chuile shórt a dhéanamh dhósan is gan tada a dhéanamh dhuit féin'. Feiceann sí go bhfuil Micil ag iarraidh 'beatha agus misneach duine óig a phlúchadh'.

Nuair a thuigeann Micil go bhfuil Séamas meallta ag Míoda, imríonn sé seanchleas air. Titeann sé as a leaba chun Séamas a thabhairt isteach chuig a sheomra leapa agus trua a mhúscailt ann dó. Ach ní éiríonn leis an gcleas sin. Ansin leanann sé air ag cur ina luí ar Shéamas nach bhfuil maith ná maoin leis. Ach cosnaíonn Míoda Séamas ar na maslaí agus tugann sí misneach dó seasamh ar a chosa féin. Socraíonn sé dul le Míoda, cé go bhfuil beagán imní air ag fágáil: 'Céard faoi Mhicil? Caithfimid a inseacht do dhuine éigin go bhfuil sé anseo leis féin.'

Nuair a thagann athair Mhíoda agus nuair a imíonn Míoda, bíonn Micil ar ais ar a sheanléim arís ag maslú Shéamais: 'Rinne sí amadán críochnaithe dhíot.' Ach an uair seo, ní aontaíonn Séamas leis: 'Rinne, ach ar bhealach, ní dhearna. D'oscail sí mo shúile dhom.'

Tuigeann Séamas ar deireadh go bhfuil an caidreamh idir é féin agus Micil mífholláin. Tuigeann sé go raibh Micil ag iarraidh 'cláiríneach' a dhéanamh de Shéamas. Tá Micil eaglach ag an deireadh: 'An bhfuil tú ag imeacht a Shéamais, nó ar athraigh tú d'intinn?' Ní thugann Séamas freagra ar an gceist agus bíonn críoch oscailte ar an dráma, ach tuigimid nach mbeidh an caidreamh feasta mar a bhí sé go dtí seo. Tá misneach agus féinmhuinín ag Séamas anois. Tuigeann sé go raibh Micil á choinneáil i ngéibheann agus níl sé sásta leanúint leis mar a bhí. Tá athrú suntasach tagtha ar an gcaidreamh eatarthu agus anois, tá Séamas in uachtar. Tuigeann sé go bhfuil Micil spleách air.

Ceisteanna scrúdaithe

1. Déan plé ar théama an dráma seo agus ar an gcaoi a gcuirtear an téama seo os ár gcomhair.
2. Maidir leis an dráma seo, scríobh nóta ar do rogha dhá cheann acu seo a leanas:
   (i) suíomh an dráma
   (ii) na mothúcháin a mhúsclaítear ionainn
   (iii) an lasair choille sa dráma
   (iv) mar a chuaigh an dráma seo i bhfeidhm ort.
3. Déan plé ar an úsáid a bhaineann na húdair as codarsnacht sa dráma seo.
4. Tabhair cuntas gairid ar éifeacht na húsáide a bhaintear as na gnéithe seo a leanas sa dráma: siombailí, codarsnacht, stáitsiú, comhrá.
5. Déan plé ar an léargas a thugtar dúinn ar nádúr an duine sa dráma seo.
6. Is minic saoirse, nó easpa saoirse, mar théama ag Caitlín Maude. É sin a phlé ón bhfianaise sa dráma seo.
7. Scríobh nóta eolais ar na húdair.

Súil siar: seicliosta

Foghraíocht	Consain chaola agus leathana
Gramadach	Aimsir Láithreach Aimsir Chaite Focail bhaininscneacha agus fhirinscneacha
Labhairt	Comhrá faoi cheol Gnás laethúil Ceolchoirm
Alt	Alt ar cheol
Litríocht	An Lasair Choille

Cluastuiscint (60 marc)

FÓGRA A hAON

Mír 4.8
T38

1. Cathain a bheidh lá oscailte na hInstitiúide ar siúl?
2. Cad a chaithfidh daltaí a dhéanamh sula dtéann siad ar an mbus?
3. Céard a bheidh deis ag daltaí a dhéanamh?

FÓGRA A DÓ

Mír 4.9
T39

1. Cá mbeidh an cheolchoirm ar siúl?
2. Cad a dhéanfar leis an airgead a bhaileofar ón gceolchoirm?
3. Conas is féidir ticéid a chur in áirithe?

COMHRÁ A hAON

Mír 4.10
T40

1. Cad ba mhaith le Sorcha a dhéanamh san ollscoil?
2. Cén fáth nár mhaith le Peadar Fisic a dhéanamh?
3. Cad ba mhaith leis a dhéanamh?
4. Cad nach maith le Sorcha faoin scoil?

COMHRÁ A DÓ

Mír 4.11
T41

1. Cén rud inar ghlac Cian páirt anuraidh?
2. Cad é an rud is fearr le Cáit faoin scoil samhraidh?
3. Cén fáth nach mbeidh Cian ann i mbliana?

PÍOSA A hAON

Mír 4.12
T42

1. Cé mhéad is fiú na scoláireachtaí?
2. Cad a bheidh ar iarrthóirí a dhéanamh?
3. Cén dá riachtanas a bheidh á lorg ó iarrthóirí?

PÍOSA A DÓ

Mír 4.13
T43

1. Cé mhéad duine a bhí ag an bhféile Oxegen?
2. Cad a tharla nuair a tháinig Paolo Nutini ar stáitse?
3. Cad a dúradh faoin bhféile?

Ceapadóireacht

(100 marc)

Freagair do rogha CEANN AMHÁIN de A, B nó C anseo thíos.
Nóta: Ní gá níos mó ná 500-600 focal nó mar sin a scríobh i gcás ar bith.

A – AISTE nó ALT NUACHTÁIN / IRISE – 100 marc

Scríobh ar CHEANN AMHÁIN de na hábhair seo.

(a) Traidisiún ceoil na tíre seo

(b) An córas oideachais

(c) Tá oideachas cuí níos tábhachtaí anois ná riamh

(d) Féile cheoil a fhreastal mé air.

(e) Neamhionnanas

B – SCÉAL – 100 marc

Ceap scéal a mbeadh do rogha CEANN AMHÁIN díobh seo oiriúnach mar theideal air.

(a) Athrú poirt

(b) Ní troimide an cholainn an léann

C – DÍOSPÓIREACHT / ÓRÁID – 100 marc

Freagair do rogha CEANN AMHÁIN díobh seo a leanas.

(a) Scríobh an *chaint* a dhéanfá i ndíospóireacht scoile ar son an rúin seo a leanas **nó** ina aghaidh.

Tá an iomarca tionchair ag ceol nua-aimseartha ar aos óg an lae inniu

(b) Scríobh an píosa cainte a thabharfá sa rang Gaeilge faoi:

Déantar leatrom ar dhaltaí áirithe sa chóras oideachais atá againn

An Nuacht is Déanaí
NUACHT na hÉireann
CEANNLÍNTE
Muintir cháiliúil na
hÉireann ar an gcairpéad dear

Na Meáin Chumarsáide

SAN AONAD SEO FOGHLAIMEOIDH TÚ:

F	Foghraíocht:	Ó agus EO
G	Gramadach:	Forainmneacha réamhfhoclacha Aimsir Láithreach: diúltach, ceisteach
t	Tuiscint:	Conas giotaí cainte agus scríofa ag baint leis na meáin a thuiscint
	Caint:	Conas labhairt faoi na meáin, an úsáid a bhaineann tú astu. Na cláir/nuachtáin/irisí/suíomhanna Idirlín is fearr leat
	Scríobh:	Aiste a scríobh ar chumhacht agus ar thionchar na meán
	Litríocht:	*Mo Ghrá-sa (idir lúibíní)* agus an gearrscannán Cáca Milis

ALT • GRAMADACH • SCRÍOBH

Na Meáin Chumarsáide

Cúinne na fuaime: Consain chaola agus leathana: O agus EO

Éist agus abair

Mír 5.1
T44

col	ceol	boladh	beola	do	deo
folt	feoil	gol	geonaíl	ló	leo
mo	meon	tolg	teo		
toit	tiocfaidh				

Cleachtadh éisteachta 1: TG4 - súil eile

Mír 5.2
T45

Scríobh i do chóipleabhar, éist agus líon na bearnaí.

Is é TG4 an stáisiún náisiúnta teilifíse Gaeilge. Tháinig sé _____ i mí Dheireadh Fómhair 1996. Tionscadal stáit é a bhfuil _____ aige ó gach páirtí polaitiúil. _____ cláracha ón _____ léirithe neamhspleách agus ó RTÉ. Tá ceanncheathrú TG4 i mBaile na hAbhann i gConamara. Cuireann TG4 sceideal cuimsitheach cláracha Gaeilge ar fáil a bhfuil _____ bainte amach acu (a seirbhís laethúil nuachta féin san áireamh) agus an bhéim ar ábhar ón nua. _____ an stáisiún ceithre uair an chloig go leith de sceideal laethúil de chláracha Gaeilge faoi láthair.

Chuir TG4 níos mó ná _____ leis an lucht féachana sa chéad bhliain ar an aer. Faoi Aibreán 1998, bhí an stáisiún _____ 340,000 de lucht féachana sa lá. Is iad siúd a úsáideann an Ghaeilge gach lá agus iad siúd a bhfuil eolas acu ar an teanga croílár lucht féachana TG4. Tá timpeall 74% de theilifíseáin na hÉireann tiúnáilte leis an stáisiún a fháil. Tá TG4 cheana féin ag mealladh _____ níos mó den lucht féachana ná cainéil fadbhunaithe eile ar nós Sky News, Eurosport, MTV, agus NBC Super.

Tá an chuid is mó de na 300 post a choinníonn TG4 ag imeacht i _____ léirithe neamhspleácha agus i gcomhlachtaí _____ . Tá an chuid is mó de na poist sin i _____ bheaga nó i _____ phríobháideacha nach bhfuil chomh beag sin atá lonnaithe i bpobail thuaithe, cuid mhór acu i gceantair Ghaeltachta.

• *faightear* • *ag mealladh* • *gradaim* • *sciar* • *100%* • *ar an aer* • *bhfiontair* •
• *gcomhlachtaí* • *Craolann* • *earnáil* • *tacaíocht* • *iarléirithe* • *dtionscnaimh* •

Ceisteanna

1. Cé a chuireann cláir ar fáil do TG4?
2. Cé mhéad uair an chloig de chláir Ghaeilge a bhíonn ar TG4?
3. Cén méadú a tháinig ar lucht féachana TG4 sa chéad bhliain ar an aer?
4. Cad é an rud suntasach faoi na comhlachtaí a sholáthraíonn cláir do TG4?
5. Tabhair dhá shampla de bhriathar san Aimsir Chaite agus dhá shampla de bhriathar san Aimsir Láithreach. Faigh sampla den fhorainm réamhfhoclach.

An ghramadach i gcomhthéacs

Forainm réamhfhoclach

ar, faoi, ó (mar shampla: féach **ar**, éist **le**)

I nGaeilge, cuirtear an réamhfhocal leis an bhforainm agus déantar focal nua: foirm tháite: Mar shampla: ar + mé *(on me)*

Tugtar **forainm réamhfhoclach** air seo.

Ar						
orm	*ort*	*air*	*uirthi*	*orainn*	*oraibh*	*orthu*

*ar = *on* air = *on him* (nó *on it*)

Úsáidtear 'ar':

- le **mothúcháin** agus **tinnis**: Mar shampla: Tá brón **orm**, tá slaghdán **orm**
- le **briathra áirithe**
  - teip ar *fail*
  - smaoinigh ar *think about*
  - cuimhnigh ar *remember*
  - glaoigh ar *call*
  - freastal ar *attend*
  - féach ar *look at*
  - iarr ar *ask*
  - beir ar *catch*
  - déan dearmad ar *forget*
  - lig ar *pretend*
  - brath ar *depend on*
  - tá ar *have to*
- **Nathanna eile**
  - guigh ar *pray for*
  - cuir fios ar *call for*
  - breathnaigh/féach ar *watch*
  - cuir ar *put on*

Ceacht 1

Scríobh an fhoirm cheart den fhorainm réamhfhoclach.

Mar shampla: Lig sí ____ go raibh sí tinn: Lig sí uirthi go raibh sí tinn.

1. Dúirt mo mháthair liom mo chóta a chur ____.
2. Tá a n-athair ag brath go mór ____.
3. Iarr ____ an bhfuil sé ag dul amach anocht.
4. Ghlaoigh mé ____ ach níor fhreagair tú do ghuthán.
5. Muna ndéanann sibh aon staidéar teipfidh ____ sa scrúdú.
6. 'Féach ____ táimid báite!' arsa na cailíní.
7. 'Tá ocras ____,' arsa Áine liom. 'Téimis ag ithe.'
8. Bhí ____ dul mar bhí coinne aici.
9. Déan dearmad ____, ní fiú é.
10. Ligeamar ____ go rabhamar tinn.

Le						
liom	*leat*	*leis**	*léi*	*linn*	*libh*	*leo*

leis = *with him* leis an = *with the*

Úsáidtear 'le' sna cásanna seo a leanas:

- Is maith/fuath/breá/cuma/trua/mór/cuimhin/féidir le
- taitníonn sé liom
- '*with*' i mBéarla 'le mo mham'
- leis na briathra seo a leanas:

  cabhraigh le *help*
  buail le *meet*
  labhair le *talk to*
  cuir ... le *add ... to*
  caith le *treat*
  éist le *listen to*
  éirigh le *succeed*
  ag argóint le *arguing with*
  bhí leis *he was in luck*
  ag caint le *talking to*

- **Nathanna eile:**

  Tá fearg orm **le** *I'm angry with*
  préachta **leis** an bhfuacht *freezing with the cold*
  stiúgtha **leis** an ocras *starving with the hunger*
  Tá an t-ádh **liom** *I'm lucky*
  le blianta fada *for years*
  in éad **le** *jealous of*

Ceacht 2

Cuir isteach an fhoirm cheart den fhorainm réamhfhoclach.

Mar shampla: Is maith ____ peil mar tá sé aclaí: Is maith leis peil mar tá sé aclaí.

1. 'Ní féidir ____ m'obair bhaile a dhéanamh.
2. Má chabhraíonn tú ____ beimid críochnaithe go luath.
3. D'éirigh go hiontach ____ san Ardteistiméireacht agus fuair sí áit ar an gcúrsa.
4. Éist ____! Tá siad ag canadh go binn.
5. Caitear go dona ____ agus dá bharr sin bíonn fadhbanna sóisialta acu.
6. Bhí ____ an lá sin agus bhuaigh mé duais mhór!
7. Go n-éirí an t-ádh ____!
8. An raibh siad ag argóint ____ ná an raibh sibhse ag argóint ____?
9. Bhuail mé ____ agus d'iarr mé air teacht liom go dtí an cluiche.

Cleachtadh éisteachta 2: RnaG

Mír 5.3
T46

5

Éist leis an bpodchraoladh seo ó Raidió na Gaeltachta le Rónán Beo, 19 Bealtaine 2011 (an chéad dá nóiméad de) agus freagair na ceisteanna.

Ceisteanna

1. Cad é an duais atá le buachaint?
2. Conas is féidir é a bhuachaint?
3. An bhfuil tú in ann an seanfhocal a chríochnú?
4. Cad a chaithfidh tú a chur ag tús an téacs má bhíonn tú ag seoladh téacs ó na Sé Chontae?
5. Cad é an uimhir theileafóin ó na 26 Chontae agus ó na Sé Chontae?

Cleachtadh taighde

Téigh go suíomh idirlín RTÉ agus téigh go leathanach Raidió na Gaeltachta. Faigh sceideal an lae, pioc clár amháin an duine agus éist leis. Sin nó is féidir éisteacht le podchraoladh ar an Idirlíon. Inis don rang faoin gclár. Tá cláracha eile ar nós Eureka agus iClub sa chartlann dírithe ar dhaoine óga. Bíodh freagraí ar na ceisteanna seo agat.

1. Cé a léirigh an clár?
2. Cad is ainm don láithreoir?
3. Cén sórt cláir é?
4. An raibh aon aoichainteoir ar an gclár?
5. Cén ceol nó cé na hamhráin nó na ceoltóirí a bhí ar an gclár?
6. Luaigh cúpla píosa eolais a d'fhoghlaim tú ón gclár.
7. Ar thaitin an clár leat? Cén fáth?
8. An molfá an clár? Cé hé an spriocluchtéisteachta don chlár?
9. An gceapann tú go bhfuil an clár oiriúnach do dhaoine óga agus cén fáth?

Suirbhé ranga

Scríobh do fhreagraí féin ar na ceisteanna seo agus ansin cuir na ceisteanna ar dhuine eile sa rang.

Cad iad na meáin chumarsáide is mó a úsáideann tú?

Teilifís, nuachtáin, irisí, fón póca, raidió, Idirlíon, suíomhanna sóisialta (ar nós Facebook)

Freagra: Is iad ________ na meáin is mó a úsáidim.

Cé mhéad ama a chaitheann tú gach lá:

(a) ag féachaint ar an teilifís?
(b) ag éisteacht leis an raidió?
(c) ar an Idirlíon?
(d) ar d'fhón póca?
(e) ag léamh nuachtán/irisí?

Freagra samplach

Caithim … ag féachaint ar an teilifís. Éistim le mo iPod ar an mbus. Caithim … ar an Idirlíon/ar m'fhón póca. Ní léim an nuachtán riamh./Léim an nuachtán gach lá/uaireanta/ anois is arís.

Cén sórt clár teilifíse a thaitníonn leat?

Is maith liom cláracha spóirt/cheoil, cláracha nuachta/cláracha faisnéise/sobalchláir/ cláracha ghrinn/cartúin/sraithchláir/cláracha bhleachtaireachta ar nós …

Cad é an clár teilifíse is fearr leat?

(a) Is é … an clár teilifíse is fearr liom. Is breá liom é mar...
(b) Is é/iad an/na príomhcharachta(i)r. Tá sé suite i …, baineann sé le...
(c) Bíonn sé ar siúl gach.../ar...
(d) An éisteann tú leis an raidió?
(e) Cén stáisiún raidió lena n-éisteann tú? Cén fáth?
(f) Cén sórt scannán a thaitníonn leat?
(g) Inis dom faoin scannán is fearr dá bhfaca tú riamh.
(h) An gcaitheann tú mórán ama ar shuíomhanna sóisialta ar nós Facebook?
(i) Cad é an nuachtán/iris is fearr leat?

Anois, inis don rang faoi na cláracha a thaitníonn leat.

Deis comhrá

Pléigh na ceisteanna seo a leanas leis an duine atá in aice leat nó i ngrúpaí agus tabhair aiseolas don rang.

- An gceapann tú go mbíonn an iomarca tionchair ag na meáin ar dhaoine óga?
- An mbíonn tionchar ag na suíomhanna sóisialta (Facebook/Twitter) orthu? Má tá, an dea-thionchar nó drochthionchar é?
- An gcaitheann daoine óga an iomarca ama ar na suíomhanna sin?
- An mbíonn tionchar ag na sobalchláir ar dhaoine óga? Conas?
- Cad a cheapann tú faoi bhulaíocht ar an Idirlíon?

An ghramadach i gcomhthéacs

An + urú   Ní + séimhiú

An **bh**féachann tú?   Féachaim   Ní f**h**éachaim

Ceacht

Cum ceisteanna san Aimsir Láithreach, ag úsáid na mbriathra seo:

1. caith
2. léigh
3. féach ar
4. éist le
5. déan
6. téigh
7. buail le
8. imir
9. ceap
10. cuir

Scrúdú béil: agallamh: na meáin

Mír 5.4
T47

Agallóir An bhféachann tú ar an teilifís?

Sorcha Féachann. Is breá liom sobalchláir agus cláir ghrinn ar nós *Modern Family* agus *Home and Away*. Tá *Home and Away* ar an teilifís leis na cianta cairbreacha agus ní haon ionadh é mar baineann gach duine, idir óg agus aosta, sult agus taitneamh as. Tá sé suite san Astráil agus tá plotaí agus pearsana iontacha sa tsraith. Sa chlár grinn *Modern Family*, tá na carachtair an-réadúil agus an-ghreannmhar. Tá sé lonnaithe i Meiriceá. Is breá liom bheith ag féachaint ar TG4 freisin. Féachaim ar *Ros na Rún* agus ar *Aifric*, agus anois is arís féachaim ar chlár faisnéise le mo mháthair.

Agallóir An-mhaith. Agus an gcaitheann tú mórán ama ar an ríomhaire ar shuíomhanna ar nós Facebook, mar shampla?

Sorcha Is breá liom Facebook! Tá sé iontach ar fad. Is féidir liom dul i dteagmháil le mo chairde aon uair is mian liom agus socrú a dhéanamh bualadh leo, nó nuacht a fháil. Bíonn daoine ag gearán faoi, ach ceapaim féin gur áis iontach í.

Agallóir Ach an gceapann tú go gcaitheann daoine óga an iomarca ama ar an idirlíon, seachas bheith ag déanamh obair bhaile, mar shampla?

Sorcha Ar ndóigh, muna dteastaíonn ó dhuine staidéar a dhéanamh, gheobhaidh sé nó sí leithscéal éigin i gcónaí. Ach ní féidir an milleán a chur ar an áis, i mo thuairimse.

Agallóir An bhfuil an iomarca cathaithe ann do dhaoine óga, sa lá atá inniu ann? An iomarca áiseanna, caitheamh aimsire. Cad a cheapann tú?

Sorcha Ar ndóigh tá go leor áiseanna againn inniu nach raibh againn fiche bliain ó shin agus bainimse úsáid agus tairbhe astu go léir, ach bím ag obair go crua freisin. Ceapann daoine aosta go bhfuil daoine óga seafóideach ach níl. Táimid ciallmhar stuama – roinnt againn, pé scéal é!

Agallóir Tá áthas orm é sin a chloisteáil! Agus céard faoi chaitheamh aimsire atá an-sean-aimseartha ar fad – léitheoireacht? An bhfuil suim agat sa léitheoireacht?

Sorcha Is breá liom an léitheoireacht! Is breá liom Harry Potter. Tá an tsraith go léir léite agam ar a laghad trí huaire. Bíonn mo mháthair ag magadh fúm nuair a fheiceann sí mé á léamh arís. Ach is breá liom leabhair eile freisin, mar shampla *Twilight*. Is é *The Boy in the Striped Pyjamas* an leabhar is fearr dár léigh mé riamh ceapaim, bhí sé an-bhrónach, ar ndóigh.

Agallóir Inis dom faoi.

Sorcha Is scéal é faoi bhuachaill óg, mac le hoifigeach Naitsíoch sa Dara Cogadh Domhanda. Rinne sé cairdeas le buachaill óg Giúdach ar aon aois leis – thart ar deich mbliana – a bhí sa champa géibhinn a bhí faoi stiúir a athar. Léiríonn an leabhar soineantacht na hóige agus, ar ndóigh, cruálacht an chine dhaonna. Chuaigh an leabhar i gcion go mór orm, caithfidh mé a rá.

Agallóir An léann tú an nuachtán riamh?

Sorcha Ceannaíonn mo thuismitheoirí an páipéar uaireanta agus léim píosaí anseo is ansiúd – ar an Domhnach, b'fhéidir. Chomh maith leis sin, léim an páipéar Gaeilge 'Foinse' ó am go chéile agus ceannaím corr-iris ar nós *U* nó *Image*.

Agallamh Agus an éisteann tú leis an raidió?

Sorcha Éistim leis sa charr. Is breá liom Spin FM mar casann siad ceol iontach an t-am ar fad, ach ní bhíonn mo mháthair róshásta faoi, mar b'fhearr léi siúd bheith ag éisteacht le RTÉ!

Agallóir An éisteann tú riamh le stáisiún raidió Gaeilge?

Sorcha Ó ham go chéile éistim le Raidió na Life nó Raidió Rí Rá. Bíonn ceol maith orthu, agus d'éistíomar le Raidió na Gaeltachta anois is arís sa rang Gaeilge. Caithfidh mé a rá gur breá liom clár Rónáin Mhic Aodha Bhuí agus uaireanta éistim leis sa charr.

Ullmhú don scrúdú béil

Anois tabhair do fhreagra féin ar na ceisteanna thuas.

Nuachtáin agus irisí

Léigh na giotaí seo a leanas.

The Irish Times: Foilsítear leathanach Ghaeilge san ***Irish Times*** ar a dtugtar **Bileog** ar an gCéadaoin. Tá cnuasach de na hailt Ghaeilge a fhoilsítear sa ***Times*** le fáil ar leathanach idirlín an pháipéir (www.irishtimes.com), chomh maith le clár plé. Is gá íoc as an tseirbhís seo, áfach.

Comhar: Tá meascán den chritic, den scríbhneoireacht chruthaitheach agus de chúrsaí reatha le fáil san iris mhíosúil seo atá á foilsiú ó na daichidí i leith. Seoladh: 46 Sráid Chill Dara, Baile Átha Cliath 2; www.iriscomhar.com

Saol: Nuachtán míosúil atá saor in aisce ina bhfuil fógraí, leathanach d'fhoghlaimeoirí, pictiúir agus scéalta. Seoladh: 7 Cearnóg Mhuirfean, Baile Átha Cliath 2; www.gaeilge.ie/saol

Beo!: Iris mhíosúil é seo atá á foilsiú ar an idirlíon ó mhí Bealtaine 2001. Faigheann **Beo!** cabhair airgid ó Fhoras na Gaeilge. www.beo.ie

5

Faigh agus foghlaim

Faigh agus foghlaim focail a chiallaíonn:

gach mí	chomh maith le	1940-1949
gan chostas	tá ... de dhíth	scéalta ar an nuacht faoi láthair

Cleachtadh scríofa

Líon na bearnaí sna habairtí seo a leanas.

1. Tá sé saor ____ aisce.
2. Is clár faoi chúrsaí __________ é *Primetime*.
3. Is ______ íoc ____ an tseirbhís seo.
4. Rugadh mo mháthair ______ daichidí.
5. Tá ________ leathan ábhar ___ fáil sa nuachtán *Seachtain*.
6. ___________ an nuachtán *Seachtain* uair sa tseachtain. Is nuachtán ___________ é.
7. Tá an iris *Comhar* ____ foilsiú ó na ______________ i _______.
8. Tá an ________ *Seachtain* san Irish Independent gach Céadaoin.

Ceisteanna

1. Cén míbhuntáiste a bhaineann le suíomh idirlín an *Irish Times*?
2. Cén sort ailt a fhoilsítear san iris *Comhar*?
3. Cathain a bunaíodh an iris?
4. Cén costas atá ar an nuachtán *Saol*? Cé chomh minic is a fhoilsítear é?

RTÉ Raidió na Gaeltachta 1

Bunaíodh RTÉ Raidió na Gaeltachta le seirbhís iomlán raidió a chur ar fáil do phobal na Gaeltachta agus do lucht labhartha na Gaeilge ar fud na tíre. Tháinig an stáisiún ar an aer den chéad uair ag 3pm, Domhnach Cásca, 2 Aibreán 1972. Sna blianta tosaigh ní chraoltaí ach cúpla uair an chloig gach tráthnóna agus é sin féin sna ceantair Ghaeltachta amháin, ach de réir a chéile tháinig fás agus forbairt ar an gcraoladh agus ar réimse clár na seirbhíse.

Faigh agus foghlaim

Faigh agus foghlaim focail a chiallaíonn:

cuireadh ar bun é
muintir
daoine a labhraíonn Gaeilge
sa chéad cúpla bliain
diaidh ar ndiaidh
tháinig méadú ar

Cleachtadh scríofa

Líon na bearnaí sna habairtí seo a leanas.

1. Cuirtear cláracha ____ fáil ___ phobal na _______.
2. De _____ a chéile ______ fás ar an ________ clár ar an stáisiún.
3. ____ blianta tosaigh ní _________ mórán clár.

Ceisteanna

1. Cé hiad spriocluсht éisteachta Raidió na Gaeltachta?
2. Cathain a tháinig an stáisiún ar an aer den chéad uair?
3. Cén t-athrú a tháinig ar an stáisiún de réir a chéile?
4. 'Ní chraoltaí ach cúpla uair an chloig...' Cén aimsir é seo? (Féach lth 426)
5. Faigh 4 shampla den Tuiseal Ginideach in Alt 1. An bhfuil na focail baininscneach nó firinscneach?

RTÉ Raidió na Gaeltachta 2

Ón 1 Deireadh Fómhair 2001, tá Raidió na Gaeltachta ag craoladh 24 uair an chloig in aghaidh an lae le raon leathan de chláir nuachta agus cúrsaí reatha, irischláir, cláir cheoil de gach cineál, spórt, díospóireachtaí agus siamsaíocht. De réir thorthaí suirbhé a d'fhógair an MRBI in Aibreán 2001, tá méadú beagnach 10% ar líon éisteoirí RTÉ Raidió na Gaeltachta sna ceantair Ghaeltachta. Tá sé ráite go soiléir ag pobal éisteachta RTÉ Raidió na Gaeltachta sa suirbhé céanna gurb iad na príomhchúiseanna go n-éisteann siad leis an stáisiún ná cláir ar ardchaighdeán a bheith á gcraoladh, seirbhís an-mhaith nuachta, an clúdach a dhéantar ar imeachtaí áitiúla agus cúrsaí ceoil, gan dabht. Deir siad freisin gur seirbhís éagsúil uilig í le meáin chumarsáide eile na tíre, a bhfuil a bhformhór dírithe ar Bhaile Átha Cliath. 'Is iontach an tréimhse é seo do RTÉ Raidió na Gaeltachta, dár gcraoltóireacht raidió agus dár gcraoltóireacht idirlín chomh maith,' a deir Tomás Mac Con Iomaire, Ceannaire Raidió na Gaeltachta.

Faigh agus foghlaim

Faigh agus foghlaim focail a chiallaíonn:

difriúil	seal	ócáidí	réimse
an chuid is mó	tá fás ar	a chur ar an aer	

Cleachtadh scríofa

Líon na bearnaí sna habairtí seo a leanas.

1. Tá RnaG ar an aer 24 uair in ________ an lae.
2. Tá ___________ ar an lucht éisteachta ________ ceantair Ghaeltachta.
3. Tá ___________ na meáin chumarsáide eile dírithe ______ Bhaile Átha Cliath.

Ceisteanna

1. Cén sórt clár a chraolann RnaG?
2. Cén fáth a bhfuil méadú tagtha ar líon éisteoirí RnaG?
3. Faigh samplaí den chlaoninsint in alt 2.

RTÉ Raidió na Gaeltachta 3

Seoladh beoshruth RTÉ Raidió na Gaeltachta ar an Idirlíon i mí Bealtaine 2000 (www.rte.ie/rnag agus www.rte.ie) agus níl a fhios cén **tóir atá ag** éisteoirí thar lear **ar** an tseirbhís, ón Astráil go Meiriceá Thuaidh agus ó Mhoscó go dtí an Eastóin. Bíonn fáil freisin ar cheithre stáisiún raidió RTÉ ar chóras digiteach Sky faoin Music & Radio Category ar an Innéacs Teilifíse (Sky TV Guide Index). Tá fáil ar RTÉ, Raidió na Gaeltachta ar UPC agus Sky, agus idir 92-94 FM. Ag **breathnú** siar ar an 30 bliain agus os a chionn atá **slánaithe ag** RTÉ Raidió na Gaeltachta, is féidir roinnt mhaith ceannródaíochta a shonrú.

- Tá tuairisceoirí nuachta ag an stáisiún ar fud an domhain.
- Tá duaiseanna agus gradaim bainte amach ag baill foirne as feabhas na craoltóireachta: Gradaim Jacobs, Gradaim an Oireachtais, Gradaim ón bhFéile Cheilteach Scannán & Teilifíse.
- Tá dlúthdhioscaí ceoil, litríochta agus earraí nach iad foilsithe acu.
- Tá tionscnamh sraith léachtaí ar bun acu.
- Bíonn stiúideo taistil an stáisiúin, an Ródaí, go minic in úsáid agus tá ag éirí thar barr leis.

Sna mórcheantair Ghaeltachta atá stiúideonna RTÉ Raidió na Gaeltachta lonnaithe - Casla, Conamara; Doirí Beaga, Tír Chonaill agus Baile na nGall, Corca Dhuibhne. Chomh maith leo sin tá stiúideo agus foireann ag an tseirbhís i mBaile Átha Cliath (RTÉ) agus i gCaisleán an Bharraigh, Contae Mhaigh Eo.

Faigh agus foghlaim

Faigh agus foghlaim focail a chiallaíonn:

éileamh
thar sáile
ag féachaint siar
bainte amach ag
suite

Cleachtadh scríofa

Líon na bearnaí sna habairtí seo a leanas.

1. Tá an-tóir ________ an gclár sin.
2. Bíonn daoine thar ________ ag éisteacht le RnaG ar an idirlíon.
3. Tá ________ ar RnaG ar an raidió idir 92-94 FM.
4. Tá stiúideonna RnaG lonnaithe _____ mórcheantair Ghaeltachta.

Ceisteanna

1. Conas is féidir teacht ar RnaG?
2. Luaigh samplaí de cheannródaíocht RnaG.
3. Ainmnigh na háiteanna go léir ina bhfuil stiúideonna ag Raidió na Gaeltachta.

RTÉ Raidió na Gaeltachta 4

Forbairt eile atá déanta le gairid ná nasc ISDN a bhunú sna pobail Ghaeltachta i Ráth Cairn na Mí, i bparóistí Dhromad, Uíbh Ráthach agus sa Rinn, Co. Phort Láirge. Baintear úsáid rialta freisin as stiúideonna RTÉ i gcathracha agus i mbailte móra na tíre, go háirithe i nGaillimh, Luimneach, Béal Feirste, Sligeach, Port Láirge agus Doire. Idir bhaill foirne, oibrithe ar conradh agus oibrithe páirtaimseartha, tá breis agus ochtó duine ag obair don stáisiún agus tá a bhformhór lonnaithe sa cheanncheathrú i gCasla. Cuid de sheirbhís chraolta phoiblí RTÉ é Raidió na Gaeltachta agus is í an Ghaeilge teanga oibre agus teanga chraoltóireachta na seirbhíse.

Seoladh: Raidió na Gaeltachta, Casla, Conamara, Co. na Gaillimhe
Guthán: (091) 506677
Facs: (091) 506666
Ríomhphost: rnag@rte.ie
Suíomh gréasáin: www.rte.ie/rnag

5

Faigh agus foghlaim

Faigh agus foghlaim focail a chiallaíonn:

le déanaí ceangail os cionn

Cleachtadh scríofa

Líon na bearnaí sna habairtí seo a leanas:

1. Baintear úsáid _____ stiúideonna RTÉ i mbailte móra na tíre.
2. Tá ________ agus ochtó duine ag obair don stáisiún.
3. Tá a ______________ lonnaithe sa _________ i ________.
4. Is ___ an Ghaeilge teanga ___________ na seirbhíse.

Ceisteanna

1. Cén fhorbairt eile atá déanta ag RnaG?
2. Cé na bailte ina bhfuil stiúideonna ag RTÉ?
3. Cá bhfuil ceanncheathrú an stáisiúin?

Deis comhrá

- An éisteann tú riamh le RnaG?
- An éisteann tú leis an raidió? Cén stáisiún agus cén fáth?
- Déan cur i láthair ranga ar 'An stáisiún raidió is fearr liom.'

Cleachtadh taighde

Téigh go dtí suíomh idirlín Raidió Rí-rá (www.rrr.ie). Cad atá suimiúil faoin stáisiún raidió seo? Dá mbeifeá ag bunú stáisiún raidió nua Gaeilge cad iad na tréithe a bheadh aige?

Dán grá: Mo Ghrá-sa (idir lúibíní)

Réamhrá

Faigh pictiúr de do bhean nó de d'fhear idéalach as nuachtán nó iris agus tabhair isteach é. Abair leis an rang cén fáth gur maith leat é/í agus cad iad na tréithe a bhaineann le grá 'idéalach'.

Cúinne na fuaime

Cuir líne faoi fhocail le séimhiú, urú agus consan caol nó leathan. Abair i gceart iad.

Mír 5.5
T48

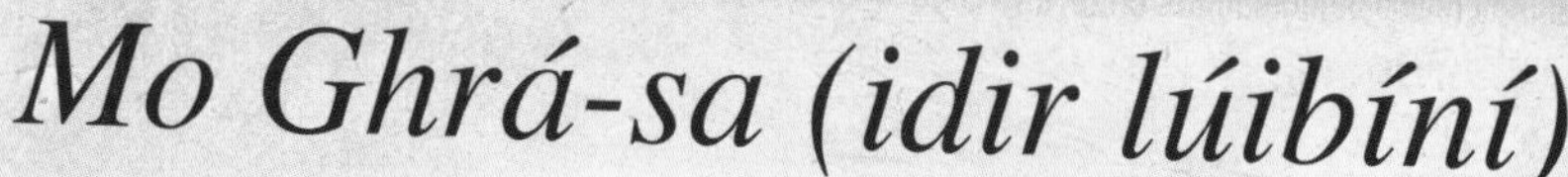

Mo Ghrá-sa (idir lúibíní)

Níl mo ghrá-sa
mar ***bhláth na n-airní***
a bhíonn i ngairdín
(nó ar chrann ar bith)

is má tá aon ghaol aige
le ***nóiníní***
is as a chluasa a fhásfaidh siad
(nuair a bheidh sé ***ocht dtroigh síos****)*

ní haon ***ghlaise cheolmhar***
iad a shúile
(táid ***róchóngarach*** *dá chéile*
ar an gcéad dul síos)

is más ***slim*** *é* ***síoda***
tá ***ribí a ghruaige***
(mar bhean dhubh Shakespeare)
ina WIRE ***deilgní***
Ach is cuma sin –
tugann sé dom –
úlla
agus nuair a
bhíonn sé in ***ndea-ghiúmar***
caora fíniúna

Foclóir

mo ghrá-sa *my love*
bláth na n-airní *blackthorn flower*
ocht dtroigh síos *eight feet under*
róchóngarach *too close*
síoda *silk*
deilgní *thorns*
caora fíniúna *grapes*
idir lúibíní *in brackets*
nóiníní *daisies*
ghlaise* cheolmhar *musical stream (*or greenness)*
slim *smooth*
ribí a ghruaige *strands of hair*
dea-ghiúmar *good mood*

Leagan próis

Níl mo stór cosúil
le bláth na n-airní
atá le feiceáil i ngáirdín
nó ar aon chrann.

Agus níl aon bhaint aige
le nóiníní–muna mbeidh siad ag fás as a chluasa
nuair a chuirfear sa talamh é.

Níl a shúile cosúil le sruthán nó glaise binn:
tá siad róghar dá chéile sa chéad áit.

Agus má tá síoda mín,
tá a chuid gruaige
cosúil le 'wire' deilgneach.

Ach is cuma liom mar
tugann sé úlla dom,
agus uaireanta, nuair a bhíonn fonn air,
caora fíniúna.

5

Ceisteanna

1. Cad é ábhar an dáin seo nó cad é téama an dáin?
2. Níl a grá 'mar bhláth na n-airní'. Cad atá i gceist aici leis sin?
3. Cad atá cearr lena shúile?
4. An bhfuil a grá dathúil, an dóigh leat?
5. Tugann sé úlla di. An seasann na húlla d'aon rud, i do thuairim? An gcuireann siad aon rud i gcuimhne duit? An tagairt iad d'aon rud?
6. Cad dó a sheasann na caora finiúna, i do thuairim?
7. Cén sórt duine é a grá sa dán seo? Cén sórt caidrimh nó gaol atá eatarthu? An bhfuil siad sona, an gceapann tú? An réitíonn siad le chéile?

Fíricí faoin bhfile

http://www.educate.ie/próifíl

Nuala Ní Dhomhnaill

Ar líne 3:45pm

Is i Lancashire i Sasana a rugadh Nuala Ní Dhomhnaill ach chaith sí cúpla bliain i gCorca Dhuibhne lena haintín nuair a bhí sí óg agus ansin chuaigh a clann chun cónaithe in Aonach Urmhumhan i gCo. Thiobraid Árann. Chuaigh sí go meánscoil chónaithe i gCnoc na Labhráis i Luimneach agus rinne sí céim sa Ghaeilge agus sa Bhéarla in Ollscoil Chorcaí. Phós sí fear as an Tuirc agus chuaigh siad chun cónaithe san Ollainn agus ansin sa Tuirc ar feadh seacht mbliana. Nuair a d'fhill sí ar Éirinn sna hochtóidí, d'fhoilsigh sí a céad chnuasach filíochta An Dealg Droighin. Tá go leor cnuasach eile filíochta foilsithe aici agus tá a cuid filíochta aistrithe go Béarla ag Séamus Heaney, Michael Longley, Paul Muldoon agus Michael Hartnett. Tá sí ina ball d'Aosdána agus ceapadh í mar ollamh filíochta na hÉireann sa bhliain 2001. Is duine de mhórfhilí na hÉireann í.

Nótaí ar an dán

Téama

Is é an grá is téama don dán seo. Ní hé grá mór, rómánsúil na bhfilí atá ann, ach an grá simplí, nádúrtha, laethúil a bhíonn idir ghnáthlánúin. Tá an grá sa dán réadúil, tíriúil ach fós beo agus buan.

Mothúcháin

Tá grá agus gean le brath sa dán. Is maith leis an bhfile a stór cé go bhfeiceann sí nach bhfuil sé foirfe. Tá greann magúil lárnach don dán chomh maith.

Teicníochtaí filíochta

Íomhánna

Sa chéad véarsa cuirtear íomhá de bhláth na n-airní os ár gcomhair, an bláth a thagann ar an droighneán donn *(blackthorn)*. Is dócha go bhfuil an file ag déanamh tagartha don amhrán sean-nós cáiliúil *An Droighneán Donn*. Tá líne san amhrán sin: '... is go bhfuil mo ghrá-sa mar bhláth na n-airní ar an droighnean donn'. San amhrán, 'séard atá i gceist ná gur grá é nach maireann ach seal. Ní bhláthaíonn bláth na n-airní ach ar feadh tréimhse gearr – trí sheachtaine i mí Aibreáin nó Bealtaine. Mar sin, nuair a deir an file sa dán *Mo Ghrá-sa (idir lúibíní)* níl mo ghrá-sa mar bhláth na n-airní' seans gur grá a mhaireann atá i gceist aici: grá buan. Is íomhá í seo a bhaineann leis an nádúr agus atá coitianta: fásann sé 'ar chrann ar bith'. Tá sí ag déanamh cur síos ar ghrá atá seasta, coitianta, nádúrtha.

Sa dara véarsa tá íomhá de nóiníní – bláth eile atá coitianta – agus déanann an file tagairt don bhás. Is íomhá í de nóiníní ag fás as cluasa a grá nuair a chuirfear é sa talamh. Is íomhá dhorcha í ach ag an am céanna tá sí greannmhar. Tá macallaí den nath cainte Béarla '*pushing up daisies*' san íomhá seo.

Sa tríú véarsa feicimid íomhá eile ón dúlra 'glaise cheolmhar', ach arís deir sí nach bhfuil súile a grá mar sin. Faigheann sí locht ar a shúile: '(táid róchóngarach dá chéile ar an gcéad dul síos)'. Níl sí ag rá go bhfuil a grá an-dathúil agus gan locht mar a dhéanann na filí rómánsúla.

Sa cheathrú véarsa labhraíonn sí faoi ghruaig a grá. Níl sé mín ar nós síoda. Tá sé garbh: 'tá ribí a ghruaige ... ina WIRE deilgní'. Arís tá sí ag treisiú na íomhá dá grá mar ghnáthdhuine nach bhfuil an-dathúil. Luann an file '*bean dhubh Shakespeare*'. Is tagairt é seo do 'Dark Lady' Shakespeare. Bhí Shakespeare i ngrá le bean agus scríobh sé soinéad di, Soinéad 130. (féach lth 152). Sa dán sin deir Shakespeare nach bhfuil a leannán féin foirfe: tá an téama céanna idir lámha ag Nuala Ní Dhomhnaill. Is dócha go bhfuair Nuala a hinspioráid don dán seo ón soinéad sin.

Sa véarsa deiridh tá íomhá dá stór ag tabhairt bia di. Cuireann na húlla Gairdín Éidin i gcuimhne dúinn áit ar thug Éabha an t-úll do d'Ádhamh. Ach sa chás seo, is é an fear atá ag tabhairt an úill don bhean. Cuireann caora fíniúna saol bog i gcuimhne dúinn, agus fíon ar ndóigh!

Soinéad 130

My mistress' eyes are nothing like the sun,
Coral is far more red, than her lips red,
If snow be white, why then her breasts are dun:
If hairs be wires, black wires grow on her head
I have seen roses damasked, red and white,
But no such roses see I in her cheeks,
And in some perfumes is there more delight,
Than in the breath that from my mistress reeks.
I love to hear her speak, yet well I know,
That music hath a far more pleasing sound:
I grant I never saw a goddess go,
My mistress when she walks treads on the ground.
And yet by heaven I think my love as rare,
As any she belied with false compare.

Cleachtadh taighde

Déan cur i láthair PowerPoint den dán 'Mo Ghrá-sa (idir lúibíní)' agus faigh íomhá do gach véarsa sa dán.

Siombailí

Baineann an file úsáid as an-chuid siombailí. Seasann bláth na n-airní don ghrá álainn, ach don ghrá atá sealadach. Seasann na nóiníní don bhás agus don tsíoraíocht. Is siombail é an t-úll ar an gcathú agus is siombail iad na caora ar chompord an tsaoil.

Codarsnacht

Tá codarsnacht idir an grá idéalach, rómánsúil, paiseanta a bhíonn i ndánta agus amhráin de ghnáth agus an grá coitianta, laethúil, saolta a bhíonn idir ghnáthlánúin. Tá codarsnacht idir íomhá an fhir fhoirfe, dhathúil, álainn (*tall, dark & handsome*) a chuirtear chun cinn san fhilíocht, sna hamhráin (sean agus nua) agus sna scannáin agus an gnáthfhear céile a bhfuil neart lochtanna air.

Sa chéad véarsa, seasann 'bláth na n-airní' don ghrá rómánsúil, paiseanta, sealadach ach níl a grá-sa mar sin. Sa tríú véarsa faigheann sí locht ar shúile a leannáin, agus arís tá codarsnacht idir iad agus an 'ghlaise cheolmhar' – an cur síos a fhaightear in amhráin agus dánta 'rómánsúla'. Sa cheathrú véarsa, feicimid codarsnacht idir síoda agus 'WIRE' sa chur síos ar ghruaig a grá.

Déanann an file codarsnacht idir an '*superman*' dathúil, rómánsúil a chuirtear os ár gcomhair sna scannáin agus an gnáthfhear a bhfuil sise i ngrá leis.

5

Cleachtadh taighde

Déan liosta de na difríochtaí idir an fear dathúil, idéalach (an sort fir a léirítear sna meáin) agus a grá-sa sa dán. Déan iarracht íomhánna a fháil den fhear 'idéalach' agus den ghnáthfhear.

Friotal

Úsáideann an file friotal nádúrtha, dúchasach, fileata sa dán. Baintear úsáid as nathanna aitheanta ar bhealach úr. Mar shampla, d'aithneodh an léitheoir an nath:, 'Tá mo ghrá-sa mar bhláth na n-airní' ach athraíonn sise é go 'níl mo ghrá-sa mar bhláth na n-airní'. Déantar tagairt do nathanna ón mBéarla: '*pushing up daisies*' ('noiníní...as a chluasa a fhásfaidh siad') agus '*six feet under*' ('ocht dtroigh síos'). Tá an file ag cur a stampa féin ar na nathanna seo i nGaeilge.

Cleachtadh scríofa

Cén fáth a n-úsáideann sí an focal 'WIRE' agus cén fáth a bhfuil sé scríofa i gceannlitreacha, i do thuairim?

Meadaracht

Is í an tsaorvéarsaíocht an mheadaracht a chleachtar sa dán seo. Úsáideann an file rímeanna agus rithimí a théann i bhfeidhm ar an gcluas. Mar shampla: 'Níl mo **ghrá-sa**/mar bh**láth** na n-**airn**í/a bhíonn i ngairdín' agus sa véarsa deiridh tá comhfhuaim thaitneamhach idir 'úlla', 'ghiúmar', 'fíniúna'. Tá sampla d'uaim sa cheathrú véarsa, 'más **sl**im é **s**íoda' agus tá sampla d'aicill sa chéad véarsa: 'Níl mo ghrá-**sa**/mar **bhláth**...'

Ceisteanna scrúdaithe

1. Cad é téama an dáin seo agus conas a chuirtear os ár gcomhair é?
2. Scríobh nóta ar theideal an dáin agus ar an úsáid a bhaineann an file as lúibíní.
3. Cén sórt pictiúir dá grá a chuirtear os ár gcomhair sa dán seo?
4. Déan trácht gairid ar an úsáid a bhaineann an file as codarsnacht agus as friotal sa dán.
5. 'Is léir tionchar an Bhéarla ar an dán seo. Baineann an file úsáid as saibhreas cultúrtha an dá theanga – Gaeilge agus Béarla – sa dán seo.' É sin a phlé.

Ceist shamplach

'Is léir go bhfuil tionchar na litríochta Béarla le feiceáil sa dán seo. Baineann an file úsáid as saibhreas cultúrtha an dá theanga – Gaeilge agus Béarla – sa dán seo.' É sin a phlé.

Plean

Aontú: Is fíor pointí a phléifidh tú

Pointe 1: Ráiteas: tionchar na Gaeilge

Fianaise: an chéad véarsa 'An Droighneán Donn'

Pointe 2: Ráiteas: tionchar an Bhéarla, éagsúil ó dhearcadh Sheáin Uí Ríordáin

Fianaise: an dara véarsa, nathanna ar nós *'pushing up daisies/six feett under'*, líne …

Pointe 3: Ráiteas: tionchar na litríochta Béarla

Fianaise: an tríú véarsa, soinéad 130. Tagairtí don Bhíobla.

Achoimre agus críoch.

Freagra samplach

Aontaím go hiomlán leis an ráiteas seo. Is fíor go bhfuil tionchar an Bhéarla agus tionchar na litríochta i nGaeilge agus i mBéarla le sonrú ar an dán seo. Baineann an file úsáid as saibhreas cultúrtha na Gaeilge agus an Bhéarla. Sa fhreagra seo, tabharfaidh mé samplaí de thagairtí d'amhrán sean-nós Gaeilge, de dhán le Shakespeare sa Bhéarla agus de nathanna sa Bhéarla a úsáideann an file. Is léir go mbaineann an file úsáid as foinsí éagsúla sa dán, agus is léir go bhfuil an dán níos saibhre dá bharr.

Sa chéad véarsa, déanann an file tagairt do bhláth na n-airní. Is tagairt é seo don amhrán sean-nós 'An Droighneán Donn' agus cuireann sé an líne 'is go bhfuil mo ghrá-sa/mar bhláth na n-airní' i gcuimhne dúinn. Deir an file nach bhfuil a grá féin cosúil leis an ngrá rómánsúil atá le fáil sna hamhráin grá: 'Níl mo ghrá-sa/mar bhláth na n-airní'.

Sa dara véarsa tugann an file a leagan féin de dhá nath cainte sa Bhéarla: 'pushing up daisies' agus 'six feet under', 'nóiníní ... ocht dtroigh síos'. Is léir go bhfuil tionchar an Bhéarla le sonrú sna híomhánna seo. Cruthaíonn sí íomhá ghreannmhar dúinn de nóiníní ag fás as cluasa a grá nuair a chuirtear é faoin gcré. Is greann dorcha atá i gceist anseo.

Sa tríú véarsa, labhraíonn an file faoi 'bhean dhubh Shakespeare'. Is tagairt é seo do leannán Shakespeare, agus go háirithe do Shoinéad 130 a scríobh sé di. Tá an téama céanna i gceist sa soinéad seo agus is léir gur tháinig an file faoi anáil an dáin seo. Ní dhéanann sí é seo a cheilt. Admhaíonn sí go hoscailte é sa dán. Úsáideann sí an focal céanna a d'úsáid Shakespeare: 'ina WIRE deilgní' ('if hairs be wires, black wires grow on her head').

Tá dearcadh Nuala Uí Dhomhnaill go hiomlán éagsúil ó dhearcadh Sheáin Uí Ríordáin sa dán 'Fill Arís', áit a mholann sé dearmad a dhéanamh ar Shakespeare agus ar an mBéarla. Úsáideann sí an saibhreas litríochta sa dá theanga go héifeachtach sa dán seo.

Ceapadóireacht: aiste

Léigh an aiste shamplach seo agus freagair na ceisteanna a ghabhann leis. Foghlaim agus úsáid na nathanna aibhsithe ann.

Cumhacht na meán sa lá atá inniu ann

Níl aon dabht ach go bhfuil an-chumhacht ag na meáin chumarsáide sa lá atá inniu ann. San aiste seo, féachfaidh mé ar na meáin éagsúla – idir shean agus nua – agus tabharfaidh mé samplaí a **léiríonn go soiléir go bhfuil** an-tionchar acu ar an bpolaitíocht, ar thuairimí an phobail, ar dhea-chliú daoine i mbéal an phobail agus ar fhéinmhuinín daoine óga. Léireoidh mé go bhfuil daoine óga faoi bhrú mór **a bhuí leis** na meáin, agus léireoidh mé freisin go bhfuil **idir mhaith agus olc** ag baint leo. Tá súil agam go dtabharfaidh mé lón smaoinimh daoibh.

In earrach na bliana 2011, tharla réabhlóid mhór i dtíortha sa Mheánoirthear. Tháinig na mílte daoine amach ar na sráideanna **ag agóid**. Thosaigh sé i dtír amháin agus scaip sé ó thír go tír. An tEarrach Arabach a tugadh ar an réabhlóid dhaonlathach seo. D'éirigh príomhaire na hÉigipte as a phost agus **cuireadh** breabaireacht agus caimiléireacht **ina leith**. Tar éis cogadh a mhair os cionn míosa, maraíodh Gaddafi, tíoránach Libia a bhí i gcumhacht le daichead bliain roimhe sin. Bhí agóidí agus léirsithe sa Túinéis, sa tSiria, san Éimín, sa Bhairéin agus i dtíortha eile ar fud an Mheánoirthir. **Glactar go forleathan leis** go raibh an-tionchar ag na meáin leictreonacha ar an réabhlóid sin. Bhí léirsitheoirí in ann úsáid a bhaint as suíomhanna sóisialta ar nós Facebook agus Twitter chun teagmháil a dhéanamh le chéile agus chun scéalta agus eolas a scaipeadh. Chomh maith leis sin, de bharr an idirlín, chonaic an chosmhuintir go raibh saoirse i dtíortha eile an domhain agus spreag sé seo iad chun saoirse a lorg ina dtír féin, áit a raibh deachtóirí i gcumhacht den chuid is mó. Theastaigh daonlathas uathu. Léiríonn sé go rí-shoiléir an chumhacht atá ag na meáin.

Thuig **leithéidí** Barack Obama an chumhacht a bhí ag na meáin nua seo agus d'úsáid sé iad go héifeachtach ina fheachtas d'Uachtaránacht Mheiriceá, chun dul i dteagmháil le haos óg na tíre sin. Ba lá cinniúnach i stair na tíre sin é nuair a toghadh duine den chine gorm mar Uachtarán **den chéad uair riamh. Is sampla eile é seo de** chumhacht na meán sa pholaitíocht.

Ach, **bíonn idir mhaitheas agus donas ag baint le gach rud** agus **is minic a** úsáidtear na meáin chun ionsaí a dhéanamh ar dhaoine. Is minic a scriosann cogar i gcluas iriseora clú duine sa saol poiblí. Deir roinnt daoine gur maith an rud é seo ach uaireanta **téann siad thar fóir ar fad** leis an scéal. **Déantar ionsaí ar** iarrthóir i bhfeachtas agus cailleann an t-iarrthóir sin vótaí dá bharr. Is léir go bhfuil an-tionchar ag úinéirí nuachtáin nó *mogul* ar nós Rupert Murdoch mar gur féidir leis cur isteach ar fheachtais polaiteoirí agus ar mheon an phobail i leith iarrthóra a athrú.

Bíonn tionchar níos folaithe ag na meáin freisin. Is féidir leo an-tionchar a bheith acu ar fhéiníomhá agus ar fhéinmhuinín daoine óga. Ní gá ach sracfhéachaint a thabhairt ar na láithreoirí teilifíse agus feictear go bhfuil siad go léir tanaí, dathúil agus gléasta go galánta. **Tugtar le fios do** dhaoine óga gur cóir dóibh bheith cosúil leo. Bíonn an-tionchar ag na meáin ar mheon an phobail ar shlí fhochomhfhiosach. (*subconsciously*). Ní i gcónaí a thuigeann daoine a chumhachtaí atá an tionchar sin.

Bíonn tionchar ag na meáin ar an bpolaitíocht mar a léiríodh sa Mheánoirthear. Is féidir leo clú daoine a scrios, agus is iomaí duine mór le rá atá cráite acu. Bíonn tionchar acu ar mheon an phobail **idir óg agus aosta**. Caithfear a admháil mar sin, go bhfuil an-chumhacht ag na meáin sa lá atá inniu ann.

5

Faigh agus foghlaim

Faigh agus foghlaim focail a chiallaíonn:

agóid	ciaptha ag	*influence*
ábhar machnaimh	cosúil le	*power*
deachtóir	*campaign*	*they go overboard*
dearcadh	*democracy*	*candidate*
a mhilleadh	*widespread*	

Ceisteanna

1. Cad a tharla in earrach na bliana 2011?
2. Cé a d'éirigh as a phost agus cén fáth?
3. Cérbh é Gaddafi? Cad a tharla dó?
4. Conas a chuaigh na léirsitheoirí i dteagmháil le chéile?
5. Cén tionchar a bhí ag na meáin ar an réabhlóid?
6. Cén tionchar a bhí ag na meáin ar fheachtas Barack Obama?
7. Scríobh abairtí ag úsáid na nathanna atá aibhsithe.

Cleachtadh ceapadóireachta

Pioc teideal amháin agus scríobh aiste faoi.

Aiste: Na meáin nua

Alt: Tá aos óg na tíre faoi smacht ag na meáin chumarsáide

Díospóireacht: Ba chóir srian a chur ar chumhacht na meán

Caint: TG4: Áis iontach do mhuintir na tíre seo

Scannán faoi chaidreamh daonna: Cáca Milis

Réamhrá

Is breá le gach duine scannán maith, ach go dtí le déanaí, is beag scannán Gaeilge a bhí ar fáil. Dá bhrí sin, d'eagraigh TG4 i gcomhair le Bord Scannánaíochta na hÉireann comórtas 'Oscailt', ag lorg scripteanna do ghearrscannáin as Gaeilge. Roghnaíodh deich gcinn agus tá siad ar fáil anois ar DVD. Seo ceann acu.
Is gearrscannán Éireannach é 'Cáca Milis' agus is iad Brendan Gleeson agus Charlotte Bradley atá sna príomhpháirteanna.

Stiúrthóir: Jennifer Keegan

Léiritheoir: Brian Willis

Scríbhneoir: Brian Lynch

Aisteoirí: Charlotte Bradley
Brendan Gleeson
Eithne McGuinness
Phyllis Ryan
Ciabhán Ó Murchú

Igloo Films a dháileann, 2001 Éire

Ceisteanna ar chéad fhéachaint

1. Cén sórt duine í an mháthair?
2. Cén sórt iníne í Catherine?
3. An maith leat Catherine?
4. An maith leat Paul?
5. An bhfuil trua agat dó ?
6. Cad iad na mothúcháin a mhúsclaíonn an scannán ionat?
7. Ar thaitin an scannán seo leat?

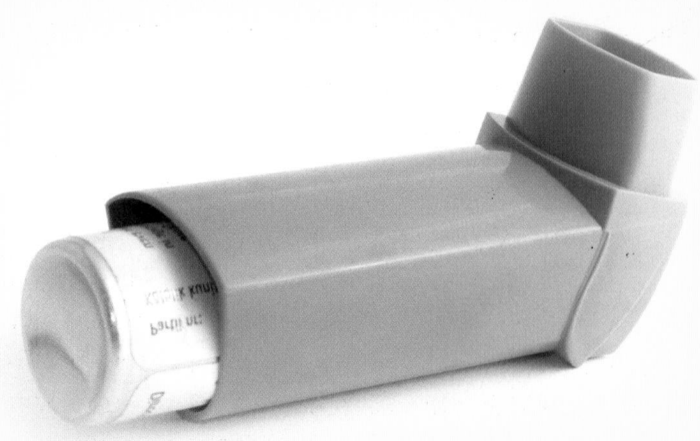

Nótaí ar an scannán

Achoimre

Tosaíonn an scannán leis an bpríomhcharachtar, Catherine, sa charr lena máthair. Is bean mheánaosta í Catherine agus is seanbhean chantalach, chancrach í an mháthair, in aois na seafóide. Tá Catherine mífhoighneach léi agus is léir go gcuireann a máthair déistin uirthi. Tagann Nóra, an altra, agus tógann sí an mháthair léi. Iarrann a máthair ar Catherine an mbeidh sí sa bhaile don tae agus deir Catherine go mbeidh mar a bhíonn i gcónaí. Tuigtear dúinn go bhfuil Catherine ina cónaí lena máthair agus nach saol róshona atá aici léi mar go bhfuil a máthair easpach, gátarach. Glacaimid leis ón radharc seo gur bean ghairmiúil í Catherine atá thart ar dhaichead bliain d'aois, singil agus ina cónaí lena máthair.

Téann Catherine isteach sa traein agus tosaíonn sí ag léamh a leabhair. Tagann fear dall isteach sa traein agus titeann mála leis ar an talamh. Piocann Catherine suas é agus deir sí 'Seo duit'. Nuair a chloiseann Paul gur bean í, deir sé 'bean' agus suíonn sé síos in aice léi. Is léir gur maith leis mná. Leanann Catherine uirthi ag léamh ach tosaíonn Paul ag caint agus ag cur isteach uirthi. Déanann sé an-chuid rudaí a chuireann déistin uirthi: buaileann a chosa móra in aghaidh a cosa siúd faoin mbord. Tugtar gar-amharc dúinn de na cosa faoin mbord. Tá plúchadh air agus tá a anáil torannach. Ansin tógann sé cáca milis as an mála páipéir agus cuireann sé ceist uirthi cén dath atá ar an gcáca. Tá Catherine ag leámh leabhar rómánsúil ach ní thugann sé deis di é a léamh. Is léir go bhfuil sé ag cur déistine uirthi.

Is léir freisin gur duine leithleasach, míleochaileach é Paul nach smaoiníonn ar dhaoine eile in aon chor. Déanann sé iarracht í a chur ag fáil cupán caife dó 'b'fhéidir go mbeifeá in ann ceann a fháil domsa, tá sé ródheacair domsa...' Is léir go bhfuil cleachtadh aige ar a mhíchumas a úsáid chun a leasa féin.

Tugann Catherine le fios dó go bhfuil sí ag léamh nuair a chasann sí leathanach dá leabhar d'aon ghnó, leanann sé air ag caint léi faoi féin gan stop gan staonadh.

Tosaíonn sé ag maíomh as a phlúchadh, 'dúirt an dochtúir gur mise ceann des na cásanna ba mheasa dá bhfaca sé riamh'.

Tá sé chomh gafa leis féin nach bhfuil suim dá laghad aige in aon duine eile.

Ansin, cuireann sé iallach ar Catherine iarraidh air cad atá le feiceáil ón bhfuinneog. Briseann an foighne ar Catherine agus socraíonn sí ceacht a mhúineadh dó. Déanann sé cur síos ar an radharc ón bhfuinneog ach ansin deir Catherine go bhfuil loch mór ann freisin. Cuireann sé seo as go mór don fhear dall, buaileann taom é agus éiríonn an plúchadh níos measa dá bharr. Ach níl brón ar Chatherine. Baineann sí taitneamh as a mhíshuaimhneas.

Tagann fear an tae agus ceannaíonn Paul cupán caife. Iarrann sé ar Catherine an siúcra a chur isteach dó. Ní fhreagraíonn sí é. Ansin tosaíonn sé ag ithe. Is léir nach bhfuil aon bhéasa boird aige. Itheann sé agus a bhéal ar oscailt, agus téann uachtar an cháca ar a éadan agus ar a lámha. Déanann sé praiseach den cháca. Ansin ólann sé braon caife go torannach. Cuireann sé déistin orainne, an lucht féachana, chomh maith le Catherine. Tugtar seat teann, nó gar-amharc (*close-up*) dúinn de bhéal Paul agus é ag ithe, chun an déistin a threisiú.

Agus leanann sé air ag caint. Nuair a thosaíonn sé ag maíomh go ndeir an tUasal Ó Catháin 'go mbíonn na mná go léir craiceáilte i mo dhiaidh', socraíonn Catherine ar é a chrá arís. Deir sí leis go bhfuil péist sa cháca. Faighimid gar-amharc de shúile Catherine ag an bpointe seo agus iad lán le mailís. Téann an traein trí thollán freisin ag an bpointe seo.

Éiríonn sé an-chorraithe nuair a chloiseann sé é seo agus tagann giorra anála air arís. Tosaíonn sé ag lorg a análóra, ach tógann sise den bhord é. Tá mailís ina súile. Tá an fear trína chéile agus tá an plúchadh ag éirí níos measa. Ach ní ghéilleann Catherine. Fágann sí an t-análóir ar an mbord cúpla orlach ó lámh an fhir agus imíonn sí gan aon rud a rá. Ar ndóigh, toisc go bhfuil Paul dall ní fheiceann sé go bhfuil an t-analóir ar an mbord. Faigheann an fear bocht bás den taom asma.

Baintear geit uafásach as an lucht féachana agus fágtar muid le ceist amháin: an raibh a fhios ag Catherine cad a tharlódh? An raibh fhios aici go bhfaigheadh sé bás? An dúnmharú atá ann? Ar ndóigh, fiú más ea, tuigtear dúinn nach gcúiseofar Catherine riamh as. Fágtar muid scanraithe ag an gcruálachas atá i nádúr an duine.

Cleachtadh scríofa

Cuir Gaeilge orthu seo a leanas.

1. She's very needy.
2. He annoys her.
3. He's a selfish, insensitive person.
4. He takes advantage of his disability.
5. She lets him know.
6. He starts to boast about.
7. She loses her patience.
8. She decides to torment him.
9. She's a career woman.
10. He gets shortness of breath.
11. He gets a panic attack.
12. He becomes agitated.
13. He looks for his inhaler.
14. The asthma gets worse.
15. He dies.
16. She decides to teach him a lesson.
17. He is used to.
18. He's into himself.
19. This bothers him greatly.
20. He has no table manners.
21. On purpose.
22. Out of the man's reach.

Anois scríobh d'achoimre féin ag baint úsáide as na nathanna sin.

Na carachtair

Tréithe Catherine

- Is **bean ghairmiúil** í. Tá sí gléasta i gculaith éide.
- Tá sí ina cónaí lena máthair. Is dócha go bhfuil sí singil.
- Tá sí **meánaosta**.
- Tá sí **mífhoighneach** lena máthair agus le Paul
- Níl cuma shona uirthi.
- Is maith léi leabhair rómánsúla.
- Tá sí **míshóisialta**. Níl fonn cainte uirthi. Ní theastaíonn uaithi labhairt le Paul.
- Níl sí **báúil le** Paul. Is cuma léi go bhfuil sé dall agus leochaileach.
- Tá sí **mailíseach**. Insíonn sí dó go bhfuil loch le feiceáil mar tá a fhios aici go gcuirfidh sé sin isteach air.
- Tá sí **díoltasach**. Faigheann sí díoltas ar an bhfear.
- Tá sí **cruálach**. Nuair a fheiceann sí go bhfuil ruaig ag teacht air ní chabhraíonn sí leis. Imíonn sí agus fágann sí i mbaol é.
- Tá sí **leithleasach**. Níl aon bhá aici leis an bhfear dall. Ní chuireann sí suim ina shaol. Ní theastaíonn uaithi labhairt leis.
- Tá sí **míthrócaireach**. Ní chuireann cruachás an fhir as di.
- Tá sí **gan trua gan trócaire**. Ag deireadh an scannáin tuigimid nach bhfuil coinsias dá laghad aici.

Tréithe Paul

- Tá sé **dall**.
- Tá sé **leochaileach.**
- Tá sé **mór** agus **tútach**.
- Is maith leis mná. Suíonn sé in aice léi nuair a chloiseann sé gur bean í.
- Tá sé **soineanta, saonta** cosúil le páiste. Ní thuigeann sé go bhfuil sé ag crá Catherine.
- Tá sé **cainteach**. Ní stopann sé den chaint.
- Níl **béasa** aige. Itheann sé an cáca lena bhéal ar oscailt agus ní thugann sé aon aird ar an mbean nuair a deir sí gur mhaith léi a leabhar a léamh.
- Tá sé **leithleasach**. Ní smaoiníonn sé ar aon duine eile ach air féin.
- Tá sé **glic**. Déanann sé iarracht Catherine a sheoladh chun caife a fháil dó.
- Úsáideann sé a **mhíchumas chun a leasa féin**.
- Is **bladhmaire** é. Bíonn sé i gcónaí **ag maíomh**, fiú faoina phlúchadh. Maíonn sé go bhfuil fhios aige cad atá le feiceáil tríd an bhfuinneog agus maíonn sé gurb é a phlúchadh siúd an cás is measa dá bhfaca na dochtúirí riamh.
- Tá sé **truamhéalach, gátarach.** Bíonn sé i gcónaí ag lorg airde.

Tréithe na máthar

- Is duine **dearóil, truamhéalach í** an mháthair.
- Tá sí **cosúil le páiste óg ceanndána**:
  Deir sí 'Caithfidh mé imeacht' faoi dhó.
- Tá sí **mífhoighneach** ('Cá bhfuil Nóra?')
- Tá sí **gátarach, easpach**, mar is léir ón tslí ina gcuireann sí ceist sí go faiteach ar Catherine 'an mbeidh tú abhaile don tae?' Is léir ón radharc gearr seo go bhfuil an mháthair imithe in aois agus go bhfuil Catherine ina cónaí léi.
- Is léir freisin gur duine deacair í an mháthair agus go bhfuil Catherine **cráite** aici.
- Feicimid nach bhfuil saol baile éasca ag Catherine agus b'fhéidir gurb é sin an fáth nach bhfuil aon fhoighne aici leis an bhfear dall agus nach bhfuil sí **cineálta** leis. Is dócha go gcuireann an fear dall a máthair i gcuimhne di.

Eolas fánach

Ciallaíonn an nath 'cuireann sé soir mé' *he drives me mad (literally, he drives me east)* Is giorrú é ar 'Cuireann sé soir go Béal Átha na Sluaighe mé'. Bhí an t-aon ospidéal meabhairghalair san iarthar i mBéal Átha na Sluaighe. Sin an áit a théadh aon duine a raibh meabhairghalar air nó uirthi. Deireadh muintir Chonamara 'Tá sé imithe soir' nuair a theastaigh uathu a rá ar bhealach deas go raibh duine i dteach na ngealt!

Bealaí eile chun é sin a rá:

- cuireann sé déistin orm
- cuireann sé as dom
- cuireann sé isteach orm
- cuireann sé le báinní mé
- tá mé cráite aige

Cleachtadh scríofa

1. Déan cur síos ar dhuine a chuireann 'soir' thú!
2. Scríobh amach na tréithe thuas ag cur 'Tá a fhios againn' nó 'Is léir' roimh gach ceann: Mar shampla: Is bean ghairmiúil í: Is léir gur bean ghairmiúil í; Tá sé dall: Tá a fhios againn go bhfuil sé dall (Féach lth 6).
3. Úsáid na nótaí thuas chun peannphictiúr a chumadh den dá phríomhcharachtar. I gcás gach tréithe díobh, tabhair fianaise ón scannán a léiríonn an tréith sin: **Mar shampla**: Tá sé leithleasach. Cé **go bhfuil** a fhios aige go bhfuil Catherine ag léamh, leanann sé air ag caint léi. Freisin, iarrann sé uirthi caife a fháil dó.

Téamaí

Nádúr an duine, cruálachas, an gaol comhspleách, an ceangal idir daoine atá faoi mhíchumas nó a bhfuil **riachtanais** speisialta acu agus an tslí ina ndéanann siad iarracht smacht a fháil ar dhaoine eile: sin iad cuid de na téamaí atá le sonrú sa ghearrscannán seo.

Cé go bhfuil riachtanais speisialta ag an máthair agus ag Paul, ní mhúsclaíonn siad ár dtrua mar tá siad araon leithleasach, easpach, tiarnúil (*bossy)*, ionramhálach (*manipulative)*. Déanann siad iarracht smacht a fháil ar dhaoine eile. Baineann siad úsáid as a míchumas chun daoine eile a smachtú. Déanann Paul é seo nuair a dhéanann sé iarracht, ar bhealach indíreach, Catherine a sheoladh chun caife a fháil dó: '... bhíos díreach ag smaoineamh dá mbeifeá in ann ceann a fháil domsa freisin ... tá sé ródheacair ormsa ...'

Is léir go bhfuil taithí aige ar dhaoine a úsáid chun rudaí a fháil dó. B'fhéidir go ndéanann a mháthair gach rud dó sa bhaile, agus dá bhrí sin go mbíonn sé ag súil go ndéanfaidh daoine eile gach rud dó. Ar ndóigh, ní duine í Catherine atá sásta bheith mar sclábhaí aige agus ní ghéilleann sí dó. Is dócha go bhfuil seantaithí aici ar chleasanna a máthar.

5

Maíonn Paul go raibh an plúchadh 'ba mheasa' aige dá bhfaca an dochtúir riamh. Tá sé bródúil as a ghalar. Sin an rud a dhéanann speisialta é.

Ní thuigeann sé go bhfuil sé ag crá Catherine mar ní smaoiníonn sé ar aon duine eile. De bharr a mhíchumais, ní raibh air riamh aire a thabhairt do dhuine eile. Níor fhoghlaim sé gnáthscileanna sóisialta: conas éisteacht le daoine, conas meas a léiriú ar theorainneacha daoine agus béasa boird. Nuair a itheann sé an cáca cuireann sé déistin ar Catherine agus orainne.

Is dócha go raibh sé millte ag a thuismitheoirí. B'fhéidir go raibh cleachtadh aige ar dhaoine a bheith ag géilleadh dó mar gheall ar a mhíchumas.

Ina ainneoin seo go léir, baintear geit asainn nuair a bhíonn Catherine chomh cruálach sin. Ar dtús, deir sí leis go bhfuil loch le feiceáil ó fhuinneog na traenach, rud nach bhfuil fíor, ansin deir sí go bhfuil péist sa cháca. Nuair a éiríonn sé corraithe agus nuair a bhuaileann ruaig plúchta é, tógann sí a análóir uaidh agus imíonn sí. Tá sé deacair a chreidiúint go mbeadh aon duine chomh cruálach sin. Sa deireadh bíonn trua againn do Paul.

Cleachtadh scríofa

1. Cad é do thuairim féin? An aontaíonn tú leis an bpíosa seo? An gceapann tú go bhfuil aon téama eile ann? Úsáid na nathanna seo mar chabhair.

Cuireann sé déistin ar	Tá fearg ar
Tá/níl trua ag ... do	Musclaíonn sé ... ionainn
Éiríonn sí feargach nuair a ...	Cuireann sé uafás orainn nuair a

2. Seo liosta mothúchán. I gcás gach ceann acu, tabhair samplaí ón scannán den mhothúchán sin. Mar shampla: Cuireann an fear dall **fearg** ar Catherine toisc go mbíonn sé ag caint i gcónaí.

déistin	mífhoighne	eagla	ciontacht	corraitheacht
fearg	brón	scéin	náire	suaitheadh

Ceist shamplach

'Músclaíonn an gearrscannán cumhachtach seo an-chuid mothúchán sna pearsana ar an scáileán agus ionainne, an lucht féachana.' É sin a phlé.

Freagra samplach

Is fíor go músclaíonn an gearrscannán seo an-chuid mothúchán sna pearsana agus ionainne, an lucht féachana. Ag tús an ghearrscannáin tá radharc gearr le Catherine, an príomhphearsa, agus a máthair. Tá Catherine cráite ag a máthair agus éiríonn sí mífhoighneach léi. Ba mhaith leis an máthair dul go dtí an leithreas ach deir Catherine léi go gcaithfidh sí fanacht. De ghnáth, bíonn trua againn do sheandaoine, ach ní mhúsclaíonn an mháthair ár dtrua. Tá sí cosúil le páiste millte ag gearán 'Cá bhfuil Nóra? Níl sí ag teacht'. Braithimid go mbíonn an comhrá seo acu gach maidin.

Nuair a thagann Paul ar an traein ar dtús bíonn Catherine cineálta leis – piocann sí suas a mhála agus tugann sí dó é. Ach ansin tosaíonn sé ag cur feirge uirthi: ní thuigeann sé go bhfuil sé ag cur isteach uirthi. Labhraíonn sé léi, cé go bhfuil sí ag léamh, iarrann sé uirthi rudaí a dhéanamh dó. Níl aon mheas aige uirthi agus cé go bhfuil a fhios aige go bhfuil sí ag iarraidh léamh leanann sé air ag caint faoi féin. Éiríonn Catherine níos feargaí agus níos crosta de réir a chéile.

Sa deireadh, éiríonn sí díoltasach. Deir sí leis go bhfuil loch le feiceáil ón bhfuinneog, cé nach bhfuil. Nuair a thosaíonn sé ag ithe an cháca cuireann sé déistin uirthi agus orainne, an lucht féachana, freisin! Briseann an fhoighne uirthi agus deir sí leis go bhfuil péist ina cháca, cé gur bréag é seo. Éiríonn sé corraithe agus buaileann ruaig asma é, ach níl aon trua aici dó. Tógann sí an t-analóir den bhord agus ansin fágann sí. Níl aon chomhbhá aici leis. Baintear geit uafásach asainn, an lucht féachana, nuair a fhaigheann an fear dall bás. Músclaítear mothúcháin láidre ionainn ag deireadh an scannáin: tá alltacht orainn go bhfuil Catherine chomh cruálach sin, tá trua againn don fhear dall, agus freisin braithimid ciontach mar gur chuir an fear dall déistin orainne freisin, agus nuair a d'imir Catherine na cleasanna air, bhí bá againn léi. Braithimid míchompordach mar bhíomar rannpháirteach, ar bhealach éigin, sa choir: chuir an fear dall déistin orainne freisin nuair a bhí sé ag ithe an cháca. Bhí bá againn le Catherine: bhí bá againn leis an dúnmharfóir sa scannán. Is léir gur gearrscannán cumhachtach é seo a bhaineann geit as an lucht féachana agus a léiríonn go leor mothúchán láidre.

Ceisteanna scrúdaithe

1. Déan trácht ar an léargas a thugtar dúinn ar nádúr an duine sa scannán seo.
2. 'Is léiriú é an scannán seo ar an gcoimhlint idir beirt charachtar.' É sin a phlé.
3. 'Is duine míthrócaireach, cruálach í Catherine'. Déan plé air sin.
4. 'Cuireann an gearrscannán 'Cáca Milis' ag machnamh muid ar an nádúr daonna.' É sin a phlé.
5. Scríobh nóta ar (a) shuíomh an scannáin (b) teicníochtaí scannánaíochta (c) codarsnacht ag trácht ar an ngearrscannán 'Cáca Milis'.

Téarmaí scannánaíochta

- radharc *scene*
- gar-amharc/seat teann *closeup*

Teicníochtaí scannánaíochta

Gar-amharc

Baintear úsáid as gar-amharc go héifeachtach sa scannán. Ag tús an scannáin feicimid gar-amharc de chosa Paul agus Catherine faoin mbord. Tá cosa Paul mór agus tútach agus níl dóthain spáis dóibh. Ta sé ag cur isteach ar Chatherine go fisiciúil.

Ní thuigeann sé teorainneacha agus téann sé isteach i spás Chatherine.

Nuair a bhíonn Paul ag ithe an cháca mhilis, faighimid gar-amharc dá bhéal. Cuireann sé seo déistin orainn, díreach mar a chuireann sé déistin ar Catherine.

Nuair a shocraíonn Catherine a rá le Paul go bhfuil péist ina cháca, faighimid gar-amharc dá súile. Tá siad lán le mailís.

Íoróin

Baintear úsáid as íoróin sa scannán. Tá sé íorónta go suíonn Paul in aice le Catherine mar go gcloiseann sé gur bean í. Bíonn sé ag súil go mbeidh sí cineálta leis, ach tá Catherine níos cruálaí, níos mailísí ná fear ar bith!

Spás srianta, teoranta

Is spás srianta, teoranta é an traein. Seo teicníocht a úsáidtear go minic i scannán nó i ndráma. Nuair a bhíonn daoine brúite le chéile i spás teoranta, nuair a bhíonn coimhlint eatarthu, ní féidir leo éalú. Seo bunús na drámaíochta. Úsáidtear an teicníocht seo sna scannáin *Murder on the Orient Express* agus *12 Angry Men.*

Súil siar: seicliosta

- **Foghraíocht** O agus EO
- **Gramadach** Forainmneacha réamhfhoclacha
  Aimsir Láithreach: diúltach, ceisteach
- **Tuiscint** Giotaí cainte agus scríofa ag baint leis na meáin
- **Caint** Labhairt faoi na meáin, an úsáid a bhaineann tú astu,
  Na cláir/nuachtáin/irisí/suíomhanna Idirlín is fearr leat
- **Scríobh** Aiste a scríobh ar chumhacht agus ar thionchar na meán
- **Litríocht** *Mo Ghrá-sa (idir lúibíní)* agus an gearrscannán *Cáca Milis*

Ceist 1 LÉAMHTHUISCINT (100 marc)

A - 50 marc

Léigh an sliocht seo a leanas agus freagair na ceisteanna a ghabhann leis.

David Cerný – Ealaíontóir gan Eagla

1. Baineadh geit as oifigigh Pharlaimint na hEorpa nuair a nocht an t-ealaíontóir, David Cerný, a dhealbh dar teideal 'Entropa', a chruthaigh sé go speisíalta mar chomóradh ar uachtaránacht Phoblacht na Seice ar an Aontas Eorpach. Níorbh fhada gur léir do gach duine go raibh Cerný i ndiaidh bob dána a bhualadh leis an tsaothar ghéar seo, a bhí ar taispeáint sa Bhruiséil, agus a bhain an anáil díobh siúd a chonaic é. In áit na bpíosaí éagsúla dealbhóireachta ó ealaíontóirí as na ballstáit uilig (rud a bhí geallta ag Cerný), is é rud a tairgeadh taispeántas a bhí ina ábhar magaidh, gan eisceacht, ar na tíortha go léir san Aontas Eorpach.

2. Rinneadh gach tír, seachas an Bhreatain –(a léiríodh mar spás bán, tagairt gan amhras, do sceipteachas frith-Eorpach na tíre sin) a léiriú i bhfoirm míreanna móra crochta ar fráma tiúbach gorm déanta as miotal agus cé nár tháinig tír ar bith slán ó ghéire Cerný, tháinig roinnt tíortha amach níos fearr ná an chuid eile! Ní raibh muintir na Bulgáire róshásta go raibh a dtír léirithe mar leithreas Turcach – an cineál a seasfaidh tú ann – agus cháin ionadaí na tíre, Betina Joteva, go dóite é ag rá: 'Ní thig liom glacadh le leithreas ar léarscáil mo thíre. Ní hé aghaidh na Bulgáire é seo'. De dheasca ghearán oifigiúil na tíre sin, clúdaíodh an mhír seo le brat dubh. Bhí muintir na Rómáine an-mhíshásta go raibh tír s'acusan léirithe mar pháirc súgartha ar théama Dracula agus samhlaíodh tírín bocht iathghlas 's againn féin ina portach donn agus píob mhór ag gobadh amach as a taobh thuaidh! Feictear triúr fear ina seasamh ar léarscáil

na Liotuáine ag déanamh a gcuid múin ar an Rúis agus scaifte sagart ag stracadh le bratach ildaite an phobail aeraigh a ardú ar thalamh cráifeach na Polainne – leagan scigaithrise den ghrianghraf chlúiteach de shaighdiúirí laochta Mheiriceá ar Iwo Jima sa Dara Cogadh Domhanda.

3. Chuaigh Cerný chomh fada le ráitis agus beathaisnéisí a fhoilsiú ó gach ealaíontóir bréige, a ghlac páirt sa taispéantas agus rinneadh cur síos ar an modh oibre agus an raison d'être a bhí taobh thiar den tsaothar uilig. Is léir gur ag scigmhagadh a bhí sé nuair a d'fhógair an t-ealaíontóir Sasanach 'Khalid Asadi', mar shampla, go ndearna a iarrachtsan suntas den chaidreamh neamhchinnte a bhí idir an Bhreatain agus an tAontas Eorpach agus léiríonn a chuid cainte gur ag magadh faoi ealaíontóirí agus saol na healaíne atá sé freisin: '*This improvement of exactness means that its individual selective sieve can cover the so-called objective sieve.*'

4. Ní stráinséir é an Seiceach dána seo maidir le conspóidí a chothú lena chuid oibre. I 1991 rinne sé tanc Sóivéideach, a bhí ina shéadchomhartha i lár Prág, a phéinteáil bándearg agus gabhadh é ar feadh tamaill mar gheall air seo. Ghabh Cerný leithscéal mar gheall ar an gcleas a d'imir sé ag rá go raibh sé ag iarraidh fáil amach an raibh an Eoraip ábalta a bheith ag gáire faoi féin agus is cosúil i gcás tíortha áirithe go bhfuair sé freagra ar a cheist. Dúirt Lorraine Mullaly, stiúrthóir le Open Europe nach raibh ann ach píosa grinn gan aon chontúirt ann – go díreach an rud a bhí de dhíth ar an Aontas Eorpach.

5. Le déanaí, chruthaigh David conspóid eile nuair a léirigh sé a mhíshástacht le hUachtarán na Seice. Chuir sé dealbh mhór mhillteach de lámh corcora ag tabhairt comhartha gáirsiúil (méar san aer) ar abhann Vitava, gar do chaisleán Prág, suíochán an Uachtaráin. Bhí an tUachtarán ag moladh comhrialtais idir an Páirtí Daonfhlathais Shóisialaigh agus an Páirtí Cumannach. Tá an dearg-ghráin ag David ar na Cumannaigh agus theastaigh uaidh a thuairim a chur in iúl go neamhbhalbh. Is léir nach bhfuil eagla ar an ealaíontóir seo an choileach a chur i measc na gcearc!

Ceisteanna

1. **(a)** Cén fáth ar cruthaíodh an dealbh 'Entropa'?
   (b) Cén fáth ar baineadh geit as oifigigh Pharlaimint na hEorpa? (Alt 1) (7 marc)

2. **(a)** Cén fáth ar léiríodh an Bhreatain mar spás bán?
   (b) Cén fáth ar clúdaíodh mír na Bulgáire le brat dubh? (Alt 2) (7 marc)

3. Cén fáth, an gceapann tú, gur ainm Arabach a tugadh ar an ealaíontóir Sasanach? (Alt 3) (7 marc)

4. **(a)** Cén fáth ar gabhadh an t-ealaíontóir sa bhliain 1991?
   (b) Cén freagra a fuair sé ar a cheist i gcás tíortha áirithe? (Alt 4) (7 marc)

5. **(a)** Cén fáth go raibh David feargach le hUachtarán na Seice?
   (b) Cén fianaise atá ann nach bhfuil eagla air 'an coileach a chur i measc na gcearc? (7 marc)

6. **(a)** Faigh dhá shampla d'ainmfhocal sa tuiseal ginideach uatha agus sampla amháin d'aidiacht sa tuiseal ginideach in Alt 2.
   (b) Cén sort duine é David Cerný dar leat? Bíodh an freagra i d'fhocail féin. Ní gá dul thar 60 focal. (15 mharc)

Ceist 2 PRÓS (30 marc)

– PRÓS AINMNITHE nó PRÓS ROGHNACH – (30 marc)

Freagair Ceist 2A ***nó*** Ceist 2B thíos

2A. PRÓS AINMNITHE

'Déan plé ar an bpríomhthéama sa ghearrdhráma ***An Lasair Choille*** agus léirigh conas mar a chuirtear an téama sin os ár gcomhair.' (30 marc)

nó

(i) 'Is áis scannánaíochta éifeachtach í an traein sa scannán *Cáca Milis*.' É sin a phlé. (18 marc)

(ii) I gcás pearsa amháin sa scannán, déan plé ar na tréithe a bhaineann leis an bpearsa sin. (12 mharc)

2B. PRÓS ROGHNACH

Maidir le húrscéal roghnach a ndearna tú staidéar air le linn do chúrsa, déan plé ar dhá ghné den úrscéal a chuaigh i bhfeidhm ort.

Ceist 3 FILÍOCHT (30 marc)

– AINMNITHE/ROGHNACH – (30 marc)

Freagair Ceist 3A ***nó*** Ceist 3B thíos

3A

(i) 'Déantarna dánta grá a aoradh go héifeachtach sa dán *Mo Ghrá-sa (idir lúibíní)*.' É sin a phlé. (16 mharc)

(ii) Scríobh nóta gairid ar éifeacht na húsáide a bhaintear as codarsnacht sa dán. (6 mharc)

(iii) Scríobh nóta ar *dhá* mheafar sa dán a chuaigh i bhfeidhm ort. (8 marc)

nó

3B

(i) I gcás dán a ndearna tú staidéar air le linn do chúrsa, scríobh cuntas gairid ar théama an dáin agus mar a chuirtear os ár gcomhair é. (16 mharc)

(ii) Scríobh nóta ar an bhfile. (6 mharc)

(iii) Conas mar a chuaigh an dán seo i gcion ort? (8 marc)

6

Sláinte agus Spórt

SAN AONAD SEO FOGHLAIMEOIDH TÚ:

F Foghraíocht An difríocht fuaime a bhíonn ag consain chaola agus ag consain leathana: i. uí; a, ea

G Gramadach Claoninsint: an tAinm Briathartha

An saorbhriathar

An Chopail: Is/An/Ní

An Tuiseal Ginideach: an chéad, dara agus tríú díochlaonadh

Éisteacht Conas comhrá a bhaineann le sláinte a thuiscint

t Tuiscint Conas píosaí a bhaineann le fuilaistriúchán, slándáil bóthar, timpistí, murtall, neamhoird itheachán agus ailse a thuiscint; conas tráchtaireacht spóirt, ailt agus agallaimh faoi chúrsaí rugbaí, gailf agus luthchleasaíocht a thuiscint

Labhairt Conas do thuairim a thabhairt faoi chúrsaí sláinte / an bia atá go maith duit; conas labhairt faoi na spóirt a imríonn tú nó a leanann tú; conas tuairim a thabhairt faoin tairbhe a bhaineann le spórt, faoin spórt mar ghnó agus caimiléireacht

Scríobh Conas alt ar thimpistí bóthair agus ar chúrsaí sláinte a scríobh; conas díospóireacht a scríobh ar an spórt mar ghnó

Litríocht *Géibheann* le Caitlín Maude

Sláinte agus Spórt

Cúinne na fuaime: Consain leathna agus caola: í agus uí

Éist agus abair leo seo a leanas. Bí cinnte go bhfuaimníonn **tú** gach séimhiú

Mír 6.1
T49

í	bí	cí	dí	lí	fí	gin	min	ní	í
uí	buí	caoi	draoi	laoi	faoi	goin	muin	naoi	tuí

Cleachtadh éisteachta 1: Seirbhís Fuilaistriúcháin na hÉireann

Mír 6.2
T50

Eolas Fánach

Cheaptaí go dtugadh an peiliceán a fuil féin dá páistí dá mbeadh gá leis agus sin an fáth a bhfuil sí mar shiombail ag Bord Fuilaistriúcháin na hÉireann. Ach ní fíor é. Feictear an peiliceán ag piocadh a brollaigh lena gob ach níl sí ach ag folmhú a mála!

Scríobh i do chóipleabhar, éist agus líon na bearnaí.

1. Tá Seirbhís Fuilaistriúcháin na hÉireann ag _____ ar dhaoine fuil a thabhairt de bharr _____ fola faoi _____. _____ trí mhíle aonad fola _____ sheachtain le stór fola a chur _____ d'otharlanna na hÉireann. Labhair Áine Ní Bhreisleáin le daoine i gclinic fola i _____, i gContae Dhún na nGall faoin _____ a bhaineann leis an tSeirbhís Fuilaistriúcháin.

tábhacht • easpa • Teastaíonn • iarraidh • chuile
láthair • ar fáil • nGaoth Dobhair

Ceisteanna

1. Cad a dhéanann an tSeirbhís Fuilaistriúcháin? Cén fáth a n-úsáidtear an 't' in 'an tSeirbhís'? (Féach lth 5)
2. Cad atá siad ag iarraidh ar dhaoine a dhéanamh?
3. Cén fáth a bhfuil siad ag iarraidh ar dhaoine é seo a dhéanamh?
4. Cé mhéad aonad fola a bhíonn ag teastáil gach seachtain?

Faigh agus foghlaim

Faigh agus foghlaim focail a chiallaíonn:

ganntanas	gach	mar gheall ar
tá gá le	a sholáthar	ospidéil

Cúinne na fuaime

Lig ort gur tusa an léitheoir nuachta agus léigh an píosa nuachta ar lth 172 amach os ard. Bí cinnte go bhfuaimníonn tú gach séimhiú, urú, síneadh fada, agus na consain leathna agus chaola.

Cleachtadh éisteachta 2: Seirbhís Fuilaistriúcháin na hÉireann

2. Cuireann Seirbhís Fuilaistriúcháin na hÉireann fuil ar fáil do na hotharlanna **uilig** ar fud na tíre, iad **ag brath go mór ar** chlinicí réigiúnacha le **deontóirí úra** a fháil – rud atá **de dhíth** go géar. Teastaíonn fuil ó mhíle duine gach seachtain ach **níl ach** 3% de phobal na tíre seo a thugann fuil agus caithfear freastal ar phobal de cheithre mhilliún.

Ceisteanna

1. Cad is ciall leis na focail aibhsithe?
2. Cén céatadán (%) de mhuintir na hÉireann a thugann fuil?
3. Cad a dhéanann na clinicí réigiúnacha?
4. Baineann na focail 'de dhíth' agus 'uilig' le canúint Dhún na nGall. Tabhair focail as canúintí eile a chiallaíonn an rud céanna. (Féach lth 463)

6

Cleachtadh scríofa

1. Tá gá le = tá; de dhíth = tá … ag teastáil
   Samplaí: Tá gá le fuil/tá fuil de dhíth/tá fuil ag teastáil seo.
2. Níl ach = there's only.
   Sampla: Níl ach cúigear dalta sa rang.
   Scríobh 10 nabairtí ag úsáid an nath seo.

Cleachtadh éisteachta 3: Seirbhís Fuilaistriúcháin na hÉireann

Anois éist leis seo agus freagair na ceisteanna.

(taisme = timpiste; millteanach tábhachtach = an-tábhachtach)

1. Cén fáth go raibh fuil de dhíth ó iníon dhuine amháin?
2. Cé mhéad duine a bheidh deonadh fola ag teastáil uathu uair éigin ina saol?
3. Cén fhaid a mhaireann aonad fola?

Rólghlacadh

Cum fógra teilifíse ag gabháil buíochais le deontóirí fola **nó** cum fógra a spreagfadh daoine chun fuil a thabhairt. Déan é a aithris don rang.

Cleachtadh labhartha

Féach ar na rudaí seo a leanas agus abair an bhfuil siad go maith nó go dona don tsláinte. Mar shampla: Tá tobac go dona don tsláinte/Tá torthaí go maith don tsláinte. (Muna bhfuil tú cinnte abair 'Ceapaim go bhfuil...' nó 'Ní dóigh liom go bhfuil...' Is féidir 'Nílim róchinnte' nó 'Braitheann sé' a rá freisin).

tobac	Valium, Prozac	rith
alcól	torthaí úra	snámh
beoir	taibléid	aclaíocht
feoil dhearg	vitimíní	caife
glasraí	siúcra	sailéad
drugaí mídhleathacha	bia próiseáilte	cnónna
ola olóige	iasc	arbhar
drugaí ar oideas	deochanna súilíneacha	

An ghramadach i gcomhthéacs

Claoninsint

Cum abairtí le 'Ba chóir' nó 'Níor chóir' (nó 'Níor chóir an iomarca…').

Mar shampla: Ba chóir glasraí a ithe./Níor chóir tobac a chaitheamh.

An tAinm Briathartha

Sa chaint indíreach úsáidtear an t-ainm briathartha in áit an modh ordaitheach a úsáid. (Féach lth 60)

dún ➔ dúnadh

caith ➔ caitheamh

Tá briathra ann a mbíonn cuspóir ag gabháil leo.

Glan an bord (bord = cuspóir)

Ith do dhinnéar (dinnéar = cuspóir)

Dúirt mé leat an bord a ghlanadh. Ba chóir duit do dhinnéar a ithe.

Athraíonn **'ná'** go **'gan'** mar seo a leanas.

Ná dún an doras.

Ná caith bruscar.

Dúirt mé leat **gan** an doras a dhúnadh. Iarrtar ort **gan** bruscar a chaitheamh.

Ceacht

Scríobh na habairtí seo a leanas sa chlaoninsint ag tosú le ceann acu seo:

Ba chóir, ba cheart, is gá, caithfear, dúirt me leat, iarrtar ort, ná déan dearmad

Mar shampla: Caith crios sábhála ➔ Ba chóir crios sábhála a chaitheamh.

1. Cuir dlíthe níos déine i bhfeidhm.
2. Cuir níos mó áiseanna ar fáil.
3. Tabhair aire don timpeallacht.
4. Bain an ceadúnas tiománа de.
5. Ná tóg drugaí.
6. Ná caith tobac.
7. Eagraigh feachtas feasachta.
8. Cuir ar an eolas iad.
9. Athraigh an éide scoile.
10. Fás do ghlasraí féin.

Briathra gan chuspóir

Briathra gluaiseachta

Mar shampla: suigh; seas; téigh; fan; imigh; tar; bí

Suigh síos ➔ Ba chóir **suí** síos

Seas suas ➔ Ba chóir **seasamh** suas

Téigh amach ➔ Ba chóir **dul** amach

Bí ciúin ➔ Ba chóir a **bheith** ciúin

Ná = gan

Dúirt mé leat **gan suí** síos   Dúirt me leat **gan a bheith** ag caint

Is briathar gan chuspóir aon bhriathar a thógann réamhfhocal ina dhiaidh:

féach ar

labhair le

éist le

cuir faoi

inis do

Ba chóir féachaint ar an teilifís.

Iarrtar ort labhairt le do mháthair faoi.

Ceacht

Cuir 'Ba chóir', 'Dúirt mé leat', 'Caithfear', 'Is gá', 'Iarrtar ort', 'Molaim duit', 'Abair léi', 'D'fhéadfá', 'An féidir liom', 'An bhfuil cead agam' nó aon fhrása cuí roimh na habairtí seo agus athraigh mar is gá.

1. Féach ar an teilifís anocht.
2. Éist leis an gclár iClub ar Raidió na Gaeltachta.
3. Bí cineálta i gcónaí.
4. Suigh in aice na tine.
5. Inis dóibh faoi na deiseanna atá ann.
6. Fan sa bhaile.
7. Tar ar ais anseo.
8. Imigh go dtí an cluiche.
9. Cuir fút i dtír iasachta ar feadh tamaill.
10. Labhair le daoine óga faoina gcuid deacrachtaí.

Cleachtadh scríofa

Anois scríobh alt ag tabhairt comhairle do dhaoine óga faoina sláinte. Tosaigh mar seo: 'Deir an seanfhocal gur fearr an tsláinte ná na táinte agus is fíor sin. Sa lá atá inniu ann caithfidh gach duine aire a thabhairt dá shláinte agus drochnósanna a sheachaint. Ba chóir…'

Cleachtadh éisteachta 4: sláinte - inné agus inniu

Mír 6.3
T51

Éist leis an bpodchraoladh seo ó Raidió na Gaeltachta agus freagair na ceisteanna.

1. Inis jóc amháin a chuala tú ar an gclár.
2. Go dtí cén aois a mhair daoine dhá chéad bliain ó shin, má bhí an t-ádh leo?
3. Cad atá go maith don tsláinte, de réir taighde?
4. Cad é an dul chun cinn is tábhachtaí atá déanta ag an gcine daonna?
5. Cén fáth a bhfuil meas ar mhuintir na Gréige?
6. Cad é mion Hippocrates?
7. Cén rud nach raibh eolas ag Hippocrates air?
8. Cén céatadán den daonra a scriosadh leis an bPlá Dubh?
9. Cad a thugann dídean do fhrídíní?
10. Cad a mholtar don tsláinte sa lá inniu?

An ghramadach i gcomhthéacs

Féach rialacha faoi séimhiú agus urú ar lth 430

Séimhiú tar éis réamhfhocal: ar, faoi, de, do: ar dhaltaí
(ach níl séimhiú tar éis: ag, as, chuig, le, go

Urú tar éis réamhfhocal + an: ar an, leis an: ar an mballa

Ceacht

Éist arís leis an bpodchraoladh agus faigh samplaí den urú agus den séimhiú.

Eolas fánach

Fadó, in Éirinn, dá mbeifeá ar an seachtú mac den seachtú mac, nó dá bhfaigheadh d'athair bás sular rugadh tú, nó dá mbeadh an sloinne céanna ag do mháthair agus ag d'athair sular phósadar, bheadh bua an leighis agat. Bhíodh bua an leighis ar ghalair ag daoine ar leith, mar shampla, bheadh fear amháin in ann borrphéist (*ringworm)* a leigheas agus bheadh bean eile in ann deir (*shingles)* a leigheas. Níor aontaigh an eaglais leis an nós seo. Cheap siad gur 'obair an diabhail' a bhí ann agus chuir siad cosc ar dhaoine dul chuig na daoine seo. Ach lean an nós ar aghaidh in áiteanna áirithe, agus tá daoine le leigheas (*with the cure)* ar fáil fós faoin tuath.

Cleachtadh éisteachta 5: timpiste bhóthair

Mír 6.4
T52

Éist agus freagair na ceisteanna.

1. Cé mhéad duine a maraíodh aréir?
2. Cár tugadh na triúr paisinéirí a bhí sa charr?
3. Cad ba chúis leis an dtimpiste?
4. Cad a tharla do thiománaí an leoraí?

An ghramadach i gcomhthéacs

Saorbhriathar: Aimsir Chaite

Briathra aonsiollacha: cuir + eadh; tóg + adh

Briathra déshiollacha: mar + aigh = mar + aíodh

Briathra Neamhrialta: Aimsir Chaite

-(a)thas ➔ fuarathas, chonacthas, thángthas, chualathas.

Ceacht 1

Líon na bearnaí:

_____ corp fhir óig ar maidin i bpáirc i gCo. Chill Dara. Ceaptar gur _____ é agus gur _____ a chorp ansin i gcarr. _____ an corp go dtí an mharbhlann chun scrúdú iarbháis a dhéanamh air. _____ beirt eile i dtimpiste bhóthair i gCo. na Gaillimhe agus _____ an tiománaí. _____ go dtí an t-ospidéal é agus _____ amach é, ach _____ ansin é agus _____ é le tiomáint dhainséarach. _____ ar bhannaí é ar choinníoll nach dtiomáinfidh sé aon fheithicil go dtí go dtiocfaidh a chás chun na cúirte.

dúnmharaíodh • fuarthas • maraíodh • cúisíodh • scaoileadh • tugadh
gabhadh • tógadh • scaoileadh • gortaíodh • tógadh

Ceacht 2

Athscríobh an sliocht seo agus cuir an leagan ceart den bhriathar isteach.

(Maraigh) bean óg agus (gortaigh) a fear céile go dona aréir nuair a chuaigh carr ó smacht ag droch choirnéal gar do Dhún Dealgan, Co. Lú. Deir finné gur (iompaigh) an carr bunoscionn. (Tóg) an lánúin go hOtharlann Mhuire i nDroichead Átha, áit a (faigh) amach go raibh an bhean marbh cheana féin. (Déan) scrúdú iarbháis uirthi agus (abair) gur (bris) a muineál sa timpiste.

Ceacht 3

Athscríobh an sliocht seo agus cuir an leagan ceart den bhriathar isteach.

(Oscail) ionad spóirt nua i mBaile Munna an Aoine seo caite. (Cuir) fáilte roimh an Aire Spóirt agus labhair sé leis an slua a bhí bailithe don ócáid. Dúirt sé gur (déan) faillí ar an gceantar seo le fada ach gur (socraigh) le déanaí infheistíocht a dhéanamh in áiseanna agus in acmhainní don phobal chun é seo a chur ina cheart. '(Caith) go dona le muintir Bhaile Munna', ar sé. '(Déan) leatrom ar an gceantar agus d'eascair fadhbanna móra dá bharr. Ach is í seo an chéad chéim i bpolasaí athnuachana an cheantair.' (Tabhair) bualadh bos mór dó nuair a chríochnaigh sé a óráid. (Cuir) bia agus siamsaíocht ar fáil don slua ina dhiaidh sin.

Ceacht 4

Athscríobh na habairtí seo agus cuir an leagan ceart den bhriathar isteach.

1. Le deich mbliana anuas (déan) faillí ar na hospidéil réigiúnacha agus (dún) go leor acu.
2. (Tabhair) chun na cúirte é agus (cúisigh) é le tiomáint dháinséarach.
3. (Caith) go dona leis na teifigh sa tír seo agus (cuir) a lán acu ar ais go dtí a dtír dhúchais, cé gur raibh siad i mbaol ann.
4. (Cuir) an dlí ar roinnt coirpeach ach chuaigh go leor acu thar lear.
5. De réir na staitisticí, (maraigh) 260 duine ar na bóithre anuraidh agus (gortaigh) a lán eile.

Cleachtadh Éisteachta 6: timpiste

Mír 6.5
T53

Anois éist leis an bhfinné seo ag tabhairt a fhianaise faoin timpiste. Líon na bearnaí.

Bhí mé ag siúl síos an bóthar go dtí na siopaí liom féin nuair a chonaic mé leoraí ag _____ timpeall an choirnéal ar _____. Sciorr an leoraí agus bhuail sé in _____ an chairr. D'iompaigh an carr bun os _____ agus _____ é. Chuir mé glao ar na seirbhísí _____ agus rinne mé féin agus cúpla duine eile _____ dul i gcabhair ar na daoine sa charr. Bhí sé uafásach. _____ na paisinéirí a chloisteáil ag _____ agus ag caoineadh ach ní rabhamar in ann doras an chairr a oscailt. Níl a fhios agam cén _____ a thóg sé ar an otharcharr teacht ach faoin am a tháinig sé ní raibh gíog ná _____ le cloisteáil. Níl a fhios agam cé acu ba _____, an caoineadh nó an ciúnas.

teacht • éigeandála • fhad • cionn • ardluas • iarracht
scriosadh • aghaidh • mheasa • D'fhéadfainn • míog • screadaíl

Cleachtadh scríofa

An raibh tú riamh i dtimpiste nó san ospidéal? Scríobh alt faoi.

Obair bheirte: rólghlacadh

Roinn an rang i ngrúpaí. Bíodh alt amháin ann do gach grúpa, agus bíodh ról ag gach duine sa ghrúpa. Beidh 10 nóiméad ag grúpaí leis an alt a léamh agus achoimre a scríobh. Ansin is féidir an t-alt a mhíniú don rang.

Léitheoir/achoimreoir: Caithfidh sé/sí an píosa a léamh os ard agus an achoimre a chumadh.

Scríbhneoir: Caithfidh sé/sí achoimre a scríobh (mórphointe).

Foclóir/Léitheoir: Caithfidh sé/sí focail a mhíniú agus an achoimre a léamh don rang.

Ba chóir don ghrúpa cúpla nóiméad a chaitheamh ag lorg brí na bhfocal aibhsithe freisin agus samplaí den ghramadach a fháil.

An sléacht ar bhóithre na hÉireann

1. Tháinig **titim i líon na ndaoine** a maraíodh ar na bóithre **anuraidh** ach tá cúrsaí i ndiaidh **dul chun donais** i mbliana. **Ní thiocfaidh feabhas ar** an scéal go dtí go gcuirfear **iachall ar** dhaoine a **meon a athrú**, go háirithe an t-aos óg.

Faigh agus foghlaim

Faigh agus foghlaim focail a chiallaíonn:

ísliú | an bhliain seo caite | ag dul in olcas | feabhsaigh

Ní féidir an phian agus an briseadh croí a bhraitheann daoine nuair a mharaítear cara leo nó duine den teaghlach i dtimpiste bhóthair a **shamhlú**. Seo bás nach mbíonn éinne ag súil leis. Go minic, tugtar **barróg** nó póg thapa don duine ar maidin agus é ag fágáil an tí faoi dheifir. Bítear **ag súil leis** a bheith sa bhaile arís ag am áirithe tráthnóna don dinnéar ach ní mar sin a bhíonn; buailtear cnag ar an doras, cuirtear an drochscéala in iúl agus athraítear saol an teaghlaigh sin go deo.

An ghramadach i gcomhthéacs

Faigh samplaí den saorbhriathar san Aimsir Láithreach. (Féach lth 185)

Faigh agus foghlaim

Faigh agus foghlaim focail a chiallaíonn:

hug *imagine* *inform*

2. **Maraíodh** 336 duine ar bhóithre na hÉireann anuraidh agus ba é an luas **ba chúis leis** an gceathrú cuid de na básanna sin. Bíonn **an tiomáint ar meisce** mar chúis i gcás an tríú cuid de na timpistí ina maraítear daoine sa tír seo, agus tá fás ag teacht i gcónaí fosta ar an méid daoine a bhíonn ag tiomáint agus iad **faoi thionchar** drugaí. **Is cúis díomá é** do go leor daoine go bhféadfaí athruithe **áirithe a chur i bhfeidhm** a laghdódh líon na dtimpistí bóthair go mór ach nach bhfuil sin á dhéanamh.

Faigh agus foghlaim

Faigh agus foghlaim focail a chiallaíonn:

fuair siad bás ólta tá sé díomách go

An ghramadach i gcomhthéacs

Faigh sampla den saorbhriathar sna hAimsirí Chaite, Láithreach agus Gnáthláithreach.

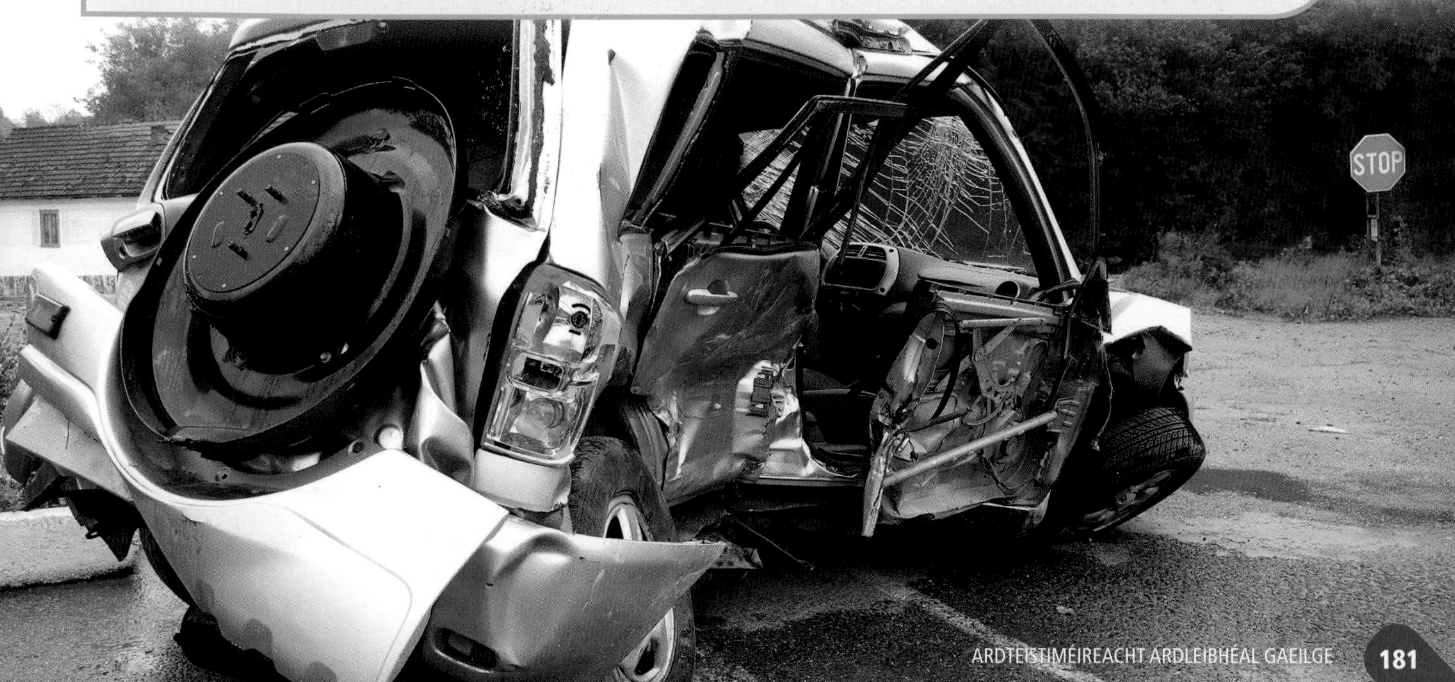

3. Is iad na fir óga an dream is mó **a chailleann a mbeatha** ar bhóithre na hÉireann. Idir 1997 agus 2000 ba iad **earráidí tiománaithe** ba chúis le 81% de na timpistí ar maraíodh daoine iontu, agus ba fhir óga idir 18 agus ceithre bliana is fiche 24% den **dream** a rinne na hearráidí sin. Léiríonn staitisticí an Údaráis um Bhóithre Náisiúnta go bhfuil seans 7.7 níos airde ann gur fir óga, **seachas aicme** ar bith eile, a bheas páirteach i dtimpiste ina marófar daoine nó ina ngortófar daoine go dona.

Faigh agus foghlaim

Faigh agus foghlaim focail a chiallaíonn:

botúin   grúpa   a fhaigheann bás   tá sé níos dochúla

An ghramadach i gcomhthéacs

Faigh dhá shampla den saorbhriathar san Aimsir Fháistineach (féach lth 205).

Ní bhíonn eagla ar an dream óg seo agus mothaíonn siad go bhfuil **cosaint** acu ón dainséar agus iad taobh thiar den **roth stiúrtha**. Creideann siad go bhfuil gach rud **faoi smacht** acu agus, **ní amháin sin**, ach gurb iad na tiománaithe is fearr ar domhan iad. Is minic chomh maith a bhíonn tionchar ag cairde atá **ar comhaois leo** ar a n-iompar, agus is minic a bhíonn siad ag iarraidh meas a **ghnóthú** trí bheith ag tiomáint go **gasta** agus go **mífhreagrach**.

Faigh agus foghlaim

Faigh agus foghlaim focail a chiallaíonn:

baol   piarghrúpa   go tapa

An ghramadach i gcomhthéacs

Faigh dhá shampla den Aimsir Láithreach agus sampla de shárchéim na haidiachta (féach lth 339).

4. Tá sé fíordheacair an cineál seo meoin i measc na bhfear óg a athrú, mar go bhfuil an **easpa eagla** agus **an ghaisciúlacht go smior** iontu. An t-aon slí éifeachtach **le dul i bhfeidhm orthu** ná an carr a bhaint díobh má bheirtear orthu ag tiomáint go róthapa. Má thuigeann siad go bhfuil **an baol sin** ann, tá seans nach mbeidh **an fonn** céanna orthu dul thar **an teorainn luais**. Ba cheart, **gan aon amhras**, go mbeadh cead ag an nGarda Síochána carr a thógáil **láithreach** ó dhuine má tá sé **ag sárú an dlí** ar an mbóthar agus ag cur a bheatha féin agus beatha daoine eile **i mbaol**.

Faigh agus foghlaim

Faigh agus foghlaim focail a chiallaíonn:

dearcadh níl aon fhaitíos dul i gcion ar

An ghramadach i gcomhthéacs

Faigh sampla den bhriathar saor agus den ainm briathartha.

5. **Gan amhras**, tarlaíonn go leor de na drochthimpistí ar chúlbhóithre nach mbíonn aon gharda le feiceáil orthu. Tá **leigheas** air sin fosta. Faoi láthair, bíonn ar na gardaí a bheith stoptha nó ag teacht ar chúl tiománaí agus iad ag úsáid **ceamara luais** le greim a fháil ar dhuine. I Meiricéa**, áfach**, oibríonn ceamaraí na bpóilíní fiú agus iad ag teacht i dtreo tiománaithe. Dá mbeadh an teicneolaíocht seo in úsáid ag na gardaí in Éirinn, chiallódh sé nach mbeadh a fhios ag na tiománaithe gasta cén uair a chasfaí na gardaí orthu. Tá go leor **athruithe** eile mar seo de dhíth san am atá romhainn le cinntiú go n-athrófar meon thiománaithe na hÉireann agus go mbeidh níos lú daoine ag siúl amach doras a dtí ar maidin agus gan é **i ndán dóibh** pilleadh **go deo**.

Bunaithe ar alt as *Beo!*

Faigh agus foghlaim

Faigh agus foghlaim focail a chiallaíonn:

gan dabht
filleadh
tá réiteach air
freisin
tá gá le
tapa

Cleachtadh scríofa

Cén chanúint inar scríobhadh an t-alt seo? Scríobh na focail aibhsithe i do chóipleabhar agus foghlaim.

Ceisteanna

1. (a) Conas a thiocfaidh titim ar líon na ndaoine a mharaítear ar an mbóthar, dar le húdar an ailt?
   (b) Cad atá difriúil faoi bhás a tharlaíonn de bharr timpiste bhóthair? (Alt 1)
2. (a) Cad iad na cúiseanna a luaitear le bás ar na bóithre?
   (b) Cén fáth a mbíonn díomá ar dhaoine? (Alt 2)
3. (a) Cad a deirtear san alt seo faoi fhir óga?
   (b) Cad iad na cúiseanna a mbíonn fir óga i dtimpistí bóthair? (Alt 3)
4. (a) Cén chaoi ar féidir dul i bhfeidhm ar fhir óga, dar leis an údar?
   (b) Cén cead ar chóir a bheith ag an nGarda Síochána? (Alt 4)
5. (a) Cén teicneolaíocht nua a chuirfeadh feabhas ar an scéal?
   (b) Cén sórt duine é údar an ailt, i do thuairim? Tabhair cúiseanna le do tuairim. (Alt 5)

Ceapadóireacht: alt nuachtáin/irise

Tá fearg ort le údar an ailt mar go gcuireann sé an milleán ar fhir óga faoin sléacht ar na bóithre. Scríobh alt ag tabhairt do thuairim ar an scéal agus ag cosaint fir óga (Féach ar lth 438). Is féidir na pointí seo a leanas a úsáid:

- Tá Éire sa seachtú háit anois as 27 tír san Eoraip maidir le sábháilteacht ar na bóithre.
- Caithfidh tiománaithe óga ceachtanna tiomána a thógáil sular féidir leo scrúdú tiomána a dhéanamh, rud nach raibh ar thiománaithe níos sine a dhéanamh, mar sin tá tiománaithe óga níos oilte ná tiománaithe níos sine.
- Déanann comhlachtaí árachais éagóir ar fhir óga. Bíonn costas i bhfad ró-ard ar a gcuid árachais. Níl sé sin ceart na cóir ar thiománaithe óga a thiomáineann go cúramach.
- Ní thiomáineann tiománaithe óga nuair a bhíonn alcól ólta acu. Faigheann siad tacsaí.
- Téigh ar an Idirlíon agus faigh staitisticí agus tuairiscí eile a threiseoidh do chuid argóintí agus déan cur i láthair ranga faoi.

An ghramadach i gcomhthéacs

Saorbhriathar: Aimsir Láithreach

Seo mar a dhéantar an Saorbhriathar san Aimsir Láithreach:

Briathra aonsiollacha: **+ tar nó** **+ tear**

Mar shampla: tóg**tar** cuir**tear**

Briatha déshiollacha: Baintear amach **-(a)igh** nó **-(a)i** agus cuirtear isteach: **(a)ítear**

Mar shampla: mar**aítear** **osclaítear**

Briathra neamhrialta: Féach Fócas ar an nGramadach, lth 425

Léigh an sliocht seo agus cuir líne faoin saorbhriathar san Aimsir Láithreach.

'Táthar ag caint le fada faoi ghaelscoil nua a thógáil i mBéal Átha an Rí. Cuirtear páistí ar an mbus go Baile Locha Riach chun freastal ar an ngaelscoil ansin, ach deirtear nach maith le tuismitheoirí é seo a dhéanamh, go háirithe ó tharla an timpiste bhus i gContae na Mí cúpla bliain ó shin. 'Gach bliain maraítear suas le caoga duine ar bhóithre na Gaillimhe, agus gortaítear a lán eile,' arsa tuismitheoir amháin. 'Ní theastaíonn uainn, mar sin, ár bpáistí a sheoladh ar bhus go baile eile. Caithfear gaelscoil a bhunú anseo gan mhoill'. Ceaptar go bhfuil an t-éileamh ann do ghaelscoil. Tá méadú mór tagtha ar líon na ngaelscoileanna ar fud na tíre. Gach bliain, osclaítear ceann eile agus tuairiscítear go bhfuil suas le 50,000 dalta ag freastal ar ghaelscoileanna ar fud na tíre.

Ceacht 1

Líon na bearnaí leis an saorbhriathar, bunaithe ar na briathra thíos.

______ go bhfuil líon mór daoine dífhostaithe sa tír anois. Níl lá dá dtéann thart nach ______ faoi mhonarcha nó faoi chomhlacht eile ag dúnadh. ______ go rachaidh an scéal in olcas muna ______ rud éigin faoi láithreach. ______ infheistíocht a dhéanamh in infrastruchtúr na tíre, dar le hurlabhraí ó IBEC, agus tacaíocht a thabhairt do chomhlachtaí beaga. Muna ______ an tacaíocht seo ar fáil ______ a lán post eile.

tuairiscigh • abair • déan • cuir • caill • clois • caith

Gasúir ag éirí níos raimhre

Tá mórán cainte le tamall anuas ar **mhinicíocht an mhurtaill** i measc daoine óga. **Is cosúil go bhfuil fianaise ann go** bhfuil gasúir **i gcoitinne ag éirí níos raimhre, a bhuíochas sin ar an smailcbhia** a bhíonn á n-ithe acu, **mar aon le heaspa aclaíochta**. Tá an tAire Sláinte i ndiaidh labhairt amach faoi agus a rá gur gá gníomhú leis an ráta raimhre a smachtú agus a laghdú. Níl a fhios agam cén saghas plean atá ag an Aire, ach mar thús, d'fhéadfadh sé iarraidh ar an Aire Oideachais féachaint ar staid an chorpoideachais sna bunscoileanna agus ar an mbealach nach ndéanann an státchóras freastal ar ghasúir na tíre, **dar le suirbhéanna éagsúla**. D'fhéadfadh na staitisticí seo a leanas a foilsíodh le déanaí a bheith ina gcúnamh agus sin á dhéanamh:

- Níl halla spóirt ag 75% de bhunscoileanna na tíre.
- Níl páirc imeartha ag breis is 45% de bhunscoileanna na tíre.
- Níl teacht ar linn snámha i gcás 400 bunscoil.
- Faigheann daltaí faoi bhun uair a chloig de chorpoideachas in aghaidh na seachtaine i 25% de na scoileanna.
- I gcás **breis is leath de** na scoileanna, níl áis spóirt **faoi dhíon** de shaghas ar bith acu.

Bunaithe ar alt as *Beo!* le Colm Mac Séalaigh

Faigh agus foghlaim

Faigh agus foghlaim focail a chiallaíonn:

lack of | there is need for action | junk food | evidence
published | The Minister for Education | recently | help
the state of... | generally | more than half

Ceisteanna

1. Cén fhadhb atá ann i measc an aosa óig?
2. Cad a léiríonn an fhianaise?
3. Tabhair dhá chúis leis an méadú atá tagtha ar fhadhb an mhurtaill.
4. Conas is féidir dul i ngleic leis an bhfadhb?

Neamhord itheacháin

An raibh fhios agat?

- De réir na staitisticí, tá anoireicse ar dhuine as gach 200 in Éirinn.
- Tá bulimia ar 2% den daonra, nó ar dhuine as gach caoga.
- Tá neamhord ragúis itheacháin ag cur ar 4% den daonra (is é sin téann an dúil sa bhia ó smacht agus éiríonn siad róthrom dá bharr)
- Is mná iad 90% díbh siúd le neamhoird itheacháin. Mná idir 15-25 bliain atá i gceist den chuid is mó.
- Tá fás ag teacht ar líon na bhfear le neamhord itheacháin.

Deis comhrá

Déan plé leis an duine in aice leat faoi na rudaí a ritheann leat faoi na staitisticí thuas. Déan plé le comhscoláire ar neamhord itheacháin. Déan liosta de na cúiseanna atá leis, dar libh (.i. fadhbanna teaghlaigh, easpa féinmhuiníne) Tosaigh le: 'Ceapaim go mbíonn neamhordú itheacháin ar dhaoine go minic de bharr easpa féinmhuiníne ...').

Alcól agus drugaí

Dúirt 37% de dhéagóirí idir 15-16 bliana in Éirinn go raibh siad ar meisce ar a laghad uair amháin ina saol.

Bhain 10% triail as canabas.

Bhain 10% triail as druga mídhleathach eile.

Tá an ráta ragús óil *(binge drinking)* is airde san Eoraip in Éirinn.

Deis comhrá

Déan plé le comhscoláire ar na cúiseanna atá leis an ráta ard meisciúlachta i measc daoine óga, agus na cúiseanna atá le ragús óil. Pléigh freisin an fáth a dtosaíonn daoine óga ag tógáil drugaí: Ceapaim go dtosaíonn daoine óga ag ól mar .../de bharr.../toisc...

Ansin pléigh na torthaí leis an rang.

Ailse

Trúig mhór bháis in Éirinn í an ailse. Má tá imní ar bith ort faoin ailse nó má bhí ailse ar do mhuintir nó má tá airíonna ort is cúis imní duit, ba cheart duit dul i dteagmháil le do dhochtúir ginearálta. Cuireann do dhochtúir ginearálta, na hospidéil agus na seirbhísí cúraim don phobal seirbhísí cúraim ailse ar fáil. Tá seirbhísí do chúram maolaitheach ann freisin, is é sin a rá, cúram don othar agus dá m(h)uintir más amhlaidh nach bhfuil súil níos mó le leigheas. Tá sainchláir scagthástála ann agus á bhforbairt, mar shampla, BreastCheck agus an clár Náisiúnta Scagthástála Ceirbheacs.

Clár Rialaithe Náisiúnta Ailse FSS (CRNA)

Glactar leis go ginearálta go mbaintear na torthaí is fearr amach d'othair ailse nuair a bhíonn foirne le taithí éagsúil, leathan i mbun an chúraim. B'fhearr daoine mar sin a bheith i gceannas an diagnóis tosaigh, an phlean cóireála, na máinliachta agus an radaiteiripe. Bunaíodh an Clár Náisiúnta Ailse sa bhliain 2007 le clár a eagrú agus a chur ar fáil don phobal uile. Tá líonra rialaithe ailse i ngach réigiún riaracháin den FSS, agus ocht n-ionad ailse náisiúnta. Cuirtear ceimiteiripe agus cúram leantach ar fáil go háitiúil ar mhaithe leis an othar.

Faigh agus foghlaim

Faigh agus foghlaim focail a chiallaíonn

cúis   comharthaí   aire   a sholáthar   níos gaire don bhaile

Ceisteanna

1. Céard ba chóir duit a dhéanamh nuair a bhíonn imní ort faoi airíonna áirithe?
2. Cé a chuireann seirbhísí cúraim ar fáil d'othair le hailse?
3. Mínigh cad atá i gceist le cúram maolaitheach. Cathain a chuirtear seirbhísí do chúram maolaitheach ar fáil d'othar?
4. Cad é sainchláir scagthástála? Ainmnigh clár atá á fhorbairt.
5. Conas a bhaintear na torthaí is fearr amach d'othair ailse? An aontaíonn tú leis seo?
6. Cad a chuirfear ar fáil ar bhonn níos áitiúla?

An ghramadach i gcomhthéacs

1. Faigh samplaí den saorbhriathar sa sliocht.
2. Cén sórt scríbhneoireachta é seo? (Féach lth 452)
3. Cad iad na comharthaí sóirt a bhaineann leis an stíl scríbhneoireachta seo?

Deis comhrá

An gceapann tú go bhfuil na seirbhísí sláinte sa tír seo go maith?

Scrúdú béil: agallamh: sláinte

Mír 6.6
T54

Agallóir An gceapann tú go bhfuil daoine óga na tíre seo sláintiúil?

Fiona Ceapaim go bhfuil, ar an iomlán. Imrímse cispheil, mar shampla, agus ní ólaim alcól ná ní chaithim tobac, agus tá go leor de mo chairde mar an gcéanna. Ach, ar sin féin, is fíor go bhfuil daoine óga ann a chaitheann tobac agus a ólann alcól. Is fadhb í an ragús óil i measc an aosa óig. Is minic a fheicim daoine óga ar meisce tar éis an chlub oíche oíche Shathairn. Is mór an scannal é. Ní thuigim cén fáth a gcaitheann siad a gcuid airgid go fánach mar sin. Ar ndóigh fadhb eile is ea neamhoird itheacháin. Tá go leor daoine le fadhbanna mar sin – itheann siad an iomarca nó ní itheann siad dóthain. Is dócha easpa féinmhuinίne is cúis leis. Ar ndóigh tá an-bhrú ar dhaoine óga sa lá atá inniu ann. Ceapaim go bhfuil baint aige sin leis an scéal.

Agallóir Cén sórt brú atá orthu?

Fiona Tá brú orthu ó na scrúduithe, brú óna dtuismitheoirí, brú óna gcairde. Go minic is é piarbhrú an brú is measa a bhíonn ar dhaoine óga.

Agallóir Agus conas is féidir cabhrú le daoine óga le neamhord itheacháin?

Fiona Ceapaim gur chóir go mbeadh i bhfad níos mó béime ar bhia sláintiúil. Ba chóir go mbeadh bia sláintiúil ar fáil i scoileanna, agus freisin ba chóir go mbeadh líon na gcalraí scríofa go soiléir ar bhia i mbialanna gasta. Déantar é seo i Meiriceá, mar shampla, agus tá fianaise ann go n-oibríonn sé agus go mbíonn daoine níos cúramaí faoin méid bia a itheann siad. Ar ndóigh, tá fadhb an mhurtaill ag méadú sa tír seo bliain i ndiaidh bliana. Ceapaim féin gur drochaiste bia agus easpa cleachtadh coirp is cúis leis sin. Caitheann daoine óga i bhfad an iomarca ama ag féachaint ar an scáileán. Ní shiúlann siad ar scoil níos mó, ní bhíonn ach rang amháin corpoideachais sa tseachtain acu – ní haon ionadh go bhfuil daoine óga ag éirí ramhar.

Agallóir Cad a dhéanfása dá mbeifeá i d'aire sláinte?

Fiona Dá mbeinnse i m'aire sláinte chuirfinn feachtas bia shláintiúil ar siúl sna scoileanna. Ní thabharfainn cead don siopa nó don cheaintín scoile milseáin nó deochanna boga a dhíol. D'fhéadfaidís caoineoga nó *smoothies* a chur ar fáil do na scoláirí. Tá siad sin i bhfad níos sláintiúla. Freisin, chuirfinn cúrsa ar fáil do scoláirí ag míniú dóibh cén sórt bia atá sláintiúil agus cad ba chóir a ithe chun vitimíní agus mianraí riachtanacha a fháil. Tá sé thar a bheith tábhachtach go mbeadh an t-eolas seo ag daoine óga. Má thuigeann siad an dochar a dhéanann bia áirithe agus deochanna meisciúla, stopfaidh siad á dtógáil. Chomh maith leis sin chuirfinn níos mó ranganna cleachtadh coirp ar fáil.

Agallóir Ceapaim go mbeifeása i d'aire sláinte iontach!

Ullmhú don scrúdú béil

Anois scríobh na ceisteanna i do chóipleabhar Gaeilge labhartha agus tabhair do fhreagraí féin orthu.

Ceapadaóireacht: alt nuachtáin/irise

Labhair tú le comhairleoir faoi na fadhbanna a bhíonn ag aos óg an lae inniu. Scríobh alt bunaithe ar an gcaint sin.

Is minic a deirtear gurb iad laethanta d'óige na laethanta is aoibhne i do shaol ach ní aontaíonn Máirín de Brún, comhairleoir do dhéagóirí, leis seo.

'Deirtear gur aoibhinn beatha an scoláire ach ní fíor é seo i gcónaí,' a dúirt sí in agallamh a chuir mé uirthi le déanaí. 'Nuair a fhéachann daoine fásta siar ar laethanta a n-óige, déanann siad dearmad ar na trioblóidí a bhí acu. Ní fíor go bhfuil saol bog ag daoine óga agus tá an scéal níos measa anois ná mar a bhí riamh,' a dúirt sí. Níl lá dá dtéann thart nach gcloisimid faoi thragóid éigin: duine óg ag cur lámh ina bhás féin, cailín óg á héigniú, ionsaí ar fhear óg, nó timpiste bhóthair ina maraítear, go minic, daoine óga.

D'fhiafraigh mé di cad iad na trioblóidí is mó a bhíonn ag déagóirí an lae inniu. 'Tá deacrachtaí agus dúshláin ag déagóirí nach raibh ann caoga bliain ó shin. Fadhb mhór is ea na meáin chumarsáide a dhéanann dúshaothrú ar dhaoine óga lá i ndiaidh lae. Ní gá ach féachaint ar na hirisí atá dírithe ar an aos óg. Cuirtear an bhéim go léir ar íomhá: smidiú, éadaí lipéid, aistí bia. An teachtaireacht? 'Níl tú maith go leor mar atá tú.' Cuirtear brú uafásach ar chailíní óga a bheith tanaí, cosúil le haisteoirí i Hollywood a chaitheann éadaí in uimhir a náid. Ní haon ionadh go bhfuil fadhb mhór le neamhoird itheacháin sa tír.

Fadhb eile is ea fadhb an mhurtaill. De bharr easpa cleachtadh coirp agus bia mífholláin tá aos óg na tíre seo ag éirí níos raimhre. Is iomaí deacracht shíceolaíoch a leanann fadhb an mhurtaill. Bíonn daoine óga thar a bheith goilliúnach agus is minic a dhéantar bulaíocht ar dhaoine óga a bhfuil an iomarca meáchain orthu.

I gcás buachaillí óga, cuirtear brú ollmhór orthu tosú ag ól go hóg. Tá cultúr an ragús óil go smior sa tír seo, agus nuair a théann daoine óga amach, ní leor deoch nó dhó, caithfidh siad maíomh go raibh deich bpionta acu. Ní thuigeann siad an dochar atá á dhéanamh acu dá sláinte. Níos measa fós, uaireanta tiomáineann siad agus iad ar meisce nó faoi thionchar drugaí, agus cuireann siad a mbeatha féin agus beatha daoine eile i mbaol.

Tá gach sórt cathaithe ann do dhaoine óga inniu. Cathú mór is ea drugaí. Chuir mé ceist ar Mháire cén fáth a dtéann daoine óga i muinín na ndrugaí. Dar léi, bíonn daoine óga ag iarraidh éalú ón mbrú atá orthu. Cúis eile is ea easpa féinmhuiníne. Bíonn daoine óga ag lorg féiniúlachta agus tagann siad faoi thionchar daoine eile. Ar ndóigh, is drocheiseamláir iad cuid de na réaltaí a bhíonn ag tógáil drugaí nó ag ól, agus bíonn drochthionchar acu ar dhaoine óga. An bhfuil aon chomhairle aici do dhaoine óga? 'Mholfainn dóibh bheith misniúil agus cineálta le chéile. Déarfainn leo freisin gan dul i muinín na ndrugaí ar ór ná ar airgead. Ní réitíonn siad aon fhadhb, cuireann siad le fadhbanna an duine óig. Thar aon ní eile labhair le duine éigin má tá rud éigin ag cur isteach ort.

Deirtear nach dtagann ciall roimh aois agus is dócha go bhfuil sé fíor. Mar sin féin, ba mhaith liom críochnú ar nóta dóchais,' a dúirt sí. 'Ba chóir do dhaoine óga sult a bhaint as an saol agus gan an iomarca struis a chur orthu féin. Ag deireadh an lae is í aois na hóige aois na glóire.

Faigh agus foghlaim

An dtuigeann tú na nathanna go léir atá aibhsithe? Téigh i gcomhairle le scoláirí eile más gá, agus foghlaim aon nathanna nua. Déan iarracht iad a úsáid sa phíosa ceapadóireachta seo a leanas.

Cleachtadh ceapadóireachta

Iarradh ort caint/óráid a thabhairt do rang idirbhliana faoi chúrsaí sláinte i measc an aosa óig. Scríobh an chaint a thabharfá. (Féach lth 442)

Mar chabhair

Is féidir go leor de na topaicí atá clúdaithe san aonad a lua. Seo a leanas liosta de phointí gur féidir leat a fhorbairt i ngach alt:

- **Bia agus sláinte:** an sórt bia a itheann daoine óga: bia míshláintiúil (lth 174)
- **Cleachtadh coirp:** an tábhacht a bhaineann leis, staitisticí.
- **Fadhb an mhurtaill i measc an aosa óig** (lth 186)
- **Neamhord itheacháin:** na cúiseanna atá leis, conas is féidir dul i ngleic leis an bhfadhb. (lth 187)
- **Alcól agus drugaí:** na cúiseanna a n-ólann daoine óga alcól. Piarbhrú, ragús óil, easpa féinmhuiníne (lth 187)

Dán faoi shaoirse agus daoirse: Géibheann

Réamhrá

Dán faoi ainmhí atá anseo agus an t-athrú a thagann air nuair a chuirtear i ngéibheann é.

Mír 6.7
T55

Géibheann

Ainmhí mé

*ainmhí **allta***
*as na **teochreasa***
a bhfuil clú agus cáil
*ar mo **scéimh***

***chroithfinn** crainnte na coille*
tráth
*le mo **gháir***

ach anois
luím síos
agus breathnaím trí leathshúil
*ar an gcrann **aonraic** sin thall*

tagann na céadta daoine
chuile lá

a dhéanfadh rud ar bith
dom
ach mé a ligean amach

Foclóir

allta *wild*
teochreasa *tropics*
aonraic *solitary*
scéimh *beauty*
chroithfinn *I would shake*
tráth *once*
le mo gháir *roar*

Leagan próis

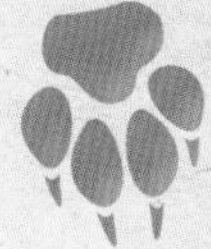

Is ainmhí mé
ainmhí fiáin
ó na tíortha teo
a bhfuil cáil
ar m'áilleacht

chroithfinn na crainn
uair amháin
le mo bhéic

ach anois
luím síos
agus féachaim trí shúil amháin
ar an gcrann amháin sin thall

Tagann go leor daoine
gach lá
a dhéanfadh aon rud
dom
ach mé a scaoileadh saor.

Deis comhrá

- Cad é an íomhá a chuirtear os ár gcomhair sa chéad leath den dán?
- Cén sórt ainmhí é? An féidir leat íomhá ainmhí a fháil ar an Idirlíon?
- Cén sórt áite ina gcónaíodh an t-ainmhí seo?
- Cad iad na tréithe a bhíodh ag an ainmhí seo?
- Sa dara leath den dán, cá bhfuil an t-ainmhí?
- Cén t-athrú mór atá tagtha air?
- Cén fáth nach scaoilfidh siad an t-ainmhí saor?
- An féidir léamh eile a fháil ar an dán?
- Cad dó a sheasann an t-ainmhí allta?
- Déan cur i láthair PowerPoint den dán le híomhánna agus fuaimeanna oiriúnacha.

Fíricí faoin bhfile

http://www.educate.ie/próifíl

Caitlín Maude

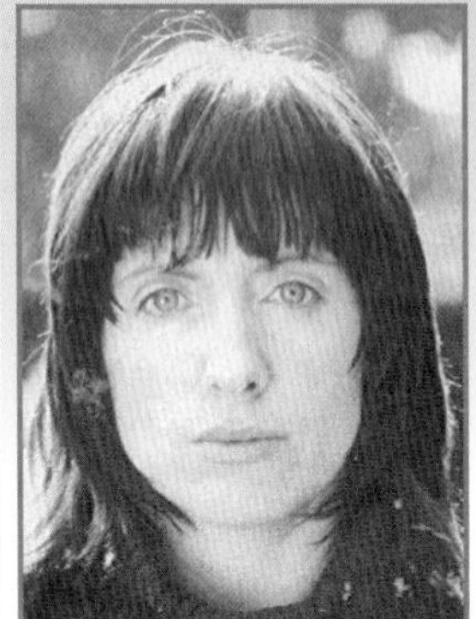

Ar líne 4:07pm

Rugadh Caitlín Maude i gCasla i gConamara i 1941. Chuaigh sí le múinteoireacht. Bhí an-spéis aici i gcúrsaí sóisialta agus polaitíochta na tíre agus ba mhinic í ag agóid sna seachtóidí. **Ghoill** bás na stailceoirí ocrais – Bobby Sands agus a chomrádaithe – go mór **uirthi** agus **fuair sí** féin **bás** go tragóideach **den ailse** sa bhliain 1982 agus **gan í ach** 41 bliain d'aois. **Bhain sí** cáil **amach** mar aisteoir, amhránaí sean-nóis, scríbhneoir agus file. Ainmníodh Gaelscoil Chaitlín Maude i dTamhlacht i mBaile Átha Cliath ina honóir. **Ghlac sí an phríomhpháirt** sa chéad léiriú riamh den dráma *An Triail* in amharclann an Damer i mBaile Átha Cliath sa bhliain 1964. Is í a scríobh an dráma *An Lasair Choille* **i gcomhair le** Mícheál Ó hAirtnéide.

Nótaí ar an dán

Teideal an dáin

Ciallaíonn 'géibheann' príosún, nó daoirse nó easpa saoirse. Sa dán seo tá an t-ainmhí i ngéibheann i bpáirc na n-ainmhithe nó sa zú, i bhfad óna áit dúchais. Tá seans ann gur bhraith Caitlín go raibh sí i bhfad óna háit dúchais féin – Conamara – i mBaile Átha Cliath. Táid ann a deir freisin go mb'fhéidir gur bhraith sí faoi shrian ag an ngalar a bhuail í agus í óg, agus gurb é an t-ospidéal an príosún a bhí aici, áit ar tháinig daoine ar cuairt chuici gach lá, a dhéanfadh rud ar bith di, ach í a scaoileadh saor. Is cinnte gur duine fuinniúil, cumhachtach ab ea í nuair a bhí sí óg, ach nuair a d'éirigh sí tinn, bhí sí fágtha in ísle brí.

Téama an dáin

Is é an daoirse, nó easpa saoirse, is téama don dán seo. Tá an t-ainmhí i ngéibheann, agus dá bharr, tá a spiorad briste. Tá sé duairc, brónach. Níl aon fhuinneamh fágtha ann ná suim sa saol, 'luím síos / agus breathaím trí leathshúil'. Léiríonn an t-ainmhí sa dán an tslí a dtéann an daoirse i bhfeidhm ar spiorad an duine. Tá an t-ainmhí cloíte, lag, gan chumhacht. Ní hé go bhfuil na daoine thart air cruálach, a mhalairt atá fíor. Dhéanfaidís 'rud ar bith' dó ach an rud atá uaidh: é a scaoileadh saor. Tá sé cosúil leis an ngrá cosantach a bhíonn ag tuismitheoirí uaireanta dá bpáistí. Ní bhíonn siad sásta scaoileadh lena bpáistí. Cé go bhfuil an-ghrá acu dóibh, ní theastaíonn uathu saoirse a thabhairt dóibh. Tá sé suntasach go bhfuil an téama céanna idir lámha ag an údar sa dráma *An Lasair Choille*. Is léir go raibh tábhacht ag baint le saoirse agus saorthoil di.

Mothúcháin

Is iad **bród, mórtas agus aoibhneas** na mothúcháin is láidre sa chéad leath den dán. Tá an t-ainmhí bródúil, mórtasach as a chumhacht agus as a mháistreacht. Tá clú agus cáil ar a scéimh. Sa dara leath is iad **tuirse, uaigneas agus ísle brí** na mothúcháin is láidre. Tá an t-ainmhí tuirseach, lag, gan aon suim in aon rud. Tá sé in ísle brí. Tá a shaoirse agus a thoil imithe agus tá sé fágtha gan dóchas. Músclaíonn sé trua ionainn dó mar tuigimid nach bhfuil smacht aige níos mó ar a shaol ná ar a thimpeallacht. Tá an t-anam imithe as.

Ceisteanna

1. Cén bhaint atá ag teideal an dáin leis an téama?
2. Scríobh nóta ar théama an dáin seo.
3. Cad é an mothúchán is láidre sa dán seo? Conas a léirítear é?
4. An seasann an t-ainmhí d'aon duine? Mínigh.

Teicníochtaí filíochta

Íomhánna

Is í íomhá an ainmhí allta an íomhá agus an meafar lárnach sa dán seo. Cuirtear an íomhá seo os ár gcomhair sa chéad leath den dán mar shiombail den chumhacht, den láidreacht agus den fhuinneamh. Tá an t-ainmhí ina áit dúchais agus tá sé i gceannas. Cuireann sé scéin agus eagla ar ainmhithe eile, 'chroithfinn crainnte na coille / tráth / le mo gháir'. An t-ainmhí is mó a shamhlaítear dúinn ná an leon – rí na n-ainmhithe. Ach tagann athrú mór ar an ainmhí sa dara leath. Anois tá sé i ngéibheann. Tá sé lag, tuirseach. Níl aon fhuinneamh fágtha ann, 'Ach anois / luím síos / agus breathnaím trí leathshúil / ar an gcrann aonraic sin thall'. Tá a thimpeallacht athraithe go hiomlán. In áit a bheith i gcoill sna teochreasa, tá sé i zú is dócha, gan ach 'crann aonraic' in aice leis. Tagann daoine ag féachaint air gach lá ach ní féidir leo aon rud a dhéanamh dó. Is léir go bhfuil an t-ainmhí briste, brúite, i ndeireadh na feide.

Pearsantú

Teicníocht éifeachtach a úsáidtear sa dán seo is ea pearsantú. Déantar pearsantú ar an ainmhí sa dán. Is teicníocht éifeachtach é seo chun léargas a thabhairt dúinn ar mheon an ainmhí. Is é an t-ainmhí atá ag caint síos tríd an dán. Cabhraíonn sé seo linn dearcadh an ainmhí a thuiscint. Feicimid an saol trí shúile an ainmhí. Is dócha gurb é dearcadh an fhile féin atá i gceist, agus an tinneas ag briseadh a croí.

Siombailí

Glactar leis go bhfuil brí fháthchiallach leis an dán seo. Táid ann a deir go raibh an file ag caint fúithi féin. Nuair a bhí sí óg, bhí sí láidir, cumhachtach. Bhí clú uirthi mar aisteoir agus mar scríbhneoir. Bhí sí lán le fuinneamh agus ghlac sí páirt ghníomhach i saol a linne. Ach bhíodh frustrachas uirthi leis an saol coimeádach (*conservative*) buirgéiseach (*bourgeois*) mórthimpeall uirthi. Ba 'ainmhí allta' í. Bhíodh sí ag déanamh agóide faoi chearta sibhialta na Gaeltachta, i gcoinne an chórais apartheid san Afraic Theas agus faoi chearta na stailceoirí ocrais i dTuaisceart na hÉireann. Ach nuair a d'éirigh sí tinn go hóg, bhraith sí cloíte. Is dócha go raibh an galar agus an t-ospidéal cosúil le príosún – nó b'fhéidir zú – di. Thagadh daoine ar cuairt chuici, ach cé go raibh siad cineálta agus sásta aon rud a dhéanamh di, ní fhéadfaidís an t-aon rud a bhí uaithi a thabhairt di – saoirse, nó leigheas b'fhéidir, ar an ngalar, 'tagann na céadta daoine / chuile lá / a dhéanfadh rud ar bith / dom / ach mé a ligean amach.' Ar ndóigh is minic is féidir níos mó ná brí amháin a bhaint as dán. Is féidir an dán seo a léamh ar go leor leibhéal éagsúil.

Codarsnacht

Tá codarsnacht láidir idir an t-ainmhí cumhachtach, láidir, údarásach sa chéad leath den dán a deir, 'chroithfinn crainnte na coille / tráth / le mo gháir', agus an t-ainmhí lag, tuirseach sa dara leath, 'luím síos / agus breathnaím trí leathshúil / ar an gcrann aonraic sin thall'. Tagann athrú mór ar thuin an dáin. Sa chéad leath, tá an t-ainmhí mórtasach, bródúil as a chumhacht agus a chuid fuinnimh. Tá sé ina mháistir ar a thimpeallacht agus cuireann sé scéin agus eagla ar ainmhithe eile na coille. Ach sa dara leath, tá an t-ainmhí céanna ina thost, lag, tuirseach.

Atmaisféar

Sa chéad leath den dán, cruthaítear atmaisféar aoibhinn de na teochreasa agus an t-ainmhí go sona ina áit dúchais ag glacadh máistreachta ar a thimpeallacht, 'a bhfuil clú agus cáil / ar mo scéimh / chroithfinn crainnte na coille / tráth / le mo gháir'. Athraíonn an t-atmaisféar go hiomlán sa dara leath. Cruthaítear atmaisféar tuirsiúil, clástrafóibeach an phríosúin, áit a mbíonn an spiorad srianta, teoranta, scoite amach ón dúlra: 'luím síos / agus breathnaím trí leathshúil / ar an gcrann aonraic sin thall'.

Friotal agus meadaracht

Tá an friotal a mbaineann an file úsáid as an-oiriúnach d'ábhar an dáin. Úsáideann sí friotal atá simplí, snasta, gonta bunaithe ar chaint nádúrtha na ndaoine. Sa chéad leath den dán, úsáidtear an fhuaim 'á' go minic, a chuireann mórtas agus cumhacht an ainmhí in iúl: 'allta', 'cáil', 'tráth', 'gháir'. Sa dara leath, tá na gutaí 'i', 'í', agus 'é' níos coitianta: 'luím', 'síos', 'breathnaím', 'trí', 'aonraic', 'bith', 'céadta', 'mé' a léiríonn tuirse agus laige.

An tsaorvéarsaíocht a chleachtar sa dán seo. Úsáideann an file línte gearra síos tríd an dán. Tá go leor samplaí d'uaim ann: 'clú agus cáil / crainnte na coille'. Tá samplaí freisin de chomhfhuaim sa dán: 'Tráth', 'gháir', 'breathnaím' 'leathshúil', agus aicill: 'luím **síos**/agus breathnaím trí leathshúil'.

Ceisteanna scrúdaithe

1. Cad é príomhthéama an dáin? Déan plé ar an gcaoi a chuirtear an téama sin os ár gcomhair.
2. Déan plé gairid ar an úsáid a bhaineann an file as codarsnacht sa dán seo.
3. Is dán fáthchiallach é an dán seo. Do thuairim uait faoi sin.
4. Déan trácht ar an úsáid a bhaineann an file as do rogha **dhá** cheann díobh seo: íomhánna, codarsnacht, siombailí.
5. Cad iad na mothúcháin is láidre sa dán seo? Déan cur síos ar an gcaoi a dtéann siad i bhfeidhm ort.

Freagraí scrúdaithe samplacha

Ceist shamplach 1

'Is dán fáthchiallach é an dán seo.' Do thuairim uait faoi sin.

Freagra samplach 1

Plean don fhreagra

1. Aontú gur dán fáthchiallach é agus sainmhíniú air sin.

Aontaím go huile is go hiomlán leis an ráiteas seo. Is fíor gur dán fáthchiallach é seo. Is éard is ciall le fáthchiallach ná gur féidir níos mó ná brí amháin a bhaint as an dán. Is féidir é a léamh ar léibhéil éagsúla.

2. An t-ainmhí mar shiombail: an t-údar tinn.

Úsáideann an file an t-ainmhí mar shiombail. B'fhéidir go seasann an t-ainmhí don fhile. Nuair a bhí sí óg, bhí sí lán le fuinneamh. Bhí clú agus cáil uirthi mar aisteoir agus mar fhile, agus thuig sí féin an chumhacht a bhí aici, 'chroithfinn crainnte na coille / tráth / le mo gháir'. Anois tá sí tuirseach, tinn san ospidéal, ag fáil bháis. Seasann na 'céadta daoine' do na cuairteoirí a thagann gach lá chuici ach ní féidir leo í a leigheas. Fuair an file bás go hóg den ailse. Ní raibh sí ach 41 bliain d'aois.

3. Brí eile: an t-údar mar dhuine réabhlóideach, faoi shrian ag an tsochaí.

D'fhéadfadh sé freisin go raibh an file ag caint fúithi féin mar dhuine réabhlóideach. Bhíodh sí ag agóid ar son cearta sibhialta. Ní raibh aon fhaitíos uirthi labhairt amach in aghaidh éagóra. Ghoill bás na stailceoirí ocrais uirthi agus throid sí ar son cearta sibhialta mhuintir na Gaeltachta. Ach is dócha gur bhraith sí cosúil le hainmhí allta a bhí srianta ag an tsochaí choimeádach, choinbhinsiúnach a bhí mórthimpeall uirthi sa deireadh.

4. Easpa saoirse mar théama coitianta.

Ach is dócha gur cuma cén léamh a dhéanaimid ar an dán. Is léir gurb é an téama céanna atá idir lámha aici: daoirse nó easpa saoirse. Tá an téama céanna le feiceáil sa dráma An Lasair Choille. Sa dán, tá an t-ainmhí (nó an file) i ngéibheann. Níl aon saoirse aige, agus mar sin, tá sé in ísle brí. Tá an t-anam imithe as agus níl fonn air aon rud a dhéanamh níos mó. Léiríonn sí go gcailltear an dóchas nuair a chailltear an tsaoirse. Is fíor gur féidir an dán Géibheann a léamh ar mhórán leibhéal. Cé go bhfuil cuma shimplí air, tá brí dhoimhin leis an dán seo.

Ceist shamplach 2

Scríobh nóta gairid ar theideal an dáin.

Freagra samplach 2

Léiríonn teideal an dáin an téama. Tá an file ag caint faoi ghéibheann nó faoi phríosún sa dán agus faoin tionchar a bhíonn aige ar an spiorad. Tá an t-ainmhí sa dán i ngéibheann i nGairdín na nAinmhithe. Cé go bhfuil daoine ann a 'dhéanfadh rud ar bith' dó, tá sé in ísle brí mar go bhfuil a shaoirse imithe agus go bhfuil sé in áit choimhthíoch, i bhfad óna áit dúchais. Níl aon neamhspleáchas aige níos mó. Léiríonn an dán an tslí ina scriosann an daoirse spiorad an duine.

Cúinne na fuaime: consain chaola agus leathana: a agus ea

Éist agus abair

Mír 6.8
T56

ban	bean	gan	gean	paca	peaca
can	cean	las	leas	rath	reatha
dair	dear	mar	mear	san	sean
fad	fead	nach	neach	tais	teas

Cleachtadh éisteachta 7: spórt

Líon na bearnaí:

Mír 6.9
T57

Is breá liom camógaíocht. Anuraidh _____ mé go cluiche ceannais na hÉireann le m'athair. _____ m'athair an carr go Baile Átha Cliath, ach _____ sé é i dteach m'aintín agus _____ an bus go Páirc an Chrócaigh. _____ an áit plódaithe. Nuair a _____ ár bhfoireann amach ar an bpáirc _____ liú mór asainn agus _____ ár mbratacha. _____ gach duine suas ansin agus _____ Amhrán na bhFiann. Nuair a _____ an cluiche _____ ag béiceach agus ag léim. _____ Cill Chainnigh cúl tar éis deich nóiméad agus _____ díomách ach níorbh fhada gur _____ Neasa Ní Cheallaigh an sliotar san eangach do Thiobraid Árainn. Cluiche den scoth a _____ ann, agus sa deireadh ní _____ ach cúilín idir an dá fhoireann. Nuair a _____ an _______ an fheadóg, _____ le háthas. B'shin an cluiche ab fhearr dá _____ mé riamh!

Cúinne na fuaime

Léigh an sliocht agus fuaimnigh na séimhithe agus na huruithe.

Cén fáth a bhfuil séimhiú/urú ar fhocail áirithe? (Féach lth 430)

ABC

An ghramadach i gcomhthéacs

Ceacht

1. Faigh samplaí den fhoirm tháite de bhriathar (mar shampla: chuamar).
2. Déan cur síos ar chluiche a ndeachaigh tú chuige le d'athair nó le cara agus bain úsáid as na foirmeacha seo:

   chuamar/ní dheachamar
   chonaiceamar/ní fhacamar
   dúramar/ní dúramar
   bhíomar/ní rabhamar
   fuaireamar/ní bhfuaireamar
   rinneamar/ní dhearnamar
   shroicheamar/ligeamar/bhaineamar/d'itheamar

Eolas fánach

Ceaptar go bhfuil an iománaíocht á imirt in Éirinn ón aimsir réamh-Chríostaí – níos mó ná dhá mhíle bliain ó shin – mar is léir ó scéal Sétanta, a bhuail an sliotar i mbéal cú gabha an rí, Culann. Ach, creid é nó ná creid, rinneadh iarracht an cluiche a chur faoi chois i gCill Chainnigh sa cheathrú haois déag. I Reachtanna Chill Chainnigh *(Statutes of Kilkenny)* sa bhliain 1366 bhí scríofa: *'do not, henceforth, use the plays which men call horlings, with great sticks and a ball upon the ground, from which great evils and maims have arisen'*. Deirtear go minic gurb é an bealach is fearr chun rud a spreagadh ná cosc a chur air agus is léir sin sa chás seo. Ainneoin an dlí sin (nó b'fhéidir mar gheall air) tá borradh agus rath ar an iománaíocht i gCo. Cill Chainnigh inniu. Mar is eol dúinn go léir is deacair Cait Chill Chainnigh a shárú san iománaíocht!

Deis comhrá

1. ***Cuir ceist ar do pháirtí an imríonn/ndéanann sí/sé aon cheann de na spóirt thuasluaite.***
   - An imríonn tú (peil)? Imrím/Ní imrím
   - Ar imir tú riamh é? D'imir/Níor imir/D'imrínn peil nuair a bhí mé (sa dara bliain) ach ní imrím níos mó é.
   - An dtéann tú (ag dreapadóireacht)? Téim/ní théim
   - An ndeachaigh tú riamh? Chuaigh/ní dheachaigh/théinn
   - An ndéanann tú (ióga)? Déanaim/ní dhéanaim
   - An ndearna tú riamh é? Rinne/ní dhearna/dheininn

2. ***Anois freagair na ceisteanna seo a leanas i do chóipleabhar agus cuir ar do chomharsa iad.***
   - An maith leat spórt?
   - Cén sórt spóirt a imríonn tú?
   - Cé mhéad uair sa tseachtain a imríonn tú é?
   - An raibh tú riamh ag cluiche peile i bPáirc an Chrócaigh? Déan cur síos air.
   - Muna raibh déan cur síos ar spórt eile a chonaic tú beo (mar shampla: leadóg, cispheil, dornálaíocht).
   - Cén tairbhe a bhaintear as spórt a imirt?
   - An bhféachann tú ar spórt ar an teilifís?

Faigh agus foghlaim

Faigh agus foghlaim an chiall atá leis na focail/nathanna seo:

urraíocht
cur i gcéill
spórt amaitéireach
tástálaithe drugaí
gairmiúil/gairmiúlacht
réiteoir
caimiléireacht
iomaíocht
tá deargiomaíocht idir
craobhchomórtais
cluiche ceannais
cluiche leathcheannais
an Corn Domhanda
Craobh na hÉireann
tábhacht agus tairbhe an spóirt
cluichí foirne/an fhoireann/na foirne

An ghramadach i gcomhthéacs

An chopail

An spórt iomaíoch é? **Is** spórt iomaíoch é. **Ní** spórt iomaíoch é.

Cleachtadh scríofa

An spórt iomaíoch é? Scríobh abairt mar gheall ar gach spórt.

Mar shampla: Ní spórt iomaíoch é íoga/Is spórt iomaíoch é leadóg

marcaíocht capall
leadóg
galf
léim ard
snámh
camógaíocht
cispheil
scátáil
surfáil
seoltóireacht
dreapadóireacht
rothaíocht
peil
sacar
rugbaí
dornálaíocht
iomrascáil
gleacaíocht
pilates
íoga
siúl sléibhe
sciáil
uaimheadóireacht

An ghramadach i gcomhthéacs

An bhfuil na spóirt thuas baininscneach nó firinscneach? (Féach lth 213)
Cad faoi fhocail a chríochnaíonn ar -ocht nó -acht?

Tuiseal Ginideach

Firinscneach Grúpa 1	galf	raon gailf
Baininscneach Grúpa 2/3	peile	páirc peile

Ceacht 1

Scríobh amach an fhoirm cheart de na focail idir lúibíní.

1. cúrsa (surfáil)
2. halla (gleacaíocht)
3. cluiche (sacar)
4. club (dornálaíocht)
5. cúirt (leadóg)
6. linn (snámh)

Ceacht 2

Cén grúpa (díochlaonadh) ina bhfuil na focail réamhluaite? (Féach lth 432)

Cleachtadh éisteachta 8: tuairisc spóirt

6

Mír 6.10
T1 (D2)

Éist leis an bpíosa seo agus déan iarracht na ceisteanna a fhreagairt gan féachaint ar an téacs ar dtús.

1. Cén dá fhoireann a bhí ag imirt oíche Dé Sathairn sa tsraith Magners?
2. Cén fáth ar cuireadh John Hayes den pháirc?
3. Cén scór deireanach a bhí sa chluiche sin?
4. Cén pionós a ghearrfar ar John má rialaítear go ndearna sé an bréitse d'aon turas?
5. Cé a bhuaigh Craobh Links Alfred Dunhill sa ghalf?
6. Ainmnigh poll amháin a bhfuair Rory McIlroy éinín ann?
7. Cé mhéad a bhí sé faoin bpár ar deireadh?

Cúrsaí spóirt

Tosóimid anocht le cúrsaí rugbaí. Seachtain mhór atá ann, ar ndóigh, agus an seoladh déanta inniu ar Chorn Rugbaí na hEorpa an séasúr seo, a thosóidh, dár ndóigh, an deireadh seachtaine seo chugainn. Cúige Laighean, Cúige Mumhan agus Cúige Uladh ar fad san iomaíocht, ar ndóigh. Ach is amárach, mar sin féin, a chloisfidh foireann na Mumhan an mbeidh siadsan i dturas le John Hayes i gceann tamaill nó nach mbeidh. Cuireadh Hayes den pháirc sa gcluiche in éadan na Laighean i Sraith Magners san R.D.S oíche Dé Sathairn, as a bhuatais a thabhairt anuas ar chloigeann Cian Healy Chúige Laighean, go gairid tar éis leathama. Bhuaigh Cúige Laighean an cluiche sin go réidh - 30 pointe in aghaidh a náid - ach tá coiste disciplíneach á reáchtáil i mBéal Feirste tráthnóna amárach le rialú ar an eachtra úd. D'fhéadfaí idir 4 seachtaine agus 8 seachtaine a ghearradh ar fhathach Luimnigh má rialaítear gurbh d'aon turas a rinne seisean an bréitse.

Cúrsaí gailf anois agus is é Simon Dyson Shasana a bhuaigh craobh Links Alfred Dunhill i St. Andrews na hAlban inniu. É sin ag fágáil leithéidí Rory McIlroy Thuaisceart Éireann agus Luke Donald go mór faoina scáil.

Luke Donald a bhí chun cinn ar Rory McIlroy Thuaisceart Éireann tús na himeartha, agus cé gur éirigh le fear óg na hÉireann dul chun cinn réasúnta a dhéanamh, é ag aimsiú éinín ar an tríú, ar an gcúigiú, ar an seachtú agus ar an naoú poll chun é a thabhairt chuig ocht déag faoin bpar, d'éalaigh ceann de na buillí sin arís uaidh, áfach, ar an dara poll déag agus ceann eile lena chois sin ar an seachtú bpoll déag. Tharraing sé an buille úd sin ar ais áfach ar an bpoll deireanach le sroicheadh seacht mbuille dhéag faoin bpar. Scór maith i gcónaí.

Faigh agus foghlaim

1. ***Faigh agus foghlaim focail sa téacs seo a chiallaíonn:***

   grúpa daoine ag imirt le chéile
   tá an seans ann go
   d'aon ghnó
   in aghaidh
   chomh maith leis sin
   sa chomórtas
   ag baint amach
   comórtas
   chun tosaigh ar
   á eagrú

2. ***Faigh samplaí den Aimsir Fháistineach agus den saorbhriathar sa sliocht.***

3. ***Cén spórt a imríonn tusa? Faigh an foclóir is gá don spórt sin ar www.focal.ie agus úsáid na nathanna seo a leanas:***

   preabchúl *drop goal*
   clibirt *scrum*
   úd *try*
   as cóir *offside*
   síneadh amach *line out*
   cic pionóis *penalty*
   taicleáil *tackle*
   tosaigh *forward*
   cúlaí back
   lár páirce *midfield*
   cúl báire *goalkeeper*
   bréitse *breach*
   riabhóg/éinín *birdie*
   bógaí *bogey*
   cis *handicap*
   poll faoin bpár *under par*

Deis comhrá

Éist le tuairisc spóirt an lae ar TG4 nó Raidió na Gaeltachta agus faigh torthaí an lae agus inis don rang iad.

Scrúdú béil: agallamh: spórt

Mír 6.11
T2

Agallóir	An maith leat spórt?
Colm	Is breá liom spórt. Imrím peil Ghaelach agus iománaíocht le mo chumann áitiúil, agus is maith liom lúthchleasaíocht freisin. Téim ag rith agus anois is arís imrím galf le m'athair.
Agallóir	An dtéann tú ag traenáil go minic?
Colm	Téim ag traenáil trí huaire sa tseachtain agus de ghnáth bíonn cluiche againn ar an Satharn.
Agallóir	An raibh tú riamh ag cluiche ceannais i bPáirc an Chrócaigh?
Colm	Ar ndóigh bhí! Go rí-mhinic! Bhí mé ann nuair a bhuaigh Baile Átha Cliath ar Chiarraí sa pheil. Bhí díomá orm, ar ndóigh, mar is Ciarraíoch mé ach mar sin féin, cheap mé go raibh sé tuillte go maith acu – ní féidir le Ciarraí é a bhuachaint gach bliain! Caithfimid seans a thabhairt do chontaethe eile!
Agallóir	Gan dabht! Inis dom, a Choilm, an gceapann tú gur chóir do na cluichí Gaelacha a bheith gairmiúil? Ar chóir go n-íocfaí na himreoirí faoi mar a dhéantar anois sa rugbaí?
Colm	Nílim cinnte faoi sin. Tá sé deacair a rá, tá buntáistí agus míbhuntáistí ag baint leis. Ceapaim féin go bhfuil obair iontach á dhéanamh ag Cumann Lúthchleas Gael i ngach paróiste in Éirinn mar atá. Dá mbeadh na himreoirí gairmiúil, b'fhéidir go gcuirfí an iomarca béime ar an iomaíocht agus nach mbeadh gnáthdhaoine chomh gníomhach ann is atá anois.
Agallóir	Cad a cheapann tú faoi úsáid drugaí sa spórt?
Colm	Ceapaim gur mór an scannal é. Tá sé mímhacánta agus níl sé ceart ná cóir. É sin ráite, tuigim go dtógann daoine cóir leighis nó forbhia uaireanta agus nach bhfuil fhios acu go bhfuil substaintí mídhleathacha iontu. Is mór an trua é go bhfuil lúthchleasaithe á dhéanamh mar tarraingíonn sé drochchlú ar an spórt. Go minic, caitear scáil ar na Cluichí Oilimpeacha, mar shampla, nuair a bhíonn scannal éigin faoi dhrugaí ann.
Agallóir	Cé hé an pearsa spóirt is fearr leat?
Colm	Paul O'Connell, gan dabht. Imreoir rugbaí Éireannach is ea é. Imríonn sé mar nascaire le cúige Mumhan, foireann na hÉireann, agus foireann Leoin na Breataine agus na hÉireann. Bhuaigh O'Connell Corn na hEorpa le Mumha sna blianta 2006 agus 2008.

Ullmhú don scrúdú béil

Anois scríobh do fhreagraí féin ar na ceisteanna thuas, agus ceist 80-93 ar lth 467.

Ceapadóireacht: díospóireacht

Nuair a bhíonn díospóireacht le scríobh agat, moltar duit roinnt mhaith réamhphleanála a dhéanamh. Moltar duit plean a dhéanamh amach roimh ré agus struchtúr mar seo thíos ó phointe 1 go pointe 6 a úsáid.

Rún: 'Níl sa spórt sa lá atá inniu ann ach gnó'

Plean

Alt 1: beannú, cur in aithne, an rún, an aontaíonn tú leis, (táimse ar son/in aghaidh an rúin seo) cad faoi a mbeidh tú ag labhairt
Alt 2: sainmhíniú ar an rún, míniú ar na heocharfhocail (Cad is ciall le...? Is éard is ciall leis ná...)
Alt 3: do chéad phointe
Alt 4: dara pointe
Alt 5: bréagnú ar phointí an fhreasúra
Alt 6: achoimre ar do phointí agus críoch

Ar son/i bhfábhar	In aghaidh/i gcoinne
Urraíocht ó chomhlachtaí	Caitheamh aimsire
An rugbaí ina spórt gairmiúil anois	Cleachtadh coirp
Sacar – na milliúin á íoc le himreoirí	Spórt neamhiomaíoch
Páistí á dtraenáil ó aois an-óg	Clubanna siúil
An chaoi a bhfuil cúrsaí i dtíortha áirithe	Cumann Lúthchleas Gael
	Oilimpeacha Speisialta

A chathaoirligh, a mholtóirí, a lucht an fhreasúra agus a lucht éisteachta, is é an rún atá á phlé againn inniu ná nach bhfuil sa spórt sa lá atá inniu ann ach gnó. **Táimse agus m'fhoireann go huile agus go hiomlán ar son an rúin seo agus tá súil agam go n-aontóidh sibh linn nuair a chloisfidh sibh ár gcuid argóintí. Beidh mé ag caint faoi** na comhlachtaí móra a thugann urraíocht d'imreoirí agus do lúthchleasaithe, agus freisin do chomórtais mhóra – ar nós Corn Heineken. Beidh mé ag caint freisin faoin ngairmiúlacht agus faoin bpá a fhaigheann imreoirí gairmiúla. Níl áit ann níos mó don spórt amaitéireach.

Ar an gcéad dul síos, ba mhaith liom sainmhíniú a thabhairt ar an rún. Cad é spórt? Is éard is ciall leis ná aon ghníomhaíocht aclaíochta. Cad é gnó? Ciallaíonn gnó gníomhaíocht ar bith a bhfuil sé mar aidhm aige airgead a shaothrú. A dhaoine uaisle, is léir don dall nach bhfuil sa spórt sa lá atá inniu ann ach gnó.

A chairde, cén fáth a dtugtar 'Corn Heineken' ar an gcraobh sin? Mar tá an comhlacht dí Heineken **ag déanamh urraíochta** ar an gcomórtas spóirt seo. **Ní ar mhaithe leis** an spórt, **ar ndóigh**, ach le fógraíocht a dhéanamh, le hairgead a dhéanamh. Tuigeann siad go mbíonn lucht féachana óg ag féachaint ar na cluichí seo **agus tapaíonn siad an deis** le fógraíocht a dhéanamh dá mbeoir Heineken. Déanann na comhlachtaí móra seo urraíocht ar spórt mar tuigeann siad gur gnó mór é.

Féach ar na geansaithe a bhíonn ar imreoirí peile, sacar nó rugbaí. Cad a bhíonn orthu? O2, O'Neills lógónna na gcomhlachtaí a dhéanann urraíocht ar na foirne éagsúla. Ní thabharfaidh na comhlachtaí móra seo urraíocht d'aon fhoireann nach bhfuil ag buachtaint, mar sin **cuirtear brú** ollmhór ar fhoirne an bua a fháil. **Is cuma faoin** spórt. Ní chuirtear aon bhéim níos mó ar thaitneamh a bhaint as an spórt. **Níl ach** dian-iomaíocht **le feiceáil** i ngach aon spórt. **Fiú má** deirtear fós gur 'spórt amaitéireach' é, **níl ansin ach cur i gcéill**.

Ar an dara dul síos, labhróidh mé faoi imreoirí gairmiúla. Sa sacar agus anois sa rugbaí freisin, íoctar na himreoirí. Is post é dóibh, agus faigheann imreoirí maithe pá ard. Cuirtear an-bhrú ar na himreoirí ansin. Bíonn orthu imirt ar ardchaighdeán, an bua a fháil agus is minic a bhíonn strus uafásach orthu. Ní féidir a rá gur 'spórt' é dóibh siúd: ní hea, is post é – post an-strusmhar agus **má theipeann orthu** an bua a fháil caitear amach iad. Is fiú na milliúin euro imreoirí sacar áirithe.

Deir lucht an fhreasúra gur 'cluichí amatéireacha' iad na cluichí Gaelacha – an iománaíocht agus an pheil Ghaelach. Ag magadh atá sibh, an ea? Nach bhfeiceann sibh an urraíocht a fhaigheann imreoirí peile agus iománaíochta? **An bhfuil sibh dall amach is amach?** Agus ná habair liom go gcreideann sibh gur 'cluichí amaitéireacha' iad na Cluichí Oilimpeacha! An bhfuilimid ar an bpláinéad céanna, meas tú? Féach ar na lúthchleasaithe Meiriceánacha a fhaigheann 'scoláireacht' le dul go coláiste áirithe. Ní amaitéirigh iad siúd in aon chor. Faigheann siad íocaíocht mhaith as bheith ag iomaíocht sna Cluichí Oilimpeacha.

A chairde, tá sé in am agam críoch a chur le mo chuid cainte. Chuala sibh mo chuid argóintí agus tá súil agam go bhfuil sibh ar aon intinn liom anois nuair a deirim nach bhfuil sa spórt sa lá atá inniu ann ach gnó.

Cleachtadh scríofa

Anois scríobh do dhíospóireacht féin in aghaidh nó ar son na rún seo a leanas. Is féidir go leor de na nathanna aibhsithe a úsáid. Féach lth 438 chun foclóir aiste a fháil.

1. Tá an spórt ró-iomaíoch sa lá atá inniu ann.
2. Tá idéil na gCluichí Oilimpeacha caillte.
3. Ní thugtar Cothrom na Féinne do spórt na mban.

An ghramadach i gcomhthéacs

Saorbhriathar 3: Aimsir Fháistineach

Cad é?	**Cuirfear = *will be put***	**marófar = *will be killed***	
Conas?	Briathra 1-shiollacha	cuir + fear	tógfar
	Briathra 2-shiollacha	mar + ófar	imr + eofar.

Ceacht 1

Scríobh amach agus cuir an leagan ceart den bhriathar sna bearnaí.

(1) halla spóirt nua i mBaile an Teampaill an deireadh seachtaine seo chugainn. Beidh cóisir mór chun an ócáid a cheiliúradh. (2) bia, sóláistí agus siamsaíocht ar fáil agus (3) cluichí do na páistí ar maidin Shathairn.

Ceacht 2

Athscríobh na habairtí agus cuir an leagan ceart den bhriathar isteach.

1. (Cuir) an dlí ar aon duine a thiomáineann ar ard-luas.
2. (Marófar) níos mó daoine ar na bóithre muna ndéantar rud éigin faoi.
3. (Truailligh) na haibhneacha má leantar ag caitheamh bruscar iontu.
4. (Bain) an ceadúnas tiomána d'aon duine a thiomáineann agus iad ar meisce.
5. (Dún) an roinn timpiste agus éigeandála san ospidéal Réigiúnda go luath.
6. (Oscail) gaelscoil nua i mBaile an Rí an Meán Fomhiar seo.
7. (Gearr) píonós ar aon duine a bhrisfidh rialacha na scoile.
8. (Cuir) an ceolchoirm ar athchló má bhíonn an aimsir go dona.
9. Gheofar na gadaithe agus (cuir) i bpriosún iad.
10. (Caith) dul i ngleic leis an bhfadhb seo

Súil siar: seicliosta

- **Foghraíocht** — í agus uí; a agus ea
- **Gramadach** — Claoninsint: an tAinm Briathartha
An Saorbhriathar
- **Labhairt** — **Conas** do thuairim a thabhairt faoi chúrsaí sláinte agus an bia atá go maith duit; conas labhairt faoi na spóirt a imríonn tú nó a leanann tú; conas cur síos ar chluiche; conas cur síos ar chluiche. conas tuairim a thabhairt faoin tairbhe a bhaineann le spórt, faoin spórt mar ghnó agus caimiléireacht
- **Scríobh** — Conas alt ar thimpistí bóthair agus ar chúrsaí sláinte a scríobh; conas díospóireacht a scríobh ar an spórt mar ghnó
- **Litríocht** — *Géibheann*

Cluastuiscint (60 marc)

FÓGRA A hAON

Mír 6.12
T3

1. Cad leis a chuirfear tús le an Aoine seo chugainn?
2. Cad a dhéantar sa chlár 'Amhráin is ansa liom?'
3. Ainmnigh clár amháin spóirt a bheidh ar siúl.

FÓGRA A DÓ

Mír 6.13
T4

1. Cén méadú atá tagtha ar líon na mban le hailse brollaigh in Éirinn i mbliana?
2. Luaigh dhá chúis a bhfuil ráta ard ailse brollaigh sa tír seo.
3. Cad atá Cumann Ailse Éireann ag moladh do mhná óga a dhéanamh?

COMHRÁ A hAON

Mír 6.14
T5

1. Cén fáth a raibh ionadh ar Alan?
2. Cad a bhí tuillte go maith ag Martin McGann, dar le hAlan?
3. Cén fáth a raibh áthas ar Chaitríona gur bhuaigh 'The Pipe' gradam?

COMHRÁ A DÓ

Mír 6.15
T6

1. Cad a bhí cearr le Neans?
2. Cad a dúirt an dochtúir agus cad a thug sé di?
3. Cén fáth a gcaithfidh sí dul go dtí an t-ospidéal?

PÍOSA A hAON

Mír 6.16
T7

1. Cad air a chuirtear béim ar leith?
2. Cad atá le fáil ar phraghas?
3. Cén fáth a ndeirtear go bhfuil cion ag an bpobal ar line ar iriseoirí an 'Irish Times'

PÍOSA A DÓ

Mír 6.17
T8

1. Cad é aidhm an fheachtais seo?
2. Cén ranganna a bhfuil an feachtas dírithe orthu?
3. Cé a bheidh ag labhairt leo?

Ceapadóireacht

(100 marc)

Freagair do rogha CEANN AMHÁIN de A, B nó C anseo thíos.
Nóta: Ní gá níos mó ná 500-600 focal nó mar sin a scríobh i gcás ar bith.

A – AISTE nó ALT NUACHTÁIN / IRISE – 100 marc

Scríobh ar CHEANN AMHÁIN de na hábhair seo:

a. Na meáin Ghaeilge
b. Tionchar na sobalchlár ar an aos óg.
c. An córas sláinte
d. Tionchar na suíomhanna sóisialta orainn
e. Tábhacht an spóirt i saol an duine óig

B – SCÉAL – 100 marc

Ceap scéal a mbeadh do rogha CEANN AMHÁIN díobh seo oiriúnach mar theideal air:

a. Áilleacht
b. Is fearr an tsláinte ná na táinte

C – DÍOSPÓIREACHT / ÓRÁID – 100 marc

Freagair do rogha CEANN AMHÁIN díobh seo a leanas:

a. Scríobh an **chaint** a dhéanfá i ndíospóireacht scoile ar son an rúin seo a leanas **nó** ina aghaidh:
Is sia a théann an bhréag ná an fhírinne

b. Scríobh an píosa cainte a thabharfá sa rang Gaeilge faoi:
Do shláinte: comhairle do dhaoine óga

Seinnteoir meáin

7

An Ghaeilge

SAN AONAD SEO FOGHLAIMEOIDH TÚ:

F	Foghraíocht	An difríocht fuaime idir ea, éa agus eá
G	Gramadach	An tAinmfhocal An Tuiseal Ginideach
t	Tuiscint	Conas cluas agus léamhthuiscintí faoi nGaeilge, naíonraí, teaghlaigh Gaelacha agus ábhar gaolta a thuiscint.
	Scríobh	Conas óráid a scríobh faoi thábhacht na Gaeilge
	Litríocht	*Oisín i dTír na nÓg* curtha in eagar ag Niall Ó Dónaill

An Ghaeilge

Cúinne na fuaime: Síneadh fada le dhá ghuta

Éist agus abair

Mír 7.1
T9

ea = aa	éa = é	eá = á
bean	béar	beár
ceard	céard	ceann
dear	déarfaidh	deá
fear	féar	feá *(beech tree)*
geata	géar	geáitse
lean	léan	leá
mear	méar	meá
peata	péacóg	
sean	séan	Seán

Beatha teanga

An raibh a fhios agat?

- Go bhfuil an Ghaeilge á labhairt in Éirinn le os cionn 2,000 bliain agus gurb í ceann de na teangacha is sine san Eoraip.
- Go raibh an Ghaeilge mar mhórtheanga labhartha in Éirinn go dtí tuairim is 150 bliain ó shin, nuair a fuair breis is milliún duine bás le linn an Ghorta Mhóir. Ba chainteoirí Gaeilge a bhformhór acu. Ina dhiaidh sin, d'imigh na milliúin eile ar imirce agus tháinig meath mór ar an nGaeilge mar theanga labhartha.
- Gur teanga Cheilteach í, cosúil leis an mBreatnais, an Bhriotáinis, an Mhanainnis, an Choirnis agus Gaidhlig na hAlban, agus go bhfuil rian den Cheiltis le fáil i logainmneacha ar fud na hEorpa, mar shampla Triana (Sevilla, an Spáinn) = trí abhainn agus Avon (Sasana) = abhainn.
- Go raibh 540,802 duine le Gaeilge in Éirinn sa bhliain 1926 agus go bhfuil 1,656,790 duine le Gaeilge ann anois.
- Go raibh Gaeilge á labhairt i Meiriceá agus san Astráil san 18ú agus sa 19ú aois agus go bhfuil suas le 20,000 duine i Meiriceá sa lá atá inniu ann a labhraíonn Gaeilge sa bhaile.
- Go bhfuil stádas oifigiúil ag an nGaeilge san Aontas Eorpach anois.
- Go raibh 11 ghaelscoil agus 5 ghaelcholáiste ag múineadh trí mheán na Gaeilge taobh amuigh den Ghaeltacht i 1972 agus go bhfuil 170 gaelscoil agus 39 meánscoil Ghaeilge ann anois.
- Lena chois sin, tá 127 mbunscoil sa Ghaeltacht agus 29 ngaelcholáiste – sin suas le 10% de dhaltaí atá ag fáil scolaíocht trí mheán na Gaeilge.
- Go dtéann 22% de dhaltaí ó ghaelscoileanna ar aghaidh go dtí an tríú leibhéal i gcomparáid le 7% ó scoileanna Béarla.

- Go dtéann 26,000 dalta go coláiste samhraidh sa Ghaeltacht gach bliain.
- Go bhfuil ceithre stáisiún raidió agus dhá stáisiún teilifíse (RTÉ agus TG4) ag craoladh clár i nGaeilge.
- Gur féidir cúrsaí ollscoile a dhéanamh trí Ghaeilge (mar shampla, i bhFiontar in Ollscoil Chathair Bhaile Átha Cliath agus cúrsaí éagsúla in Acadamh na hOllscolaíochta, Gaillimh).

Deis comhrá

Féach ar na fíricí thuas, agus déan iarracht cúiseanna a fháil dóibh.

Mar shampla: Cén fáth ar tháinig meath ar an nGaeilge?

- Mar fuair a lán Gaeilgeoirí bás le linn an Ghorta Mhóir
- Mar d'imigh a lán cainteoirí Gaeilge ar imirce
- Mar ní raibh meas ag daoine ar an nGaeilge
- Mar ní raibh Gaeilge á múineadh sna scoileanna
- Mar chuir rialtas Shasana an Ghaeilge faoi chois

Is féidir taighde a dhéanamh ar an idirlíon chun cúiseanna eile a fháil.

Anois pléigh cén fáth:

- A raibh Gaeilge á labhairt i Meiriceá agus san Astráil san 19ú aois
- Ar tháinig méadú mór ar líon na ndaoine le Gaeilge ó 1926 go 2006
- Ar tháinig méadú mór ar líon na ngaelscoileanna
- A dtéann níos mó daltaí ó ghaelscoileanna ar aghaidh go dtí an tríú leibhéal
- A bhfuil rian Ceilteach ar logainmneacha na hEorpa
- Ar teanga oifigiúil den Aontas Eorpach í an Ghaeilge

Déan iarracht níos mó ná cúis amháin a fháil agus úsáid na nathanna seo mar chabhair: Tháinig méadú ar ... mar ... lena chois sin ...

An ghramadach i gcomhthéacs

An t-ainmfhocal

Bíonn ainmfhocail i nGaeilge baininscneach nó firinscneach.
Seo a leanas treoracha ginearálta.

Baininscneach	Firinscneach
• De ghnáth, focail a chríochnaíonn ar **chonsan caol:** máthair, tír, áit, scoil • Focail a chríochnaíonn ar **(í)ocht/(e)acht agus a bhfuil níos mó ná siolla amháin iontu:** filíocht, eolaíocht, freagracht, codarsnacht • Focail a chríochnaíonn ar **-eog:** fuinneog, duilleog, spideog, brídeog • **Tíortha agus teangacha:** an Fhrainc, an tSín, an Iodáil	• Focail a chríochnaíonn ar **chonsan leathan:** scéal, údar, dán, fear, rialtas • Focail a chríochnaíonn ar **-éir, -óir, -úir agus slite beatha, m.sh:** múinteoir, siúinéir, feirmeoir • Focail a chríochnaíon ar **-án, -ín, -as + guta:** amadán, cailín, oideachas, file • Na tíortha seo agus teanga amháin: **Sasana, Ceanada, Meiriceá agus Béarla**

Tabhair aire! Níl anseo ach treoirlínte agus tá go leor eisceachtaí ann.
Mar shampla: fadhb (baininscneach)

Tar éis **'an'** bíonn **seimhiú** ar ainmfhocal **baininscneach***

Baininscneach	**Firinscneach**
An bhean	**An** fear
An fhuinneog	**An** múinteoir (fiú más bean an múinteoir!)

ach amháin focail a thosaíonn le **d nó t, (tugtar dentals orthu seo.)**

An tír

An duilleog

Tar éis **'an'** bíonn **'t'** roimh ainmfhocal **firinscneach** a thosaíonn le **guta**

Baininscneach	**Firinscneach**
An áit	**An t-**údar
An iníon	**An t-**amhrán

Tar éis **'an'** bíonn **'t'** roimh ainmfhocal **baininscneach** a thosaíonn le **'s'**

Baininscneach	**Firinscneach**
An tseachtain	**An** siopa
An tsráid	**An** saibhreas

***Níl aon 'a' sa Ghaeilge:** a poet = file **the** poet = **an** file

Seo mar a bhíonn focal ar www.focal.ie

tír *bain2* *gu:* tíre, *ai:* tíortha, *gi:* tíortha (LAND)

bain2 = **baininscneach sa dara díochlaonadh**

gu = ginideach uatha

ai = ainmneach iolra **gi = ginideach iolra**

Ceacht 1

Faigh amach an bhfuil na focail seo baininscneach nó firinscneach. Tomhas agus ansin féach ar www.focal.ie agus scríobh na focail bhaininscneacha i gcolún amháin agus na focail fhirinscneacha i gcolún eile.

Cuir 'an' rompu agus déan pé athrú is gá:

ábhar	áit	oideachas
téama	filíocht	bochtanas
íomhá	teilifís	ól
meafar	páipéar	féinmhuinín
atmaisféar	timpeallacht	teach
scannán	ceol	clann
dán	spórt	teaghlach
scéal	tír	mothúchán
file	baile	fadhb
údar	dífhostaíocht	
oileán	coiriúlacht	
scoil	rialtas	

Ceacht 2

Léigh an sliocht seo agus faigh amach an bhfuil na focail le líne fúthu baininscneach nó firinscneach. Faigh dhá shampla den Tuiseal Ginideach.

Clár eile sa tsraith faisnéise faoi na pearsana a bhain Uachtaránacht na hÉireann amach. Abhcóide, ollamh dlí, agus Seanadóir ab ea Máire Mhic Róibín agus ba bheag duine a cheap go raibh seans aici in aghaidh Bhriain Uí Luineacháin i dtoghchán na hUachtaránachta.

An Tuiseal Ginideach

Cad é?

Léiríonn sé **úinéireacht**. Tá sé cosúil le *'s* i mBéarla nó ***'of'***.

mar shampla: *The man's hat*: hata an f**hir** *The map **of** Ireland:* léarscáil **na hÉire**ann

Sa Ghaeilge, in áit ***of*** nó *'s* athraíonn an focal féin.

Úsáidtear an **Tuiseal Ginideach** freisin

1. Nuair a úsáidtear **ainmfhocal** mar **aidiacht:**

   Mar shampla: Múinteoir fraincíse clár teilifíse Domhnach Cásca

2. Tar éis an **ainm bhriathartha,** .i. ag déanamh

   Mar shampla: ag tógáil tí ag lorg oibre ag déanamh agóide

3. Úsáidtear an **Tuiseal Ginideach** tar éis na réamhfhocail seo a leanas:

   ar chúl (an tí)
   ar feadh (**na** hoíche)
   ar aghaidh (**na** trá)
   ar fud (**na** háite)
   ar son (**na** cúise)
   de réir (an údair)
   le linn (an chogaidh)
   i rith (**na** bliana)
   os comhair (**na** scoile)
   i gcomhair (an lóin)
   i lár (an lae)
   in aice (**na** tine)
   i measc (an aosa óig)

Ceacht 1

Féach ar na focail idir lúibíní thuas agus cuir i ndá cholún iad: focail a thógann 'na' sa tuiseal ginideach agus focail a thógann 'an'. Cad é an difríocht eile idir an dá ghrúpa sa tuiseal ginideach? An bhfuil pátrún le feiceáil?

Ceacht 2

Léigh an píosa seo agus pioc amach na focail atá sa tuiseal ginideach.

Beidh clár nua ar an teilifís faoi stair na hÉireann, ag féachaint ar shaol na ndaoine i rith an Ghorta Mhóir. Is é Brian Ó Sé léiritheoir an chláir agus beidh sé ag caint leis an tráchtaire teilifíse, Siún Ní Bhroin, faoi ar Nuacht TG4 anocht. Beidh rásaí na gcapall ar siúl ag deireadh na míosa agus beidh agallamh á chur ar úinéir an stábla i mBaile an Teampaill faoi rogha na coitiantachta i rás Dhomhnach Cásca.

Comhluadar

An bhfuil a fhios agat go bhfuil 66% de dhaonra an domhain dátheangach? Is rud coitianta é sa lá atá inniu ann dhá theanga nó níos mó fiú a bheith ag páistí. In Éirinn, tá fás mór tagtha ar thuiscint an dátheangachais agus é ag múscailt spéise i dtuismitheoirí ach go háirithe. Chomh maith leis sin, tá tuismitheoirí ann a bhfuil an-suim acu sa Ghaeilge mar theanga bheo chumarsáide sa bhaile agus sa phobal, agus tá na céadta acu lasmuigh den Ghaeltacht ag tógáil clainne le Gaeilge.

Tugann an Ghaeilge, mar theanga teaghlaigh, go leor buntáistí do chlann. Ní amháin go n-osclaíonn sí doras nua cumarsáide duit féin agus do do chlann ach cuireann sí le do chuid féiniúlachta féin. Tá buntáistí eile an dátheangachais ann a chuireann go mór le forbairt intleachta, teanga agus sóisialta an pháiste, mar shampla bheith in ann scileanna eile a fhorbairt níos tapúla agus smaoineamh ar shlite níos cruthaithí, agus bheith i gcumas teangacha eile a shealbhú níos fusa agus taitneamh a bhaint as dhá chultúr. Níl ann ach an tús, mar le hAcht na dTeangacha Oifigiúla, stádas oifigiúil don Ghaeilge san Aontas Eorpach, an tóir atá ar TG4 agus méadú ar líon na gcúrsaí trí Ghaeilge ag an tríú léibhéal, beidh rogha níos leithne ag do pháiste amach anseo maidir le post a fháil.

Bunaíodh Comhluadar i 1993 chun tacaíocht agus treoir a thabhairt do thuismitheoirí ar mian leo Gaeilge a labhairt lena gcuid páistí. Le Comhluadar, bíonn deis agat aithne a chur ar dhaoine eile i do cheantar atá ag tógáil clainne le Gaeilge. Is iomaí cairdeas a bhunaítear i gComhluadar – cairdeas idir tuismitheoirí agus páistí. Gach mí, tugtar cuireadh do theaghlaigh teacht le chéile ag réimse leathan ócáidí sóisialta agus oideachasúla, mar shampla cóisirí, ceardlanna agus turais. Anuas air sin, is guth aontaithe é Comhluadar ar mhaithe le cearta teaghlaigh i gcás seirbhísí poiblí trí Ghaeilge.Tá Comhluadar ag feidhmiú ar bhonn uile-oileánda mar an bpríomheagraíocht a chuireann an t-aistriú teanga ó ghlúin go glúin chun cinn. Aontaímid go léir, na saineolaithe san áireamh, gurb é an baile an suíomh is nádúrtha agus is fearr do shealbhú teanga.

Ceisteanna

1. Cén fáth a bhfuil tuismitheoirí ag tógáil clainne le Gaeilge?
2. Luaigh trí bhuntáiste a bhaineann le bheith dátheangach.
3. Cad iad na deiseanna atá ann chun post a fháil le Gaeilge?
4. Cén aidhm atá ag Comhluadar?
5. Luaigh dhá sheirbhís a chuireann Comhluadar ar fáil.
6. Faigh dhá shampla d'fhocail fhirinscneacha agus dhá shampla d'fhocail bhaininscneacha sa tuiseal ginideach sa chéad alt.

Faigh agus foghlaim

Faigh agus foghlaim focail nó nathanna a chiallaíonn:

líon na ndaoine	*there are hundreds of them*
bheith ábalta	*raising a family*
an t-éileamh atá ar	*to promote*
chun tacú le	*on an all-island basis*
ar son	*especially*
tá go leor	*to get to know*
chomh maith leis sin	*a wide range of occasions*
is minic sa lá inniu	*a wider choice*
or even more	*acquiring languages*
outside	*as regards*

7

Na Gaeltachtaí

Dún na nGall

- Is é seo an dara Gaeltacht is mó in Éirinn.
- Tá daonra de 23,783 (Daonáireamh 2006) i nGaeltacht Dhún na nGall. Is ionann seo agus 25% de dhaonra iomlán na Gaeltachta.
- In 2008, bhí 2,475 duine fostaithe go lánaimseartha i gcliant - chomhlachtaí de chuid Údarás na Gaeltachta i nDún na nGall.
- Ciallaíonn Dún na nGall 'Dún na nEachtrannach'. Cén fáth, meas tú?
- Is é 'Tír Chonaill' an seanainm a bhí ar an gcontae, i ndiaidh Conall Gulban. Féach ar Vicipéid chun eolas a fháil ar Chonall Gulban.

Logainmneacha:
An Bun Beag,
Gort a' Choirce,
Gaoth Dobhair,
An Fál Carrach,
An Clochán Liath,
Gleann Cholm Cille,
Na Cealla Beaga,
Dún Lúiche,
Leitir Ceanainn,
Páirc Náisiúnta Ghleann Bheithe,
Toraigh,
Cnoc Fola,
An Craoslach

Gaillimh – Conamara

- Clúdaíonn Gaeltacht na Gaillimhe codanna leathana de chontae na Gaillimhe, go mórmór in iarthar an chontae, agus is é an ceantar Gaeltachta is mó sa tír é, ó thaobh achair agus daonra araon.
- Tá daonra de 40,052 i nGaeltacht na Gaillimhe agus is ionann seo agus 47% de dhaonra iomlán na Gaeltachta. Tá cónaí, áfach, ar 12,000 den daonra seo laistigh de bhruachbhaile chathair na Gaillimhe. Is iad an Spidéal agus an Cheathrú Rua na limistéir lonnaíochta is mó.

Logainmneacha:
An Cheathrú Rua,
An Spidéal,
Indreabhán,
Ros Muc,
Ros an Mhíl,
Leitir Mór,
Leitir Mealláin,
Cill Chiaráin,
Tír an Fhia,
Maigh Cuilinn,
Na Forbacha,
Bearna,
Cloch na Rón

Ciarraí

- Tá daonra de 8,695 i nGaeltacht Chiarraí, agus is ionann seo agus 9% de dhaonra iomlán na Gaeltachta.
- In 2008, bhí 848 duine fostaithe go lánaimseartha i gcliant-tionscadail de chuid Údarás na Gaeltachta i nGaeltacht Chiarraí.

Logainmneacha:
An Daingean,
Baile na nGall,
Baile an Fheirtéaraigh,
Dún Chaoin,
Ceann Trá,
Baile an Sceilg,
Cathair Saidhbhín,
Cill Áirne,
Neidín,
Cill Orglan,
Corca Dhuibhne,
Lios Póil

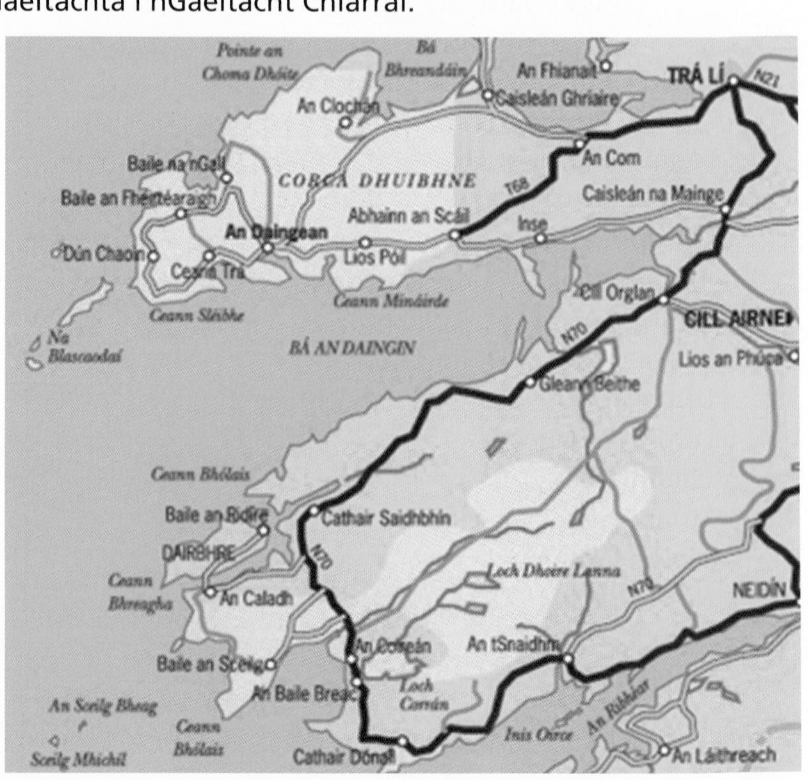

Ráth Chairn, Baile Ghib, Co. na Mí

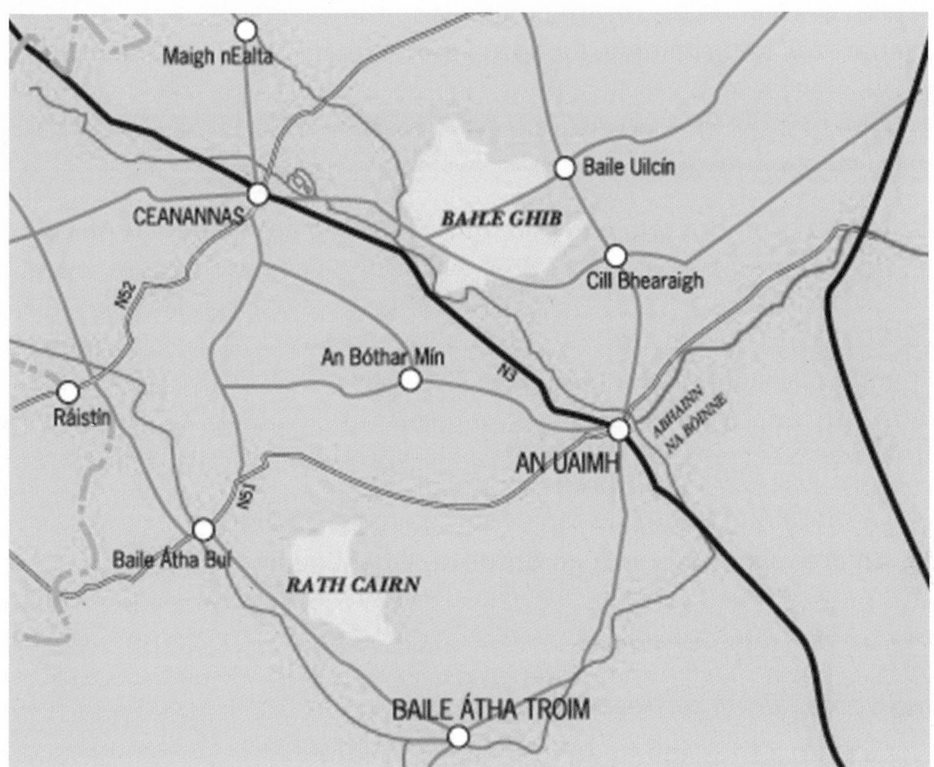

- Bunaíodh Gaeltacht na Mí sa bhliain 1935 nuair a chuir Rialtas na hÉireann talamh ar fáil do mhuintir Ghaeltacht na Gaillimhe.
- Is í Gaeltacht na Mí, ina bhfuil an dá bhaile Ráth Chairn agus Baile Ghib, an ceantar Gaeltachta is lú. Tá an dá bhaile seo cóngarach dá chéile agus tá siad in aice leis an Uaimh agus le Baile Átha Troim.
- Tá daonra de 1,591 (Daonáireamh 2006) i nGaeltacht na Mí agus is ionann seo agus 2% de dhaonra iomlán na Gaeltachta. Sna tríochaidí, tháinig thart ar 40 clann (443 duine) ó Chonamara go Ráth Chairn, mar tugadh talamh ansin dóibh. Tá na clannta seo fós ag labhairt Gaeilge agus tá siad ag mealladh daoine le spéis sa Ghaeilge chun cónaithe i Ráth Chairn. Tá tuilleadh eolais le fáil ar www.rathcairn.net.

Tá Gaeltachtaí eile i gCorcaigh, Maigh Eo agus i bPort Láirge. Téigh go suíomh idirlín Údarás na Gaeltachta (www.udaras.ie) chun tuilleadh eolais a fháil fúthu. Gheofar eolas faoi Ghaeltacht Bhéal Feirste ag www.culturlann.ie

Cleachtadh taighde

1. Faigh eolas faoi na Gaeltachtaí eile seo agus scríobh alt eolais futhú.
2. Foghlaim cad a chiallaíonn na logainmneacha éagsúla atá luaite.

Cleachtadh scríofa

Scríobh ceisteanna do Thráth na gCeist sa rang bunaithe ar an eolas thuas faoi na Gaeltachtaí. Mar shampla: Cá bhfuil Indreabhán? Cad í an Ghaeltacht is lú?

Cleachtadh éisteachta 1: an Ghaeilge

Mír 7.2
T10

Éist leis an gcomhrá seo le Caitlín agus Gabriella agus freagair na ceisteanna seo a leanas (RTE iclub).

Ceisteanna

1. Cá ndeachaigh Caitlín ar scoil?
2. Cén teanga a labhraíonn sí sa bhaile?
3. Cár fhoghlaim Gabriella a cuid Gaeilge?
4. Cá oibríonn Caitlín? Cá úsáideann sí a cuid Gaeilge?
5. An gceapann Gabriella go bhfuil an Ghaeilge ag fáil bháis?

Cleachtadh scríofa

Anois freagair na ceisteanna seo fút féin:

1. Cathain a thosaigh tú ag foghlaim Gaeilge?
2. An raibh tú riamh sa Ghaeltacht? Ar thaitin sí leat?
3. Ar fhreastail tú riamh ar choláiste samhraidh? Ar thaitin sí leat?
4. An gceapann tú go bhfuil an Ghaeilge ag fáil bháis?

Deis comhrá

An maith leat an Ghaeilge?

Is breá liom an Ghaeilge mar:	**Is fuath liom an Ghaeilge mar:**
Is teanga cheolmhar í.	Tá sí an-deacair.
Is í ár dteanga dhúchais í.	Ní labhraítear í mórán níos mó.
Is í teanga ár sinsear í.	Tá sí sean-fhaiseanta.
Labhraíonn go leor daoine óga í.	Caithfidh mé í a fhoghlaim.
Bhí mé sa Ghaeltacht agus thaitin sé go mór liom.	Ní úsáidim í riamh.
Is cuid dár n-oidhreacht í.	Tá an Béarla idirnáisiúnta.
Tá a dteanga féin ag gach tír eile.	Nílim go maith ag foghlaim teangacha.
Táim bródúil aisti.	Níl aon suim agam inti.

Anois freagair an cheist thuas ag úsáid na nathanna sin. Scríobh alt ar an ábhar. Féach freisin lth 224.

Na heagraíochtaí Gaeilge

Conradh na Gaeilge

- Foras na Gaeilge (www.gaeilge.ie)
- Clár na Leabhar Gaeilge (www.gaeilge.ie/Foras_na_Gaeilge/Clar_na_Leabhar_Gaeilge)
- An Gúm (www.gaeilge.ie/Foras_na_Gaeilge/An_Gum)
- Conradh na Gaeilge (www.cnag.ie)
- Glór na nGael (www.glornangael.ie)
- An Chomhairle um Oideachas Gaeltachta agus Gaelscolaíochta (www.cogg.ie)

Cleachtadh scríofa

1. Téigh go dtí na suíomhanna idirlín sin chun tuilleadh eolais a fháil faoi na heagraíochtaí. Faigh eolas faoi na himeachtaí a eagraíonn siad.
2. Is féidir le gach duine sa rang eagraíocht amháin a phiocadh agus an t-eolas a roinnt leis an rang.

Cleachtadh taighde

Tá go leor suíomhanna Idirlín eile ann as Gaeilge. Tabhair cuairt orthu chun eolas a fháil agus tabhair an t-aiseolas don rang.

- www.focal.ie (foclóir ar-líne)
- www.logainm.ie (Gaeilge ar logainm)
- www.ogras.ie (clubanna óige)
- www.litriocht.ie (chun leabhair Ghaeilge a cheannach)
- www.comhluadar.ie (Gaeilge sa chlann)
- www.naionrai.ie (páistí óga)
- www.beo.ie (iris ar líne)
- www.clubleabhar.com

Cleachtadh éisteachta 2: na hÉireannaigh nua

Mír 7.3
T11

Éist agus líon na bearnaí.

Bhí sé _____ sa _____ le seachtain anuas ag ullmhú don _____. Síneach a bhí ar an 26ú Eanáir i mbliana. Réitigh na páistí bord speisialta le _____ agus _____ a rinne siad le cabhair ó Mhamaí Ryan Leong. Tá buachaill amháin Síneach agus beirt ó Vítneam sa naíonra. Bhain na páistí go léir an-taitneamh as, agus ghléasadar go léir suas don chóisir. Rinne siad Balla Mór na Síne a thógáil leis an _____. Chabhraigh an ceiliúradh go mór le caidreamh Sín-Éireannach, agus gan dabht beidh an triúr óg mar Ambasadóirí Gaelacha dúinn _____. An tseachtain seo chugainn beidh siad ag ullmhú do Lá 'le Bríde: Molaimid an _____!

Ceapadóireacht: óráid

Iarradh ort caint a thabhairt do do chomhscoláirí chun iad a spreagadh chun Gaeilge a labhairt. (Féach lth 222)

Tús

'A chairde, ba mhaith liom fáilte a chur romhaibh go léir. Is mise ... agus tá an-áthas orm bheith anseo inniu chun labhairt libh faoin nGaeilge. Pléifidh mé ár bhféiniúlacht agus labhróidh mé faoi na buntáistí a bhaineann leis an dátheangachas. Luafaidh mé ansin na deiseanna fostaíochta atá ar fáil anois do dhaoine óga le Gaeilge. Beidh mé ag caint ar dtús faoin oidhreacht shaibhir atá againn agus faoin tábhacht a bhaineann leis an oidhreacht sin a chaomhnú. Ansin tabharfaidh mé samplaí de rudaí beaga is féidir leat a dhéanamh chun do shaol a Ghaelú. Má theastaíonn uaibh aon cheist a chur, beidh mé thar a bheith sásta bhur gceisteanna a fhreagairt.

Alt 2: Oidhreacht agus cultúr

Ar an gcéad dul síos, ba mhaith liom labhairt faoin oidhreacht iontach seo atá againn – ár dteanga dhúchais. An raibh fhios agaibh, a chairde, go bhfuil Gaeilge á labhairt in Éirinn le os cionn 2,000 bliain? Is teanga ársa í le litríocht ársa. Anuas air sin, bhí na Ceiltigh san Eoraip sular tháinig siad go hÉirinn, mar sin is cuid d'oidhreacht na hEorpa an Ghaeilge freisin. Tá an Ghaeilge fite fuaite i stair agus i gcultúr na tíre seo. Féach ar na logainmneacha sa tír – is i nGaeilge atá siad go léir. Ba mhór an trua é dá gcaillfí an oidhreacht iontach seo. Ba chóir dúinn bheith bródúil as ár dteanga dhúchais.

Alt 3: Féiniúlacht agus dátheangachas

A dhaoine uaisle, tá an dátheangachas timpeall orainn in Éirinn sa lá atá inniu ann níos mó ná mar a bhí riamh. Ní gá ach éisteacht ar an tsráid agus cloisfidh tú daoine ag labhairt Polainnise, Rúisise, Arabaise agus teangacha eile. Tá níos mó ná 66% de dhaonra an domhain dátheangach. Tá na hÉireannaigh nua breá sásta a dteanga féin a labhairt agus tá siad breá sásta Gaeilge a fhoghlaim. Cén fáth nach mbeadh muidne sásta ár dteanga dhúchais a labhairt? Cén fáth a bhfuil náire orainne Gaeilge a labhairt? Ní hamháin sin, ach de réir an taighde is déanaí tá go leor buntáistí ag baint leis an dátheangachas. Cabhraíonn sé le forbairt intleachtúil an duine, agus cuireann sé le cruthaitheacht an duine. Mar a deir an seanfhocal, 'Ní troimide an cholainn an léann'.

Alt 4: Fostaíocht sa Ghaeilge

A chomhscoláirí, tá buntáistí eile, níos praiticiúla, ag baint leis an nGaeilge. Tá fostaíocht ar fáil anois dóibh siúd le Gaeilge, a bhuíochas leis an dul chun cinn mór atá déanta le tríocha bliain anuas. I dtús báire, tá méadú mór tagtha ar líon na ngaelscoileanna agus na ngaelcholáistí in Éirinn. An raibh fhios agaibh go bhfuil níos mó ná 200 scoil Ghaeilge sa tír – agus seo lasmuigh den Ghaeltacht? Ciallaíonn sé seo go bhfuil tóir ar mhúinteoirí le Gaeilge líofa. Tá na meáin ann, leis: Raidió na Gaeltachta agus TG4. Tá borradh agus fás tagtha ar na meáin Ghaeilge le scór bliain anuas, agus mar sin tá fostaíocht ann san earnáil chruthaitheach seo. Anuas air sin, in 2001 rinneadh teanga oifigiúil den Ghaeilge san Aontas Eorpach, agus mar sin, is féidir le hÉireannaigh an Ghaeilge a úsáid mar dhara teanga nuair a bhíonn siad ag cur isteach ar phoist san AE.

Alt 5: Conas is féidir do shaol a Ghaelú?

Ach cad is féidir leatsa a dhéanamh i do shaol féin? Is féidir cinneadh a dhéanamh Gaeilge a labhairt le cara amháin gach Luan, b'fhéidir, nó ar an mbus scoile. Is féidir club Gaeilge a bhunú i do scoil. Is féidir do leathanach ar Facebook a aistriú go Gaeilge. D'fhéadfá Gaeilge a labhairt le haon ghaol leat le Gaeilge – d'athair, do mháthair, do dheirfiúr. Ar ndóigh, tá TG4 ann freisin. D'fhéadfá féachaint ar chlár amháin gach seachtain, nó éisteacht le Raidió na Gaeltachta anois is arís sa charr. Ní gá ach cinneadh a dhéanamh agus cloí leis.

Alt 6: Críoch, focal scoir

Tá súil agam, a chairde, gur bhain sibh taitneamh agus tairbhe as an gcaint seo agus gur thug mé lón smaoinimh daoibh. Is linne an Ghaeilge agus caithfimid í a chaomhnú. Mar a deir an seanfhocal 'Ní neart go cur le chéile'. Má dhéanann gach duine a chuid beidh fás agus borradh ar an nGaeilge. Go raibh míle maith agaibh as ucht éisteacht liom. Go mbeannaí Dia daoibh.

Cleachtadh scríofa

Iarradh ort caint a thabhairt do do chomhscoláirí chun iad a spreagadh chun Gaeilge a labhairt i rith Sheachtain na Gaeilge. Scríobh an chaint a thabharfá dóibh.

Prós faoi ghrá: Oisín i dTír na nÓg

Réamhrá

Tá saibhreas ag baint le béaloideas na Gaeilge agus leis na scéalta laochais a scríobhadh i lámhscríbhinní atá inchurtha le scéalta miotaseolaíochta na Gréige nó na Róimhe. Is cuid d'oidhreacht Cheilteach na hEorpa é. Sa scéal seo faoi Oisín, feicimid sampla den saibhreas cultúrtha seo.

Eolas fánach

Bhí dhá mhórlaoch i seanlitríocht na Gaeilge: Fionn Mac Cumhaill agus Cú Chulainn. Tugtar **An Fhiannaíocht** ar na scéalta a bhaineann le Fionn agus na Fianna (a bhuíon saighdiúirí) agus tugtar **An Rúraíocht** ar na scéalta faoi Chú Chulainn. Bhí scéalta na Fiannaíochta lonnaithe i ndeisceart na tíre agus bhíodar bunaithe ar shaol na ngnáthdhaoine amuigh faoin spéir ag fiach agus ag seilg. Samplaí de mhórscéalta Fiannaíochta is ea 'Oisín i dTír na nÓg', 'Tóraíocht Dhiarmada agus Ghráinne' agus 'An Bradán Feasa'. Bhí scéalta na Rúraíochta suite i dtuaisceart na tíre agus bhíodar bunaithe ar shaol na n-uaisle ansin i gcaisleáin. Samplaí de scéalta Rúraíochta is ea 'Táin Bó Chuailnge' agus 'Deirdre agus Clann Uisneach'.

An cineál scéil

Tagann an focal 'béaloideas' ó 'bhéal' agus 'oideachas'. Seo an t-eolas a fuaireamar ónár sinsir agus a tháinig anuas ó ghlúin go glúin cois teallaigh go dtí le déanaí. Ag tús an naoú haois déag, tosaíodh ag bailiú na scéalta, na seanleigheasanna (*old cures*) agus na pisreoga (*superstitions*) seo agus tá rannóg Béaloidis in Ollscoil Náisiúnta na hÉireann, B.Á.C. Seo ceann de na scéalta is mó cáil agus baineann sé leis an bhFiannaíocht, is é sin scéalta atá bunaithe ar Fhionn Mac Cumhaill, laoch a mhair in Éirinn fadó, agus na Fianna, a bhuíon saighdiúirí. Ba é Oisín mac Fhinn agus tá an scéal seo ar eolas ag gach páiste scoile. Ach sa leagan seo, tosaíonn an scéal ag an deireadh, nuair a thagann Oisín ar ais go hÉirinn, ansin insíonn sé scéal a bheatha do Naomh Pádraig.

Oisín i dTír na nÓg

Bhí **trí chéad**[1] fear ag baint chloch i **nGleann na Smól**[2], gleann aoibhinn **seilge**[3] na Féinne.* Bhí **buíon**[4] acu **crom**[5] istigh faoin **leac**[6] mhór agus **gan dul acu**[7] a tógáil. Luigh sí anuas orthu go raibh siad **á gcloí**[8] aici, agus cuid acu ag **titim i laige.**[9] Chonaic siad chucu sa ghleann an fear mór álainn ar **each**[10] bhán. Chuaigh duine de na **maoir**[11] **ina araicis.**[12]

'A **ríghaiscigh**[13] óig,' ar seisean, 'tabhair **tarrtháil**[14] ar mo bhuíon nó ní bheidh aon duine acu beo.'

'Is náireach le rá é nach dtig le neart bhur slua an leac sin a thógáil,' arsa an marcach. 'Dá mairfeadh Oscar, chuirfeadh sé d'urchar í thar mhullach bhur gcinn.

Luigh sé anonn ar a **chliathán**[15] deas agus rug ar an leac ina láimh. Le neart agus le **lúth a ghéag**[16] chuir sé seacht **bpéirse**[17] as a háit í.

Bhris **giorta**[18] an eich* báin le **meáchan**[19] an urchair, agus sular mhothaigh an gaiscíoch bhí sé ina sheasamh ar a dhá **bhonn**[20] ar thalamh na hÉireann. D'imigh an t-each bhán **chun scaoill**[21] air agus fágadh é féin ina sheanduine bhocht **dhall**[22] i measc an tslua i nGleann na Smól.

Tugadh i láthair Phádraig Naofa é sa **chill**.[23] B'iontach le gach uile dhuine an seanóir chríon liath a bhí **os méid** gach fir agus an rud a tharla dó.

'Cé thú féin, a sheanóir bhoicht*?' arsa Pádraig

'Is mé **Oisín i ndiaidh na Féinne**,'[24] ar seisean. 'Chaill mé **mo dheilbh is mo ghnúis**.[25] Tá mé i mo sheanóir bhocht dhall, **gan bhrí**, **gan mheabhair**, **gan aird**.'[26]

'Beannacht ort, a Oisín uasail,' arsa Pádraig. 'Ná bíodh gruaim ort fá bheith dall, ach **aithris**[27] dúinn cad é mar mhair tú i ndiaidh na Féinne.'

'Ní hé mo bheith dall is measa liom,' arsa Oisín 'ach mo bheith beo i ndiaidh Oscair agus Fhinn. Inseoidh mé mo scéal dhaoibh, cé gur **doiligh**[28] liom é.'

[1] *300*
[2] áit i gContae Chill Mhantáin (*glen of the thrushes*)
[3] *hunting*
[4] grúpa
[5] cromtha, *bent down*
[6] carraig, *flagstone*
[7] ní fhéadfaidís
[8] *being defeated by*, bhí an leac ag buachaint orthu
[9] *fainting*
[10] capall
[11] cinnirí *foremen*
[12] suas chuige
[13] a laoch uasal, óg
[14] cabhraigh le
[15] a thaobh
[16] *agility of limb*
[17] 1 péirse = 21 troigh (6.4 mhéadair)
[18] *girth* criosa a choinníonn an diallait (*saddle*) ar chapall
[19] weight
[20] chos
[21] *ran loose*
[22] caoch blind
[23] san eaglais bheag
[24] nath cainte anois a chiallaíonn duine atá ar thóir a óige nó an t-am atá thart
[25] mo chuma, mo dhealramh, *my looks*
[26] gan neart, gan chiall, gan mhaith
[27] inis
[28] deacair

7

Ansin shuigh Oisín **i bhfianaise**[29] Phádraig agus na **cléire** gur inis sé a scéal ar Thír na nÓg agus ar Niamh Chinn Óir a **mheall**[30] ón Fhiann é.

Maidin cheo i ndiaidh **Chath Ghabhra**[31] bhí **fuílleach áir**[32] na Féinne ag seilg fá **Loch Léin**.[33] Níorbh fhada go bhfaca siad aniar chucu ar each bhán an marcach mná ab áille **gnaoi**.[34] Rinne siad dearmad den tseilg le hiontas inti. Bhí coróin ríoga ar a ceann agus **brat**[35] donn **síoda**[36] a bhí buailte le réalta dearg óir **á cumhdach**[37] go **sáil.**[38] Bhí a gruaig ina **duala buí óir**[39] ar sileadh léi agus a gormshúile **mar dhrúcht**[40] ar bharr an fhéir.

'Cé thú féin, a ríon óg is fearr maise agus gnaoi?' arsa Fionn

'Niamh Chinn Óir is ainm domh,' ar sise 'agus is mé iníon Rí na nÓg.'

'An é do chéile a d'imigh uait, nó cad é an **buaireamh**[41] a thug an fad seo thú?' arsa Fionn

'Ní hé mo chéile a d'imigh uaim agus **níor luadh**[42] go fóill le fear mé,' ar sise. 'Ach, a Rí na Féinne, tháinig mé le grá do do mhac féin, Oisín **meanmach na dtréanlámh**.'[43]

'A iníon óg,' arsa Fionn, cad é mar a thug tú grá do mo mhacsa thar fhir bhreátha an tsaoil?'

'Thug mé grá **éagmaise**[44] dó as an méid a chuala mé i dTír na nÓg fána phearsa agus fána **mhéin**.'[45] arsa Niamh.

Chuaigh Oisín é féin ina láthair ansin agus rug greim láimhe uirthi. 'Fíorchaoin fáilte romhat chun na tíre seo, a ríon álainn óg,' ar seisean.

'Cuirim **geasa**[46] ort nach bhfulaingíonn fíorlaoch, a Oisín fhéil,' ar sise, 'mura dtaga tú ar ais liom go Tír na nÓg. Is í an tír í is aoibhne faoin ghrian. Tá a crainn ag cromadh le **toradh**[47] is bláth agus is fairsing inti mil is fíon. Gheobhaidh tú gach **ní**[48] inti dá bhfaca súil. Ní fheicfidh tú **meath ná éag**[49] is beidh mise go deo agat mar bhean.'

'**Do dhiúltú**[50] ní thabharfaidh mé uaim,' arsa Oisín. 'Is tú mo rogha thar mhná an domhain, agus rachaidh mé **le fonn**[51] go Tír na nÓg leat.'

[29] os comhair (*witnessed by*)
[30] *enticed him from*
[31] cath a chuir deireadh le cumhacht na Féinne
[32] *the survivors* na daoine a mhair tar éis an chatha (cé go ndeirtear sa seanchas go bhfuair Fionn agus Oscar bás sa chath seo)
[33] i gCill Airne
[34] éadan, aghaidh
[35] clóca
[36] *silk*
[37] á clúdach
[38] *sole of foot*
[39] *golden locks of hair*
[40] *like dew*
[41] buairt, imní
[42] *not yet engaged to a man*
[43] cróga, láidir
[44] *love from a distance*
[45] a chuma
[46] *spell* Sna scéalta béaloidis, ba mhinic a chuirtí geasa ar dhuine.
[47] *fruit*
[48] rud
[49] galar ná bás
[50] *to refuse you*
[51] go sásta

Faigh agus foghlaim

Faigh agus foghlaim focail nó nathanna a chiallaíonn:

bhí sé ag caoineadh
fia
cailín
uaigneas
cabhair
bialann
ina príosúnach

Ceisteanna

1. Cá raibh an grúpa fear a bhí ag iarraidh cloch mhór a ardú? An raibh ag éirí leo?
2. Cad a chonaic siad ag teacht ina dtreo?
3. Cad a d'iarr siad air a dhéanamh?
4. Cad a dúirt sé leo?
5. Cad a rinne sé?
6. Cad a tharla nuair a rinne sé é sin?
7. Cad a tharla nuair a leag sé cos ar thalamh na hÉireann?
8. Cad a rinne na fir leis?
9. Cé a bhí ann? Cad a d'inis sé dóibh?
10. Cé a tháinig maidin amháin chuig na Fianna ag Loch Léin?
11. Déan cur síos uirthi.
12. Cén fáth ar tháinig sí?
13. Cad a chuir sí ar Oisín?
14. An raibh Oisín sásta dul léi?

Ar lean ...

[52] os a comhair
[53] *celebrate*
[54] mo bhrón

Ansin chuaigh Oisín ar mhuin an eich bháin agus chuir Niamh Chinn Óir **ar a bhéala**.[52] Rinne na Fianna an dís a **chomóradh**[53] go béal na mara móire siar.

'A Oisín,' arsa Fionn, 'mo **chumha**[54] thú ag imeacht uaim agus gan súil agam le do theacht ar ais go brách.'

Shil na deora frasa anuas le **grua**[55] Oisín agus phóg sé a athair go caoin. **B'iomaí lá**[56] aoibhinn a bhí ag Fionn agus Oisín i gceann na Féinne **fá réim**,[57] **ag imirt fichille**[58] is ag ól, ag éisteacht cheoil is ag bronnadh **séad**.[59] B'iomaí lá eile a bhí siad ag sealgaireacht i ngleannta míne nó ag **treascairt**[60] laoch i **ngarbhghleic**.[61] D'imigh **a ghné**[62] d'Fhionn ar scaradh lena mhac.

Chroith an t-each bán é féin chun siúil. Rinne sé trí seitreacha ar an tráigh agus thug a aghaidh siar díreach ar an fharraige le hOisín is le Niamh. Ansin lig na Fianna trí ghártha cumha ina dhiaidh.

Thráigh an mhínmhuir[63] rompu agus líon na tonnta tréana ina ndiaidh. Chonaic siad **grianáin lonracha**[64] faoi luí gréine ar a n-aistear. Chonaic siad an **eilit mhaol**[65] ar léim lúith agus an gadhar bán **á tafann**.[66] Chonaic siad an **ainnir**[67] óg ar each dhonn ag imeacht ar bharr na toinne, úll óir ina deaslámh agus an marcach ina diaidh ar each bán le **claíomh chinn óir**.[68]

Tháinig siad i dtír ag **dún Rí na mBeo**[69] mar a raibh iníon an rí **ina brá**[70] ag Fómhar Builleach. Chuir Oisín **comhrac**[71] thrí oíche is thrí lá ar Fhómhar Builleach, gur bhain sé an ceann de agus gur lig saor iníon Rí na mBeo.

Ansin ghluais siad leo thar an gharbhmhuir go bhfaca siad tír aoibhinn lena dtaobh, na **machairí míne**[72] fá bhláth, na grianáin a **cumadh**[73] as clocha solais, agus an dún rí a raibh gach dath ann dá bhfaca súil. Tháinig trí caogaid laoch ab fhearr lúth agus céad ban óg ab áille gnaoi ina n-airicis, agut tugadh **le hollghairdeas**[74] iad chuig Rí agus chuig Banríon Thír na nÓg.

'Fáilte romhat, a Oisín mhic Fhinn,' arsa Rí na nÓg. 'Beidh do shaol **buan**[75] sa tír seo agus beidh tú **choíche**[76] óg. Níl aoibhneas dár smaoinigh croí air nach mbeidh agat, agus Niamh Chinn Óir go deo mar chéile.'

Chaith siad **fleá is féasta**[77] a mhair deich n-oíche is deich lá i ndún an rí, agus pósadh Oisín agus Niamh Chinn Óir

Is iomaí bliain a chaith siad fá aoibhneas i dTír na nÓg, gan meath ná éag ná easpa. Bhí beirt mhac acu ar bhaist siad Fionn is Oscar orthu agus iníon álainn a dtug siad Plúr na mBan uirthi.

Fá dheireadh smaoinigh Oisín gur mhaith leis Fionn agus na Fianna a fheiceáil arís. D'iarr sé an t-each bán ar Niamh go dtugadh sé cuairt ar Éirinn. 'Gheobhaidh tú sin, cé gur **doiligh**[78] liom do ligean uaim,' arsa Niamh. 'Ach, a Oisín, cuimhnigh a bhfuil mé a rá! Má chuireann tú cos ar thalamh na hÉireann ní thiocfaidh tú ar ais go brách.'

'**Ní heagal domh**,[79] a Niamh álainn,' ar seisean. 'Tiocfaidh mé slán ar ais ar an each bhán.'

'Deirim leat fá dhó, a Oisín, má thig tú anuas den each bhán, nach bhfillfidh tú choíche go Tír na nÓg.'

Ná bíodh **cian**[80] ort, a Niamh chaoin. Tiocfaidh mé slán ar ais go Tír na nÓg.'

Deirim leat fá thrí, a Oisín, má ligeann tú uait an t-each bán éireoidh tú i do sheanóir chríon liath, gan lúth, gan léim, **gan amharc súl**.[81] Níl Éire anois mar a bhí, agus ní fheicfidh tú Fionn agus na Fianna.'

[55] leiceann *cheek*
[56] bhí go leor laethanta
[57] faoi bhláth
[58] *playing chess*
[59] ag tabhairt seoda
[60] ag scrios, ag troid le
[61] *rough wrestling*
[62] a chuma, a dhóigh, a dhealramh *his (happy) appearance left him*
[63] *the sea parted before them and filled again after them.* Mar atá sa bhíobla. Sampla eile de dhraíocht sa scéal
[64] tithe gréine geala
[65] fia gan adharca *hornless doe*
[66] *barking*
[67] cailín
[68] *gold-handled sword*
[69] caisleán Rí na mBeo
[70] mar phríosúnach
[71] troid
[72] *smooth pastures*
[73] tógadh
[74] le gliondar mór
[75] *permanent* mairfidh tú go deo
[76] i gcónaí
[77] cóisir, féile
[78] deacair
[79] ní baol dom *there's no fear of me*
[80] brón
[81] dall

D'fhág Oisín slán ag Niamh Chinn Óir, ag a **dhís**[82] mhac agus ag a iníon. Chuaigh sé ar mhuin an eich bháin agus thug a chúl go **dubhach**[83] le Tír na nÓg. Nuair a tháinig sé i dtír in Éirinn bhuail eagla é nach raibh Fionn beo. Casadh **marcshlua**[84] air a chuir iontas ina mhéid agus ina ghnaoi, agus nuair a chuir sé ceist orthu an raibh Fionn beo nó ar mhair aon duine eile den Fhiann dúirt siad go raibh **seanchas**[85] orthu ag lucht scéalaíochta.

Bhuail tuirse agus cumha Oisín agus thug sé aghaidh ar **Almhain Laighean.**[86] Ní fhaca sé teach Fhinn in Almhain. Ní raibh ina ionad **ach fiodh agus neantóg**.[87]

'A Phádraig, sin duit mo scéal,' arsa Oisín. 'Nuair a fuair mé Almhain folamh thug mé m'aghaidh go dubhach ar **ghnáthbhailte**[88] na Féinne. Ar theacht go Gleann na Smól domh thug mé tarrtháil ar an bhuíon gan bhrí agus chaill mé an t-each bán. Chaill mé mo lúth agus mo neart, mo **dheilbh**[89] agus amharc mo shúl.'

Cúis luaíochta[90] do chumha, a Oisín, agus gheobhaidh tú Neamh dá bharr,' arsa Pádraig.

Thairg[91] Pádraig ansin Oisín a choinneáil ar a theaghlach agus a thabhairt leis ar a thurais ar fud na hÉireann, **óir**[92] bhí trua aige don tseanóir dhall agus ba mhaith leis seanchas an tseansaoil a fháil uaidh agus **soiscéal**[93] Dé a **theagasc**[94] dó i ndeireadh a aoise. **Thoiligh**[95] Oisín dul leis mar gur **shantaigh**[96] sé gach **cearn**[97] agus gach baile ina mbíodh na Fianna a shiúl arís agus mar nach raibh lúth a choirp ná amharc a shúl aige le himeacht in aon áit leis féin, ná aon duine dá **lucht aitheantais**[98] le fáil.

Ansin tháinig a **bproinn**[99] agus d'fhiafraigh Pádraig d'Oisín an rachadh sé **chun an proinntí mar aon le cách**.[100]

'Tabhair mo chuid bia agus mo leaba **i leataobh**[101] domh,' arsa Oisín, óir ní **lucht comhaimsire**[102] domh na daoine anois.'

[82] a bheirt
[83] brónach
[84] grúpa ar chapaill
[85] scéalta sa bhéaloideas
[86] Alúine, in aice le Cill Dara (*Allen*). Bhí dún ag Fionn ansin
[87] *weeds and nettles*
[88] na háiteanna a mbíodh na Fianna ann
[89] mo chuma, *my looks*
[90] tá cúis mhaith le do bhrón
[91] d'ofráil
[92] mar
[93] *gospel*
[94] a mhúineadh
[95] bhí sé sásta
[96] theastaigh uaidh
[97] cúinne
[98] a mhuintir, daoine a raibh aithne aige ar
[99] a mbéile
[100] cosúil le gach duine eile
[101] ar an taobh *aside*
[102] daoine ar aon aois *contemporaries*

7

Faigh agus foghlaim

Faigh agus foghlaim focail a chiallaíonn:

shil sé deor
troid
eilit
ainnir
ina brá
gan meath gan éag
cumha
fiaile
tarrtháil
proinn
proinnteach

Ceisteanna

1. Cén fáth ar thosaigh Oisín ag caoineadh?
2. Cad a tharla nuair a chuaigh an capall bán san fharraige?
3. Céard a chonaic siad ar an mbealach go Tír na nÓg?
4. Cé a shábháil Oisín ón bhfathach Fómhar Builleach?
5. Cad a bhí acu nuair a shroicheadar Tír na nÓg?
6. Céard a bhí difriúil faoi Thír na nÓg?
7. Cé mhéad clainne a bhí orthu?
8. Cén fáth ar shocraigh Oisín dul ar ais go hÉirinn?
9. Cad a dúirt Niamh leis?
10. Cad a chonaic sé nuair a tháinig sé go hAlmhain Laighean?
11. Cad a tharla nuair a chabhraigh sé leis na fir i nGleann na Smól?
12. Cad a dúirt Pádraig leis?
13. Conas mar a bhraith Oisín?

Achoimre

Scríobh i do chóipleabhar agus líon na bearnaí mar is cuí.

Bhí slua fear ag ______ cloch a ardú i nGleann na Smól ach bhí ______ orthu. Chonaic siad fear uasal, álainn ag teacht ______ ar chapall bán agus d'iarr siad air ______ leo. Bhí ionadh air nach raibh siad ábalta é a ardú. ______ sé síos agus phioc sé suas an chloch mhór agus chaith sé é ______ dhaichead méadair uaidh. Ach bhris an ______ ar an gcapall agus thit an fear go talamh. Ar an bpointe boise ______ a chruth agus bhí seanfhear dall os a gcomhair. Chuir sé seo ______ orthu agus thóg siad é go Naomh Pádraig. D'iarr Pádraig air cérbh é, agus dúirt sé gurb é Oisín, mac le Fionn Mac Cumhaill, a bhí ann. Ansin ______ sé scéal a ______ dóibh.

ag teip • thart ar • Chrom • ina dtreo • giorta • d'athraigh
ionadh • bheatha • d'inis • cabhrú • iarraidh

Fadó, bhí sé féin, a athair Fionn agus na Fianna ag ______ in aice le Loch Léin, i gCill Airne, nuair a tháinig cailín óg álainn ar chapall bán ina dtreo. Niamh Chinn Óir as Tír na nÓg a bhí inti agus mhínigh sí go raibh sí ______ hOisín. Chuir sí ______ é dul léi go Tír na nÓg. D'imigh Oisín léi ______, ach bhí sé brónach ag ______ slán ag a athair Fionn mar ______ go leor ama le chéile ag imirt, ag fiach agus ag cogaíocht. Chuaigh Oisín ______ an gcapall bán le Niamh agus d'imigh siad isteach san fharraige. Ar an mbealach go Tír na nÓg chonaic siad fia gan ______ agus madra ina diaidh, agus cailín óg le húll óir ar chapall donn agus fear ar chapall bán le ______ ina diaidh – íomhánna draíochtacha ______ an bhFiannaíocht. Ar an mbealach freisin, mharaigh sé fathach mór, Fómhar Builleach, agus ______ iníon Rí na mBeo. Nuair a ______ siad Tír na nÓg phós siad agus bhí féasta mór acu. Mhair siad go sona sásta ansin agus bhí triúr páistí acu: Fionn, Oscar agus Plúr na mBan. Níor ______ aon duine sean i dTír na nÓg. Ach tar éis blianta fada, tháinig uaigneas ar Oisín ______ na Féinne agus d'iarr sé cead dul ar ais ar cuairt chucu ar an gcapall bán. Thug Niamh cead dó ach thug sí ______ dó trí huaire gan cos a leagan ar thalamh na hÉireann. Nuair a chuaigh sé ar ais, ní raibh ______ ar Fhionn ná na Fianna. Bhíodar go léir marbh. Ansin thit Oisín dá chapall nuair a bhí sé ag cabhrú leis na fir agus rinneadh seanduine dall de. ______ Naomh Pádraig trua d'Oisín agus thug sé cuireadh dó teacht leis timpeall na hÉireann. Theastaigh uaidh soiscéal Dé a mhúineadh dó. Ghlac Oisín leis an gcuireadh, ach bhí sé uaigneach i ndiaidh na Féinne. Thóg sé a bhéile agus shuigh sé leis féin mar nach raibh aithne aige ar aon duine.

fiach • faoi gheasa • fágáil • i ngrá le • chaitheadar • in airde ar • go fonnmhar • adharca • a bhain leis • scaoil sé saor • shroich • éirigh i ndiaidh • rabhadh • claíomh • tásc ná tuairisc • Ghlac

7

Nótaí ar an scéal

Tréithe an bhéaloidis sa scéal

1. Is scéal **Fiannaíochta** é seo a tháinig anuas chugainn ó ghlúin go glúin ón mbéaloideas. Sna scéalta seo, is é Fionn Mac Cumhaill an príomhlaoch. Is iad na Fianna a bhuíon saighdiúirí agus is é **Oisín** a mhac. Ceaptar go bhfuil na scéalta bunaithe ar fhíordhaoine a mhair in Éirinn roimh theacht na Críostaíochta.
2. Is iad na tréithe is mó a bhaineann leis na Fianna ná **crógacht**, **niachas** (*chivalry*) agus **láidreacht**. Tá Oisín níos láidre ná trí chéad fear. Tá sé cróga. Troideann sé in aghaidh an fhathaigh, Fómhar Builleach, agus scaoileann sé iníon Rí na mBeo saor.
3. Baintear úsáid as **áibhéil** sna scéalta. Bíonn na Fianna níos láidre ná aon duine eile. Éiríonn le hOisín an chloch a thógáil agus a chaitheamh san aer, cé nach raibh trí chéad fear in ann é a bhogadh.

4. Bíonn **draíocht** sna scéalta: baintear úsáid go forleathan as **'geis'**. Cuireann Niamh Oisín **faoi gheasa** dul leis. Is é sin, caithfidh sé é a dhéanamh nó gheobhaidh sé bás. Téann an capall bán isteach san fharraige agus glanann an fharraige os a chomhair.
5. Is **áit dhraíochtach** í Tír na nÓg, áit a mbíonn gach duine óg i gcónaí agus nach bhfaigheann aon duine bás.
6. **Cumhacht na mban**. Bíonn na mná sna scéalta cumhachtach. Tá Niamh cumhachtach. Cuireann sí Oisín faoi gheasa. Nuair a theastaíonn ó Oisín filleadh go hÉirinn, bíonn air cead a iarraidh ar Niamh an capall bán a thógáil.
7. **Uimhreacha**. Úsáidtear an uimhir **trí** go minic sna scéalta béaloidis. Úsáidtear **seacht** agus **deich** freisin. Tá trí chéad fear i nGleann na Smól. Ligeann na Fianna trí gháir astu, agus an capall bán trí sheitreach. Maireann an comhrac in aghaidh Fómhar Builleach trí lá agus trí oíche. Tugann Niamh rabhadh d'Oisín trí huaire. Caitheann Oisín an chloch seacht bpéirse agus bíonn cóisir deich lá agus deich n-oíche acu i dTír na nÓg nuair a phósann Niamh agus Oisín.
8. **Logainmneacha**. Bíonn na scéalta suite amuigh faoin aer in áiteanna ar fud na hÉireann. Léirítear **grá don nádúr, don dúlra** agus **do thír na hÉireann** sna scéalta. Bíonn na Fianna ag seilg go minic. Sa scéal seo luaitear áiteanna áille ar nós Ghleann na Smól i gCo. Chill Mhantáin, Loch Léin, i gCo. Chiarraí agus Almhain Laighean i gCo. Chill Dara.
9. Baintear úsáid as **siombalachas, fantasaíocht** agus **osnádúr** sna scéalta. Is áit osnádúrtha í Tír na nÓg. Is siombal í den mhian dhaonna bheith óg go deo. Is siombail an capall bán den nasc nó den cheangal idir an saol réadúil agus an saol útóipeach, an bheatha shíoraí. Ar a bhealach go Tír na nÓg, chonaic Oisín siombailí eile den osnádúr, den saol dofheicthe: an fia gan adharca, an cailín ar chapall le húll ina lámh agus marcach le claíomh chinn airgid á leanúint.
10. Déantar comparáid idir an **Phágántacht** agus **an Chríostaíocht**. Ní léir go bhfuil coimhlint idir Pádraig agus Oisín. Tá meas acu ar a chéile. Ach mar sin féin, ba mhaith le Pádraig soiscéal Dé a mhúineadh d'Oisín. Is léir gur duine maith é Oisín - tá sé cróga, cineálta. Is duine cineálta é Pádraig freisin.

Freagraí scrúdaithe samplacha

Ceist shamplach 1

Tabhair cuntas gairid ar éifeacht na húsáide a bhaintear as dhá cheann acu seo a leanas sa scéal 'Oisín i dTír na nÓg': draíocht, áibhéil, logainmneacha, uimhreacha.

Freagra samplach 1

Tús:
Draíocht agus logainmneacha: an saol réadúil agus an saol osnádúrtha fite fuaite sa scéal.

Baintear úsáid éifeachtach **as** draíocht agus logainmneacha sa scéal seo. I dtús báire, **baintear úsáid as** draíocht **mar** theicníocht scéalaíochta chun saol osnádúrtha **a chur os ár gcomhair. Mar chodarsnacht, úsáidtear** fíor-logainmneacha agus fíor-áiteanna a **léiríonn** an saol réalaíoch. **Tá** an saol draíochtach agus an saol réadúil **fite fuaite le chéile**.

Alt 1: Draíocht:
Go leor samplaí den draíocht theicníocht scéalaíochta, go leor samplaí: Tír na nÓg, an capall bán, Niamh ag cur Oisín faoi gheasa, an siombalachas a bhaineann leis.

Ar an gcéad dul síos, tá go leor samplaí den draíocht sa scéal. **Cuireann** Niamh Oisín **faoi gheasa** dul léi go Tír na nÓg. **Léiríonn** sé seo cumhacht osnádúrtha na mban, a bhí le feiceáil go minic sna scéalta béaloidis. Níl aon rogha ag Oisín, caithfidh sé dul léi. Rinne Gráinne an rud céanna le Diarmaid sa scéal cáiliúil Fiannaíochta eile, 'Tóraíocht Dhiarmada agus Ghráinne'. Ar ámharaí an tsaoil, téann Oisín léi go fonnmhar. Tá an capall bán draíochtach freisin, téann sé isteach san fharraige agus scarann an fharraige os a chomhair. **Is siombail** é an capall **den** nasc idir an saol réalaíoch agus an saol osnádúrtha. Tógann an capall bán Oisín ó Éirinn go Tír na nÓg – áit dhraíochtach osnádúrtha – agus tagann Oisín ar ais go hÉirinn ar an gcapall bán. Bíonn cumhacht osnádúrtha aige go dtí go dtiteann sé den chapall, ach ansin cailleann sé a dhraíocht agus is gnáthdhuine arís é.

Alt 2: Logainmneacha:
Na logainmneacha a luaitear, na háiteanna, nasc lenár dtír, tírghrá, meas ar an dúlra agus ar áilleacht an nádúir. Réalachas, codarsnacht idir an saol osnádúrtha agus an saol nádúrtha. Críoch.

Úsáidtear logainmneacha sa scéal chun cuma na fírinne a chur air. **Toisc gur** fíor-áiteanna iad, creidimid go raibh Fionn agus na Fianna ansin fadó fadó agus is dócha go raibh. Léiríonn na scéalta Fiannaíochta grá don dúlra agus grá d'Éirinn. **Cé go** raibh Oisín in áit aoibhinn, álainn, gan cíos, cás ná cathú, theastaigh uaidh Éire agus na Fianna a fheiceáil arís. **Bhí cumha air i ndiaidh** a thíre dúchais. **Ní haon ionadh gur** áiteanna áille a luaitear sa scéal: Loch Léin i gCill Airne, Gleann na Smól i gCo. Chill Mhantáin ('gleann aoibhinn seilge na Féinne') agus Almhain Laighean i gCo. Chill Dara. Tá go leor seanchais faoi logainmneacha sna scéalta Fiannaíochta. Is fíor go mbaintear úsáid éifeachtach as draíocht agus logainmneacha sa scéal seo.

7

Cleachtadh scríofa

Anois do fhreagra féin ar an gceist chéanna. Déan iarracht na nathanna atá aibhsithe sa fhreagra samplach a úsáid i do fhreagra féin.

Eolas fánach

An raibh a fhios agat go raibh cáil ar na Fianna as na trí thréith seo a leanas: Glaine ár gcroí (*the purity of our hearts*), neart ár ngéag agus (*the strength in our limbs*) beart de réir ár mbriathar (*actions according to our words*)? Nath Gaeilge is ea 'Ba chóir beart a dhéanamh de réir do bhriathair' i nGaeilge. (.i. *Do as you say/practice what you preach*). Deirtear 'cothrom na Féinne' i nGaeilge, rud a chiallaíonn '*fair play*'. Ainmníodh an páirtí polaitiúil 'Fianna Fáil' as na Fianna. Is ainm eile d'Éirinn é 'Fáil'. Tá nath cainte sa Ghaeilge 'mar Oisín i ndiaidh na Féinne'. Deirtear é faoi dhuine a bhíonn ag féachaint siar go brónach ar laethanta a óige, nó ar an am atá thart. Is scéal eile cáiliúil Fiannaíochta é 'Tóraíocht Dhiarmada agus Ghráinne'. Is minic a thugtar 'leaba Dhiarmada agus Ghráinne' ar dholman nó ar thuamaí ársa ar fud na tíre.

Téamaí

Neamhbhuaine an tsaoil, imeacht aimsire, cumha i ndiaidh an ama atá thart, grá, dílseacht don dúchas, aois agus imeacht ama agus **Útóipe** is ea cuid de na téamaí atá le feiceáil sa scéal seo. Cé gur scéal simplí é, tá doimhne agus fírinne ag baint leis. Is téama uilíoch é an imeacht ama. Éiríonn gach duine sean, agus tagann cumha ar dhaoine i ndiaidh a n-óige. Mar a deir an seanfhocal, 'Ní mhaireann aon rud ach seal'. Deir seanfhocal eile, 'Ní uasal ná íseal ach thuas seal is thíos seal'.

Útóipe

Téama uilíoch eile is ea an coincheap de 'Thír na nÓg' – tír Útóipeach, osnádúrtha. Thugtaí 'Hy Brasil' agus 'Tír fo Thoinn' ar an tír seo freisin. I scéalta béaloidis ar fud na cruinne tá tagairt do thír Útóipeach mar é: an 'Elysium' sa Ghréig agus 'Valhalla' sna scéalta Lochlannacha. Tá seanscéal sa tSeapáin 'Urashima Taro' an-chosúil le scéal Oisín. Cheap na Ceiltigh go raibh Tír na nÓg amuigh san Atlantach, agus is iomaí duine a chuaigh ar a thóir i mbáidín.

Grá agus dílseacht

Téama uilíoch eile sa scéal is ea an grá. Tá grá ag Niamh d'Oisín agus ag Oisín do Niamh. Tá grá ag Oisín dá athair freisin. Léirítear an choimhlint idir an dá ghrá: tá brón ar Oisín nuair a chaithfidh sé slán a fhágáil ag a athair. Is fíor-ghrá uasal a léirítear sa scéal. Cé go bhfuil Fionn croíbhriste nuair a imíonn Oisín, ní dhéanann sé iarracht é a stopadh. Mar an gcéanna, tugann Niamh cead d'Oisín filleadh ar Éirinn, cé go bhfuil a fhios aici go bhfuil contúirt agus baol ag baint leis. Níl siad éadmhar, santach. Tá Oisín dílis dá dhúchas. Cé go bhfuil sé sona sásta i dTír na nÓg, teastaíonn uaidh a athair agus na Fianna a fheiceáil arís, agus téann sé ar ais go hÉirinn. Mo léan, tá Fionn agus na Fianna go léir marbh.

Mothúcháin

Tá go leor mothúchán le brath sa scéal: grá, áthas, brón, cumha, trua.

Tá **grá** ag Oisín agus Niamh dá chéile agus tá grá ag Oisín dá athair agus do na Fianna. Bíonn **áthas** orthu araon nuair a fhilleann siad ar Thír na nÓg agus nuair a phósann siad. Bíonn saol sona sásta acu i dTír na nÓg ar feadh na mblianta fada. Bíonn **brón** ar Oisín ag fágáil sláin ag a athair: 'Shil na deora frasa anuas le grua Oisín'. Bhí Fionn croíbhriste ag fágáil sláin ag Oisín 'D'imigh a ghné d'Fhionn ar scaradh lena mhac'. Ag deireadh an scéil tá Oisín dubhach brónach mar go bhfuil a fhios aige go bhfuil Fionn agus na Fianna marbh. Tá **cumha** ar Oisín i ndiaidh na Féinne. Braitheann Oisín Fionn agus na Fianna uaidh nuair a bhíonn sé i dTír na nÓg agus sin an fáth gur mhaith leis cuairt a thabhairt ar Éirinn. Nuair a thuigeann sé go bhfuil Fionn agus na Fianna imithe ar shlí na fírinne bíonn sé gruama, brónach agus suíonn sé leis féin ag ithe a bhéile. Tá **trua** ag Pádraig don seanfhear, Oisín. Tugann sé lóistín agus bia dó. Tá **meas** aige air. Ba mhaith leis na seanscéalta a chloisteáil uaidh faoi Éirinn roimh aimsir na Críostaíochta.

Codarsnacht

Tá codarsanacht idir:

- An óige agus an tseanaois
- An saol idéalach agus an gnáthshaol
- Cumhacht na hóige agus laige na seanaoise
- Grá Oisín do Niamh agus a ghrá d'Fhionn
- An Phágántacht agus an Chríostaíocht

Ceist shamplach 2

'Cad é príomhthéama an scéil 'Oisín i dTír na nÓg' agus conas a chuirtear é os ár gcomhair?'

Freagra samplach 2

Tús:
Téama, teicníochtaí, siombailí, draíocht, codarsnacht, áibhéil

Dar liom is iad neamhbhuaine an tsaoil agus cumha i ndiaidh an ama atá thart na téamaí is mó sa scéal seo. Léirítear aoibhneas na hóige, imeacht ama agus uaigneas an tseanduine i ndiaidh a óige go héifeachtach sa scéal. Téamaí eile is ea an grá, dílseacht don dúchas agus Útóipe. Baintear úsáid as siombailí, draíocht, codarsnacht agus áibhéil chun na téamaí a chur os ár gcomhair.

Alt 1:
Siombailí, saol útóipeach

Is féidir an scéal a léamh ar leibhéal siombalach. Seasann Tír na nÓg don óige, don saol idéalach, utóipeach a mbímid go léir ag tnúth leis. Is áit í 'gan meath ná éag ná easpa'. Ní éiríonn aon duine sean ann agus ní fhaigheann aon duine bás ann. Tá Oisín pósta le spéirbhean álainn agus tá triúr páistí acu. Is siombail é an capall bán den nasc idir an saol sin agus an fíorshaol. Cé go bhfuil Oisín sona sásta ansin ba mhaith leis filleadh ar an bhfíorshaol, ar a chairde, na Fianna. Feiceann Oisín siombailí eile a bhaineann leis an bhFiannaíocht ar a bhealach go Tír na nÓg, an fia gan adharca 'an eilit mhaol' mar shampla. Is siombailí iad den saol osnádúrtha, draíochtach.

Alt 2:
Draíocht, áibhéil

D'úsáidtí draíocht go forleathan sna scéalta Fiannaíochta mar theicníocht scéalaíochta chun samhlaíocht an lucht éisteachta a spreagadh. Úsáidtear draíocht chun saol Útóipeach a léiriú agus chun an chodarsnacht idir an saol sin agus an saol réadúil a léiriú. Cuireann Niamh Chinn Óir Oisín faoi gheasa, scarann an fharraige roimh an gcapall bán. Baintear úsáid as áibhéil freisin. Tá cumhacht osnádúrtha ag Oisín ar an gcapall bán. Is féidir leis carraig a phiocadh suas agus a chaitheamh.

Alt 3:
Codarsnacht

Tá codarsnacht láidir idir an draíocht agus an áibhéil a bhaineann le Tír na nÓg agus le hOisín mar ógfhear ar thaobh amháin agus an saol réadúil ar an taobh eile. Nuair a thiteann Oisín den chapall cailleann sé a chumhachtaí osnádúrtha agus is seanfhear dall é. Tá codarsnacht láidir idir an 'seanóir críon liath' agus an fear óg, láidir ar thug Niamh grá dó. An rud a tharlaíonn de ghnáth thar na blianta, tarlaíonn sé sa scéal i bpreabadh na súl: éiríonn Oisín sean. Tá codarsnacht idir Naomh Pádraig agus Oisín anois. Deir Naomh Pádraig gur cúis áthais é an t-athrú mar 'gheobhaidh tú Neamh dá bharr'. Ach tá Oisín bocht duairc, brónach agus socraíonn sé ithe leis féin.

Críoch

Is léir go bhfuil cumha ar Oisín i ndiaidh an ama atá thart agus i ndiaidh na Féinne agus sin mar a chríochnaíonn an scéal. In áit críoch shona, tá críoch bhrónach ar an scéal.

Na carachtair

Oisín

Nuair a bhí sé óg:

- Bhí **pearsantacht tharraingteach** aige agus bhí sé **dathúil**. Thug Niamh grá dó, ón méid a chuala sí 'fána phearsa agus fána mhéin.'
- Bhí sé **láidir**: Thug Niamh 'Oisín meanmach na dtréanlámh' air.
- Bhí **cumhachtaí osnádúrtha** aige. D'ardaigh sé cloch nach bhféadfadh 300 fear ardú.
- Bhí sé **cineálta, carthannach, cabhrach**. Chabhraigh sé leis na fir i nGleann na Smól. Tháinig sé i gcabhair ar Iníon Rí na mBeo.
- Bhí sé **cróga, cúirtéiseach**. Throid sé in aghaidh Fómhar Builleach agus
- scaoil sé saor iníon Rí na mBeo.
- Bhí sé **grámhar, dílis**. Cé go raibh grá aige do Niamh, bhí an-ghrá aige dá athair Fionn freisin agus bhí sé brónach ag fágáil sláin aige. Tar éis blianta i dTír na nÓg, shocraigh sé dul ar ais go hÉirinn chun Fionn a fheiceáil.

Nuair a d'athraigh sé ina sheanfhear:

- Bhí sé **gruama, uaigneach**. Bhí cumha air i ndiaidh na Féinne. D'ith sé a bhéile ina aonar.
- Mar sin féin, ghlac sé le cuireadh Naomh Pádraig dul leis timpeall na hÉireann agus a sheanchas a roinnt leis. Bhí **grá aige d'Éirinn**.

Niamh

- Bhí sí **údarásach, ceannasach**. Tháinig sí ar thóir Oisín. Chuir sí faoi gheasa é teacht léi go Tír na nÓg. Níor thug sí an dara rogha dó.
- Bhí **cumhachtaí osnádúrtha** aici agus chuir sí Oisín faoi gheasa. Bhí capall draíochta aici.
- Bhí **cumhacht** aici: bhí ar Oisín cead a fháil uaithi chun an capall bán a thógáil.
- Bhí sí **go hálainn**. Thit Oisín i ngrá léi láithreach. Bhí gruaig fhada fhionn uirthi agus súile áille gorma, 'Bhí a gruaig ina duala buí óir ar sileadh léi agus a gormshúile mar dhrúcht ar bharr an fhéir'.
- Bhí sí **críonna, stuama**. Thuig sí go raibh sé baolach dul ar ais go hÉirinn agus thug sí trí fholáireamh d'Oisín gan cos a leagan ar thalamh na hÉireann.
- Bhí sí **tuisceanach, cineálta**. Cé go raibh a fhios aici go raibh sé baolach thug sí cead d'Oisín dul ar ais go hÉirinn.

Fionn

Níl ach mionpháirt ag Fionn sa scéal seo.

- B'athair **grámhar** é a chaith am lena mhac ag seilg agus ag comhrac. Bhí sé croíbhriste nuair a bhí air slán a fhágáil lena mhac 'D'imigh a ghné ... ar scaradh lena mhac'.
- Ba **cheannaire** é ar na Fianna, mar sin bhí sé cróga, láidir.
- Bhí sé **flaithiúil**. Bhíodh sé féin agus Oisín 'ag bronnadh séad'.
- **Thaitin ceol, cluichí agus seilg leis**. Chaith sé laethanta lena mhac 'ag imirt fichille is ag ól, ag éisteacht cheoil'.

Naomh Pádraig

- Bhí sé **cineálta, carthannach**. Thug sé dídean agus bia d'Oisín.
- Bhí sé **fáiltiúil**. Chuir sé fáilte roimh Oisín.
- Bhí sé **oscailte**. Bhí suim aige sna seanscéalta faoi na Fianna.
- Bhí sé **flaithiúil**. Thug sé cuireadh d'Oisín teacht leis ar thuras ar fud na hÉireann.
- Ba **Chríostaí** é. Theastaigh uaidh soiscéal Dé a mhúineadh d'Oisín.
- Ba dhuine **síochánta** é. Bhí an caidreamh idir é féin agus Oisín tuisceanach, measúil. Bhí meas acu ar a chéile.

Ceist shamplach 3

Is é Oisín laoch an scéil seo agus léiríonn sé na tréithe is uaisle a bhaineann leis an bhFiannaíocht. É sin a phlé.

Freagra samplach 3

Tús

Is cinnte gurb é Oisín laoch an scéil seo. Tá sé ann ó thús deireadh an scéil agus is iomaí tréith de chuid na Fiannaíochta a léiríonn sé. Ba iad trí thréith na Féinne glaine inár gcroí, neart inár ngéag agus beart de réir ár mbriathar. Léiríonn Oisín na tréithe seo agus tréithe eile a bhaineann leis an bhFiannaíocht, amhail crógacht, niachas, cineáltacht agus grá dá dhúchas. Mar sin féin, léirítear tréithe difriúla ag deireadh an scéil nuair a bhíonn sé gruama, uaigneach.

Alt 1:
Glaine croí, uaisleacht, crógacht, niachas

Is léir gur duine uasal, macánta é Oisín. Tá an-ghrá ag a athair agus ag na Fianna dó. Bíonn siad croíbhriste nuair a imíonn sé. Léiríonn sé a chrógacht agus niachas nuair a thosaíonn sé ag troid leis an bhfathach, Fómhar Builleach. Bíonn sé trí lá agus trí oíche ag troid leis, agus ar deireadh baineann sé an ceann de agus scaoileann sé saor iníon Rí na mBeo a bhí mar phriosúnach ag Fómhar. Ar ndóigh, seo sean-mhóitif sna scéalta laochais go léir i ngach traidisiún: an fear cróga ag teacht i gcabhair ar bhean atá i dtrioblóid, an '*damsel in distress*'. Feictear é seo i scannáin an lae inniu freisin.

Alt 2:
Neart inár ngéag, láidreacht

Is léir freisin go bhfuil Oisín láidir – buann sé ar Fhómhar Builleach, ardaíonn sé cloch nach féidir le 300 fear a ardú. Is tréith an-tábhachtach é seo sna scéalta Fiannaíochta. Ba dhaoine osnádúrtha iad na Fianna a chosain Éire. Bhí orthu bheith láidir, aclaí. Ar ndóigh, ag deireadh an scéil, cailleann Oisín a neart nuair a iompaíonn sé ina sheanfhear. Léiríonn an scéal gur tréithe neamhbhuana iad seo, tréithe nach maireann ach seal.

Alt 3:
Beart de réir briathar, iontaofa, dílis, tírghrá

Ach bhí tréithe buana ag Oisín freisin. Bhí sé iontaofa (*trustworthy*), macánta, dílis. Cé go raibh sé sona sásta i dTír na nÓg, ní dhearna sé dearmad ar a mhuintir ná ar a thír dhúchais. Theastaigh uaidh cuairt a thabhairt ar a athair, Fionn, agus ar na Fianna. Nuair a thuig sé go raibh siad go léir marbh, bhí sé croíbhriste. Bhí grá ag Oisín freisin dá thír dhúchais. Ghlac sé le cuireadh Phádraig dul ar turas leis ar fud na tíre mar theastaigh uaidh an tír agus 'gach cearn agus gach baile ina mbíodh na Fianna a shiúl' a fheiceáil.

7

Alt 4:
Gnáthdhuine, gruama, sean, réadúil

Mar sin féin, ag deireadh an scéil, léirítear é mar sheanfhear truamhéileach, gan neart, gan amharc agus bíonn trua againn dó. Cailleann sé a chumhacht agus is gnáthdhuine anois é. Tá a shaol sona imithe agus tá saol crua, duairc i ndán dó. Ach ar bhealach, cuireann sé seo leis an scéal. Is fíordhuine é Oisín anois. Is frithlaoch é seachas laoch. Braitheann sé uaigneach. Diúltaíonn sé suí le comhluadar Phádraig mar gur strainséirí iad 'ní lucht comhaimsire domh na daoine seo'.

Críoch

Sa scéal seo, léirítear Oisín mar laoch, uasal, cróga na Féinne agus mar sheanfhear lag, uaigneach. Is fíor go léiríonn sé na tréithe is uaisle a bhaineann leis an bhFiannaíocht ach léiríonn sé tréithe nádúrtha, daonna freisin.

Ceisteanna scrúdaithe

1. Déan trácht ar na mothúcháin is láidre a nochtar sa scéal seo.
2. Déan trácht ar thréithe na Fiannaíochta a úsáidtear sa scéal seo.
3. 'Is sampla maith é an scéal 'Oisín i dTír na nÓg' de scéal béaloidis Fiannaíochta.' É sin a phlé.
4. "Ní gnáthdhaoine a léirítear sa scéal seo ach laochra le tréithe agus cumhachtaí osnádúrtha." É sin a phlé.
5. 'I bpearsa Oisín, faighimid léargas ar mheon agus ar luachanna na Féinne.' É sin a phlé.
6. Déan trácht ar na tréithe a bhaineann le haon bheirt acu seo a leanas agus an caidreamh sa scéal idir an bheirt sin: Oisín, Niamh, Fionn, Naomh Pádraig.

Súil siar: seicliosta

- Foghraíocht — An difríocht fuaime idir ea, éa agus eá
- Gramadach — An tAinmfhocal; An Tuiseal Ginideach
- Labhairt — Labhairt faoin nGaeilge, do thuairim a thabhairt
- Scríobh — Óráid a scríobh faoi thábhacht na Gaeilge
- Litríocht — 'Oisín i dTír na nÓg'

Ceist 1 LÉAMHTHUISCINT (100 marc)

A – 50 marc

Léigh an sliocht seo a leanas agus freagair na ceisteanna a ghabhann leis.

Féilte na gCeilteach

1. Ceilliúradh ar oidhreacht shaibhir chultúrtha na sé náisiún Ceilteacha atá i gceist leis an bhFéile Pan-Cheilteach. Trí mheán na féile, tarraingítear le chéile na tíortha sin – Éire, Alba, Cymru, Kernow, Breizh agus Mannin. Is í aidhm na Féile, a bunaíodh i 1971 – agus a bhíonn ar siúl gach bliain an tseachtain i ndiaidh na Cásca - ná spreagadh agus tacaíocht a thabhairt do theanga, ceol, amhráin, rince agus spóirt na gCeilteach, maraon le forbairt a dhéanamh ar chaidreamh agus ar mhalartú eolais idir na tíortha. I measc phríomhimeachtaí na Féile, tá comórtas amhráin nuachumtha, amhránaíocht traidisiúnta, amhránaíocht do chóir, comórtas rince idir-Cheilteach agus comórtais éagsúla eile don chruit, veidhlín (fidil), píobaí agus drumaí. Déantar freastal ar imeachtaí spóirt trí chamógaíocht agus chomórtais ghailf idir-Cheilteacha. Gné shainiúil den fhéile is ea na hOícheanta Náisiúnta, nuair a chuireann gach tír taispeántas dá gcultúr féin i láthair agus go mbíonn oíche shóisialta na tíre sin ag Club na Féile. Ar ndóigh bíonn imeachtaí imeallacha á reáchtáil le linn na Féile – ceardlanna teangan, taispeántais sráide, buscáil, paráidí, léachtaí agus a leithéid

2. Ba i gCill Airne a reachtáladh an chéad Fhéile Pan-Cheilteach sa bhliain 1970. Tháinig borradh agus fás air agus anois is cuid lárnach den saol Ceilteach é. Le blianta beaga anuas bhí sé i gCeatharlach, i Leitir Ceanainn agus den chéad uair riamh, sa bhliain 2014, reachtáladh an féile sa Tuaisceart, i nDoire. Thar aon rud eile, is ócáid í a thugann suas le 20,000 cuairteoir chuig an baile óstach, rud a chuireann go mór le geilleagar na háite agus mar sin ní haon ionadh go bhfuil iomaíocht ghéar ann chun an fhéile a óstáil. Spreag an Fhéile Pan-Cheilteach féilte eile sna tíortha Ceilteacha eile - féilte nua i gcásanna áirithe - agus i gcásanna eile rinneadh athbheochan ar fhéilte traidisiúnta a bhí imithe i léig, ina measc Kan ar Bobal sa Bhriotáin, Lowender Peran i gCorn na Breataine,

Pan Celtic Reunion sa Bhreatain Bheag agus An Cruinneach ar Oileán Mhannainn. Ceann de mhór-ócáidí na féile ná an Comórtas Idirnáisiúnta Amhránaíochta. Leagan Ceilteach den Chomórtas Eorafíse atá ann, le hiomaitheoir ó gach ceann de na sé náisiún Cheilteacha ag canadh amhrán nua-chumtha ina dteanga féin. Caithfear an ceol agus na liricí a chumadh as an nua don chomórtas. Bhuaigh Benjamin Larham as Corn na Breataine é dhá bhliain as a chéile i 2012 agus 2013.

3. Is eagraíocht idirnáisiúnta é an Fhéile Pan-Cheilteach ó 1973 i leith, lena bhunreacht féin. Tá Comhairle Idirnáisiúnta ann, mar aon le sé choiste náisiúnta. Sa bhliain 2001 bunaíodh comhpháirtíocht nua idir na trí phríomh-Fhéile Gaelacha in Albain agus in Éirinn: Éire Comg-Nasg na nGael, a cheanglaíonn Am Mod Naiseanta Ríoghail, Oireachtas na Gaeilge agus an Fhéile Pan-Cheilteach. Is é an príomhchuspóir atá ag an ngrúpa ná cur chun cinn na Gaeilge agus na Gaidhlige (na teangacha Q-ceilteacha mar a thugtar orthu) agus tá sé i gceist tuilleadh forbartha a dhéanamh ar na nascanna idir an dá thír. Ceann de na buntáistí a bhaineann leis an gcomhpháirtíocht seo ná gur féidir le Gaeilgeoirí Gaidhlig na hAlban a thuiscint gan an iomarca dua, mar sin ní gá dul i muinín an Bhéarla chun cumarsáid a dhéanamh. Imeachtaí atá tosaithe ag Comh-Nasg na nGael ná Comórtas Scríobhneoireachta Aistí do dhaoine óga ag Am Mod agus ag Oireachtas na Gaeilge agus téann na buaiteóirí maraon le tuismitheoir ar cuairt chuig an tír eile. Déantar comh-phoiblíocht ar na féiltí éagsúla seo.

4. Togra eile atá bunaithe ná Turas na bhFilí, malartú cultúrtha ina dtagann filí Gaidhlige ar cuairt chuig Éirinn chun bualadh le filí Gaeilge. Reachtáiltear comórtas filíochta agus téann na filí ar camcuairt timpeall ar cheantair Ghaeltachta. Dar le Brighid Ní Ghríofa, urlabhraí de chuid Chomhdháil Náisiúnta na Gaeilge, faigheann na cuairteoirí léargas iontach ar shaol na Gaeltachta anseo - saol nach bhfuil ró-éagsúil ón saol Ghaidhlige san Albain, agus is deis í do mhuintir na Gaeltachta teanga Cheilteach eile a chloisteáil: "Bhí ionadh an domhain ar na daltaí scoile a chloisteáil go bhfuil teanga Cheilteach eile cosúil leis an nGaeilge amuigh ansin," a dúirt sí, nuair a thug filí Albanacha cuairt ar bhunscoileanna in Iorras agus ar Oileán Acla. Ar ndóigh, tá an-chosúlachtaí idir na pobail Cheilteacha, agus bíonn na deacrachtaí céanna acu le sárú, ina measc caomhnú na teangan nuair atá sí de shíor faoi bhrú ag an mBéarla, agus an fhorbairt eacnamaíoch atá riachtanach chun pobal a chothú agus a threisiú i gceantair iargúlta atá scoite amach ó na cathracha.

5. Tá féile mhór eile na gCeilteach – an Fhéile Idir-Cheilteach i Lorient sa Bhriotáin ag dul ó neart go neart ó bunaíodh é sa bhliain 1971. Gach mí Iúil tagann Ceiltigh – agus neamhCheiltigh – ó gach cearn den domhan chuig an baile seo sa Bhriotáin chun an cultúr Ceilteach a bhlaiseadh ar feadh deich lá. Tugann os cionn 300,000 duine cuairt ar an bhféile, agus seinneann grúpaí iomráiteacha Éireannacha ann go minic - leithéidí Clannad, Altan, Téada, agus Líadan. Bíonn grúpaí ó Galicia na Spáinne, ceantar eile a mhaíonn go bhfuil dúchas Ceilteach acu - ón mBriotáin, ón mBreatain Bheag, ón Albain, ó Nova Scotia i gCeanada agus ó áiteanna eile ag seinm ó mhaidin go hoíche ann. Maidin Dhomhnaigh bíonn paráid le os cionn 3,500 rannpháirtithe, iad gléasta i bhfeisteas náisiúnta a dtíre. Ceann de bhuaicphointí na féile is ea an comórtas bannaí píob. Le déanaí, tá eagraitheoirí na féile ag eagrú ceolchoirme i bPáras ar Lá 'le Pádraig. B'é féile Lorient a spreag muintir na Spáinne chun a bhFéile idir-Cheilteach féin a bheith acu in Aviles, in Asturias i dTuaisceart na Spáinne. Cuireadh an chéad fhéile ar bun ansin sa bhliain 1997 agus bíonn féile bhliantúil ann ó shin i leith. Níl deireadh le treabh na gCeilteach fós, de réir cosúlachta, ná baol air. Is ag borradh agus ag bláthú atáimid! *(ó fhoinsí éagsúla)*

Ceisteanna

1. **(a)** Cad iad aidhmeanna na Féile Pan-Cheiltí? (Is leor dhá aidhm)
   (b) Luaigh gné shainiúil amháin den fhéile (Alt 1) (7 marc)
2. **(a)** Cad a tharla den chéad uair riamh i 2014?
   (b) Cén fáth go bhfuil iomaíocht ghéar ann chun an fhéile a óstáil? (Alt 2) (7 marc)
3. **(a)** Luaigh ceann de na buntáistí a bhaineann leis an gcomhpháirtíocht?
   (b) Déan cur síos ar imeacht amháin a reachtáiltear. (Alt 3) (7 marc)
4. **(a)** Cén dá thoradh atá ar Thuras na bhFilí, dar le Brighid Ní Ghríofa?
   (b) Luaigh dhá dhúshlán a bhíonn ag ceantair Ghaeltachta agus Gaidhlige (Alt 4) (7 marc)
5. **(a)** Cad iad na féilte eile a d'eascair as Féile Lorient?
   (b) Luaigh dhá imeacht a bhíonn ar siúl le linn Féile Idir-Cheilteach Lorient (Alt 5) (7 marc)
6. **(a)** Aimsigh briathar saor san Aimsir Chaite in Alt 1 agus ainmfhocal sa ghinideach uatha in Alt 2.
   (b) Cén cineál *genre* scríbhneoireachta lena mbaineann an sliocht seo? Luaigh dhá thréith a bhaineann leis an gcineál seo scríbhneoireachta. Aimsigh sampla amháin de gach ceann den dá thréith sin sa sliocht. (Bíodh an freagra i d'fhocail féin. Is leor 60 focal.) (15 mharc)

Ceist 2 PRÓS (30 marc)

A – PRÓS AINMNITHE nó PRÓS ROGHNACH – (30 marc)

Freagair Ceist 2A ***nó*** Ceist 2B thíos

2A. Prós Ainmnithe

'Tá tréithe na Fiannaíochta le sonrú go soiléir sa scéal béaloidis *Oisín i dTír na nÓg*.' É sin a phlé. (30 marc)

2B. Prós Roghnach

Maidir le gearrscéal nó sliocht roghnach a ndearna tú staidéar air le linn do chúrsa, déan plé ar dhá ghné de a chuaigh i bhfeidhm ort. (30 marc)

Ceist 3 FILÍOCHT (30 marc)

B – FILÍOCHT AINMNITHE nó FILÍOCHT ROGHNACH – (30 marc)

Freagair Ceist 3A ***nó*** Ceist 3B thíos

3A. Filíocht Ainmnithe

(i) "Is dán fáthchiallach an dán *Géibheann*." É sin a phlé. (16 mharc)

(ii) Scríobh nóta gairid ar an bhfile agus ar a saothar. (6 mharc)

(iii) Scríobh nóta ar an úsáid a bhaineann an file as codarsnacht. (8 marc)

nó

3B. Filíocht Roghnach

(i) I gcás dán a ndearna tú staidéar air le linn do chúrsa scríobh cuntas gairid ar théama an dáin agus mar a cuirtear os ár gcomhair é. (22 mharc)

(ii) Scríobh nóta ar an bhfile. (8 mharc)

8

Taisteal agus an Eoraip

SAN AONAD SEO FOGHLAIMEOIDH TÚ:

F Foghraíocht	An difríocht fuaime idir ío agus ói; ogh; an 't' agus an 'd' Gaelach
G Gramadach	An Aimsir Fháistineach An Tuiseal Ginideach An Aidiacht: iolra agus Ginideach An Aidiacht Bhriathartha
Labhairt	Conas labhairt faoi do laethanta saoire agus áiteanna ar thug tú cuairt orthu; conas labhairt faoin Aontas Eorpach
Scríobh	Conas scríobh faoi áit ar thug tú cuairt air agus scéal a chumadh ar an ábhar anna; conas aiste a scríobh faoin Aontas Eorpach
Litríocht	*Seal i Neipeal* le Cathal Ó Searcaigh

Taisteal agus an Eoraip

Cúinne na fuaime: An difríocht fuaime idir ío agus ói

Éist agus abair

Mír 8.1
T12

maraíodh	maróidh	gortaíodh	gortóidh
ceannaíodh	ceannóidh	fiosraíodh	fiosróidh
coinníodh	coinneoidh	cúisíodh	cúiseofar*

*nuair a thagann 'o' tar éis 'e' fuaimnítear é ar nós 'ó'.

Cleachtadh Éisteachta 1: turas thar lear

Scríobh an sliocht i do chóipleabhar. Ansin éist agus líon na bearnaí.

Mír 8.2
T13

Chuamar go dtí Maracó ar ár laethanta saoire. Tá Maracó suite in _____ na hAfraice ar an gcósta Atlantach. D'eitlíomar ó _____ go dtí Agadir, agus d'fhanamar in óstán cois trá. An rud a chuir ionadh orainn ná, nuair a dúramar san óstán gur Éireannaigh muid, thosaigh siad ag labhairt _____ linn! De réir dealraimh, tagann a lán Éireannach go hAgadir. Is tír _____ í Maracó agus tá os cionn _____ ina gcónaí ann. Is í an Araibis an phríomhtheanga ach labhraítear Beirbeiris agus _____ ann freisin. Tá muintir Mharacó _____. Caithfidh mé a rá gur _____ an tsaoire go mór liom.

Ceisteanna

1. Cá bhfuil Maracó suite?
2. Cad a chuir ionadh orthu?
3. Cad iad na teangacha a labhraítear ann?
4. Tabhair dhá shampla den tuiseal ginideach sa phíosa seo.

An Phortaingéil

Mír 8.3
T14

Scríobh an sliocht i do chóipleabhar, ansin éist agus líon na bearnaí.

Chaith mé seachtain sa Phortaingéil i mbaile beag darb ainm Albufeira. Tá Albufeira _____ san Algarve, i _____ na tíre agus is ceantar mór _____ é. Bhí an aimsir go hálainn – _____ den chuid is mó, _____ lá amháin nuair a bhí sé ag cur báistí. Tá trá álainn ann agus go leor siopaí agus bialanna. Bhí sé _____ le turasóirí, rud nár _____ mórán liom ach _____, bhí scíth dheas agam agus bhí an-chraic ann _____.

Ceisteanna

1. Cá bhfuil Albufeira suite?
2. Cad nár thaitin leis an gcainteoir?

An Téalainn

Mír 8.4
T15

1. Cá bhfuil Chang Mai suite?
2. Cad é an duais iontach atá le buachtaint?
3. Cad a chaithfidh tú a bhailiú?
4. Cé na sonraí a chaithfidh tú a sheoladh?
5. Cad é an spriocdháta don chomórtas?
6. Luaigh rud amháin atá riachtanach le cur isteach ar an gcomórtas.

8

Cleachtadh scríofa

1. Scríobh alt faoin áit ina raibh tú ar saoire. Ní gá gur thar lear a bhí tú.
2. Tabhair roinnt fíricí faoin áit. Cá bhfuil sé suite? Cén sórt áite é? Cén daonra atá ann? Conas mar a bhíonn an aimsir ann? An bhfuil an tírdhreach go deas? Ar thaitin an tsaoire leat? Cad a thaitin leat/nár thaitin leat? Ar mhaith leat dul ann arís? Má tá grianghraif agat, tabhair isteach iad agus taispeáin don rang iad. Déan cur i láthair PowerPoint faoi. Is féidir na ceisteanna thuas a chur ar do chomhscoláirí.
3. Scríobh fógra do do rogha ceann scríbe ag moladh do dhaoine dul ann ar saoire. Tabhair sonraí agus eolas a mheallfadh daoine chun dul ann.

Scrúdú béil: agallamh: laethanta saoire

Éist leis an gcomhrá seo.

Mír 8.5
T16

Agallóir	Inis dom, an ndeachaigh tú ar laethanta saoire aon áit an bhliain seo caite?
Eoin	Chuaigh. Chuamar go Dún na nGall ar feadh dhá sheachtain i mí Lúnasa. Is as Dún na nGall do m'athair agus téimid ann gach bliain. Cónaíonn mo mháthair mhór i nGaoth Dobhair agus tá col ceathracha agam ansin chomh maith.
Agallóir	Agus an dtaitníonn sé leat? An bhfuil mórán le déanamh ann?
Eoin	Bhuel, ar ndóigh braitheann sé go mór ar an aimsir. Mar is eol duit ní féidir riamh brath ar an aimsir sa tír seo. Nuair a bhíonn an aimsir go deas níl áit ar bith ar domhan chomh deas léi. Téim ag snámh – tá tránna áille ansin, agus téim ag surfáil freisin. Leis an fhírinne a rá, fiú sa drochaimsir tá go leor le déanamh. Téim ag iascaireacht agus ag spaisteoireacht, agus bíonn ceol agus craic ann istoíche freisin.
Agallóir	An-mhaith. Agus inis dom, an raibh tú riamh ar saoire thar lear?
Eoin	Bhí, go deimhin. Chuamar go dtí an Ghréig cúpla bliain ó shin, go Corfu. Caithfidh mé a rá go raibh sé go hálainn ar fad. Ach bhí sé an-te agus lá amháin chaith mé an iomarca ama faoin ngrian agus dódh go dona mé. Bhí mé ar thuras scoile freisin nuair a bhí mé san idirbhliain. Chuamar go dtí an Róimh ar feadh ceithre lá.
Agallóir	Agus ar thaitin an Róimh leat?
Eoin	Thaitin. Thaitin sé go mór liom. Ba bhreá liom dul ar ais lá éigin. Chonaiceamar an Pápa ag léamh Aifrinn ar Chearnóg Naomh Pheadair agus thugamar cuairt ar an gColasaem freisin agus ar na catacóim. Bhí sé an-suimiúil ar fad.
Agallóir	Cad é an rud is mó a thaitin leat faoi?
Eoin	An Colasaem, is dócha. Tá an-suim agam sa stair agus san ailtireacht freisin agus shíl mé go raibh sé dochreidte bheith i mo sheasamh i bhfoirgneamh a tógadh beagnach dhá mhíle bliain ó shin. Thaitin an t-uachtar reoite go mór liom freisin, gan trácht ar na cailíní dathúla!
Agallóir	An-mhaith! Inis dom, a Eoin, cé acu is fearr leat: saoire sa bhaile nó saoire thar lear?
Eoin	Sin ceist mhaith! Is maith liom taisteal agus tíortha agus cultúir eile a fheiceáil, ach is breá liom Éire freisin. Tá áiteanna áille ar fud na tíre. Chuaigh mé go hOileán Acla an samhradh seo caite le cara liom agus bhí sé an-deas. Leis an fhírinne a rá is deacair Éire a shárú, cé is moite den aimsir, ar ndóigh.
Agallóir	Agus an bhfuil aon tír ar mhaith leat cuairt a thabhairt uirthi?
Eoin	Ba bhreá liom dul go Meiriceá Theas – go Peiriú agus an tSile. Is breá liom sléibhteoireacht agus ba bhreá liom dul ag dreapadóireacht sna hAindéis agus dul ar cuairt ar Mhachu Picchu.
Agallóir	Iontach.

An ghramadach i gcomhthéacs

Aimsir Fháistineach

- Cuirtear -fidh nó -faidh le briathra aonsiollacha.
- **Mar shampla: cuir + fidh; tóg + faidh**
- Cuirtear -(e)oidh le briathra désiollacha.
- **Mar shampla: éir + eoidh; ceann + óidh**
- Tá foirm tháite de 'ceannóidh muid': ceannóimid. Feicfidh muid à feicfimid
- I mbriathra déshiollacha a chríochnaíonn ar -ir, -il, -is, baintear amach an siolla deireanach.
- **Mar shampla: Freagair → freagróidh; inis → inseoidh; imir → imreoidh**

I mbriathra a chríochnaíonn ar -im, -ing cuirtear (e)oidh.

Mar shampla: tarraingeoidh, fulaingeoidh, foghlaimeoidh, tuirlingeoidh

I mbriathra déshiollacha le 'á' sa dara siolla cuirtear -f(a)idh leo.

Mar shampla: taispeánfaidh, úsáidfidh

Féach lth 424 (aimsirí na mbriathra).

Briathra neamhrialta san Aimsir Fháistineach

Faigh	gheobhaidh mé	gheobhaimid	an bhfaighidh	ní bhfaighidh
Téigh	rachaidh mé	rachaimid	an rachaidh	ní rachaidh
Tar	tiocfaidh mé	tiocfaimid	an dtiocfaidh tú	ní thiocfaidh
Ith	íosfaidh mé	íosfaimid	an íosfaidh	ní íosfaidh
Bí	beidh mé	beimid	an mbeidh tú	ní bheidh
Abair	déarfaidh mé	déarfaimid	an ndéarfaidh	ní déarfaidh
Beir	béarfaidh mé	béarfaimid	an mbéarfaidh	ní bhéarfaidh

8

Ceacht 1

Scríobh na habairtí seo a leanas san Aimsir Fháistineach.

1. (Bí) sé ag cur báistí amárach.
2. Mol an óige agus (tar) sí.
3. (Téigh) mé go dtí an Fhrainc an samhradh seo chugainn.
4. Fan go (inis) mé duit cad a dúirt sí.
5. (Imir/muid) in aghaidh foireann Chora Finne an Satharn seo.
6. (Faigh) Ciarraí an bua ar Chorcaigh, ceapaim.
7. Ní (faigh) tú marcanna arda muna n-oibríonn tú go crua.
8. (Cuir) mé glao ort anocht.
9. (Feic) mé thú amárach.
10. (Tabhair) mé m'uimhir ghutháin duit.

Ceacht 2

Cuir san Aimsir Fháistineach an t-alt seo a leanas (tosaigh le 'An deireadh seachtaine seo chugainn ...').

An deireadh seachtaine seo caite, chuaigh mé go Luimneach ag siopadóireacht ar an Satharn. D'éirigh mé go luath agus thóg mé an traein le mo chara, Fionn. Nuair a shroicheamar Luimneach bhí cupán caifé againn sula ndeachamar chuig na siopaí. Cheannaigh mise bróga peile agus fuair Fionn bríste agus geansaí nua. Thángamar abhaile níos déanaí agus d'fhéachamar ar scannán an oíche sin. Bhí cluiche peile againn ar an Domhnach in aghaidh Chill Airne. Bhuamar an cluiche, ar ndóigh! Ansin tráthnóna Dé Domhnaigh rinne mé m'obair bhaile.

Ceacht 3

Cad a dhéanfaidh tú an samhradh seo chugainn?

_____ mé na scrúduithe ar an Máirt agus mise á rá leat go mbeidh áthas an domhain orm bheith saor ón staidéar! _____ mé amach le mo chairde ag ceiliúradh agus _____ mé mo scíth ar feadh tamaill. _____ mé go breá bog é. Ach caithfidh mé airgead a thuilleamh, mar sin _____ mé post, le cúnamh Dé, i mBaile Átha Cliath, agus _____ mé a lán airgid. _____ mé ar saoire le mo chlann i mí Lúnasa. _____ ag dul go Meiriceá. Tá mé ag tnúth go mór leis. _____ mé an-taitneamh as an samhradh agus an tsaoirse a bhaineann leis!

Ullmhú don scrúdú béil

Anois tóg na ceisteanna a chuir an t-agallóir ar Eoin agus scríobh do fhreagraí féin orthu agus déan cleachtadh orthu sa rang ag obair leis an duine in aice leat. Tabhair do fhreagra féin ar Cheacht 1 agus Ceacht 2 thuas – scríobh é i do chóipleabhar Gaeilge Labhartha.

An Rómáin: seantír ar tí athrú

Amharcann Diarmuid Johnson ar an seansaol mar a mhaireann go fóill sa Rómáin.

Is beag áit san Eoraip a bhfuil seansaol na tuaithe chomh bisiúil ann agus atá i sléibhte agus i ngleannta na Rómáine. Ach is baol go dtiocfaidh deireadh le seanchas agus le saoithiúlacht na mbailte beaga faoi mar a tháinig i dtíortha go leor eile le dhá scór bliain anuas. Chaith mé féin seachtain sa Trasalváin le deireanas ag siúl na tíre go bhfeicfinn an sean agus an nua.

Geoagiu de Sus is ainm don bhaile ar chaith mé an chéad oíche ann. I ngleann cúng iargúlta faoi scáth aille atá sé. Tá cónaí fós sna seantithe ceann tuí ann. Tá tithe nua á dtógáil ann anois chomh maith, tithe saoire ina measc. Dhá fhuaim a chuala mé taobh amuigh d'fhuinneog an óstáin ar maidin: trup trap crúba capaill ar an mbóthar fúm agus buillí rialta na gcasúr.

Labhair mé le Bogdan Neagota, eitneagrafaí as Ollscoil Cluj maidir le gnéithe de chultúr an bháis sa Rómáin. D'inis sé dhá scéal dom. 'Cailleadh Izvoara i mí Lúnasa ar mo bhaile féin,' ar sé. 'An lá a chuir na comharsana beannacht lena hanam, lig siad dhá scór coinneal le sruth na habhann. D'éalaigh na soilse leo ar bharr an uisce. I mbaile eile i gceantar Cluj, chuir bean gin mharbh ar an saol. Lasadh tine chnámh leis an mbealach chun na bhflaitheas a thaispeáint don leanbh, agus lena chraiceann mín nocht a théamh.'

Tá deasghnátha na heaglaise agus gnásanna an phobail fite fuaite ina chéile chomh maith. Ar 15 Lúnasa – Lá Mhuire Mhóir – téann na mná go dtí an séipéal le moch maidne. Cuireann siad túis á dó, agus de réir mar a bhíonn an deatach ag éirí faoi na ráftaí le maidneachan an lae, cuirtear tús leis an gcantaireacht. Nuair a bhíonn an deatach ag guairdeall go tiubh, amach leo le néal den deatach beannaithe a chur sa scioból agus sa teach leis an mí-ádh a dhíbirt.

Chuaigh mé go Sibiu ar an mbus tar éis dom a bheith in Geoagiu de Sus. Tá ainm eile ar Sibiu – Hermannstadt. Sa 12ú haois déag, le linn do Geisa II a bheith ina rí ar an Ungáir, nuair a bhí cogadh na croise á chur ar Ioslam, tháinig pobal ó cheantar na Réine in iarthar na Gearmáine agus chuir siad fúthu sa Trasalváin.

Níl áit ar bith san Eoraip ach an Rómáin a bhfuil an saol fós mar a bhíodh fadó. Is ann anois a bhíonn na haoirí ar an sliabh, an spealadóir sa chluain, torann chrúb na gcapall ar na bóithre, agus coinnle á seoladh go ciúin le sruth na habhann nuair a fhaigheann seanduine bás. Ach ní gan dua a shiúlfaidh duine an tír. Ar m'éirí dom ar maidin, ní raibh uisce te san óstán, agus bhí turas ocht n-uaire an chloig romham ar thraein, gan tae, caifé ná uisce á dhíol ann.

(Bunaithe ar alt as *Gaelscéal*)

8

Ceisteanna

1. Luaigh rud amháin atá ag athrú sa Trasalváin sa Rómáin.
2. Déan cur síos ar dhá nós a bhaineann leis an mbás i Geoagiu de Sus.
3. Cathain a lonnaigh pobal Gearmánach i Sibiu? Cén rian díobh atá fágtha sa cheantar?
4. Luaigh na rudaí a léiríonn go bhfuil an saol 'fós mar a bhíodh fadó'.
5. Cad iad na míbhuntáistí a bhaineann leis an saol sean-aimseartha seo, de réir an údair?
6. Faigh oiread samplaí agus is féidir leat den Tuiseal Ginideach.
7. Déan taighde ar an Rómáin agus an Trasalváin. Déan cur i láthair sa rang ar an ábhar a d'aimsigh tú.
8. Luaigh na difríochtaí idir an saol sa Rómáin agus an saol in Éirinn.
9. Cén sort duine é an t-údar, dar leat? Faigh fianaise a thacaíonn le do thuairim agus cuir torthaí an taighde i láthair an ranga.

An ghramadach i gcomhthéacs

Tíortha agus teangacha

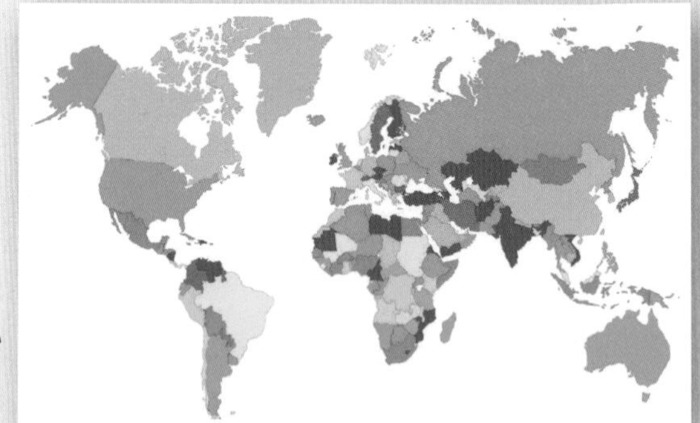

Focail bhaininscneacha: Tuiseal Ginideach (Féach lth 431)

Tá an chuid is mó de **thíortha agus de theangacha** an domhain **baininscneach**.

Tá na tíortha seo a leanas **firinscneach**: **Ceanada, Sasana, Meiriceá** (agus ceann de theangacha na dtíortha sin, **Béarla**)

Mar shampla:

an Fhrainc	muintir na Fraince	an Fhraincis	múinteoir Fraincise
Éire	muintir na hÉireann	an Ghaeilge	Foras na Gaeilge
an Ghearmáin	muintir na Gearmáine	an Ghearmáinis	rang Gearmáinise

Ach

Ceanada	muintir Cheanada/ Shasana	an Béarla	múinteoir Béarla

an Spáinn	iarthar **na** Spáinne	Spáinnis	rang Spáinnis**e**
an tSín*	muintir **na** Síne	Sínis	múinteoir Sínis**e**
an Iodáil	lár **na hI**odáile	Iodáilis	rang Iodáilis**e**
an P**h**olainn	bratach **na** Polainne	Polainnis	ceacht Polainnis**e**
an G**h**earmáin	mná **na** Gearmáine	Gearmáinis	dán Gearmáinis**e**

*Féach lth 5

Tá **na hilchríocha baininscneach** freisin, seachas **Meiriceá** atá **firinscneach.**

Mar shampla: **Meiriceá** → muintir M**h**eiriceá

an Áis	tíortha **na hÁise**
an Astráil	stair **na hAstráile**
an Eoraip	stair **na** Eor**pa**
an Afraic	lár **na hAfraice**
Meiriceá	muintir M**h**eiriceá

Tabhair faoi deara!

Éire	in/as/ó Éir**inn**	muintir na **hÉireann**
Alba	in/as/ó Alb**ain**	muintir na **hAlban**

Ceacht 1

Bain na lúibíní agus athraigh mar is gá.

1. Tá Sibiu in iarthar (an Rómáin).
2. Tá muintir (an Tuirc) an-chairdiúil.
3. Deisceart (an Afraic).
4. Tuaisceart (an Astráil).
5. Muintir (an Eoraip).
6. Teanga (an Phacastáin).
7. Deisceart (Meiriceá).

8

- Tá an chuid is mó de na **tíortha i nGrúpa 2 (An Dara Díochlaonadh**, féach lth 432)
- Tá siad **baininscneach** agus críochnaíonn siad ar **chonsan**.
- Sa Tuiseal Ginideach, athraíonn 'an' go **'na'** agus cuirtear **'e'** ag deireadh an fhocail:
  Mar shampla: An Fhrainc muintir **na** Fraince

Seo samplaí eile d'fhocail sa ghrúpa seo: fuinneog, carraig, áit, pictiúrlann, aimsir, gaoth, obair, ócáid, páirc, peil, Fraincis,* an Fhrainc, ceist, duais, fadhb, aois, céim

Mar shampla:

an Fhrainc	muintir **na** Fraince
an fhadhb	fuascailt **na** fa**i**dhb**e**
an tseachtain	lár **na** seachtain**e**
an chlann	lár **na** cla**i**nn**e**
an aimsir	tuar **na h**aimsir**e**
an ghaoth	oíche **na** gao**i**th**e** mó**ire**

Ceacht 2

Cuir A le B agus bain úsáid as an Tuiseal Ginideach.

Mar shampla:

A	**B**	
barr	**an tsráid**	**barr na sráide**

A	B
bun	an fhuinneog
deireadh	an chaint
chun	an chúirt
ag insint	bréag
ar fud	an tír
ag déanamh	agóid
lár	an tseachtain
lár	an pháirc
méid	an fhadhb
captaen	an fhoireann
ag lorg	obair
bus	scoil
páirc	peil
éirí	an ghrian
deisceart	an Spáinn
easpa	féinmhuinín

Tabhair faoi deara!

I mBéarla deirtear *'the' people of France*, ach ní chuirtear 'an' roimh fhocal nuair a leanann an tuiseal ginideach é.

Mar shampla: *the flag of Spain* = bratach **na** Spáinne

Ceacht 3

Scríobh na nathanna seo a leanas i nGaeilge.

1. The solution to the problem
2. The state of the country
3. The north of Poland
4. The team colours
5. The weather forecast
6. The top of the field

Ceapadóireacht: óráid/caint

Thug tú cuairt ar thír éigin le gairid, agus iarradh ort caint a thabhairt don rang faoin tír sin. Scríobh an chaint a thabharfá do do chomhscoláirí fúithi.

nó

Tháinig scoláirí ó thír eile ar cuairt chuig do scoil. Iarradh ort caint a thabhairt dóibh faoi Éirinn agus faoin gceantar áirithe ina gcónaíonn tusa. Scríobh an chaint a thabharfá.

(Féach ar lth 38 mar chabhair)

Plean

Tús na cainte: Beannú agus cur in aithne, ábhar na cainte a thabhairt (pointí) (Féach lth 442)

Alt 2: Eolas agus sonraí ginearálta faoin tír: suíomh, acmhainní nádúrtha, gnéithe fisiciúla (sléibhte, aibhneacha, cósta) daonra, teangacha

Alt 3: Stair na tíre agus na príomhchathracha, an sórt rialtais atá ann anois agus cé atá i gceannas faoi láthair

Alt 4: Cultúr agus daoine: gnéithe spéisiúla den chultúr, príomhthréithe na ndaoine ó do thaithí féin, ealaíontóirí, scríbhneoirí, litríocht, reiligiún agus creideamh na ndaoine.

Alt 5: Na háiseanna agus na hacmhainní atá ann, cad is féidir a dhéanamh ann, na háiteanna gur fiú cuairt a thabhairt orthu.

Alt 6: Do thaithí féin sa tír – aon scéal agat? An fáth ar maith leat an tír/aon rud nach maith leat faoi

Críoch: Buíochas a ghabháil, ceisteanna a spreagadh, slán a fhágáil (Féach lth 443)

Prós faoi thaisteal: Seal i Neipeal

Tá rogha idir an scéal seo agus 'An Gnáthrud'.

Réamhrá

Sliocht é seo as leabhar taistil a scríobh Cathal Ó Searcaigh, bunaithe ar thréimhsí a chaith sé i Neipeal. Tá an scéal seo scríofa i gcanúint Uladh (U) sa chás seo, Gaeilge Dhún na nGall. (Féach lth 317 'An Gnáthrud' agus lth 463 Canúintí).

Seal i Neipeal

I ndiaidh **domh**[1] an dinnéar a chríochnú agus mé **ar tí**[2] **babhta**[3] léitheoireachta a dhéanamh, tháinig fear beag, **beathaithe**[4] isteach chugam, **gnúis**[5] **dhaingean**[6] air, a **thóin le talamh**.[7] Sheas sé, a **dheireadh**[8] leis an tine gur thug sé róstadh maith **dá mhásaí**.[9] Ansin tharraing sé cathaoir chuige féin agus theann isteach leis an tine, a lámha **crágacha**[10] **spréite**[11] **os a choinne**,[12] **ag ceapadh teasa**.[13] Bhí sé do mo **ghrinniú**[14] an t-am ar fad lena shúile beaga **rógánta**.[15] **Níl mórán le himeacht ar an diúlach seo**,[16] arsa mise liom féin. Ansin thosaigh **an cheastóireacht**,[17] tiubh agus crua. Cén tír as a dtáinig mé? Cad é mar a **shaothraigh mé mo chuid**?[18] An raibh bean agam? An raibh **cúram teaghlaigh**[19] orm? An raibh Éire **rachmasach**?[20] An raibh sé éasca cead isteach a fháil chun na tíre? An raibh cairde agam i Neipeal? An Críostaí a bhí ionam? An raibh gnó de mo chuid féin agam sa bhaile? An raibh mé ag tabhairt **urraíochta**[21] d'aon duine i Neipeal? Cad é an méid airgid a chaithfinn sa tír seo? An **de bhunadh saibhir**[22] mé i mo thír féin? Os rud é nach raibh mórán **muiníne**[23] agam as **cha dtug**[24] mé dó ach **breaceolas**[25] agus bréaga, agus tuairimí **leathcheannacha**.[26]

1 (U) dom
2 díreach chun *about to*
3 *a spell of*
4 ramhar *well fed*, ó 'beathú' (*feeding*)
5 aghaidh
6 dhiongbháilte *tight, determined*
7 *backside to the ground*
8 a thóin
9 leicne a thóin *his buttocks*
10 lámha móra (crág *paw*)
11 *spread out*
12 (U) os a chomhair
13 ag tógáil isteach teasa
14 ag faire orm, *scrutinising me*
15 glic
16 *... this busybody* (diúlach) *doesn't miss a trick*
17 an ceistiú
18 conas a thuill mé airgead *how I earned my money*
19 páistí faoi mo chúram *family responsibilites*
20 saibhir
21 *sponsorship*
22 ó chlann saibhir
23 iontaoibh *trust*
24 (U) níor thug
25 part of the story
26 claonta

Bhí gaol gairid aige le bean an tí agus sin an fáth a raibh sé ag fanacht ansin. Bhí sé ar a bhealach ar ais go Kathmandu, áit a raibh lámh aige i **ngníomhaíochtaí**[27] éagsúla, a dúirt sé: cairpéid, seálta *pashmina*, earraí páipéir. Bhí **an tuile shí**[28] as a bheál agus é ag **maíomh**[29] as a ghaisce gnó. Ar ndóigh bhí daoine **ceannasacha**[30] ar a chúl ach sin ráite ní raibh **cosc**[31] dár cuireadh ina shlí riamh nár **sháraigh**[32] sé. Duine acu seo a bhí ann, a dúirt sé, a bhí ábalta rud ar bith a **chur chun somhaoine**[33] dó féin. **Dá thairbhe sin**[34] agus an **dóchas dochloíte**[35] a bhí **ann ó dhúchas**[36] rith an saol leis. **Bhí an dá iarann déag**[37] sa tine aige i dtólamh, arsa seisean, **mórchúis**[38] ina ghlór, ach bíodh thíos thuas, **ar uair na crúóige**,[39] rinne seisean cinnte de go ndéantaí cibé obair a bhí le déanamh **ar an sprioc**.[40] Fear **faobhair**[41] a bhí ann ina óige, arsa seisean, ag ligean gothaí troda air féin go bródúil. Bhí an **fuinneamh**[42] sin chomh géar is a bhí ariamh, a dúirt sé, ach anois bhí sé **i bhfearas aige**[43] i gcúrsaí gnó. Bhí an-chuid **earraíochta**[44] ar siúl aige sna ceantair seo **fosta**,[45] a dúirt sé. Bhí **fir phaca**[46] aige a théann thart ag díol éadaigh i mbailte scoite an tsléibhe, bhí mná ag cniotáil dó cois teallaigh, bhí dream eile ann a dhéanann páipéar dó. Bhí **cuma an ghustail**,[47] ceart go leor, ar an chóta throm **clúimh**[48] agus ar na bróga sléibhe de **scoth**[49] an leathair a bhí á gcaitheamh aige. **Ligfinn orm**[50] féin go raibh mé bog go bhfeicfinn cad é mar a bhí sé ag brath **buntáiste**[51] a ghlacadh orm. **Thairg**[52] mé **buidéal leanna**[53] a cheannach dó agus ba eisean nár dhiúltaigh an deoch. Cha raibh an buidéal ina lámh aige i gceart gur ól sé a raibh ann d'aon **slog cíocrach**[54] amháin. D'ofráil mé an dara buidéal dó agus **ach oiread leis**[55] an chéad cheann **char chuir**[56] sé suas dó.

'Nach **ádhúil**[57] gur casadh ar a chéile sinn,' a dúirt sé agus é ag cothú na tine le tuilleadh adhmaid **chonnaidh**.[58] 'Seo lá ár leasa,' arsa seisean agus é do mo ghrinniú lena shúile beaga santacha. Bhí a fhios aige chomh luath agus a leag sé súil orm, a dúirt sé, gurb é **ár gcinniúint**[59] é a bheith i **mbeartas páirte**[60] lena chéile. Ba mhór ab fhiú domh suim airgid a **infheistiú**[61] láithreach sa chomhlacht déanta páipéir a raibh dlúthbhaint aige leis. Bheadh toradh fiúntach ar an infheistíocht seo gan aon dabht sa chruth go mbeadh **ciste airgid**[62] **fá mo choinne**[63] i gcónaí nuair a d'fhillfinn ar Neipeal. De réir mar a bhí sé ag téamh leis an **racht ceana**[64] seo, **mar dhea**,[65] bhí sé ag tarraingt **níos clósáilte**[66] domh ionas go raibh greim láimhe aige orm faoin tráth seo. Níor ghá, ar ndóigh, an socrú beag seo a bhí eadrainn a chur faoi bhráid an dlí. B'amaideach **baoth**[67] dúinn airgead a chur amú ar **shéala an dlíodóra**.[68] Conradh an chroí a bheadh ann, arsa seisean **go dúthrachtach**,[69] **ag teannadh a ghreama**[70] ar mo lámh. **Gníomh muiníne**.[71] Ba leor sin agus an trust a bhí eadrainn. Bhí sé ag féachaint orm go géar go bhfeicfeadh sé an raibh an chaint **leataobhach**[72] seo ag dul i bhfeidhm orm. Shíl sé go raibh mé **somheallta**[73] agus **go dtiocfadh leis**[74] **suí ar mo bhun**[75] agus **ceann siar a chur orm**.[76]

[27] gnóanna
[28] go leor cainte
[29] *boasting* ag déanamh gaisce
[30] údarásacha
[31] bac *obstacle*
[32] bhuaigh
[33] a iompú ina bhuntáiste
[34] dá bharr
[35] *unbeatable hope*
[36] ó nádúr
[37] go leor idir lámha aige i gcónaí
[38] bród
[39] in am an ghátair
[40] in am *on target*
[41] glic *sharp*
[42] *energy*
[43] *harnessed*
[44] gnó
[45] (U) freisin
[46] díoltóirí, mangairí
[47] cuma rachmasach
[48] *fur*
[49] is fearr
[50] *I'd pretend*
[51] cleas a imirt *take advantage of me*
[52] D'ofráil
[53] buidéal beorach
[54] *greedy gulp*
[56] (U) níor dhiúltaigh
[55] *as well as, along with*
[57] tráthúil *lucky*
[58] *fuel*
[59] *our destiny*
[60] ag obair le chéile
[61] *invest*
[62] *fund*
[63] (U) dom
[64] *burst of affection*
[65] *supposedly*
[66] (U) *closer*
[67] seafóideach
[68] *lawyer's seal, legal bind*
[69] go díograiseach
[70] *tightening his grip*
[71] *an act of trust*
[72] aontaobhach
[73] éasca cur ina luí orm
[74] go bhféadfadh sé
[75] buntáiste a ghlacadh
[76] dallamullóg a chur orm *pull a fast one*

8

[77] d'fhéadfadh sé aon rud a dhéanamh
[78] duine sleamhain, glic, slíbhín
[79] is trua don duine a thógfadh a chomhairle
[80] (U) lig mé orm
[81] *as if*
[82] dul i bhfeidhm

Bhí taithí aige, déarfainn, an ceann is fearr a fháil ar dhaoine. 'Dá gcreidfeá ann,' mar a deireadh na seanmhná sa bhaile fadó **'chuirfeadh sé cosa crainn faoi do chuid cearc'**.[77] Ní raibh smaoineamh dá laghad agam dul i bpáirtíocht leis a **tslíodóir**[78] seo.

Ní rachainn fad mo choise leis. **Is mairg a thaobhódh lena chomhairle**.[79] Ach lena choinneáil ar bís **cha lig mé a dhath orm féin**.[80] Shuigh mé ansin go stuama, smaointeach**, amhail is**[81] dá mbeadh gach focal dá chuid ag **dul i gcion**[82] orm.

Faigh agus foghlaim

Faigh agus foghlaim focail eile i nGaeilge do na focail seo a leanas:

fosta	santach	slíbhín	ar uair na crúóige
gar	d'ofráil	dul i bhfeidhm	go bhféadfadh sé
díograiseach	díreach chun	fir phaca	tairbhe
dallamullóg a chur ar	gnúis	tráthúil	trust
amaideach	rud ar bith	saibhir	

Cleachtadh scríofa

1. Déan liosta de na focail mhaslacha go léir a úsáideann an t-údar le cur síos a dhéanamh ar an bhfear. Cén fáth go n-úsáideann sé iad?
2. Cén sórt duine é an fear beag beathaithe? Tabhair fianaise ón téacs.
3. Ainmnigh trí ghnó atá ag an bhfear beathaithe, mar dhea.
4. Cad a iarrann sé ar an údar?

Ar lean...

[83] *greedy guts*
[84] (U) beagnach caite
[85] mé a aisíoc
[86] imníoch
[87] focal *hint*
[88] ag cur dallamullóg orm
[89] seans dá laghad
[90] amadán
[91] ó chluiche cártaí (.i. bheadh an bua aige)
[92] i bhfábhar
[93] *claws*
[94] an cluiche a imirt mo bhealach féin
[95] áthas
[96] shocraigh sé
[97] bhí mé téite

I rith an ama seo bhí Ang Wong Chuu agus Pemba ar a gcomhairle féin sa chisteanach, gach scairt cheoil acu féin agus ag bean an tí. Nuair a d'ordaigh mé an tríú buidéal leanna don **tslogaire**[83] seo – bhí a chuid airgid féin, a dúirt sé, **chóir a bheith reaite**[84] i ndiaidh dó díolaíocht a thabhairt dá chuid oibrithe anseo sna cnoic, ach in Kathmandu dhéanfadh sé an **comhar a íoc liom**[85] faoi thrí. Thug Ang Wong Chuu i leataobh mé agus cuma **an-tógtha**[86] air. Is cosúil gur chuir bean an tí **leid**[87] ina chluas go raibh an fear istigh **do mo dhéanamh go dtí an dá shúil**.[88] D'iarr sé orm gan baint ná páirt a bheith agam leis agus ar a bhfaca mé ariamh gan mo shúil a thógáil de mo sparán. Dúirt mé leis nach raibh **baol ar bith**[89] go nglacfadh an **breallán**[90] lámh orm. Sa chluiche seo, gheall mé dó, **bheadh an cúig deireanach agamsa**.[91] Bhí sé **i bhfách**[92] go mór le dul isteach liom chun an tseomra le mé a chosaint ar **chrúba**[93] an fhir istigh ach d'éirigh liom é a chur ar a shuaimhneas agus a sheoladh ar ais chun na cisteanadh. Bhí mise ag gabháil **a imirt mo chuid cnaipí ar mo chonlán féin**.[94]

Ba léir go raibh **lúcháir**[95] ar an fhear eile mé a fheiceáil ag teacht ar ais. Shocraigh sé mo chathaoir san áit ba theolaí an teas. **Shoiprigh sé**[96] na cúisíní go cúramach.

'Cé mhéad airgid atá i gceist?' arsa mise go bladarach nuair a bhí **mo ghoradh déanta agam**.[97]

Tháinig **loinnir aoibhnis**[98] ina ghnúis. Shíl sé **go raibh leis**.[99] 'Braitheann sin ort féin ach thabharfadh míle dollar seasamh maith duit sa ghnó. **I do leith féin**[100] atá tú á dhéanamh.' Bhí sé spreagtha. Chrom sé síos le séideog a chur sa tine. Chuir sé **luaith**[101] ar fud na háite le méid **a dhíograise**.[102] Bhí mé ag baint sásamh as an **chluichíocht chlúide**[103] seo.

'An leor **banna béil**,'[104] arsa mise go ceisteach, amhras i mo ghlór, '**mar urrús in aghaidh caillteanais**?'[105]

Bhí eagla air go raibh mé ag eirí **doicheallach**,[106] ag tarraingt siar. Phreab sé aniar as a chathaoir agus chaith sé a dhá lámh thart orm go cosantach

'Ná bíodh imní ar bith ort taobhú liom,' ar seisean go muiníneach. 'Nach bhfuil mise chomh **saor ó smál**[107] le gloine na fuinneoige sin?'

Frámaithe sa ghloine bhí ceathrú gealaí **ag glinniúint**[108] i bhfuacht na spéire, í chomh **faobhrach**[109] le **béal corráin**.[110]

'Féach isteach i mo shúile i leith is gur fuinneoga iad,' arsa seisean, 'agus **tchífidh**[111] tú gur duine nádúrtha mé ó dhúchas. Bí cinnte nach ndéanfainn **a dhath**[112] ach **an t-ionracas**[113] le duine.' Bhí **sramaí**[114] lena shúile ar an mhéad is a bhí siad **ar leathadh**[115] aige os mo chomhair in iúl is **go n-amharcfainn**[116] síos isteach **i nduibheagán a dhúchais**[117] is go gcreidfinn go raibh sé **gan choir, gan chlaonadh**.[118]

D'amharc mé idir an dá shúil air agus mé ag rá liom féin, 'Ní rachaidh leat, a dhiúlaigh.' Leis **an tsaothar anála**[119] a bhí air bhí **na ribí fionnaidh ina ghaosán ar tinneall**.[120] Faoin am seo bhí sé siúráilte go raibh mé **faoina anáil**[121] aige. 'Tabharfaidh mé suim airgid duit anois,' arsa mise go **saonta**,[122] amhail is dá mbeadh muinín iomlán agam as. 'Agus an chuid eile in Kathmandu má bhíonn obair na comhlachta sásúil.'

[98] las a éadan suas le háthas
[99] go raibh a bua aige
[100] ar do shon féin
[101] *ash*
[102] a dhúthracht
[103] cleasaíocht cois tine
[104] d'fhocal, *verbal bond*
[105] *as a guarantee against loss*
[106] naimhdeach, *hostile*
[107] *free from dirt*
[108] ag lonrú
[109] géar *sharp*
[110] *sickle* uirlis le faobhar leathchiorclach chun féar a ghearradh
[111] (U) feicfidh
[112] (U) rud ar bith
[113] macántacht *the honesty*
[114] *mucus*
[115] oscailte go leathan
[116] (U) go bhféachfainn
[117] *into the depths of time*
[118] gan locht
[119] deacracht anáil a thógáil
[120] na ribí gruaige ina shrón ina seasamh
[121] faoina thionchar
[122] go soineanta *innocently*

8

[123] lá chomh geal
[124] neamh
[125] guí a thugtar do dhuine go minic ar a bhreithlá *may you be seven times better next year*
[126] go leor, paca
[127] le luach íseal orthu
[128] (U) fuair
[129] (U) chomhairigh
[130] ag ligint orm gur luach mór iad
[131] *his paws full*
[132] d'airgead
[133] gan mhaith
[134] *yawning*
[135] *details*
[136] d'imigh sé, *he took to his heels*
[137] Ní = déanann (U) Nuair atá sparán trom agat bíonn tú sásta
[138] *smile*
[139] éagóir
[140] d'oir, *it suited*
[141] rógaire
[142] *wisp*
[143] gur imríodh cleas air
[144] (U) imithe
[145] d'imigh sé
[146] éirí na gréine
[147] géar ghá, *urgent need*
[148] (U) cinnte, *indeed*
[149] cion, grá
[150] duine sleamhain, slíbhín
[151] ag goid, *plundering*
[152] *holy relics*
[153] an cháil
[154] *surviving on*
[155] gafa ag, *addicted to*
[156] cuireadh an dlí air, *he was charged with*

Shamhlófá nár tháinig **lá dá leas**[123] ach é. Bhí sé sna **flaithis**[124] bheaga le lúcháir. Bhí sé do mo bheannú **ionas go mba sheacht bhfearr a bheinn an bhliain seo chugainn**.[125] Bhí fhios agamsa go raibh **slam**[126] de lire **beagluachacha**[127] na hIodáile sáite i leataobh agam le fada i dtóin mo mhála droma. **D'aimsigh**[128] mé iad láithreach agus **chuntas**[129] mé amach lab nótaí díobh **go mórluachach**[130] go raibh lán **a chráige**[131] aige. Shíl sé go raibh a shaint **de mhaoin**[132] nuair a chonaic sé na nótaí ag carnadh ina bhois. Ádhúil go leor, cha raibh fhios aige, ach oiread lena thóin, cé chomh **beagthairbheach**[133] agus a bhí a stór lire.

Chomh luath agus a bhí an t-airgead istigh i gcúl a dhoirn aige, thosaigh sé **ag méanfach**[134] agus ag ligean air féin go raibh néal codlata ag teacht air. Thabharfadh sé a sheoladh i Kathmandu agus **sonraí**[135] iomlána an chomhlachta domh ar maidin ach anois, bhí an codladh ag fáil bua air agus chaithfeadh sé an leabaidh a bhaint amach láithreach. I ndiaidh dó mé a mholadh is a mhóradh **thug sé na sála leis**[136] chun na leapa. Ba seo oíche a bhí chun a shástachta. Chodlódh sé go sámh. **Ní sparán trom croí éadrom.**[137]

Bhí **aoibh an gháire**[138] orm gur thit mé i mo chodladh. Is fuath liom an **míchothrom**[139] a dhéanamh le duine ar bith ach **d'fhóir**[140] sé i gceart don **chneámhaire**[141] seo. Bhainfí croitheadh ceart as nuair a chuirfí ar a shúile i mbanc nó i mbiúro in Kathmandu nach raibh ina charnán lire ach **sop**[142] gan luach. Beidh sé ag téamh ina chuid fola agus ag eirí de thalamh le fearg nuair a thuigtear dó gur **buaileadh bob air**.[143]

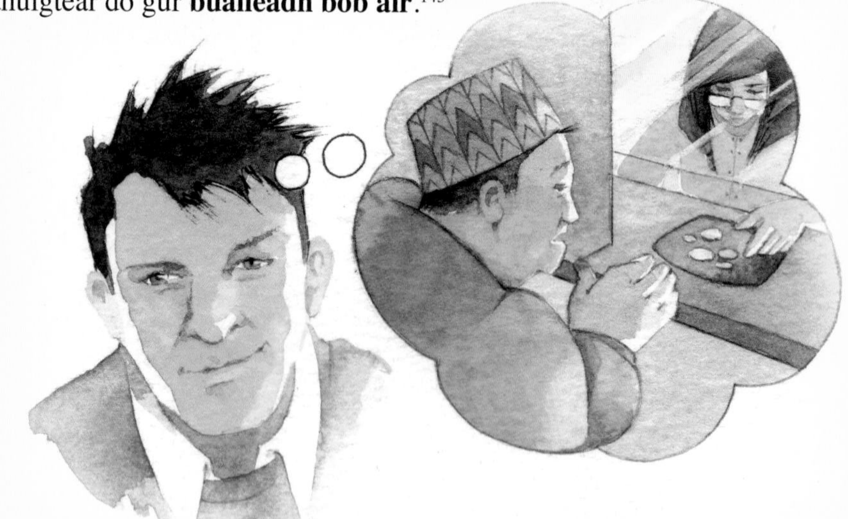

Ar ndóigh bhí sé **ar shiúl**[144] nuair a d'éirigh mé ar maidin. **Bhain sé na bonnaí**[145] as le **bánú an lae**[146] a dúirt bean an tí. Bhí **broid**[147] air le bheith ar ais in Kathmandu. Bhí, **leoga**![148] Cé go raibh sé gaolta léi, a dúirt sí, is beag **dáimh**[149] a bhí aici leis. Cha raibh ann ach **slíomadóir**[150] agus b'fhearr léi gan é a bheith ag teacht faoin teach ar chor ar bith. Bhí seal i bpríosún déanta aige as a bheith **ag déanamh slad**[151] ar **iarsmaí beannaithe**[152] na dteampall agus á ndíol le turasóirí. Cha raibh fostaíocht ar bith aige, a dúirt sí, agus bhí **an t-iomrá**[153] amuigh air gur ar bhuirgléireacht **a bhí sé ag teacht i dtír**.[154] Bhí sé **tugtha don ól**[155] ó bhí sé óg, a dúirt sí, agus chuir sé críoch fhliuch ar ar shaothraigh sé riamh. Tá bean agus páistí aige ach bhí siad scartha óna chéile ón uair a **cúisíodh é**[156] as gadaíocht agus ar gearradh téarma príosúin air.

Faigh agus foghlaim

Faigh agus foghlaim focail eile i nGaeilge a chiallaíonn:

chóir a bheith
breallán
crúba
tugtha do
doicheallach
faobhrach
feicfidh
iarsmaí
saonta
maoin

Ceisteanna

1. Cad a rinne Ang Wong Chuu? Cén fáth a raibh imní air?
2. Cad a dúirt an t-údar leis?
3. Cén fáth a raibh áthas an domhain ar an bhfear é a fheiceáil ar ais?
4. Cad a thug an t-údar dó?
5. Cén fáth ar fhág an fear go luath an mhaidin dár gcionn?
6. Cén fáth a raibh an t-údar ag gáire?
7. Cad a d'fhoghlaim sé faoin bhfear an lá dár gcionn?

Eolas fánach

Tá go leor bealaí éagsúla '*to trick someone*' a rá as Gaeilge:
cleas a imirt ar dhuine, bob a bhualadh air, an lámh in uachtar a fháil air, buntáiste a fháil air, ceann siar a chur air, an dubh a chur ina gheal air, dallamullóg a chur air (mar shampla: d'éirigh leis dallamullóg a chur air *he succeeded in tricking him*)

8

Achoimre

Scríobh an achoimre seo i do chóipleabhar agus líon na bearnaí. Úsáid na nathanna thuas nuair is feidir.

Bhí an t-údar ina shuí cois _____ ina theach lóistín, nuair a tháinig fear beag ramhar isteach á théamh féin ag an tine. Thosaigh sé ag cur míle _____ ar an údar. Bhí an t-údar amhrasach faoi agus ní dúirt sé mórán leis. Dúirt an fear leis go raibh sé gaolta le bean an tí agus gur fear mór gnó é. Lean sé air ag maíomh. Dá mhéad a labhair sé sea is lú iontaoibhe a bhí ag an údar as. D'ofráil an t-údar _____ dó agus d'ól sé é go _____. Bhí a fhios ag an údar go raibh sé ag iarraidh _____ a _____ air, ach lig sé air gur chreid sé gach focal a dúirt sé. Thug a chara, Ang Wong Chuu, a bhí sa chistin _____ don údar faoin bhfear, ach mhínigh an t-údar dó gur thuig sé gur rógaire críochnaithe a bhí ann agus dúirt sé leis go raibh sé chun an _____ in uachtar a fháil ar an _____. D'iarr an fear air airgead a thabhairt dó dá ghnó. Thug an t-údar _____ lire Iodálach bhí aige ina mhála dó. Shíl an fear go raibh sé tar éis _____ a _____ ar an údar.

Ach bhí a fhios ag an údar nárbh fhiú rud ar bith na lire a bhí aige. D'imigh an fear beag go luath an mhaidin ina dhiaidh sin. _____ an t-údar _____ ar an bhfear agus bhí sé lánsásta leis féin. Bhí drochchlú air i measc a mhuintire féin.

foláireamh • scobaide • beoir • santach • slam• dallamullóg • chur • ceist
foláireamh • lámh • amadán • d'imir • cleas • bhualadh • tine • bob

An t-údar

Ar líne 3:54pm

Rugadh agus tógadh an t-údar Cathal Ó Searcaigh i nGort a' Choirce i nGaeltacht Dhún na nGall. D'fhill sé ar a áit dúchais tar éis tréimhsí a chaitheamh i Londain agus i mBaile Átha Cliath. Is ceann de mhórfhilí na Gaeilge é agus tá go leor cnuasach filíochta foilsithe aige, ina measc 'Súile Suibhne', 'An Bealach 'na Bhaile' agus 'Na Buachaillí Bána'. Tá sé aerach agus caitheann sé go leor ama i Neipeal. Scríobh sé an leabhar taistil Seal i Neipeal ag cur síos ar a thaithí sa tír sin.

Nótaí ar an sliocht

Téama

Is iad **saint** agus **caimiléireacht** téamaí an tsleachta seo. Tugann an t-údar cuntas dúinn ar fhear mímhacánta, gránna a casadh air i Neipeal. Bhí sé ag iarraidh **bob a bhualadh ar an údar agus airgead a fháil uaidh, ach bhí an t-údar róghlic dó agus fuair sé an ceann is fearr air** sa deireadh.

Féach lth 431 Tuiseal Ginideach

Teicníochtaí scéalaíochta

Stíl agus friotal

Úsáideann an t-údar stíl nádúrtha, chomhráiteach, chuideachtúil, ghreannmhar sa sliocht. Ní scríobhann sé i bhfoirm chomhrá (ar nós an scéil 'Dís' lth 288). Ina áit, deir sé 'a dúirt sé' go minic, amhail is dá mbeadh sé ag insint an scéil níos déanaí do dhuine éigin.

Úsáideann sé friotal éifeachtach agus tá go leor deismireachtaí cainte agus nathanna le blas breá na Gaeltachta agus blas an dúchais orthu, rud a chuireann go mór leis an ngreann. Samplaí is ea 'an tuile shí as a bhéal', 'chuirfeadh sé cosa crainn faoi do chearca', 'shíl sé go dtiocfadh leis suí ar mo bhun agus ceann siar a chur orm', 'bheadh an cúig deireanach agamsa', 'a imirt mo chuid cnaipí ar mo chonlán féin'.

Léiríonn sé a dhímheas ar an bhfear láithreach tríd an úsáid a bhaineann sé as focail thíriúla, tharcaisneacha: 'beathaithe', 'gnúis dhaingean', 'a thóin go talamh', 'dá mhásaí', 'lámha chrágacha'.

Baineann sé úsáid as slám mór maslaí agus é ag labhairt faoi: 'breallán', 'slogaire', 'slíomadóir', 'cneámhaire', 'diúlach'. Arís, tá blas an dúchais orthu. Tá an píosa scríofa i gcanúint Uladh, rud a fheictear sna nathanna cainte a úsáideann an t-údar: 'tchífidh', 'fosta', 'chóir a bheith', 'a dhath', rud a chuireann le nádúrthacht an tsleachta.

Mothúcháin

An ghráin, an tsaint, agus an dímheas na mothúcháin is láidre sa sliocht seo. Is léir go bhfuil an ghráin ag an údar ar an bhfear beag suarach a dhéanann iarracht cleas a imirt air. Léiríonn sé a dhímheas air sa chur síos a dhéanann sé air, agus sna hainmneacha maslacha a thugann sé air. **Léiríonn an fear beag saint.** Caitheann sé siar na deochanna a cheannaíonn an t-údar dó go santach agus déanann sé iarracht airgead a ghoid ón údar. **Léiríonn Ang Wong Chuu meas agus cion ar an údar** nuair a thugann sé rabhadh dó faoin bhfear. Léiríonn sé seo freisin gur daoine macánta iad an chosmhuintir agus gur eisceacht é an fear beag ramhar.

Ceisteanna

1. Faigh samplaí ón sliocht a léiríonn dímheas an údair ar an bhfear.
2. Scríobh nóta ar an tslí ina léirítear téama an tsleachta seo.

Codarsnacht

Tá codarsnacht idir mímhacántacht an fhir bhig agus macántacht Ang Wong Chuu agus bhean an tí. Tá codarsnacht freisin idir smaointe inmheánacha an údair agus a iompar. Cuireann sé seo leis an ngreann **go mbíonn sé ag cur i gcéill go** gcreideann sé an fear, ach ag an am céanna, ag insint don léitheoir cad a cheapann sé i ndáiríre.

Léargas

Faighimid léargas anseo ar an saol i Neipeal. Tuigtear dúinn gur eisceacht é an fear beag ramhar agus go bhfuil formhór na ndaoine macánta, ionraic, cosúil le Ang Wong Chuu agus bean an tí. Léirítear an cultúr ansin sa chaoi ina ligeann bean an tí don fhear atá gaolta léi fanacht ina teach cé nach bhfuil aon chion aici air. **Músclaítear trua don** fhear beag ar deireadh nuair a thuigimid go bhfuil mórán fadhbanna aige. Mar sin féin, is léir nach duine deas é agus ní bhraitheann an t-údar ná an léitheoir go dona gur cuireadh dallamullóg air. Mar a deir an seanfhocal, **filleann an feall ar an bhfeallaire!**

Na carachtair

An t-údar

- Tá sé géarchúiseach.
- Tá sé stuama.
- Tá sé glic.
- Tá féith an ghrinn ann.
- Tá sé cáinteach. Níl aon mheas aige ar an bhfear ná trua aige dó.
- Tá meas aige ar mhuintir an tí.
- Níl aon bhá aige leis an bhfear beag.
- Is maith leis an lámh in uachtar a fháil.

An fear beag

- Tá sé glic.
- Is feallaire den scoth é.
- Is drochdhuine é.
- Níl aon scrupall aige.
- Is amadán é, ach ceapann sé go bhfuil sé glic.
- Déanann sé iarracht buntáiste a fháil ar dhaoine.
- Is alcólaí agus gadaí é.
- Tá sé scartha óna bhean.
- Tá sé mímhacánta, mí-ionraic.

Freagraí scrúdaithe samplacha

Ceist shamplach 1

'Cé gur cur síos é an sliocht seo ar chaimiléir ar bhuail an t-údar leis ar a chuid taistil, mar sin féin faighimid léargas freisin ar an údar ann.' É sin a phlé.

Freagra samplach 1

Caithfidh mé a rá go n-aontaím go huile is go hiomlán leis an ráiteas seo. Is fíor go bhfaighimid léargas ar an údar agus ar an bhfear beag suarach sa sliocht seo.

I dtús báire, cuirtear an fear beag in aithne dúinn. Is léir ón gcur síos tarcaisneach a dhéanann an t-údar ('gnúis dhaingean', 'lámha crágacha', 'súile beaga rógánta') nach bhfuil mórán measa aige ar an bhfear beag ón tús. Nuair a thosaíonn an fear beag ag caint, is léir go bhfuil sé thar a bheith fiosrach agus cuireann sé a lán ceisteanna ar an údar. Ach tá an t-údar glic go leor. Níl aon mhuinín aige as an bhfear seo mar sin ní fhreagraíonn sé na ceisteanna go hiomlán. Bíonn sé cúramach, mar tá a fhios aige go bhfuil an fear beag ag iarraidh bob a bhualadh air.

Is léir go gceapann an fear beag gur amadán é an t-údar, agus ligeann an t-údar air go bhfuil sé saonta, soineanta. Ceannaíonn sé cúpla beoir don fhear agus bíonn an fear ag maíomh as na gnóthaí go léir atá idir lámha aige, mar dhea. Tuigtear dúinn gur bréaga ar fad atá á n-insint ag an bhfear. Ach feicimid freisin gur duine géarchúiseach é an t-údar nach gcreideann focal, 'ní rachainn fad mo choise leis'. Tá an t-údar stuama agus tuigeann sé gur feallaire é an fear seo.

Ach tá sé díoltasach freisin. In áit imeacht, socraíonn sé bob a bhualadh ar an rógaire seo. Tá sé neamhspleách agus deir sé lena chara, Ang Wong Chuu, go mbeadh 'an cúig deireanach' aige, is é sin go mbeadh an lámh in uachtar aige. Tá féith an ghrinn ann. Tugann sé slám lire Iodálach ar bheagán luach don fhear amaideach, a cheapann go bhfuil sé saibhir!

Ar ndóigh, éalaíonn an fear beag go moch ar maidin agus ní fhágann sé na sonraí mar a gheall sé, leis an údar. Is léir gur dhrochdhuine agus feallaire amach is amach é, ach mar a deir an seanfhocal, agus mar a léiríonn an scéal seo, filleann an feall ar an bhfeallaire.

8

Ceist shamplach 2

'Is é an greann atá chun tosaigh sa scéal seo.' É sin a phlé.

Freagra samplach 2

Is fíor gurb é an greann atá chun tosaigh sa scéal seo. Baineann an t-údar úsáid éifeachtach as friotal chun an greann seo a chur os ár gcomhair. I dtús báire déanann sé cur síos greannmhar ar an bhfear nuair a thagann sé 'tóin le talamh' chuig an tine ag téamh a 'mhásaí'. Tosaíonn an fear ag ceistiú agus ag maíomh as a chuid gaiscí. Is léir nach gcreideann an t-údar focal, 'is mairg a thaobhódh lena chomhairle', ach ligeann sé air féin go gcreideann sé gach a deir sé. Baineann sé úsáid as deismireachtaí cainte dúchasacha ar nós 'chuirfeadh sé cosa crainn faoi do chuid cearc', rud a chuireann leis an ngreann.

In áit an seomra a fhágáil, nó a rá leis an bhfear é a fhágáil, tá féith an ghrinn san údar agus socraíonn sé bob a bhualadh ar an bhfeallaire seo. Bíonn imní ar chairde an údair, ach deir sé le hAng Wong Chuu go mbeidh an lámh in uachtar aige siúd. Ansin ligeann sé air go bhfuil suim aige sa togra: '"An leor banna béil,"' arsa mise go ceisteach, amhras i mo ghlór 'mar urrús in aghaidh caillteanais'.

Tá an áibhéil le brath go láidir san fhear beag a deir 'Nach bhfuil mé chomh saor ó smál le gloine na fuinneoige sin'. Cuireann an cleas a imríonn an t-údar ar an bhfear ag gáire muid, go háirithe nuair a thuigimid ina dhiaidh gur drochdhuine amach is amach an fear beag, a bhíonn ag goid iarsmaí agus ag buirgléireacht. Bíonn súil againn gur mhúin an t-údar ceacht dó. Is cinnte go bhfuil an greann chun tosaigh sa sliocht seo.

Ceisteanna scrúdaithe

1. Déan cur síos ar an léiriú a fhaighimid sa sliocht seo ar Neipeal agus ar mhuintir na tíre sin.
2. Scríobh nóta ar théama an scéil seo agus mar a chuirtear é os ár gcomhair.
3. 'Filleann an feall ar an bhfeallaire.' Pléigh an tslí ina léirítear an seanfhocal seo sa sliocht seo.
4. Scríobh nóta ar éifeacht na húsáide a bhaineann an t-údar as greann, friotal agus codarsnacht sa sliocht seo.
5. 'Is duine glic, sotalach *(arrogant)* an t-údar freisin sa scéal seo.' É sin a phlé.

Obair bheirte: rólghlacadh

1. Samhlaigh an comhrá idir an fear beag agus an t-oibrí bainc nuair a théann sé chun an t-airgead a mhalartú.
2. Samhlaigh go bhfaigheann an t-údar amach ó chara leis gur fiú a lán airgid na lire Iodálacha a thug sé don fhear (mar shampla, tá iarsmalann á lorg...)

Deis comhrá

Pléigh na pointí seo a leanas le do pháirtí (Féach lth 443)

- Tá daoine áirithe go maith ag insint scéalta. An bhfuil tusa?
- Ar tharla aon rud mar seo duitse riamh nó do dhuine gaolta leat?
- Ar chas tú riamh ar aon duine a rinne iarracht bob a bhualadh ort?
- Ar imir tú cleas ar aon duine riamh?
- Ar casadh aon duine suimiúil ort riamh?

Cleachtadh scríofa

Déan iarracht do scéal féin a scríobh anois, bunaithe ar dhuine ar bhuail tú leis, nó ar eachtra a tharla duit nuair a bhí tú ar saoire in áit éigin. Féach lth 443

Seo samplaí de theidil a bhféadfá a úsáid: 'Filleann an feall ar an bhfeallaire', 'Is deacair ceann críonna a chuir ar ghuaillí óga', 'Níl aon tinteán mar do thinteán féin', 'Bíonn siúlach scéalach'.

Cúinne na fuaime: 'h' a leanann consain

Éist agus abair

Mír 8.6
T17

togha	cabhair	abhainn	cadhain (cupán beag)	aghaidh
rogha	labhair	foighne	laighean	saighead
bogha	meabhair	droighneán	aighneas	taighde
toghcháin				

An 'd' Gaelach: doras (leathan), dún (leathan), dídean, (caol) darach (leathan), dall (leathan); an 't' Gaelach: tinn (caol), teach (caol), teas (caol), téigh (caol), tá (leathan), tanaí (leathan), tar (leathan), tabhair (leathan)

An tAontas Eorpach

Ballstáit an Aontais Eorpaigh

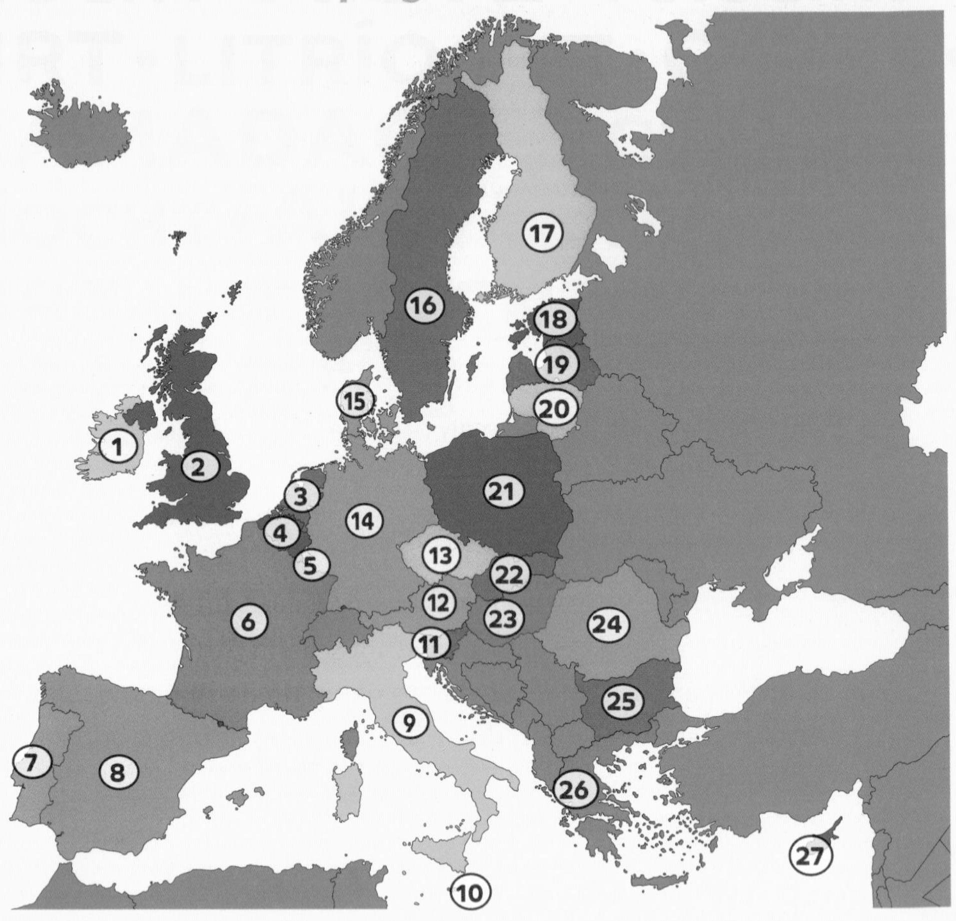

1. Éire	*10. Málta*	*19. An Laitvia*
2. An Ríocht Aontaithe	*11. An tSlóivéin*	*20. An Liotuáin*
3. An Ísiltír	*12. An Ostair*	*21. An Pholainn*
4. An Bheilg	*13. Poblacht na Seice*	*22. An tSlóvaic*
5. Lucsamburg	*14. An Ghearmáin*	*23. An Ungáir*
6. An Fhrainc	*15. An Danmhairg*	*24. An Rómáin*
7. An Phortaingéil	*16. An tSualainn*	*25. An Bhulgáir*
8. An Spáinn	*17. An Fhionlainn*	*26. An Ghréig*
9. An Iodáil	*18. An Eastóin*	*27. An Chipir*

Cleachtadh labhartha

An bhfuil a fhios agaibh cén teanga/cé na teangacha a labhraítear i ngach tír? Caith cúpla nóiméad á phlé le do pháirtí, ansin pléigh é leis an rang (mar shampla: Labhraítear Béarla agus Gaeilge in Éirinn... Ceapaim go labhraítear... i... Níl a fhios agam cén teanga a labhraítear sa...)

An ghramadach i gcomhthéacs

Iolraí

Leanann an aidiacht an t-ainmfhocal:

- Nuair a bhíonn **an t-ainmfhocal san iolra**, bíonn **an aidacht san iolra**
- Mar shampla: cailíní beag**a**, filí maith**e**, íomhá**nna** deasa
- Nuair a bhíonn **an t-ainmfhocal sa ghinideach**, bíonn **an aidiacht sa ghinideach**
- Mar shampla: i rith an Ghorta Mhó**i**r, i measc an aos**a** óig, tíortha an Aontais Eorpa**igh**

Athrú	Sampla
Cuirtear **–a** nó **–e**	hataí mór**a**, buachaillí ciúin**e**
Athraíonn **–úil** go **–úla**	mná misni**úla**, daoine cáili**úla**
Athraíonn **–ir** go **–re**	daoine saibh**re**
Athrú ar bith má chríochnaíonn sé ar **ghuta**	daoine **rua**
Cúpla iolra neamhrialta	bean álainn ➔ mná **áille**, tír te ➔ tíortha **teo**

Séimhiú

Cuirtear **séimhiú** le **haidiacht tar éis focail bhaininscneacha** san uatha (mar shampla: fadhb m**h**ór (ach ní san iolra: na mná móra)

Mar shampla: ceist m**h**aith; cúis m**h**ór; tír b**h**ocht; ceisteanna maithe; tíortha bochta

Ceacht

Scríobh na nathanna seo a leanas san iolra:

1. ball nua
2. tír Eorpach
3. duine maith
4. meafar álainn
5. mothúchán láidir
6. feirm mhór
7. oileán beag
8. nuachtán laethúil
9. dalta leisciúil
10. leabhar suimiúil
11. dán álainn
12. capall bán
13. tír te
14. coill dhorcha
15. scéal iontach

Uaireanta cuirtear aidiacht roimh ainmfhocal.

Mar shampla: dea-nuacht, drochdhuine, seanduine, bréagthriail

Cleachtadh éisteachta 2: An tAontas Eorpach

Parlaimint na hEorpa

Mír 8.7
T18

1. Cén buntáiste breise atá ag daoine le hardchaighdeán sa Ghaeilge san Aontas Eorpach?
2. Cé a fuair an post mar Choimisinéir Taighde agus Nuálaíochta?
3. Cén chomhairle a chuirtear ar chéimithe?
4. Cén fáth ar féidir an Ghaeilge a úsáid anois san Aontas Eorpach?
5. Cá háit ar féidir tuilleadh eolais a fháil?

Foclóir

earcaíocht *recruitment* — **líofa** *fluent*

fleiscín *hyphen* — **foinse** *source*

Clár oideachais agus traenála an Aontais Eorpaigh

Scríobh amach agus líon na bearnaí

_____ a thugtar ar chlár oideachais agus traenála an Aontais Eorpaigh agus cuireann sé ar chumas mic léinn bliain a chaitheamh in ollscoil i dtír eile den Aontas. Tugann sé deis freisin do ________ idir institiúidí agus ollscoileanna ar fud na hEorpa.
Tá go leor buntáistí ag baint le tréimhse a chaitheamh thar lear. _____ an mac léinn teanga eile, ar ndóigh, ach freisin is _____ é a shaibhríonn saol an mhic léinn agus a thugann léargas dó nó di ar cad atá i gceist le cultúr eile. Foghlaimíonn mic léinn scileanna _____, mar aon le tuiscint níos leithne ar chúrsaí sóisialta agus polaitiúla. Lena chois sin, tá ardmheas ag _____ ar an gclár, rud a thugann buntáiste do mhicléinn nuair a bhíonn siad _____.

cumarsáide • Foghlaimíonn • taithí • fostóirí • cáilithe • Erasmus • comhoibriú

1. Cad is ainm do chlár oideachais agus traenála an Aontais Eorpaigh?
2. Céard a chuireann sé ar chumas na mac léinn a dhéanamh?
3. Cé eile ar féidir leo tairbhe a bhaint as an gclár?
4. Luaigh dhá bhuntáiste a bhaineann le tréimhse a chaitheamh thar lear.

Cleachtadh ceapadóireachta

Faigh eolas faoin Aontas Eorpach agus scríobh alt faoi.

Déan iarracht na ceisteanna seo a fhreagairt san alt: cathain a bunaíodh é, cé na tíortha a bhunaigh é, cathain a ndeachaigh Éire isteach, cé mhéad tír atá ann anois, cá bhfuil Pairlimint na hEorpa suite, cén tír a bhfuil Uachtaránacht an Aontais Eorpaigh aici faoi láthair?

Aontas Eorpach = AE

Banc Ceannais na hEorpa = BCE

An Ciste Airgeadaíochta Idirnáisiúnta = CAI

Ceapadóireacht: aiste

Éire agus an tAontas Eorpach

Is fada an lá anois é ó ghlac Éire ballraíocht san Aontas Eorpach, agus cé go raibh tromlach na ndaoine i bhfábhar an Aontais Eorpaigh ansin, bhí (agus tá i gcónaí) mionlach suntasach a cheap gur chóir d'Éirinn fanacht mar a bhí sí. 'Chaillfeadh an tír a neamhspleáchas,' **a mhaígh siad**. 'Throideamar go géar chun ár saoirse a bhaint amach, agus anois táimid ag géilleadh d'impireacht na hEorpa' a dúradar.

Anois le teacht an **Chiste Airgeadaíochta Idirnáisiúnta** agus **Banc Ceannais na hEorpa** go hÉirinn, táid ann a deir go raibh an ceart ar fad acu. Tá ár saoirse eacnamaíochta caillte againn. **Tá orainn** na polasaithe a shocraíonn an CAI agus an BCE **a chur i bhfeidhm – ciorruithe** sa tseirbhís phoiblí, laghdú in íocaíochtaí leasa shóisialaigh, cáin mhaoine, cáin uisce agus mar sin de.

An chun ár leasa é bheith san Aontas Eorpach? Nuair a shocraigh Éire dul isteach san Aontas Eorpach, shocraigh muintir na hIorua gan ballraíocht a ghlacadh ann. Os cionn daichead bliain níos déanaí tá rath ar an Iorua. Tá córais oideachais agus sláinte den scoth acu. Tá geilleagar láidir acu. Tá tionscail na mianadóireachta ola agus gáis **faoi smacht an rialtais** agus tá an t-airgead a shaothraítear dá bharr á chaitheamh **ar son leasa an phobail i gcoitinne**.

A mhalairt ar fad atá fíor anseo in Éirinn. **Táimid in umar na haimléise. Tá an geilleagar againn i gcruachás**. Níl aon smacht againn ar ár n-acmhainní nádúrtha **agus tá an chuma ar an scéal** go dtógfaidh sé tamall fada orainn an scéal a leigheas. Cad a tharla? An é an AE is cúis lenár dtrioblóidí? An mbeadh muid níos fearr as lasmuigh den Aontas?

Ar ndóigh bíonn dhá insint ar gach scéal. Tá feabhas mór tagtha ar **chaighdeán maireachtála** mhuintir na hÉireann ó ghlacamar ballraíocht san AE. **Chuir an AE maoiniú ar fáil chun** infrastruchtúr na hÉireann a chur chun cinn. Tá **an-dul chun cinn déanta** againn sa tír le daichead bliain anuas. Tá mótarbhealaí den scoth tógtha, tá tacaíocht tugtha d'fheirmeoirí, tá clár *Leader* ag tacú le dul chun cinn i gceantracha tuaithe, tá an AE **ag tacú le** caomhnú na Gaeilge agus ár n-oidhreacht i gcoitinne – na portaigh, mar shampla.

Ach deir **lucht a gcáinte** go bhfuil tionscail na talmhaíochta scriosta ag an Eoraip. Braitheann na híocaíochtaí a fhaigheann feirmeoirí ar mhéid na feirme seachas ar mhéid na táirgíochta. **Níl ciall dá laghad leis**. Cuireann siad cosc ar iomaíocht ó thíortha lasmuigh de na ballstáit. Tá tionscal na hiascaireachta scriosta ag an AE, a deir siad. Dhíol na polaiteoirí cearta iascaireachta na hÉireann leis an Eoraip agus **d'fhág siad** iascairí na hÉireann **ar an trá fholamh**. Tá siad **ag cur coisc ar theaghlaigh móin a bhaint mar** a rinne a sinsir **leis na cianta cairbreacha**, ach níl siad ag cur coisc ar chomhlachtaí móra idirnáisiúnta atá ag scrios na timpeallachta, mar a tharla i Ros Dumhach i gcontae Mhaigh Eo.

Is léir go bhfuil tuairimí láidre ag daoine faoin Aontas Eorpach. Ach is léir freisin, go bhfuil muintir na hÉireann sásta fanacht san Aontas mar sin féin. Ainneoin ceithre nó cúig Reifreann, shocraíomar i gcónaí fanacht ann. Cé gur vótáil muid in aghaidh Chonradh Nice an chéad uair, tugadh an dara seans dúinn agus vótáil muid ar a shon. Tuigtear dúinn go bhfuilimid ag brath ar an AE – **más chun ár leasa nó ár n-aimhleasa é.**

Cleachtadh scríofa

Féach ar an ngramadach thíos. Ansin léigh an aiste arís agus faigh oiread samplaí agus is féidir leat den aidiacht bhriathartha. Scríobh na nathanna aibhsithe i do chóipleabhar agus úsáid iad i d'aiste

Cleachtadh ceapadóireachta

Anois ceap aiste leis an teideal seo a leanas: 'Ní Eorpaigh maithe iad muintir na hÉireann.'

An ghramadach i gcomhthéacs

An Aidiacht Bhriathartha

Is é sin nuair a úsáidtear foirm den bhriathar mar aidiacht, mar shampla: tá mé scriosta; Tá an doras dúnta

I mBéarla tugtar the *past participle* air. (done/written...)

Déantar an Aidiacht Bhriathartha trí:

- **-ta** nó **-tha** a chur leis an mbriathar
  Mar shampla: dúnta, déanta, curtha, fágtha
- **-te** nó **-the** a chur leis an mbriathar
  Mar shampla: caite, rite, nite, ite, faighte, feicthe, léite
- **-aithe** nó **-ithe** a chur leis an mbriathar
  Mar shampla: ceannaithe, dúisithe, cóirithe, eagraithe, urraithe
- **-fa** a chur leis an mbriathar
  Mar shampla: scríofa, tofa, gafa,

Ceacht

Cuir an fhoirm cheart den bhriathar sna habairtí seo:

1. Bhí an doras (dún).
2. Bhí sé (togh) mar Theachta Dála ar an gcéad chomhaireamh.
3. Tá geilleagar na tíre seo (scrios) ag na bainc.
4. Tá an timpeallacht (truailligh).
5. Tá an cailín sin (feic) agam cheana áit éigin.
6. Tá mo sheanmháthair (cuir) sa reilig sin.
7. Tá an comórtas (urraigh) ag Foras na Gaeilge.
8. Tá an craobh iománaíochta (buaigh) ag Cill Chainnigh.

Súil siar: seicliosta

- **Foghraíocht** — ói agus io; ogh; an 't' agus an 'd' Gaelach
- **Gramadach** — **An** Tuiseal Ginideach; An Aimsir Fháistineach
- **Labhairt** — Conas labhairt faoi do laethanta saoire agus áiteanna ar thug tú cuairt orthu; conas labhairt faoin Aontas Eorpach
- **Scríobh** — Conas scríobh faoi áit ar thug tú cuairt air agus scéal a chumadh ar an ábhar céanna; conas aiste a scríobh faoin Aontas Eorpach
- **Litríocht** — *Seal i Neipeal* le Cathal Ó Searcaigh

Cluastuiscint (60 marc)

FÓGRA A hAON

Mír 8.8 T19

1. Cá bhfuil daltaí rang a sé ag dul?
2. Cad atá eagraithe idir an dá scoil?
3. Cad a rinne na daltaí Albanacha nuair a bhí siad in Éirinn?

FÓGRA A DÓ

Mír 8.9 T20

1. Cén moladh a thugtar do chuairteoirí ag dul go Beirlín?
2. Cad é an t-iontas is mó aithne sa chathair?
3. Cad atá in aice le Geata Brandenburg?
4. Cad leis a gcaithfear a bheith ag súil chun cead isteach a fháil go dtí an Reichstag?

CÓMHRÁ A hAON

Mír 8.10 T21

1. Cé atá chun Tráth na gCeist a eagrú?
2. Cén fáth nach dteastaíonn ó Shinéad céilithe a eagrú?
3. Cén chabhair atá Pádraig sásta a thabhairt?
4. Cad a sheolfaidh snag.ie chuici?

CÓMHRÁ A DÓ

Mír 8.11 T22

1. Céard a bhí Dillon ag déanamh san Astráil?
2. Cá ndeachaigh sé féin agus a chol ceathrar? Cad a chuir ionadh air?
3. Cén uair atá sé i gceist ag Ailís dul go dtí an Astráil?

PÍOSA A hAON

Mír 8.12 T23

1. Cad a bhí ar siúl aréir in óstán Ghaoth Dobhair?
2. Cén fáth a bhfuil sé níos éasca anois leabhair Ghaeilge a fháil?
3. Cén fáth nach mbíonn leabhair Ghaeilge ar fáil i siopaí leabhar?
4. Cad a deir Séamas Ó Baoill faoi seo?

PÍOSA A DÓ

Mír 8.13 T24

1. Cén feachtas atá ar siúl ag an Saharawi le 35 bliain anuas?
2. Cathain a ghlaic na Spáinnigh ceannas ar an Sahara Thiar?
3. Cén fáth go gcáintear Maracó?

Ceapadóireacht

(100 marc)

Freagair do rogha CEANN AMHÁIN de A, B nó C anseo thíos.

Nóta: Ní gá níos mó ná 500-600 focal nó mar sin a scríobh i gcás ar bith.

A – AISTE nó ALT NUACHTÁIN/IRISE – (100 marc)

Scríobh AISTE nó ALT NUACHTÁIN/IRISE ar CHEANN AMHÁIN de na hábhair seo.

(a) Tír gan teanga, tír gan anam

(b) Taisteal: an t-oideachas is fearr dá bhfuil ann

(c) Níl tír níos áille ná Éire

(d) I ndiaidh a chéile a thógtar na caisleáin

(e) Cad atá i ndán don tír seo?

B – SCÉAL – (100 marc)

Ceap scéal a mbeadh do rogha CEANN AMHÁIN díobh seo oiriúnach mar theideal air.

(a) Dúchas

(b) Bíonn siúlach scéalach

C – DÍOSPÓIREACHT / ÓRÁID – (100 marc)

Freagair do rogha CEANN AMHÁIN díobh seo a leanas.

(a) Scríobh an *chaint* a dhéanfá i ndíospóireacht scoile ar son an rúin seo a leanas **nó** ina aghaidh.

Níl suim ag aos óg na tíre seo ina n-oidhreacht.

(b) Chaith tú an samhradh i dtír iasachta. Scríobh an píosa cainte a thabharfá sa rang Gaeilge do do chomhscoláirí faoi.

Money
Business
Quality

9

Saol na hOibre

SAN AONAD SEO FOGHLAIMEOIDH TÚ:

F	**Foghraíocht**	Canúintí: difríochtaí foghraíochta
G	**Gramadach**	An Tuiseal Ginideach Is/an/ní maith Ba/ar/níor mhaith
t	**Tuiscint**	Conas réimse cluas/léamhthuiscintí a láimhseáil ar phoist san earnáil Ghaeilge, fograí poist, fostaíocht ó thuaidh, fostaíocht phobail, oideachas Gaeltacha
	Caint	Conas labhairt faoin sórt oibre ba mhaith leat a dhéanamh Conas labhairt faoi phost páirtaimseartha/phost samhraidh

Saol na hOibre

Cúinne na fuaime: Canúintí agus difríochtaí foghraíochta

Mír 9.1
T25

Éist leis na focail seo a leanas i gcanúintí éagsúla.

tá dubh iontach ceann tinn deartháir deirfiúr

Ag cur isteach ar phost

Ar dtús is gá:

fógra

Ag lorg poist:

CV
moltóir
céim
teistiméireacht
taithí oibre
teastas

Riachtanais don phost:

scileanna (ríomhaireachta, cumarsáide)
taithí (riaracháin, múinteoireachta)
Gaeilge líofa/Gaeilge ar do thoil
ardchumas sa Fhraincis
ceadúnas tiomána iomlán/glan
cumas oibriú as do stuaim féin

Poist san earnáil chraolacháin:

láithreoir
léiritheoir
stiúrthóir
tuairisceoir
léitheoir nuachta
taighdeoir
eagarthóir
bainisteoir suímh
aisteoir
ceamaradóir
teicneoir fuaime
soilsitheoir

Poist san earnáil phoiblí:

rúnaí
riarthóir
feidhmeannach
príomhfheidhmeannach
fáilteoir
bainisteoir
aistritheoir
cléireach
cúntóir pearsanta

Cleachtadh éisteachta 1: deiseanna fostaíochta in earnáil na Gaeilge

A. Deiseanna fostaíochta

Mír 9.2
T26

Éist agus freagair na ceisteanna.

1. Cá bhfuil deiseanna fostaíochta ar fáil?
2. Cén fáth a bhfuil éileamh ar chéimithe Gaeilge?
3. Ainmnigh dhá eagraíocht san earnáil phoiblí agus dhá eagraíocht san earnáil chraolacháin.

Faigh agus foghlaim

1. Faigh agus foghlaim focail a chiallaíonn:

seansanna	daoine le céim ollscoile	ardú
roinn nó rannóg	tóir ar	á ofráil
comhlachtaí	dá dheasca seo	

2. Faigh an Ghaeilge ar:

broadcast	*significant*	*amongst*
employment	*function*	*at will*

B. Fógra

Mír 9.3
T27

Éist agus freagair na ceisteanna.

1. Cén post atá á fhógairt?
2. Luaigh dhá riachtanas don phost.
3. Cad a bheadh mar bhuntáiste d'iarrthóir?
4. Cá bhfuil fáil ar fhoirm iarratais?
5. Cad é an spriocdháta le haghaidh iarratas?

9

Cleachtadh éisteachta 2: cáilíochtaí agus poist

A. Cáilíochtaí

Mír 9.4
T28

Ceisteanna

Éist agus freagair na ceisteanna.

1. Cén cúrsa atá á dhéanamh ag Victoria?
2. Cad atá an-deacair a fháil?
3. An gceapann Victoria go bhfuil sé tábhachtach cáilíocht a bhaint amach?
4. Cad a chabhraíonn leat go mór nuair a bhíonn tú ag lorg oibre?

B. Folúntas

Mír 9.5
T29

Ceisteanna

Éist agus freagair na ceisteanna.

1. Cén comhlacht a d'fhógair na poist nua?
2. Cén sórt tionscail atá i gceist?
3. Cá bhfuil na postanna nua lonnaithe?
4. Cad a léiríonn sé seo?

Faigh agus foghlaim

Faigh agus foghlaim an Ghaeilge ar:

pharmaceutical

consumers

experts

Tá taobh eile ar an mbád

Tá 34,100 duine ar an dól ó thuaidh, nó 4.3% den daonra in aois fostaíochta, méadú 3,100 duine ar an mí roimhe. Cailleadh na poist i ngach earnáil den gheilleagar, ach is measa an scéal sa tionscal tógála ná i dtionscal ar bith eile. Ar ndóigh, tá toradh iarmhartach (*knock-on effect*) aige seo ar réimsí eile. Tá an siopa díolta brat urlár atá in aice le mo chuid oibre i ndiaidh druidim, mar shampla. Mura bhfuil tithe úra á dtógáil, má tá daoine ag iarraidh airgead a spáráil, ní bheidh feidhm le brait úra urláir agus tá a mhacasamhail de scenario ag titim amach fud fad na Sé Chontae. Mura bhfuil sin olc go leor, beidh Tuaisceart Éireann níos measa as ná 'an chuid eile den Ríocht Aontaithe' an bhliain seo chugainn de dheasca an chúlaithe eacnamaíochta agus, de réir Bhanc an Tuaiscirt, thiocfadh le 50,000 duine a bheith gan obair an bhliain seo chugainn.

*fud fad = ar fud

Bunaithe ar alt as *Beo!* le Robert McMillen

Cleachtadh scríofa

Ta an píosa seo i gcanúint Ulaidh, **thiocfadh le = d'fhéadfadh**.

An féidir leat samplaí eile a fháil d'fhocail sa chanúint seo?

9

Faigh agus foghlaim

1. Faigh agus foghlaim focail a chiallaíonn:

cairpéad
dúnadh
nua
úsáid
an rud céanna
dona
an méid daoine
obair
rannóg
d'fhéadfadh

2. Faigh an Ghaeilge ar:

economy
economic downturn
The United Kingdom
knock-on effect

Ceisteanna

1. Cén earnáil a bhfuil an méid is mó poist caillte inti?
2. Luaigh toradh iarmhartach amháin ar an méadú ar dhífhostaíocht.
3. Cén drochscéal atá i ndán do Thuaisceart Éireann?

An ghramadach i gcomhthéacs

An Tuiseal Ginideach

Féach Fócas ar an nGramadach, lth 431

Firinscneach: cuirtear 'i' roimh an consan deiridh.

Sa Ghinideach uatha agus san Ainmneach iolra (féach lth 311)

pobal:	scéim p**h**obai**l**	riachtanas:	de bharr riachtana**is**
	na pobai**l**		na riachtana**is**

Ceacht 1

Faigh samplaí d'fhocail **fhirinscneacha sa chéad díochlaonadh** sa téacs. (Nóta: athraíonn focail a chríochnaíonn ar **-ach** nó **-aigh**)

Baininscneach: cuirtear **'a'** nó **'e'** ag deireadh an fhocail.

cumarsáid ➔ scileanna cumarsáid**e**

aisteoireacht* ➔ cúrsa aisteoireacht**a**

Focail a chríochnaíonn ar **'-áil'** nó **'úint'**, leathnaítear iad agus cuirtear 'a' ag deireadh an fhocail:

tógáil ➔ ionad tóg**ála** oiliúint ➔ cúrsa oili**úna** slándáil ➔ garda slánd**ála**

*Bíonn focail a chríochnaíonn ar **'-acht'** nó **'-aíocht'** agus a bhfuil dhá nó níos mó siolla iontu baininscneach de ghnáth (Féach lth 431).

Ceacht 2

Faigh samplaí d'fhocail bhaininscneacha sa téacs thuas agus cuir sa Tuiseal Ginideach iad.

Cleachtadh éisteachta 3: fógraí poist

A. Ceisteanna

Mír 9.6
T30

Éist agus freagair na ceisteanna.

1. Cén post atá á fhógairt?
2. Cad iad na dualgaisí a bheidh ar an té a cheapfar?
3. Cad iad riachtanais an phoist?
4. Cén sórt iarrthóra a gcuirfear fáilte faoi leith roimhe?
5. Cad é an spriocdháta le haghaidh iarratas?

B. Ceisteanna

Mír 9.7
T31

Éist agus freagair na ceisteanna.

1. Cad atá riachtanach don phost mar chinnire?
2. Cén sórt scileanna atá á lorg acu?
3. Tabhair dhá thréith atá á lorg acu sna cinnirí.
4. Luaigh dhá dhualgas a bhíonn ar na cinnirí.
5. Cén seoladh ríomhphoist atá ag an gcoláiste?

Scrúdú béil: agallamh: ag fágáil na scoile (Ciara)

Mír 9.8
T32

Éist leis seo.

Agallóir	Inis dom, a Chiara. Céard ba mhaith leat a dhéanamh nuair a fhágann tú an scoil?
Ciara	**Ba mhaith liom bheith i m'**ailtire. Tá an-suim agam ann agus is breá liom dearadh agus ealaín. **Chaith mé seal** ar thaithí oibre le hailtire san idirbhliain agus **thaitin sé go mór liom.**
Agallóir	Agus cá mbeidh tú ag dul chun cáilíocht a bhaint amach san ailtireacht?
Ciara	**Teastaíonn uaim** dul go dtí an Institiúid Teicneolaíochta i mBaile Átha Cliath. Tá cúrsa an-mhaith ansin. **Tá súil agam go bhfaighidh** mé na pointí le dul ann.
Agallóir	Táim cinnte go bhfaighidh.

Ceisteanna

1. Cad ba mhaith léi a dhéanamh?
2. Cad a rinne sí san idirbhliain?
3. Cén áit ar mhaith léi dul ag déanamh staidéir ar ailtireacht?
4. Scríobh síos na nathanna aibhsithe agus cum do chuid abairtí féin leo.

Scrúdú béil: agallamh: ag fágáil na scoile (Fiachra)

Mír 9.9
T33

Éist leis seo.

Agallóir	Inis dom, a Fhiachra, cad atá i gceist agat a dhéanamh amach anseo, nuair a fhágann tú an scoil?
Fiachra	Ba mhaith liom bheith i mo shiúinéir. **Tá sé i gceist agam** dul go dtí an coláiste adhmadóireachta i Leitir Fraic i gConamara agus cúrsa dearadh agus déantúsaíochta troscán a dhéanamh. Cúrsa céime trí bliana atá ann, ansin is féidir dul ar aghaidh agus bliain eile a dhéanamh **chun céim onóracha a bhaint amach**. Ba mhaith liom troscán d'ardchaighdeán a dhearadh agus a tháirgeadh. Bhí **spéis** agam riamh san adhmadóireacht ó bhí mé i mo bhuachaill óg. Is siúinéir é m'athair agus bím ag cabhrú leis go minic.
Agallóir	Ar fheabhas. Briseann an dúchas trí shúile an chait, ní foláir!
Fiachra	Cinnte. **Cad a dhéanfadh mac an chait ach luch a mharú!**

Ceisteanna

1. Cén sórt céime ba mhaith le Fiachra a dhéanamh?
2. Cad ba mhaith leis a dhéanamh?
3. Cad atá i gceist leis an dá sheanfhocal?
4. Scríobh na nathanna aibhsithe i do chóipleabhar agus déan iarracht iad a úsáid i do chuid freagraí.

An ghramadach i gcomhthéacs

An Chopail

Is maith liom = *I like*

Ba mhaith liom = *I would like*

Is cuma liom = *I don't mind*

Ba chuma liom = *I wouldn't mind*

Ceacht 1

Scríobh abairtí ag úsáid na nathanna seo.

Is/fearr liom (*I prefer*) → B'fhearr liom (*I would prefer*)

Is maith liom (*I like*) → Ba mhaith liom (*I would like*)

Ceacht 2

Cuir 'is maith', 'ba mhaith' nó 'b'fhearr' sna bearnaí.

1. _____ liom bheith i m'altra amach anseo, mar _____ liom páistí agus _____ liom oibriú le páistí san ospidéal.
2. _____ liom cupán tae, le do thoil.
3. _____ liom scannáin rómánsúla agus _____ liom scannáin stairiúla freisin.
4. _____ liom tae ach _____ liom caife.
5. _____ liom taisteal agus _____ liom dul go Meiriceá uair éigin.
6. _____ liom bheith i m'altra ná bheith i mo mhúinteoir.
7. _____ liom bheith i mo rúnaí ach _____ liom bheith i mo bhainisteoir.

Ceapadóireacht: aiste

Léigh an aiste shamplach seo agus freagair na ceisteanna a ghabhann leis. Foghlaim agus úsáid na nathanna aibhsithe ann.

Aiste: Fadhb na dífhostaíochta

Faraor ní inné ná inniu a d'fhás fadhb na dífhostaíochta sa tír seo. Caithfear a admháil gur fadhb í atá againn leis na cianta. **Bíonn thuas seal, thíos seal:** Bíonn geilleagar na tíre go maith ar feadh tréimhse, agus ansin titeann an tóin as agus bíonn cúlú eacnamaíochta againn. Tharla sé sna caogaidí, agus d'imigh na mílte Éireannach go Sasana agus go Meiriceá ag lorg oibre. Tharla sé arís sna hochtóidí agus tá cúlú eile againn sa lá atá inniu ann. Cé go bhfuil comharthaí go bhfuil feabhas ag teacht ar an scéal, tá níos mó ná 14% d'oibrithe na tíre as obair. Is náireach an scéal é.

San aiste seo, féachfaidh mé ar na cúiseanna leis an dífhostaíocht agus tabharfaidh mé réiteach ar an gceist achrannach seo. Ar ndóigh, tá fhios ag gach mac máthair cad is cúis le dífhostaíocht: easpa airgid, easpa tionsclaíochta. De bharr an chúlú eacnamaíochta, **thit an tóin as** tionscail na tógála sa tír seo. Stopadh ag tógáil tithe- ní raibh aon éileamh ann dóibh níos mó, agus dá bharr, chaill go leor fir a bpost agus a slí bheatha: leictreoirí, pluiméirí, tógálaithe, aon duine a raibh baint acu leis an dtionscail seo fágadh iad **ar an trá fholamh.**

Lena chois sin, de bharr an chúlú dhomhanda, d'fhág comhlachtaí móra an tír seo le athlonnú i dtíortha eile. Chaill os cionn 1,000 duine a bpost nuair a dhún Dell i Luimneach. Ba bhuille tubaisteach é do mhuintir na háite. Bhí daoine fágtha **ar an ngannchuid** agus d'fhulaing siopaí, bialanna agus gnólachtaí beaga eile dá bharr: **Fáinne fí a bhí ann.**

Is dócha go mbeadh fadhb na dífhostaíochta míle uair níos measa murach an imirce. **Níl an dara rogha ag** na mílte daoine óga **ach an bád bán a thógáil** go Meiriceá, Ceanada nó an Astráil, díreach mar a rinne a sinsir rompu. Is mór an scannal é go gcaithfidh daoine dul go dtí an taobh eile den domhan chun fostaíocht a fháil. **Níl sé ceart ná cóir.**

Ach cad é réiteach na faidhbe? I mo thuairim-se, níl an rialtas ag **dul i ngleic leis** an bhfadhb seo. Cé go bhfuil sé ráite go minic acu go gcruthóidh siad postanna **níl ann ach sop in áit na scuaibe.** Ba chóir dóibh **beart a dhéanamh de réir a mbriathar, seachas a bheith ag seanchas.** Tá gá le plean cinnte chun jabanna a chruthú: Tá go leor deiseanna fostaíochta ann i dtionscail fuinnimh inathnuaite, ach níl an rialtas **ag déanamh infheistíochta** sa tionscail seo.

Tá tallann agus sár-scileannnna ag aos óg na tíre seo, ach níl an tír seo ag baint leasa astu. Curimid sár-oideachas ar fáil do dhaoine óga ar chostas ard ach ansin, níl fostaíocht ann dóibh nuair a bhíonn siad cáilithe. Ba chóir don rialtas an talann seo a usáid agus deiseanna a chur ar fáil do dhaoine óga. Ba chóir cúnamh agus cabhair a thabhairt do dhaoine óga ag tosnú fiontar as an nua. Dá ndéanfaí é seo chruthófaí postanna nua.

Tá sé in am dul i ngleic le fadhb na dífhostaíochta. Muna ndéantar is dúinn is measa é.

9

Scéal faoi rólanna tradisiúnta: Dís

Nóta: Tá an scéal seo scríofa i gcanúint na Mumhan (lth 463), mar sin, úsáidtear an fhoirm tháite den bhriathar: bhíos-sa (bhí mise), ní fhacas-sa (ní fhaca mise), dúrt (dúirt mé), dúraís (dúirt tú), le scrí (le scríobh), léas-sa (léigh mise), dein (déan), geibheann (faigheann), agus san aimsir fháistineach: gheobhair (gheobhaidh tú), dúiseoir (dúiseoidh tú).

Samplaí eile den chanúnachas is iad: trom (tabhair dom), anso (anseo), ansan (ansin), n'fheadar (meas tú, *I wonder*), leis (freisin). Féach an féidir leat samplaí eile a aimsiú. Cén fáth go bhfuil an comhrá scríofa i gcanúint, dar leat?

Dís

'Sheáin?'
'Hu?'
'Cuir síos an páipéar agus bí ag caint liom.'
'Á anois, muna bhféadfaidh fear suí cois tine agus páipéar a léamh tar éis lá oibre.'
'Bhíos-sa ag obair **leis**[1] ar feadh an lae sa tigh.'
'Hu?'
'Ó, **tá go maith**,[2] trom **blúire**[3] den bpáipéar agus ná habair, "geobhair é go léir tar éis tamaill".'
'Ní rabhas chun é sin a rá. Seo duit.'
Lánúin cois tine tráthnóna.
Leanbh ina chodladh sa phram.
Stéig feola ag **díreo**[4] sa chistin.
Carr ag **díluacháil**[5] sa gharáiste.
Méadar leictreach ag **cuntas chuige a chuid aonad**…[6]
'Hé! Táim anso! 'Sheáin! Táim anso!'
'Hu?'
'Táim sa pháipéar.'
'Tusa? Cén áit? N'fhacas-sa tú.'
'Agus tá tusa ann leis.'
'Cad tá ort? **Léas-sa**[7] an leathanach san **roim**[8] é thabhairt duit.'
'Tá's agam. Deineann tú i gcónaí. Ach chuaigh an méid sin **i ngan fhios duit**.[9] Táimid **araon**[10] anso. Mar gheall orainne atá sé.'
'Cad a bheadh mar gheall orainne ann? Ní dúrtsa **faic**[11] le **héinne**.'[12]
'Ach dúrtsa. Cuid mhaith.'
'Cé leis? Cad é? Taispeáin dom! Cad air go bhfuil tú ag caint?'
'Féach ansan. **Toradh**[13] suirbhé a deineadh. Deirtear ann go bhfuil an ceathrú cuid de mhná pósta na tíre míshona, míshásta. Táimse ansan, ina measc.'
'Tusa? Míshona, míshásta? Sin é an chéad chuid a chuala de.'
'Tá sé ansan anois os comhair do dhá shúl. Mise duine de na mná a bhí sa tsuirbhé sin. Is cuimhin liom an mhaidean go maith. I mí Eanáir ab ea é; drochaimsir, **doircheacht**,[14] **dochmacht**,[15] billí, *sales* ar siúl agus gan aon airgead chucu, an sórt san. Eanáir, Feabhra, Márta, Aibreán, Bealtaine, Meitheamh. 'Cheart go mbeadh sé aici aon lá anois.'

1 (M) freisin
2 *all right*
3 píosa
4 *defrosting*
5 a luach ag titim, *devaluing*
6 ag comhaireamh aonaid
7 (M) léigh mise
8 (M) roimh
9 gan fhios a bheith agat, *without knowing*
10 an bheirt, *both*
11 rud ar bith
12 le haon duine
13 *result*
14 dorchadas, *darkness*
15 cruatan, *hardship*

'Cad a bheadh aici?'
'Leanbh. Cad eile bheadh ag bean ach leanbh!'
'Cén bhean?'
'An bhean a tháinig chugam an mhaidean san.'
'**Cad chuige**,[16] in ainm Dé?'
'Chun an suirbhé a dhéanamh, agus ísligh do ghlór nó dúiseoir an leanbh. Munar féidir le **lánú**[17] suí síos le chéile tráthnóna agus labhairt go deas ciúin sibhialta le chéile.'
'Ní raibh uaim ach an páipéar a léamh.'
'Sin é é. Is tábhachtaí an páipéar ná mise. Is tábhachtaí an rud atá le léamh sa pháipéar ná an rud atá le rá agamsa. Bhuel, mar sin, seo leat agus léigh é. An rud atá le rá agamsa, tá sé sa pháipéar sa tsuirbhé. Ag an saol go léir le léamh. Sin mise **feasta**.[18] Staitistic. Sin a chuirfidh mé síos leis in aon fhoirm eile bheidh le líonadh agam, *Occupation*? *Statistic*? Níos deise ná *housewife*, cad a déarfá?'
'Hu?'
'Is cuma leat cé acu chomh fada is dheinim obair *housewife*. Sin a dúrtsa léi leis.'
'Cad dúrais léi?'
'Ná **tugtar fé ndeara**[19] aon **ní**[20] a dheineann tú mar bhean tí, ach nuair ná deineann tú é. Cé thugann fé ndeara go bhfuil an t-urlár glan? Ach má bhíonn sé salach, sin rud eile.'
'Cad eile a dúraís léi?'
'**Chuile**[21] rud.'
'Fúmsa leis?'
'Fúinn araon, a **thaisce**.[22] Ná cuireadh sé isteach ort. Ní bhíonn aon ainmneacha leis an tsuirbhé – chuile rud neamhphearsanta, coimeádtar chuile eolas go discréideach **fé rún**.[23] Compútar a dheineann amach an toradh ar deireadh, a dúirt sí. Ní cheapas riamh go mbeinn im lón compútair!'

16 (M) cén fáth
17 lánúin, *couple*
18 as seo amach, *from now on*
19 *you don't notice*
20 (M) aon rud
21 (M) gach
22 a stór, *treasure*
23 *confidential*, in secret

9

'Stróinséir mná a shiúlann isteach 'on tigh chugat, agus tugann tú gach eolas di fúinne?'
'Ach bhí jab le déanamh aici. N'fhéadfainn gan cabhrú léi. An rud bocht, tá sí pósta le dhá bhliain, agus 'bhreá léi leanbh, ach an **t-árasán**[24] atá acu ní **lomhálfadh**[25] an t-úinéir aon leanbh ann agus táid araon ag obair chun airgead tí a **sholáthar**[26] mar anois tá leanbh chucu agus caithfidh siad a bheith amuigh as an árasán, agus níor mhaith leat go gcaillfeadh sí a post, ar mhaith? N'fhéadfainn an doras a dhúnadh sa **phus**[27] uirthi, maidean fhuar fhliuch mar é, a bhféadfainn?'
'Ach níl aon cheart ag éinne eolas príobháideach mar sin fháil.'
'Ní di féin a bhí sí á lorg. Bhí sraith ceisteanna tugtha di le cur agus na freagraí le scrí síos. Jab a bhí ann di sin. Jab maith leis, **an áirithe sin sa ló**,[28] agus **costaisí taistil**.[29] Beidh mé ábalta an **sorn**[30] nua san a cheannach as.'
'Tusa? Conas?'
'Bog réidh anois. Ní chuirfidh sé isteach ar an **gcáin ioncaim**[31] agatsa. Lomhálann siad an áirithe sin: *working wife's allowance* mar thugann siad air – **amhail is nach aon**[32] *working wife* tú **aige baile**,[33] ach is cuma san.'
'Tá tusa chun oibriú lasmuigh? Cathain, **munar mhiste dom a fhiafraí**?'[34]
'Níl ann ach obair **shealadach**,[35] **ionadaíocht**[36] a dhéanamh di faid a bheidh sí san ospidéal chun an leanbh a bheith aici, agus ina dhiaidh san. **Geibheann**[37] siad **ráithe saoire**[38] don leanbh.'
'Agus cad mar gheall ar do leanbhsa?'
'Tabharfaidh mé liom é sa bhascaed i gcúl an chairr, nó má bhíonn sé dúisithe, **im bhaclainn**.[39] Cabhair a bheidh ann dom. Is maith a thuigeann na tincéirí san.'
'Cad é? Cén bhaint atá ag tincéirí leis na gcúram?'
'Ní dhúnann daoine doras ar thincéir mná go mbíonn leanbh ina baclainn.'
'Tuigim. Tá tú ag tógaint an jab seo, ag dul ag tincéireacht ó dhoras go doras.'
'Ag suirbhéireacht ó dhoras go doras.'
'Mar go bhfuil tú míshona, míshásta sa tigh.'
'Cé dúirt é sin leat?'
'Tusa.'
'Go rabhas míshona, míshásta. Ní dúrt riamh.'
'Dúraís. Sa tsuirbhé. Féach an toradh ansan sa pháipéar.'
'Á, sa tsuirbhé! Ach sin scéal eile. Ní gá gurb í an fhírinne a inseann tú sa tsuirbhé.'
'Cad a deireann tú?'
'Dá bhfeicfeá an liosta ceisteanna, fé rudaí chomh príobháideach! Stróinséar mná a shiúlann isteach, go dtabharfainnse fios gach aon ní di, **meas óinsí**[40] atá agat orm, ab ea? D'fhreagraíos a cuid ceisteanna, a dúrt leat, sin rud eile ar fad.'
'Ó!'

[24] *apartment*
[25] ní ligfidh, ní cheadóidh, *won't allow*
[26] *to provide*
[27] in a haghaidh
[28] an méid sin airgid in aghaidh an lae, *allowance*
[29] travel expenses
[30] *stove, range*
[31] *income tax*
[32] *as if you weren't a working wife*
[33] (M) sa bhaile
[34] *if you don't mind my asking*
[35] *temporary work*
[36] *substiution*
[37] (M) faigheann
[38] *maternity leave*
[39] *in my arms*
[40] *the same respect you would have for a fool*

Ceisteanna

1. Cé a dhéanann amach toradh an tsuirbhé ar deireadh?
2. Cén fáth a raibh trua ag an mbean chéile do bhean an tsuirbhé?
3. Cén post a bhí an bhean chéile chun a fháil? Cad a dhéanfaidh sí leis an airgead.
4. Cén fáth a luann sí nach gcuirfidh sé isteach ar an gcáin ioncaim?
5. Cad a dhéanfaidh sí leis an leanbh?
6. Cén fáth a luann sí an lucht siúil?
7. Ar inis sí an fhírinne sa suirbhé?
8. An bhfuil an fear céile sásta faoi?
9. Cén fáth a ndeir sí go bhfuil 'meas óinsí' ag a fear céile uirthi?

9

'Agus maidir leis an jab, táim á thógaint chun airgead soirn nua a **thuilleamh**,[41] sin uile. Ar aon tslí, **tusa fé ndear é**.'[42]
'Cad é? Mise fé ndear é?'
'Na rudaí a dúrt léi.'
'Mise? Bhíos-sa ag obair.'
'Ó bhís! Nuair a bhí an **díobháil déanta**.'[43]
'Cén díobháil?'
'Ní cuimhin liom anois cad a dheinis, ach dheinis rud éigin an mhaidean san a chuir an **gomh**[44] orm, nó b'fhéidir gurb é an oíche roimh ré féin é, n'fheadar. Agus bhí an mhaidean chomh gruama, agus an tigh chomh **tóin-thar-ceann**[45] tar éis an deireadh seachtaine, agus an bille ESB tar éis teacht, nuair a bhuail sí chugam isteach lena liosta ceisteanna, cheapas gur anuas **ós na Flaithis**[46] a tháinig sí chugam. Ó, **an sásamh a fuaireas scaoileadh liom féin**[47] agus é thabhairt ó thalamh d'fhearaibh. Ó, an **t-ualach**[48] a thóg sé dem chroí! **Diabhail chruthanta**[49] a bhí iontu, dúrt, gach aon diabhal duine acu, bhíomar marbh riamh acu, dúrt, inár sclábhaithe bhíomar acu, dúrt. Cad ná dúrt! Na scéalta a chumas di! Níor cheapas riamh go raibh **féith na cumadóireachta**[50] ionam.'
'Agus chreid sí go rabhais ag insint na fírinne, go rabhais ag tabhairt freagra **macánta**[51] ar gach aon cheist a chuir sí?'

[41] a shaothrú, *to earn*
[42] tusa is cúis leis
[43] an damáiste déanta, *the damage done*
[44] a chur fearg orm
[45] bun os cionn
[46] ó neamh, *from the heavens*
[47] *the joy I got out of letting rip*
[48] *the weight*
[49] *out-and-out devils*
[50] tallann cruthaitheach, go raibh mé ábalta scéalta a chumadh
[51] ionraic, *honest*

[52] *her responsibilty*
[53] cruthóidh sé
[54] níl suim ag aon duine i ndaoine atá sona
[55] ag gearán *protesting*
[56] *I didn't invent it*
[57] Nuair a fhaigheadh an fear céile bás chuirtí a bhean chéile trí thine leis.
[58] tá sí riachtanach, *she's needed*

'Bhuel, ní raibh aon *lie detector* aici, is dóigh liom. N'fhaca é ar aon tslí. Ní déarfainn **gurb é a cúram é**,[52] ní mhór dóibh síceolaí a bheith acu i mbun an jaib mar sin. Ó, chuir sí an cheist agus thugas-sa an freagra, agus sin a raibh air. Agus bhí cupa caife againn ansin, agus bhíomar araon lánsásta.'

'Ach ná feiceann tú ná fuil san ceart? Mná eile ag léamh torthaí mar seo. Ceathrú de mhná pósta na tíre míshásta? **Cothóidh sé**[53] míshásta iontusan leis.'

'Níl aon leigheas agamsa ar conas a chuireann siad rudaí sna páipéir. D'fhéadfaidís a rá go raibh trí ceathrúna de mhná na tíre sásta sona, ná féadfaidís ach féach a ndúradar? Ach sé a gcúramsan an páipéar a dhíol, agus **ní haon nath le héinne an té atá sona, sásta**.[54] 'Sé an té atá míshásta, **ag déanamh agóide**,[55] a gheibheann éisteacht sa tsaol so, ó chuile mheán cumarsáide. Sin mar atá: **ní mise a chum ná a cheap**.[56] Aon ní amháin a cheapas féin a bhí bunoscionn leis an tsuirbhé, ná raibh a dóthain ceisteanna aici. Chuirfinnse a thuilleadh leo. Ní hamháin "an bhfuil tú sásta, ach an dóigh leat go mbeidh tú sásta, má mhaireann tú leis?"'

'Conas?'

Ceisteanna

1. Cén fáth ar chuir sí an locht ar a fear céile?
2. Cad eile a chuir i ndrochghiúmar í maidin an tsuirbhé?
3. Cad a thug sásamh as cuimse don bhean chéile?
4. An raibh a fhios ag bean an tsuirbhé go raibh sí ag cumadh scéalta?
5. Cén fáth ar cheap an fear céile nach raibh sé ceart bréaga a insint?
6. Cén sórt nuachta ba mhaith leis na meáin chumarsáide?
7. Cad é an locht a bhí aici ar an tsuirbhé?

[59] *to raise them*
[60] imithe, fásta suas agus fágtha
[61] ag tabhairt aire do, *tending to*
[62] *miserable widow's pension*
[63] cathaoir déanta as tuí
[64] ag insint seanscéalta agus seanleigheasanna *old cures*
[65] má réitigh sí go maith le bean chéile a mic
[66] ag troid le
[67] sa phobal, *in the community*

'Na Sínigh fadó, bhí an ceart acu, tá's agat.'

'Conas?'

'Sa nós san a bhí acu, nuair a **cailltí** [57] an fear, a bhean chéile a dhó ina theannta. Bhí ciall leis.'

'Na hIndiaigh a dheineadh san, nárbh ea?'

'Cuma cé acu, bhí ciall leis mar nós. Bhuel, cad eile atá le déanamh léi?' **Tá gá le**[58] bean chun leanaí a chur ar an saol agus iad a **thógaint**,[59] agus nuair a bhíd tógtha agus **bailithe leo**,[60] tá gá léi fós chun bheith **ag tindeáil**[61] ar an bhfear. Chuige sin a phós sé í, nach ea? Ach nuair a imíonn seisean, cén mhaith í ansan? *Redundant*! Tar éis a saoil. Ach ní fhaigheann sí aon *redundancy money*, ach pinsean beag **suarach baintrí**.'[62]

'Ach cad a mheasann tú is ceart a dhéanamh?'

'Níl a fhios agam. Sa tseansaol, cuirtí i **gcathaoir súgáin**[63] sa chúinne í **ag riar seanchaíochta agus seanleigheasanna**,[64] má bhí sí **mór leis an mbean mhic**,[65] nó **ag bruíon is ag achrann**[66] léi muna raibh, ach bhí a háit aici sa **chomhluadar**.[67] Anois, níl faic aici. Sa tslí ar gach éinne atá sí. Bhí ciall ag na Sínigh. Meas tú an mbeadh fáil in aon áit ar an leabhar dearg san?'

[68] ba mhaith liom
[69] *in touch*
[70] ag insint bréag
[71] lúbaireacht
[72] ag caint seafóide, *nagging*

'Cén leabhar dearg?'
'Le Mao? '**Dheas liom**[68] é léamh. 'Dheas liom rud éigin a bheith le léamh agam nuair ná geibhim an páipéar le léamh, agus nuair ná fuil éinne agam a labhródh liom. Ach beidh mo jab agam sara fada. Eanáir, Feabhra, Márta, Aibreán, Bealtaine, Meitheamh; tá sé in am. Tá sé thar am. Dúirt sí go mbeadh sí **i dteagbháil**[69] liom mí roimh ré. Ní théann aon leanbh thar dheich mí agus a dhícheall a dhéanamh … Is é sin má bhí leanbh i gceist riamh ná árasán ach oiread. B'fhéidir ná raibh sí pósta féin. B'fhéidir gur ag **insint éithigh**[70] dom a bhí sí chun go mbeadh trua agam di, agus go bhfreagróinn a cuid ceisteanna. Agus chaitheas mo mhaidean léi agus bhí oiread le déanamh agam an mhaidean chéanna; níochán agus gach aon ní, ach shuíos síos ag freagairt ceisteanna di agus ag tabhairt caife di; agus gan aon fhocal den bhfírinne ag teacht as a béal! Bhuel, cuimhnigh air sin! Nach mór an **lúbaireacht**[71] a bhíonn i ndaoine!'
Lánúin cois tine tráthnóna.
An leanbh ina chodladh sa phram.
An fear ina chodladh fén bpáipéar.
An stéig feola ag díreo sa chistin.
An carr ag díluacháil sa gharáiste.
An bhean
Prioc preac[72]
liom leat
ann as.
Tic toc an mhéadair leictrigh ag cuntas chuige na n-aonad.

Ceisteanna

1. Cén nós a bhí ag na Sínigh, dar leis an mbean?
2. Ceartaíonn an fear í, 'Na hIndiaigh a dheineadh san, nach ea?' Cad deir seo linn faoin mbeirt acu?
3. Cén fáth a gceapann an bhean go bhfuil ciall leis an nós sin?
4. Cad a dheintí le seanmhná sa seanam?
5. Cad é 'an leabhar dearg'? Cén fáth ar mhaith léi é a léamh?
6. Cén smaoineamh a thagann chuici, go tobann?
7. Tá sí feargach mar gur inis bean an tsuirbhé bréag. Cén fáth a bhfuil sé seo greannmhar?
8. Cén fáth a ndéantar athrá ar na línte 'Lánúin cois tine…' ag deireadh an scéil, dar leat? An bhfuil sé seo éifeachtach mar chríoch?

An t-údar

http://www.educate.ie/próifíl Siobhán Ní Shúilleabháin

Ar líne 9:42am

Rugadh Siobhán Ní Shúilleabháin i mBaile an Fheirtéaraigh, i nGaeltacht Chiarraí, sa bhliain 1928. Corca Dhuibhne a thugtar ar an gceantar sin. D'oibrigh sí mar mhúinteoir agus ar fhoclóir Béarla-Gaeilge de Bhaldraithe. Chónaigh sí ar feadh na mblianta i nGaillimh. Scríobh sí gearrscéalta, úrscéalta agus drámaí i rith a saoil agus bhuaigh sí leor gradam freisin, ina measc duais Oireachtais dá húrscéal 'Aistriú' i 2003. Cailleadh í i 2013.

Nótaí ar an sliocht

An sórt scéil

Is gearrscéal é seo atá scríofa i bhfoirm comhrá. Is geall le hagallamh beirte é ach tugann sé léargas ionraic, réalaíoch, greannmhar dúinn ar an gcaidreamh idir lánúin phósta.

Téama

Saol agus ról na mban is téama don scéal seo. Tugtar léiriú freisin ar an ngaol idir lánúin phósta. Baintear úsáid éifeachtach as searbhas, greann agus aoir chun an téama seo a léiriú.

Greann

Tá greann síos tríd an scéal. Ag an tús, bíonn an bhean ag caint ach is minic nach bhfaigheann sí ach fuaim ainmhíoch, 'Hu?' mar fhreagra óna fear céile atá sáite sa pháipéar. Tá sí ag lorg aird a fir céile ach teipeann uirthi go dtí go ndeir sí leis go bhfuil siad sa pháipéar. Ansin éiríonn sé an-chorraithe go deo, ag cur go leor ceisteanna uirthi: 'Cé leis? Cad é? Cad air a bhfuil tú ag caint?'

Baineann an bhean úsáid as searbhas a chuireann leis an ngreann:

'Cad a bheadh aici?'

'Leanbh. Cad eile a bheadh ag bean ach leanbh?'

Leanann sí leis an searbhas nuair a deir sí go gcuirfidh sí síos 'statistic' as seo amach faoin teideal 'Occupation' ar fhoirmeacha oifigiúla.

Is féidir linn scéin an fhir chéile a shamhlú nuair a deir sí leis gur inis sí 'chuile rud' don 'stróinséir mná' a tháinig go dtí an doras. Ansin bíonn deis ag an bhfear céile bheith searbhasach freisin. Fiafraíonn sé dá bhean chéile cathain a bheidh sí ag tosú ar an obair 'munar mhiste dom a fhiafraí'. Agus arís tá an searbhas le brath nuair a fiafraíonn sé di 'agus cad mar gheall ar do leanbhsa?'

Leantar leis an ngreann nuair a admhaíonn an bhean nach bhfuil sí míshásta ar chor ar bith ach gur chum sí scéalta don agallóir. Ansin leanann sí uirthi ag cur an mhilleáin ar a fear céile, mar gurb é a chuir i ndrochghiúmar í, cé nach cuimhin léi fiú cad a rinne sé! Nuair a chuireann sé an cheist ar chreid an t-agallóir í, deir sise nach raibh '*lie detector*' aici.

Tá an comhrá eatarthu greannmhar síos tríd mar go léiríonn sé meon, dearcadh agus carachtair na beirte. Mar shampla, tá an fear imníoch go gcothóidh an suirbhé míshástacht sna mná tí eile. Is féidir linn a shamhlú go bhfuil eagla air go dtosóidh mná ag agóid agus ag éirí míshásta. Tá greann sa chaoi a léimeann an bhean ó ábhar go hábhar go míloighiciúil. Go tobann deir sí 'Na Sínigh fadó, bhí an ceart acu, tá's agat', agus fios aici nach bhfuil tuairim dá laghad ag a fear céile cad atá i gceist aici. Bíonn air siúd, mar sin, ceist a chur uirthi. Arís níl an ceart aici siúd. Is san India a bhí an nós sin (agus deirtear go bhfuil sé ann fós) baintreacha a dhó ar bhreocham (*pyre*) a bhfear céile. Is léir gur breá léi siúd bheith ag caint agus ag cabaireacht agus ag gearán ('nuair ná fuil éinne agam a labhródh liom').

Ag deireadh an scéil, nuair a ritheann sé leis an mbean go mb'fhéidir go raibh bean an tsuirbhé ag insint bréag di, éiríonn sí an-chrosta ar fad, cé gur inis sí siúd bréaga freisin!

Léiríonn sé seo an caighdeán dúbailte a bhíonn ag daoine. Mar bharr ar an ngreann, tá an fear ina chodladh ar deireadh: 'an fear ina chodladh fén bpáipéar'. Fágtar muid le híomhá ghreannmhar den bhean ag cabaireacht ('prioc preac') léi féin cois teallaigh.

Teicníochtaí scéalaíochta

Stíl

Stíl na drámaíochta a chleachtar sa ghearrscéal seo. Is agallamh nó comhrá an chuid is mó den scéal. Ag tús agus ag deireadh an scéil tugtar cúig abairt ag déanamh cur síos ar an suíomh – cosúil le nótaí stáitse i ndráma. Tá an comhrá gonta, bríomhar – an fear níos gonta ná an bhean, rud a léiríonn an dá phearsantacht éagsúla. Is minic an fear ag cur ceiste agus an bhean ag tabhairt seanmóra aisti mar fhreagra go dtí go dtiteann an fear ina chodladh ar deireadh!

Friotal

Friotal dúchasach, nádúrtha a chleachtar sa scéal. Is léir gur cainteoir Gaeilge ó dhúchas í an t-údar agus tá blas an dúchais ar an bhfriotal. Canúint na Mumhan mar a labhraítear go nádúrtha í a úsáidtear agus tá go leor samplaí den fhoirm tháite ('bhíos', 'rabhas', 'gheobhair') síos tríd chomh maith le focail ar nós 'leis' ('freisin'), 'faic' (rud ar bith), 'n'fheadar' (meas tú).

Baintear úsáid as focail Bhéarla a shníomhtar go nádúrtha isteach sa Ghaeilge: 'lomhálann' (ón bhfocal Béarla '*allow*') agus ag 'tindeáil' (ón bhfocal '*tending*') mar sin an leagan is nádúrtha a úsáidtear sa Ghaeltacht.

Mothúcháin

Na mothúcháin is mó a léirítear ná **frustrachas, leadrán, fearg, mífhoighne** agus **míshástacht**. Tá frustrachas ar an mbean lena saol mar bhean tí agus mar nach n-éisteann a fear céile léi. Tá leadrán uirthi agus tá sí míshásta lena saol, is cosúil. Léiríonn sí míshástacht lena ról mar bhean tí, agus is léir nach dtugann an ról seo sásamh di: 'Ná tugtar fé ndeara aon ní a dheineann tú mar bhean tí, ach nuair ná deineann tú é.' Bíonn fearg ar an bhfear nuair a chloiseann sé go raibh sí ag caint le stróinséir fúthu. Níl sé sásta go mbeadh sí ag dul 'ag tincéireacht ó dhoras go doras'. Bíonn fearg ar an mbean nuair a smaoiníonn sí gur dócha gur inis bean an tsuirbhé bréaga di chun go ndéanfadh sí an suirbhé. Tá an fear mífhoighneach lena bhean, agus sa deireadh titeann sé ina chodladh uirthi.

Coimhlint agus teannas

Léirítear an choimhlint agus an teannas a bhíonn idir lánúin go héifeachtach, greannmhar sa scéal. Tá coimhlint idir an bhean agus a fear céile ón gcéad líne sa scéal. Ba mhaith léi siúd bheith ag caint ach teastaíonn ón bhfear a pháipéar a léamh. Nuair nach bhfuil sé sásta labhairt léi, iarrann sí air cuid den pháipéar a thabhairt di, agus deir sí 'agus ná habair "gheobhair é go léir tar éis tamaill"', rud a léiríonn go mbíonn an sórt comhrá seo acu go rialta. Is léir gur éalú óna bhean chéile atá sa pháipéar, agus bíonn an bhean in éad leis an nuachtán, 'Is tábhachtaí an páipéar ná mise.'

Is léir fresin go dtuigeann an bhean conas aird a fir a fháil, agus is dócha go bhfaigheann sí sásamh as imní a chur air a fear céile:

'Cad eile a dúraís léi?'

'Chuile rud.'

'Fúmsa leis?'

'Fúinn araon, a thaisce.'

Léiríonn a fear céile a mhíshástacht ar bhealach srianta. Is léir go bhfuil rudaí pléite acu cheana mar luann an bhean nach gcuirfidh an obair isteach ar an gcáin ioncaim. Ní theastaíonn ón bhfear go rachaidh sí ag obair 'ag dul ag tincéireacht ó dhoras go doras'. Níl an fear sásta gur inis sí bréaga ach leanann an bhean uirthi ag caint agus ag tabhairt a tuairimí faoi ról na mban agus an drochmheas atá ar mhná. Tugtar le fios dúinn go mbíonn comhráití mar seo acu go rialta.

Na carachtair

An bhean

- Is bean tí í.
- Tá frustrachas uirthi.
- Bíonn fonn cainte uirthi.
- Ní bhaineann sí sásamh as a cuid oibre.
- Tá sí gátarach.
- Tá sí cainteach.
- Tá sí mí-mhacánta.
- Tá tuairimí láidre aici.
- Tá sí glic.
- Tá sí amaideach.

An fear (Seán)

- Tá sé ag obair.
- Tá sé ciúin.
- Ní bhíonn fonn cainte air.
- Tá sé drochbhéasach.
- Tá sé míthuisceanach.
- Níl meas aige ar a bhean.
- Tá sé smachtúil.
- Tá sé traidisiúnta.
- Cuireann agóid eagla air.
- Seachnaíonn sé agóid.

Féach ar na tréithe thuasluaite agus faigh samplaí ón téacs a léiríonn na tréithe sin. Scríobh aon tréith eile ar féidir leat smaoineamh uirthi.

Ceist shamplach

'Léiriú greannmhar, magúil atá sa ghearrscéal seo ar an an gcoimhlint chumhachta a bhíonn idir lánúin.' É sin a phlé.

Freagra samplach

Is fíor go dtugtar léiriú greannmhar dúinn sa ghearrscéal 'Dís' ar an gcoimhlint a bhíonn idir lánúin. Is léir ón gcéad dá líne nach 'pósadh déanta ar Neamh' atá againn. An freagra a thugann Seán uirthi ná 'Hu?'

Tugtar le fios dúinn gur gnáthlánúin phósta iad, tá siad cois tine, an leanbh ina chodladh, feoil ag díreo, carr ag díluacháil sa gharáiste, an méadar leictreach ag casadh. Agus tuigimid ón tús go bhfuil easpa caidrimh eadartha. Ba mhaith léi siúd bheith ag caint, ach ba mhaith leis siúd an páipéar a léamh. Is léir freisin go bhfuil an lámh in uachtar aige siúd. Léann seisean an páipéar ar dtús. Ach tá an bhean glic, agus tá fhios aici conas aird a fir a fháil. Cuireann sí imní air nuair a deir sí gur inis sí 'chuile rud' faoin mbeirt acu sa pháipéar. Ansin luann sí go mbeidh sí in ann sorn a cheannach. Baintear siar as an bhfear. Is léir gur aige siúd atá an chumhacht eacnamaíoch sa teach nuair a deir sé 'Tusa? Conas?' Agus tá an freagra ullamh aici, 'ní chuirfidh sé isteach ar an gcáin ioncaim agatsa'. Is léir go raibh an cheist seo pléite acu cheana, agus is léir freisin gurb é siúd a dhéanann an cinneadh faoi na nithe a cheannaítear sa teach.

Úsáideann sé searbhas nuair a deir sé 'munar mhiste dom a fhiafraí' agus feicimid nach bhfuil sé sásta léi ag 'dul ag tincéireacht ó dhoras go doras' ná ag insint bréag le bean an tsuirbhé. Tá eagla air go 'gcothóidh sé míshástacht' i measc na mban eile. Ach ní chuireann sé an cheist riamh ar a bhean an bhfuil sí sásta. Anois go bhfuil aird a fir aici, leanann an bhean uirthi ag caint agus ag cabaireacht. Ach níl mórán suime aici féin i gcomhrá a bheith aici, is geall le monalóg na dreasanna cainte a thugann sí uaithi. Is dócha go bhfuil a fear céile cleachtaithe uirthi, mar titeann sé ina chodladh agus í ag caint léi. Ar deireadh tuigtear dúinn nach bhfuil aon fhuascailt faighte acu ar an gcoimhlint eatarthu agus go bhfuil gach rud díreach mar a bhí. Treisíonn an t-athrá ag an deireadh é seo.

Súil Siar: seicliosta

- **Foghraíocht** Canúintí: difríochtaí foghraíochta
- **Gramadach** Tuiseal Ginideach
  Is/an/ní maith Ba/ar/níor mhaith
- **Tuiscint** Réimse cluas/léamhthuiscintí a láimhseáil ar phoist san earnáil Ghaeilge, fograí poist, fostaíocht ó thuaidh, fostaíocht phobail, oideachas Gaeltachta
- **Caint** Conas labhairt faoin sórt oibre ba mhaith leat a dhéanamh.
  Conas labhairt faoi phost páirtaimseartha/faoi phost samhraidh.

Ceist 1 LÉAMHTHUISCINT (100 marc)

A – 50 marc

Léigh an sliocht seo a leanas agus freagair na ceisteanna a ghabhann leis.

Diormaí Ghlaschú

1. Easnamh mór a bhaineann le stair na hÉireann ná go gceapann lucht a scríofa go minic go gcríochnaíonn a gcuid oibre ag calafoirt agus ag aerfoirt na tíre. Léiríonn leabhar úr a dhéanann cur síos ar an mbaint a bhí ag imirceoirí as Éirinn le díormaí coiriúlachta i nGlaschú an méid scéalta atá fós gan insint sa leagan oifigiúil de stair na tíre seo. Tugann *City of Gangs* le Andrew Davies léargas ar an dóigh a raibh tionchar nach beag ag fadhbanna a bhí fós gan réiteach in Éirinn ar fhadhbanna sóisialta agus ar an dlí i 'ndara cathair na himpireachta'. Measadh i 1930 go raibh idir 5,000 agus 7,000 ball de dhíormaí agus iad ag cur scaoll ins an phobal sna ceantair ba bhoichte sa chathair. Coimhlintí dúichíocha, seicteacha a bhí ar bun don chuid is mó agus bhí pictiúrlanna, hallaí damhsa agus páirceanna peile ina láithreacha catha acu. Mar thoradh ar seo, bhí sé d'iomrá ar Ghlaschú go raibh sé ar an gcathair ba chontúirtí agus ba mhó foréigean sa Bhreatain. Go deimhin, cé gur le deargáibhéil a baistíodh 'Chicago na hAlban' ar an gcathair ins na tríochaidí, chuir sé le clú nach raibh le santú.

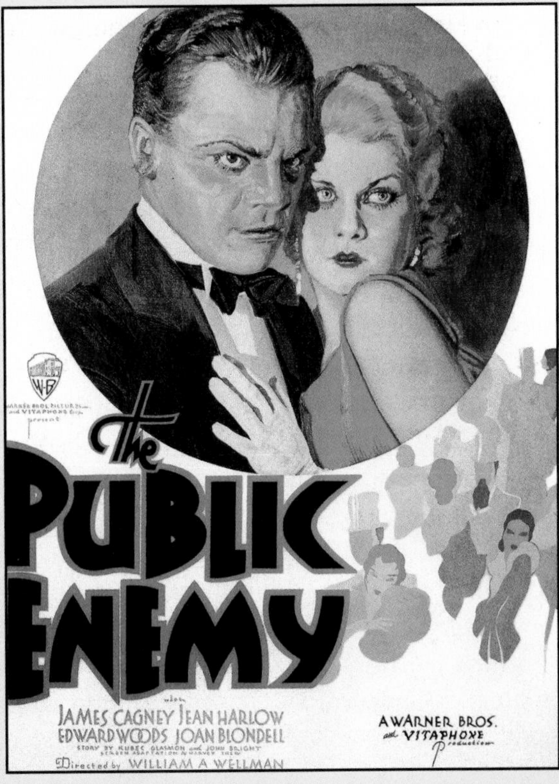

2. Bhí a mhacasamhail de bhuíonta sráide i gcathracha eile ar nós Londain, Sheffield agus Birmingham (mar is léir ón tsraith *Peaky Blinders* a bhí le feiceáil ar an BBC ar na mallaibh) ach ba mheasa i bhfad a bhí na coimhlintí i nGlaschú. Dlús an daonra a ba bhun cuid mhór le sin mar go raibh Glaschú níos plúchta, plódaithe ná aon chathair eile sa Bhreatain. Bhí na tionóntáin ag cur thar maoil le daoine agus ba ghnách leis na fir óga, dífhostaithe teacht le chéile ag cúinní sráide. Thug ballraíocht i mbuíon sráide stádas áirithe don fhear óg nach raibh ar fáil dó a thuilleadh sa láthair oibre. Tháinig meath i ndiaidh an chéad chogaidh mhóir ar an dá phríomhthionscal a bhí sa chathair – tógáil loinge agus innealtóireacht throm. Chuir cliseadh Sráid Wall go mór lena ndeacrachtaí agus fá 1931 bhí a thrian de fhórsa oibre na cathrach díomhaoin. Nuair a tháinig feabhas ar ghéilleagar na Breataine i ndeireadh thiar thall, ba iad na cathracha ba ghaire do Londain a ba thúisce a dtáinig an borradh fúthu. Ach is dócha gurb í an chúis ba mhó go raibh Glaschú ar tí a loiscthe ná gurb ann a bhí an ráig ba nimhní den tseicteachas ins an Bhreatain. Chuaigh an seicteachas lámh ar láimh leis an dífhostaíocht.

3. Ba sna 1870aidí agus 80aidí a cuireadh síolta an fhoréigin agus an tseicteachais, tráth a ndeachaigh na scaiftí móra as Éirinn ar imirce chun na cathrach. Bhí mionlach suntasach Protastúnach i measc na ndeoraithe seo fosta. Cuireadh deireadh leis an chosc a bhíodh ar mhórshiúlta sa chathair sa bhliain 1872 agus tháinig borradh dá réir faoin Ord Oráiste. Ba in oirthear na cathrach ba mhó a chuir na himirceoirí Caitleacha fúthu ach b'ann fosta a bhí a gceannáras ag an Ord Bhuí i mBaile na Drochaide. Mar thoradh ar an líon mór imirceoirí as Éirinn, tháinig borradh faoin fhrith-Chaitleachas sa chathair. Bhí sé seo soiléir ó eagarfhocal sa Glasgow Herald i 1922: '*Ireland has been responsible for more of our social trouble in Glasgow than the war and Bolshevist propaganda combined*'.

4. Bhí baint lárnach ag cúrsaí creidimh leis na dronga de choirpigh a bhí i mbarr a réime sna fichidí agus sna tríochaidí. Ba iad na Billy Boys as Baile na Drochaide an díorma ba mhó sa chathair agus bhí tuairim is leathchéad ball acu ag tús na dtríochaidí. Bhíodh na Billy Boys i ngleic go mór le leathdhosaen díorma Caitliceacha ar nós na Norman Conks, Kent Star agus the Calton Emmets – ainmnithe in onóir Roibeard Emmet. Bhí na '*gangsters*' in ard a réime i Meiriceá ag an am agus mheas go leor d'údarás na cathrach go raibh díormaí Ghlaschú ag déanamh aithrise ar na réalta a bhí le feiceáil i scannáin ar nós 'Little Caesar', 'The Public Enemy' agus 'Scarface'. Bheidís gléasta go snasta agus 'moll' lena dtaobh i dtólamh. B'é an rásúr an gléas airm ba choitianta a d'úsáididís, rud a mheas breitheamh amháin a bheith '*un-British*' Tá cur síos maith déanta sa leabhar seo (bunaithe ar thuairiscí cúirte don chuid is mó) ar an réimeas uafáis a bhí i bhfeidhm sa chathair a bhuíochas do na dronga seo, idir dhúnmharaithe, eachtraí sáite agus chambhrú cosanta.

5. Baineadh triail as go leor bealaí chun dul i ngleic leis na díormaí seo idir an lámh láidir agus plámás. Mhol breithiúna áirithe gur cheart ciontóirí a lascadh agus bhí polaiteoirí éagsúla ag moladh go mbeadh ar fhir óga tréimhse sheirbhís mhíleata a chur isteach. Bhí go leor den tuairim fosta gur cheart píonós an bháis a ghearradh orthu. Bhunaigh Percy Sillitoe buíon C-Specials (iar-dhornálaithe don chuid is mó) le dul i ngleic leis na díormaí tríd an lámh láidir. Chuir sé béim fosta ar bhailiú faisnéise agus chuir sé gréasán de bhrathadóirí le chéile ' idir thábhairneoirí, striapaigh, agus iarchoirpigh ' le scéalta a sceitheadh leis na póilíní. Ach ar deireadh thiar thall ba é an Dara Cogadh Mór a chuir deireadh leis na díormaí. Meastar gur throid 150,000 de bhunadh na cathrach in arm na Breataine agus don chéad uair sheas iarnaimhde le chéile sa bhearna baol. Fán am a chríochnaigh an cogadh ba laochra iad go leor de bhaill na ndíormaí míchlúiteacha seo.

Ceisteanna

1. (a) Cén easnamh mór a bhaineann le stair na hÉireann, dar leis an údar?
(b) Cén chlú a bhí ar Ghlaschú? (Alt 1) (7 marc)

2. Luaigh dhá chúis go raibh na coimhlintí i nGlaschú ní ba mheasa ná i gcathracha eile. (Alt 2) (7 marc)

3. (a) Cén fáth ar tháinig borradh faoin Ord Oráiste?
(b) Cén fáth ar tháinig borradh faoin bhfrith-Chaitliceachas? (Alt 3) (7 marc)

4. (a) Cén tionchar a bhí ag na scannáin ar na buíonta sráide seo?
(b) Cén bhaint a bhí ag cúrsaí creidimh leis na diormaí coirpigh? (Alt 4) (7 marc)

5. (a) Luaigh dhá bhealach a rinne na hudaráis iarracht dul i ngleic leis **na díormaí seo.**
(b) Conas mar a d'athraigh an cogadh na coirpigh seo? (Alt 5) (7 marc)

6. (a) Tabhair dhá shampla den bhriathar saor agus sampla amháin de chéim comparáide na haidiachta sa chéad alt.
(b) Cén cineál scríbhneoireachta atá i gceist sa sliocht seo. Tabhair dhá chomhartha sóirt a bhaineann leis an gcineál sin scríbhneoireachta agus tabhair samplaí díobh ón téacs. Bíodh an freagra i d'fhocail féin. Ní gá dul thar 60 focal. (15 mharc)

9

Ceist 2 PRÓS (30 marc)

A – PRÓS AINMNITHE nó PRÓS ROGHNACH – (30 marc)

Freagair Ceist 2A ***nó*** Ceist 2B thíos

2A. Prós Ainmnithe

'Léiriú greannmhar ar an gcaidreamh (nó easpa caidrimh) idir lánúin phósta atá sa ghearrscéal *Dís*.' É sin a phlé (30 marc)

2B. Prós Roghnach

Maidir le gearrscéal nó sliocht roghnach a ndearna tú staidéar air le linn do chúrsa, déan plé ar dhá ghné de a chuaigh i bhfeidhm ort. (30 marc)

10

Cothrom na Féinne

SAN AONAD SEO FOGHLAIMEOIDH TÚ:

F Foghraíocht	An difríocht idir o agus io
G Gramadach	An saorbhriathar san Aimsir Ghnáthláithreach An Tuiseal Ginideach (uatha agus iolra) An Modh Coinníollach (Súil Siar)
t Tuiscint	Conas cluastuiscintí agus léamhthuiscintí a bhaineann leis an ábhar a thuiscint
Labhairt	Conas do thuairim a thabhairt faoin gcoiriúlacht agus faoi chúrsaí dlí
a Aiste/alt	*An Gnáthrud* le Deirdre Ní Ghrianna
Litríocht	Conas aiste a scríobh ar choiriúlacht agus foréigean

Cothrom na Féinne

Cúinne na fuaime: an difríocht idir o agus io

Éist agus abair

Mír 10.1
T34

con	cion	both	bior	lon	lionn
fon	fionn	go	giorta	mol	mion

An ghramadach i gcomhthéacs

Féach siar ar an saorbhriathar san Aimsir Chaite (lth 178).

Briathra aonsiollacha: cuir**eadh**, tóg**adh**

Briathra désiollacha: mar**aíodh**, cúis**íodh**

Briathra neamhrialta: chonac**thas,** fuar**thas**, bhío**thas**, chua**thas**, tháng**thas**, chuala**thas**

Cleachtadh éisteachta: cúrsaí domhanda

Mír 10.2
T35

A. Buamadóir féinmharaithe

1. Cad a rinne bean amháin?
2. Cé mhéad duine a maraíodh? Cé mhéad a gortaíodh?
3. Cá bhfuil cathair Kharbala suite? Cén tír atá i gceist?
4. Cén lá é Lá Mór na nOilithreach?
5. Cén dá ghrúpa a bhfuil teannas eatarthu? Cén reiligiún atá i gceist?
6. Tabhair dhá shampla den saorbhriathar san Aimsir Chaite sa phíosa.

Foclóir

Caitheadh go dona leo *they were badly treated*
Cuireadh an ruaig orthu *they were got rid off/banished*

B. Fuadach!

Mír 10.3
T36

Éist agus scríobh síos samplaí den saorbhriathar a chloiseann tú.

1. Cad a tharla ar maidin?
2. Cén tír atá i gceist?
3. Cén eagraíocht a raibh Sharon ag obair léi?
4. Cad is ainm do chomhghleacaí Sharon?
5. Cá raibh siad á gcoinneáil agus cén fhaid a coinníodh iad?
6. Conas mar a caitheadh leo?
7. Cén fhianaise atá ann go raibh baint ag rialtas na Súdáine leis an bhfuadach?
8. Cén fáth a gceaptar go raibh baint acu leis?

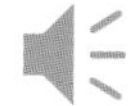

C. Coiriúlacht

Mír 10.4
T37

Éist leis an bpíosa nuachta seo ó Nuacht TG4.

1. Ainmnigh na coireanna ar tháinig méadú orthu.
2. Ainmnigh coireanna ar tháinig laghdú orthu.
3. Cén méadú a tháinig ar choireanna a bhaineann le drugaí mídhleathacha agus le caimiléireacht?
4. Cad é Príomhoifig Staidrimh na hÉireann? Faigh eolas fúithi.
5. Cad a dúirt an tAire Dlí agus Cirt?
6. Cén méadú atá tagtha ar líon na sánna?
7. Anois téigh go suíomh idirlín Vifax (www.nuim.ie/language/vifax) agus éist le píosa nuachta air.

10

Foclóir

áisíneachtaí/gníomhaireachtaí *agencies*
buíonta coirpeach *criminal gangs*
sá *stabbing*
calaois *fraud*
caimiléireacht *corruption*
mímhacántacht *dishonesty*

Triobióid sa Tibéid

Alt 1: an Dalaí Láma agus an tSín

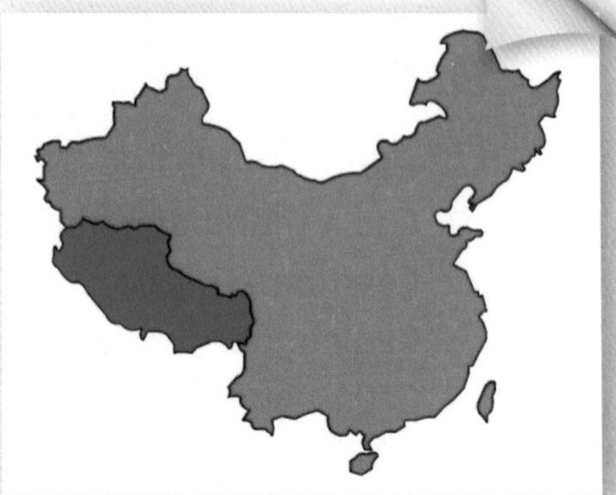

Tá na Sínigh sásta dul chun cainte arís leis an Dalaí Láma – an 'scarúnaí mór' ar mian leis leas na Tibéide a **threascairt**, dá gcreidfeá an **bholscaireacht shearbh** oifigiúil a bhí ar siúl go dtí le déanaí. B'fhéidir go mbeadh sé i**na dhiabhal** arís amach anseo, ach faoi láthair tá fáilte roimh a chuid **toscairí.** Níl stad ag Rialtas na Síne ach ag fógairt gur **chun sochar** do na Tibéadaigh a chuaigh rialú na Síne. Tógadh bóithre, cuireadh oideachas nua-aimseartha agus áiseanna an tsaoil nua ar fáil, agus cuireadh deireadh leis an **bhfeodachas**. Admhaíonn an Dalaí Láma féin go ndearna na Sínigh maitheas éigin don Tibéid ar na bealaí sin, cé gur cinnte go ndéanfaí an tír a **nuachóiriú** ar aon chuma leis an aimsir, bíodh na Sínigh ann nó as. Ar scéal eile a chuimhníonn na Tibéadaigh féin, go háirithe an t-aos óg, agus go háirithe an méid acu atá ina gcónaí i Lása. Níl poist ann dóibh, **is beag aird** a thugtar ar dhúchas a dtíre agus tá **na sluaite** ag brú isteach ón tSín ar an mbóthar nua iarainn. Tá cathair Shíneach déanta de Lása féin. Is minic a dúirt an Dalaí Láma go mbeadh sé sásta le méid éigin féinrialtais seachas le **neamhspleáchas** iomlán, ach is deacair foighne a chur sa ghlúin nua.

Alt 2: teanga ag géilleadh

Tá an Tibéidis féin **ag géilleadh don** tSínis ar shlite áirithe. Ní sa Tibéid amháin a labhraítear í ach i Ladakh, i Sikkim agus i Neipeal chomh maith, agus i gcúigí Sichuan agus Xinjiang sa tSín. Is iomaí canúint aici ach úsáidtear an aibítir chéanna i gcónaí, ceann a tháinig ón India sa seachtú haois in éineacht leis an mBúdachas. Trí Thibéidis a mhúintear daltaí Tibéadacha sna bunscoileanna ar feadh na chéad trí bliana; ina dhiaidh sin tugtar Sínis isteach de réir a chéile. Sínis a úsáidtear sna meánscoileanna, agus ní mór scrúdú a dhéanamh sa teanga sin chun dul ar aghaidh go dtí an coláiste. Is beag an t-ionadh go bhfuil cuid Tibéadach ag brú Sínise ar a gclann, rud a chuirfeadh i gcuimhne duit ar tharla don Ghaeilge sa 19ú haois. Is amhlaidh freisin go bhfuil mórán focal Sínise ag sleamhnú isteach sa teanga. Tugtar le tuiscint gur trí Shínis amháin is féidir plé leis an saol atá anois ann – rud nach fíor i ndáiríre. Tá **feidhmeannaigh** Thibéadacha ann ach is beag an meas atá ar a dteanga i gcúrsaí **riaracháin**. Ach ní **mhaolaíonn neartú** seo na Sínise an dúil atá ag na Tibéadaigh sa tsaoirse.

Alt 3: stair achrannach

D'eascair an t-achrann atá anois ann as **conspóidí** a tharla ag deireadh an 17ú haois agus i dtús an 18ú haois, nuair a rinne an tSín **coimirceas** den Tibéid. Mar sin féin, choinnigh an Tibéid a teanga, a cuid feidhmeannach, a dlíthe agus a harm, agus níor íocadh pingin chánach leis an Impire. I rith an 19ú haois laghdaigh **neart** na Síne, rud a d'fhág an Tibéid ina náisiún neamhspleách i dáiríre, cé gur **dhiúltaigh** an Bhreatain, na Stáit Aontaithe agus na tíortha Iartharacha eile an neamhspleáchas sin a **aithint**. **Ghabh** an tSín nua an Tibéid sa bhliain 1951, agus **b'éigean do** rialtas na Tibéide smacht na Síne a aithint go hoifigiúil, cé gur **theith** an Dalaí Láma go dtí an India. Sa bhliain 1965 bhunaigh na Sínigh an Réigiún Féinrialaithe Tibéadach, agus iad ag iarraidh margadh a dhéanamh leis an Dalaí Láma agus é a thabhairt abhaile. Ach ní raibh na Sínigh sásta an **daonlathas** a cheadú, agus bhí **doicheall** orthu roimh **éileamh na dtoscairí** Tibéadacha go mbunófaí Tibéid Mhór a mbeadh na ceantair a cailleadh san 18ú haois mar chuid di. Bhí na Sínigh sásta **comhréiteach** éigin a dhéanamh ar dtús. Rinneadh mainistreacha Búdacha a athoscailt, agus ceadaíodh manaigh nua a earcú agus an Tibéidis scríofa a úsáid níos forleithne. Ceapadh feidhmeannaigh Thibéadacha, ligeadh srian leis an **ngeilleagar** agus cuireadh leis an **mbonneagar**. Ach d'fhág an Réabhlóid Chultúrtha **a rian ar** an Tibéid díreach mar a tharla sa tSín féin, agus is iomaí mainistir a scriosadh. Bhí **mímhuinín** ag na feidhmeannaigh Shíneacha is dúire as an **mbeartas** 'bog' riamh, agus **acu a bhí an lá**. Le beagán blianta anuas d'éirigh an **tslándáil níos déine** agus cuireadh **teorainn le** bláthú an chultúir agus an chreidimh. Ach cuireadh dlús le dul chun cinn an **gheilleagair**, rud a **mheall** na mílte anall ón tSín agus dúil acu san airgead a bhí á chaitheamh chomh **fial** sin ag an rialtas.

Alt 4: bolscaireacht rialtais

Sa tSín féin tá an-éifeacht le **bolscaireacht** an rialtais. **Baintear tairbhe as** an ngrá **dúchais**, agus is beag duine nach gcreideann gur fearrde an Tibéid a bheith ina cuid den tSín. Nuair a bhriseann an ghráin amach ar shráideanna Lása, mar a tharla i rith na **gcíréibeacha**, déantar tagairt do '**scarúnaithe**'. Ach tuigeann an chuid is ciallmhaire de **na húdaráis** nach mór socrú polaitiúil de shaghas éigin a dhéanamh, agus dá bhrí sin nach mór dul chun cainte leis an Dalaí Láma féin, más beag féin an **mhuinín** atá acu as. Tá meas mór ag na Tibéadaigh fós air, cé go bhfuil an t-aos óg (daoine nach bhfuil ag cuid acu ach Sínis) ag éirí tuirseach de **bheartas** na síochána. Faoi láthair **is fearr caint ná achrann**, cé gurbh **fhurasta don lámh láidir teacht i dtreis arís**.

Bunaithe ar alt as *Nós* le Colin Ryan

10

Cleachtadh taighde

Is féidir an léamhthuiscint seo a dhéanamh sa rang i ngrúpaí. Bíodh alt ag gach grúpa agus ról ag gach duine. Scríobh achoimre ar an alt. (Féach ???)

I do ghrúpa, féach ar na focail a bhfuil deacracht agaibh leo agus déan iarracht a thomhas cad is ciall leo. Ansin téigh go www.focal.ie chun brí na bhfocal a fháil.

Ceisteanna

Alt 1

1. Cad a chuireann na Sínigh i leith an Dalaí Láma?
2. Cén feabhas atá tagtha ar an saol sa Tibéid faoi riail na Síne?
3. Cad atá ag cur as d'aos óg na tíre faoi láthair?

Alt 2

1. Cá labhraítear an Tibéidis?
2. Cén fáth a gcuirfeadh staid na Tibéidise inniu an Ghaeilge sa 19ú haois i gcuimhne dúinn?
3. Luaigh trí rud atá ag lagú na Tibéidise mar theanga chumarsáide.

Alt 3

1. Cad iad na cumhachtaí a bhí ag an Tibéid mar choimirceas san 18ú haois?
2. Cad é an rud nach raibh na Sínigh sásta a cheadú sna seascaidí?
3. Cad a rinne rialtas na Síne mar chomhréiteach?
4. Cé a fuair an lámh in uachtar sa Tibéid?
5. Cad a mheall Sínigh go dtí an Tibéid?

Alt 4

1. Cad a cheapann formhór de mhuinitr na Síne faoin Tibéid?
2. Cén fáth a bhfuil rialtas na Síne sásta labhairt leis an Dalaí Láma?
3. Cad a cheapann aos óg na tíre?
4. Faigh samplaí den saorbhriathar san Aimsir Chaite agus san Aimsir Láithreach.

Faigh agus foghlaim

1. Faigh agus foghlaim focail a chiallaíonn:

polasaí	aighneas	d'imigh sé	flaithiúil
ionadaí	éasca	cumhacht	géar
go maith do	bhí ar	mian	

2. Faigh an Ghaeilge ar:

propaganda	stricter security	respect	they don't trust him
democracy	controversies	surrendering to	refused
independence	economy	riots	hostile to
control	infrastructure	authorities	demand
most stupid	progress	separatists	

Scríobh an foclóir nua i do chóipleabhar agus foghlaim.

Cleachtadh taighde

Faigh eolas ar an Dalaí Láma, an Tibéid agus gluaiseacht na saoirse ansin agus roinn an t-eolas leis an rang.

An ghramadach i gcomhthéacs

Saorbhriathar san Aimsir Gnáthláithreach

Úsáidtear **'tá'** + **'á'** + ainm briathartha

Mar shampla: Tá siad **á** scrios *they are **being** destroyed*

Tá na haibhneacha **á dtruailliú** *the rivers are being polluted*

Tá leatrom **á dhéanamh** ar dhaoine bochta *poor people are being neglected*

Tabhair faoi deara

á dhéanamh = *being done* (nuair a bhíonn *an t-ainmhí firinscneach*)

á déanamh = *being done* (nuair a bhíonn *an t-ainmní baininscneach*)

á ndéanamh = *being done* (nuair a bhíonn *an t-ainmní san iolra*)

Tá faillí á déanamh ar an aos óg *The youth are being ignored*

Tá éagóir **á** déanamh ar sheandaoine *Old people are being unjustly treated*

Tá an timpeallacht (bain.) á truailliú *The environment is being polluted*

Tá siad á marú féin leis an obair *They are killing themselves with work*

Ná bí do do mharú féin *Don't be killing yourself*

Ceacht

Athraigh na habairtí seo mar is gá.

Mar shampla: Tá an abhainn (truailligh) ag bruscar ➔ Tá an abhainn á truailliú le bruscar.

1. Tá an timpeallacht (scrios).
2. Tá sí (maraigh) féin leis an obair.
3. Tá faillí (déan) ar scoileanna ar fud na tíre.
4. Tá bruscar (caith) ar fud na háite.
5. Tá an t-ospidéal (dún).
6. Tá éagóir (déan) ar dhaoine i gceantair faoi mhíbhuntáiste.
7. Tá leatrom (déan) ar dhaoine bochta.

Scrúdú béil: agallamh: coiriúlacht

Éist leis seo.

Mír 10.5
T38

Agallóir	Inis dom, a Chiara, an bhfuil fadhb le coiriúlacht sa cheantar seo?
Ciara	Níl i mo cheantarsa, ach níl aon dabht ach go bhfuil fadhbanna móra sa chathair. Is minic ag an deireadh seachtaine go mbíonn achrann ann déanach san oíche, agus an rud is measa faoin scéal ná go mbíonn sceana ag an-chuid de na fir óga sa lá atá inniu ann, agus nuair a thosaíonn siad ag bruíon, tagann an scian amach. Tarlaíonn marú le sá go rialta ar na sráideanna.
Agallóir	Agus cad is cúis leis an bhfoiréigean seo, dar leat?
Ciara	Ceapaim féin go bhfuil baint ag alcól agus drugaí leis an scéal. Mar a deir an seanfhocal, 'nuair a bhíonn an t-ól istigh bíonn an chiall amuigh'. Tá fadhb mhór óil sa tír seo. Téann daoine óga ar ragús óil ag an deireadh seachtaine agus nuair a bhíonn siad ar meisce tosaíonn achrann faoi rud amaideach. Ar ndóigh, tá an locht freisin ar na buíonta coirpeach a bhíonn ag mangaireacht drugaí. Tá brabús mór le déanamh as drugaí mídhleathacha agus bíonn na barúin drugaí sásta daoine a mharú gan trócaire chun a ngnó a chosaint.
Agallóir	Is fíor duit, tá an scéal go dona ar fad. Inis dom, a Chiara, an bhfuil aon réiteach ar an scéal? Cad a dhéanfá-sa chun feabhas a chur ar chúrsaí?
Ciara	Ar an gcéad dul síos, chuirfinn dlíthe i bhfad níos déine i bhfeidhm chun dul i ngleic leis an bhfadhb. Ghearrfainn téarma príosúntachta ar aon duine a bheadh i seilbh drugaí nó ar aon duine a úsáideann scian. Thabharfainn na hacmhainní cuí do na gardaí chun coirpigh a ghabháil. Chomh maith leis sin, chuirfinn an dlí ar thábhairneoirí a dhíolann alcól le daoine atá ar meisce agus le daoine faoi aois. Ní dóigh liom go bhfuil dóthain á déanamh chun dul i ngleic leis an bhfadhb.
Agallóir	An gceapann tú go bhfuil cúiseanna eile freisin leis – fadhbanna sóisialta, mar shampla?
Ciara	Is cinnte go bhfuil. De réir na staitisticí, bíonn níos mó coiriúlachta i gceantair faoi mhíbhuntáiste. Caithfear áiseanna a chur ar fáil do dhaoine óga, go háirithe sna ceantair sin, mar muna mbíonn aon rud le déanamh ag daoine óga rachaidh siad i muinín na ndrugaí. Tá leatrom á dhéanamh ar cheantair áirithe. Ar ndóigh, is fadhb mhór í an dífhostaíocht freisin. Nuair nach mbíonn post ná airgead ag daoine, tá an baol ann go rachaidh siad i muinín na coiriúlachta.

Faigh agus foghlaim

1. *Faigh agus foghlaim focail a chiallaíonn:*

oiriúnach	fáth	milleán
áiteanna bochta	déileáil le	troid

2. *Faigh sampla den saorbhriathar san Aimsir Ghnáthláithreach sa phíosa.*

Cleachtadh scríofa

Cum 10 n-abairt do gach nath thíosluaite.

1. Dul i ngleic le *to tackle* **Mar shampla:** Conas is féidir dul i ngleic le fadhb na coiriúlachta? Caithfear dul i ngleic le, caithfidh an rialtas dul i ngleic le ... tá sé in am/ba chóir dul i ngleic le fadhb an óil, caithfear dul i ngleic le fadhb an fhoréigin ...
2. Tá baint ag x le y x *is connected to y*. **Mar shampla:** Ceapaim go bhfuil baint ag alcól le foiréigean ar na sráideanna.
3. Tá an locht ar.../tá an milleán ar... ...*is to blame*. **Mar shampla:** Ceapaim go bhfuil an locht ar na polaiteoirí.
4. Téigh i muinín *resort to*. **Mar shampla:** Téann daoine óga i muinín na ndrugaí.
5. Níl dóthain á déanamh *not enough is being done*. **Mar shampla:** Níl dóthain á dhéanamh chun cabhrú le daoine atá dífhostaithe.

An ghramadach i gcomhthéacs

Tuiseal Ginideach (Féach lth 431)

Uatha firinscneach: foréigean ➔ i muinín an fhoréigin (Grúpa 1)

Uatha baininscneach: coiriúlacht ➔ fadhb **na** coiriúlachta (Grúpa 3)

Iolra: drugaí ➔ i muinín na ndrugaí

Ceacht

Roinn na focail seo a leanas i dtrí ghrúpa: baininscneach, firinscneach, agus iolra. Ansin cuir sa Tuiseal Ginideach iad.

an t-ól ➔ fadhb an...

an dífhostaíocht ➔ ráta...

daltaí ➔ Comhairle na...

murtall	carthanacht	bulaíocht	bradmharcaíocht
an tsláinte*	ciníochas	gunnaí	an domhan
meisceoireacht	rialtas	cluichí	an Áis
pointí	oideachas	Gaeilge	timpistí

*nuair a bhíonn focal ag tosú le 's' baininscneach, cuirtear 't' in áit séimhithe.

An Modh Coinníollach (Féach 64)

Briathra aonsiollacha: b**h**ain**finn**, **d'**ól**fainn**

Briathra déshiollacha: c**h**abhr**óinn**, **d'**athr**óinn**

Briathra neamhrialta: gheobhainn, ní bhfaighinn, thiocfainn, rachainn, déarfainn, bhéarfainn, dhéanfainn, thabharfainn, d'íosfainn, bheinn

Ceacht 1

Scríobh amach agus cuir an fhoirm cheart den bhriathar sa phíosa seo.

Dá mbeinnse i mo thaoiseach (cuir) dlíthe níos déine i bhfeidhm le dul i ngleic le coiriúlacht. (Tabhair) níos mó cumhachtaí do na gardaí agus (gearr) téarmaí fada príosúnachta ar mhangairí drugaí. (Athraigh) na dlíthe agus (déan) infheistíocht i gceantair faoi mhíbhuntáiste. (Cuir) acmhainní agus áiseanna ar fáil do dhaoine óga. Ní dóigh liom go bhfuil dóthain á déanamh chun dul i ngleic le fadhb na coiriúlachta.

Ceacht 2

Scríobh na habairtí seo amach agus cuir an leagan ceart den bhriathar isteach.

1. Dá (ith) daoine níos lú bia próiseáilte (caill) meáchan agus (ísligh) an ráta murtaill sa tír.
2. Dá (cuir) an Roinn Oideachais níos mó acmhainní ar fáil do scoileanna (tar) feabhas ar an scéal.
3. Dá (cuir) na gardaí dlíthe níos déine i bhfeidhm (feabhsaigh) cúrsaí.
4. Dá gcuirfí áiseanna ar fáil do dhaoine óga ní (bí/siad) ag ól agus ag bradmharcaíocht go mall san oíche.
5. Dá (éist) daltaí lena múinteoirí (foghlaim/siad) a lán.
6. Dá (caith) daoine óga níos lú ama os comhair scáileán agus níos mó ama amuigh faoin aer (bí/siad) níos sláintiúla.

Ceacht 3

Freagair na ceisteanna seo i do chóipleabhar.

1. Cad a dhéanfá dá mbeifeá i do thaoiseach?
2. Cad a dhéanfá dá mbeifeá i d'aire sláinte?
3. Cad a dhéanfá dá mbeifeá i d'aire oideachais?
4. Cad a dhéanfá dá mbuafá an Crannchur Náisiúnta?
5. Cad a dhéanfá dá mbeifeá i d'aire dlí agus cirt?

Eolas fánach

Is minic lámha agus cosa i ndeismireachtaí cainte. Féach ar na samplaí seo a leanas.

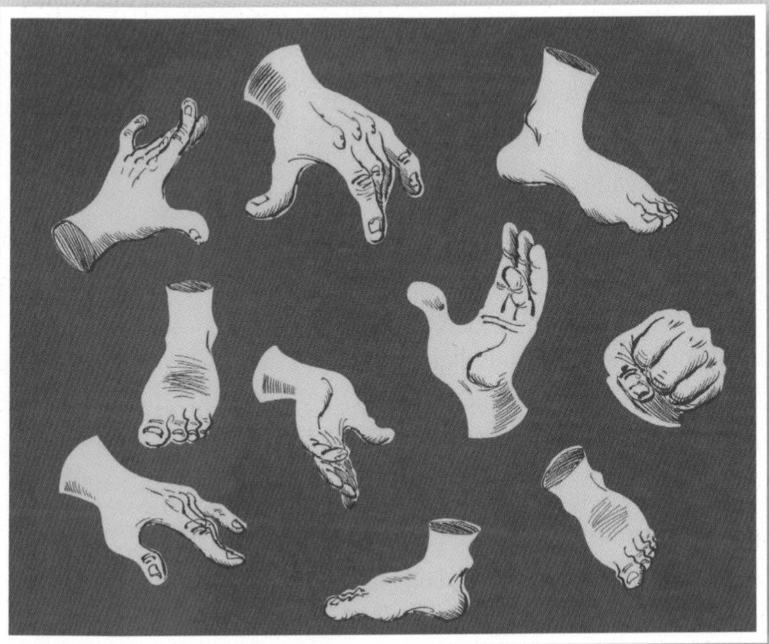

Duine ar leag **Dia lámh air***/duine le Dia (duine le míchumas)

Fuair sé an **lámh in uachtar ar**... (Bhuaigh sé ar, *he got the upper hand*)

Is é an t-ábhar atá **idir lámha** ná... (*being discussed/in hand*)

D'úsáid an rialtas **an lámh láidir** (*force*) chun an t-éirí amach a chur **faoi chois** (*repress*)

Rinneadh **cos ar bolg** ar mhuintir na Téalainne (*The Thai people were oppressed*)

Ar an **lámh eile** (*on the other hand*)

D'imigh sé leis **ar chosa in airde** (*he took to his heels*)

Lena chois sin (*as well as that*)

Tá **cos leis** san uaigh (*he has one foot in the grave*)

cois tine, **cois** farraige (*by the fire, by the sea*)

lámh chúnta (*a helping hand*)

*Tugtar 'duine ar leag Dia lámh air' ar dhuine a rugadh le míchumas nó máchail. (Tabhair faoi deara gur cur síos dearfach é seachas 'míchumas', atá diúltach). Chreidtí fadó go raibh grá faoi leith ag Dia do dhaoine le míchumas agus dá bhrí sin gur leag sé lámh orthu agus b'shin é an chúis leis an máchail nó an difríocht. Ceapadh go raibh bua an leighis ag na daoine seo, agus is minic a bhíodh cill acu agus go dtagadh daoine ó chian is ó chóngar chucu chun leigheas a fháil. Samplaí is ea Cill Iníne Baoith i gCo. an Chláir (*the church of the simple daughter*), Cill an Chaoich i gCo. Bhaile Átha Cliath (*the church of the blind one*) agus Cill Mhantáin (*the church of the toothless one*).

10

Ceapadóireacht: aiste

An foréigean in Éirinn sa lá atá inniu ann

Plean

Alt 1: tús, réamhrá, cad faoi a mbeidh tú ag caint, samplaí ar an nuacht, na cúiseanna atá leis, an réiteach, comhairle

Alt 2: méid na faidhbe, staitisticí, scéalta i mbéal an phobail, méadú ar fhoréigean, dúnmharú agus coireanna a bhaineann le drugaí mídhleathacha, cúpla sampla

Alt 3: foréigean teaghlaigh, drochíde sa bhaile, mná agus páistí, tearmann do mhná, staitisticí, ionsaithe gnéis agus éigniú

Alt 4: na cúiseanna, fadhbanna sóisialta, bochtanas, leatrom, fadhbanna clainne, teaghlaigh mhífheidhmeacha, alcólachas, gunnaí ar fáil go héasca, aon chúis eile

Alt 5: réiteach: cad is féidir a dhéanamh, cad a dhéanfá-sa, dlíthe níos déine, níos mó gardaí, áiseanna agus acmhainní, aon réiteach eile?

Alt 6: críoch, achoimre ar phointí, focal scoir

Foclóir

drugaí mídhleathacha
buíonta coirpeach
ceantair faoi mhíbhuntáiste
dúnmharú/dúnmharuithe
sá/ionsaithe le scian/sceana/gunnaí
ionsaí gnéis/éigniú/an tIonad Éigeandála um Éigniú
foréigean teaghlaigh/drochíde/tearmann do mhná
mangaireacht drugaí/mangairí drugaí
andúileach/andúiligh

coiriúlacht
foréigean
meisceoireacht
smugláil
robáil
goid
calaois
caimiléireacht
círéibeacha

Aiste samplach

Foréigean in Éirinn sa lá atá inniu ann

Caithfear a admháil go bhfuil an foréigean fós coitianta ar shráideanna na hÉireann agus **nach bhfuil aon laghdú ag teacht ar** líon na ndaoine a mharaítear go fealltach sa tír. San alt seo, féachfaidh mé ar an scéal mar atá, **tabharfaidh mé staitisticí a léiríonn méid na faidhbe** agus pléifidh mé na cúiseanna a bhaineann le coiriúlacht agus le foréigean sa tír. Luafaidh mé foréigean teaghlaigh agus an drochíde a thugtar do mhná agus do pháistí ina dteach féin. Ansin féachfaidh mé ar réiteach na faidhbe – cad is féidir a dhéanamh chun foiréigean a laghdú **sa tsochaí**.

Ar an gcéad dul síos, **caithfear féachaint ar an bhfianaise atá ann**. Níl lá dá dtéann thart nach gcloistear ar an nuacht faoi ionsaí nó dúnmharú nó éigniú. De réir na staitisticí, dúnmharaítear duine amháin gach seachtain sa tír seo. **Is mór an méid é** sin nuair a smaoiníonn tú gur tír bheag í Éire. Ní hamháin sin, ach ní gá ach ceist a chur ar gharda agus inseoidh sé nó sí duit go mbíonn bruíon agus achrann gach oíche Shathairn ar na sráideanna i ngach baile sa tír nuair a dhúnann na tithe tábhairne agus na clubanna oíche. Fir óga is mó a bhíonn i gceist, iad ólta de ghnáth, teasaí agus réidh chun troda. **An rud is measa faoin scéal ná** go mbíonn sceana agus uaireanta gunnaí acu agus **ní bhíonn aon leisce orthu** iad a úsáid.

Fadhb mhór eile is ea foréigean teaghlaigh. **Dar le hurlabhraí** ó Thearmann do Mhná, **is in olcas atá an scéal ag dul**. **Tugtar drochíde do** mhná agus do pháistí ina dtithe féin, agus bíonn orthu teitheadh go tearmann. **Is minic a chloistear ar an nuacht faoi** fhear a mharaíonn a bhean chéile, agus, ar ndóigh, a mhalairt uaireanta freisin. Is minic a thugtar páistí óga go dtí an t-ospidéal agus iad gortaithe go dona, **nó níos measa fós**, marbh. Deir oibrí sa Tearmann go mbíonn suas le 14,000 glao gutháin ar a líne chabhrach in aghaidh na bliana.

Cad is cúis leis an bhfoiréigean seo? **Mar a deir an seanfhocal, níl sprid ná púca nach bhfuil fios a chúise aige**. Níl aon dabht ach go bhfuil baint ag alcól agus drugaí leis an scéal. Ní gá ach féachaint ar na sluaite a thagann amach as na clubanna oíche agus iad caochta, ag lorg troda. Ach **ní hé sin bun agus barr an scéil. Tá baint nach beag** ag fadhbanna sóisialta leis an scéal freisin: bochtanas, leatrom, dífhostaíocht, drochchaighdeán maireachtála agus míbhuntáiste. Is minic a bhíonn fir óga feargach le córas a fhágann iad gan obair, gan fáil ar ioncam ná ar oideachas. Iompaíonn an fhearg ina foréigean fánach agus ina coiriúlacht agus **leanann an fáinne fí ar aghaidh**.

Deirtear freisin go dtéann daoine i muinín an fhoiréigin nuair nach mbíonn siad in ann iad féin a chur in iúl ar aon bhealach eile.

Cad is féidir a dhéanamh chun feabhas a chur ar an scéal? Nó an bhfuil aon réiteach ann? Ar ndóigh, is féidir áiseanna agus acmhainní a chur ar fáil do dhaoine óga a thabharfadh muinín agus misneach dóibh. **Caithfear dul i ngleic le** fadhb an alcóil i measc an aosa óig. Nuair a bhíonn an t-ól istigh bíonn an chiall amuigh. Ach **is ceist chasta í agus níl aon réiteach amháin uirthi. Ceapaim féin gur chóir dlíthe níos déine a chur i bhfeidhm. Ba chóir an dlí a chur ar** aon duine a dhéanann ionsaí ar dhuine eile agus ba chóir píonós géar a ghearradh orthu. **Lena chois sin**, ba chóir feachtas frithfhoiréigin a eagrú sna scoileanna **le cur ina luí** ar an aos óg gur fearr fadhb a phlé seachas **dul i muinín an láimh láidir.**

Ar ndóigh, is iomaí slí le muc a mharú seachas é a thachtadh le him. Ach caithfear dul i ngleic leis an gceist achrannach seo nó is dúinne is measa é.

Cleachtadh ceapadóireachta

Scríobh aiste ar 'Tá an tír seo ag dul ó smacht.'

An ciníochas i Meiriceá

An ciníochas i Meiriceá: an bhfuil aon athrú tagtha ar chúrsaí?

Tá a lán athruithe tar éis titim amach sna Stáit Aontaithe ó bhí aimsir na gcearta sibhialta ann sna seascaidí de bharr obair na gluaiseachta sin. **Is cuimhin liomsa** féin an tréimhse go maith de bharr go raibh mé **ag éirí aníos** sa *deep south* ag an am. Sa lá atá inniu ann tá daoine dubha le feiceáil i **go leor réimsí** den tsochaí Mheiriceánach a raibh cosc orthu a bheith páirteach iontu roimhe seo. Ach an bhfuil an ciníochas i Meiriceá athraithe ó bhí na seascaidí ann?

I measc na n-eachtraí ba **cheart a chur san** áireamh, tá triail agus ciontú Thomas Blanton as dúnmharú ceathrar cailíní óga dubha i mbuamáil eaglaise in Birmingham, Alabama ar an 15 Meán Fómhair 1963. Sea, gabhadh é agus ciontaíodh é ach féach chomh fada is a thóg sé an méid sin **a chur i gcrích**: ocht mbliana is tríocha! **Lena chois sin**, gearradh téarma príosúnachta saoil air seachas é a dhaoradh chun báis.

Ach níl seo neamhghnách sna Stáit Aontaithe. Tá sé coitianta go maith, go stairiúil agus sa lá atá inniu ann, go ngearrtar pionós báis ar dhuine dubh a dhúnmharaíonn duine geal, ach **is annamh a ghearrtar an pionós céanna ar dhuine geal a mharaíonn duine dubh. Níl aon athrú ar an scéal seo. An rud a thugann sé seo le fios** ná go bhfuil **níos mó fiúntais** ag baint le beatha an duine ghil ná mar atá le beatha an duine dhuibh. Seo gné amháin den chiníochas **nach bhfuil athrú dá laghad tagtha uirthi i Meiriceá.**

(bunaithe ar alt le Stephen E. Brown as *Beo.ie*)

Faigh agus foghlaim

Faigh agus foghlaim nathanna sa sliocht a chiallaíonn:

mar gheall ar, tar éis tárlú, ní raibh cead acu, pobal, a bhaint amach, anuas ar sin, ní minic, léiríonn sé seo, tá sé níos tábhachtaí, ag fás suas, níl aon athrú ar chor ar bith

Foghlaim na nathanna seo agus cuir in abairtí iad.

Ceisteanna

1. Cén ghluaiseacht a bhain cearta amach don chine gorm sna seascaidí?
2. Luaigh athrú amháin atá tagtha ó shin.
3. Cad a rinne Thomas Blanton?
4. Cén píonós a cuireadh air?
5. Cad tá neamhghnách sna Stáit Aontaithe?
6. Is annamh a ghearrtar píonós báis ar dhuine geal a mharaíonn duine dubh. Cad a léiríonn sé seo?
7. Cad é do thuairim faoi chiníochas? An gceapann tú go bhfuil ciníochas in Éirinn?
8. Faigh trí shampla den saorbhriathar san Aimsir Chaite agus sampla amháin den saorbhriathar san Aimsir Láithreach

Prós faoi na Trioblóidí: An Gnáthrud

Tá rogha idir é seo agus Seal i Neipeal

Réamhrá

Baineann an gearrscéal seo a leanas le ham corraitheach i stair nua-aimseartha na tíre seo, i gcaitheamh na dTrioblóidí. Is i gcanúint Uladh atá an gearrscéal seo scríofa. Tabharfaidh tú faoi deara go bhfuil go leor focal éagsúil sa chanúint seo, mar shampla, amharc, dearc (féach); in éadan (i gcoinne, in aghaidh); cha (ní); achan (gach). Tá sé suite i mBéal Feirste in aimsir na dTrioblóidí agus tugtar léargas dúinn ar shaol gnáthdhuine ansin.

An Gnáthrud

Bhí pictiúr gan fhuaim ag teacht ón teilifís **i gcoirnéal**[1] an tseomra sa bheár seo i mBéal Feirste, a bhí lán ó chúl go doras. **D'amharc**[2] Jimmy ar na teidil a bhí ag teacht agus ag imeacht ón scannán roimh nuacht a naoi a chlog. Bhain sé **suimín**[3] beag as a phionta a bhí roimhe agus smaoinigh sé ar an **léirscrios**[4] a bheadh ina dhiaidh sa bhaile.

Bheadh Sarah, a bhean chéile, **ag streachailt**[5] go crua ag iarraidh na páistí a chur a luí. Chuirfeadh John, an duine ba shine acu, gasúr crua **cadránta**[6] i gceann a cheithre bliana, chuirfeadh sé **ina héadan**[7] go deireadh, cé go mbíodh fáinní dearga fá na súile aige ar mhéad is a **chuimil**[8] sé le tuirse iad. Ach ní raibh amhras ar bith ar Jimmy cé aige a bheadh **bua na bruíne**.[9] **Dá ndearcfadh sé**[10] ar an am a chuaigh thart, déarfadh **geallghlacadóir**[11] ar bith go mbeadh an bua ag Sarah arís eile.

1 i gcúinne
2 d'fhéach
3 beagán suime
4 scrios iomlán, *devastation*
5 *struggling*
6 ceanndána, *stubborn*
7 ina haghaidh
8 *rubbed*
9 bua a fháil san argóint
10 dá bhféachfadh sé
11 *bookmaker*

10

Mhothaigh Jimmy i gcónaí **ciontach**[12] nuair a chuaigh sé ag ól len chomrádaithe tráthnóna Dé hAoine nuair a bheadh obair na seachtaine déanta acu; agus ba mhíle ba mheasa é ó tháinig an **cúpla**[13] ar an tsaol sé mhí ó shin. Bhí a choinsias ag cur isteach chomh mór sin air is nach raibh pléisiúr dá laghad aige san **oilithreacht**[14] sheachtainiúil go **tobar Bhacais**[15] lena chomrádaithe.

Chan ea[16] gur fear mór ólacháin a bhí riamh ann; níorbh ea. Gan fiú a chairde féin nach dtug **'fear ólta sú'**[17] air a mhéad is a **chloígh**[18] sé leis an **mheasarthacht i ngnoithe ólacháin**.[19] Agus leis an fhírinne a dhéanamh, bhí oiread **dúil**[20] sa chraic agus sa **chuideachta**[21] is bhí aige i gcaitheamh siar piontaí. Ar ndóigh, ba Sarah ba chúis le é a **leanstan**[22] don chruinniú seachtainiúil seo. Ní ligfeadh an **bród**[23] di bheith **ar a athrach de dhóigh**[24] nó a chairde a rá go raibh sé faoi chrann smola aici.

Mar sin de, bhí a fhios ag Jimmy **nár bheo dó a bheo dá dtigeadh**[25] sé 'na bhaile roimh an deich a chlog, nó dá ndéanfadh, **bhéarfadh**[26] Sarah a **sháith dó**.[27] Bhí sé oibrithe amach ina intinn aige go raibh am aige **le cur eile a chur ar clár**[28] agus ansin go dtiocfadh leis slán a fhágáil ag an chuideachta agus a bhealach a dhéanamh a fhad leis an *Jasmine Palace*, áit **a dtiocfadh leis**[29] curaí a fháil dó féin agus *chop suey* do Sarah, cuid eile de **dheasghnátha**[30] na hAoine.

'Anois, a fheara, an rud céanna arís?'

'Beidh ceann beag agam an t-am seo, murar miste leat, a Jimmy'

Tháinig **aoibh**[31] ar bhéal Jimmy agus chlaon sé a cheann mar fhreagra. Bhí fhios aige go mbeadh Billy sa bheár go gcaithfí amach é nó bhí a bhean ar shiúl go Sasain a dh'amharc ar an **ua ba deireanaí**[32] dá gcuid. Ar ndóigh, bhí Billy ag **ceiliúradh**[33] an linbh úir i rith na seachtaine. Tháinig an *gaffer* air le casaoid chrua **fán dóigh**[34] a raibh sé ag leagan na mbrící. **B'éigean do Jimmy**[35] **tarrtháil**[36] a thabhairt air agus **geallstan**[37] don *gaffer* go gcoinneodh sé **ag gabháil**[38] mar ba cheart é.

[12] *guilty*
[13] *twins*
[14] *pilgrimage*
[15] B'é Bacas (Bacchus nó Dionysus) dia fíon agus déantús fhíon na nGréagach.
[16] (U) ní hea
[17] an fear a bhíonn ag ól sú seachas deoch mheisciúil
[18] *adhere to, stick to*
[19] *moderation when drinking*
[20] *desire*
[21] *company*
[22] leanúnachas, *continuation*
[23] *pride*
[24] a nós a athrú
[25] (U) *he would be sorry if he came home*
[26] *would catch*
[27] a dhóthain dó
[28] deochanna a cheannach dá chairde uilig
[29] a bhféadfadh sé
[30] *rituals*
[31] *smile*
[32] *most recently-born grandchild*
[33] *celebrating*
[34] (U) ar nós go raibh
[35] *Jimmy had to*
[36] *rescue*
[37] geallúint
[38] (U) ag dul

[39] *it appeared to him*
[40] *stuck*
[41] *he recognised*
[42] gach uile
[43] (U) thug sé faoi deara
[44] (U) gach
[45] gan stad, *without fail*
[46] (U) smaoineamh
[47] (U) conas
[48] *scruple, moral hesitation*
[49] (U) cén fáth
[50] teolaí
[51] tar éis é sin
[52] *for a ruin*
[53] timpeall bliana, *around a year*
[54] a dheisiú, *fix, mend*
[55] seachas, *except*
[56] breis fabraice, *extra material*
[57] *polish, varnish*
[58] réitigh sí, d'ullmhaigh sí
[59] (U) d'fheicfeá
[60] *glossy magazines*
[61] *for his turn*
[62] (U) go dtiocfadh
[63] *cuddle*

Rinne Jimmy cuntas ina intinn ar an deoch a bhí le fáil aige agus tharraing sé ar an bheár. Bhí Micí, an freastalaí, ansin roimhe agus é ag éisteacht leis na potairí a bhí ina suí ag an bheár, má b'fhíor dó. **Chonacthas do**[39] Jimmy go raibh na potairí céanna seo **greamaithe**[40] do na stólta. **D'aithin sé**[41] na haghaidheanna **uilig**[42] agus **thug sé fá dear**[43] go suíodh **achan**[44] mhac máthar acu ar an stól chéanna **gan teip**.[45]

Chuaigh sé a **smaointiú**[46] ar an tsaol a chaithfeadh a bheith acu sa bhaile; ní raibh a fhios aige **cad é mar**[47] a thiocfadh leo suí ansin uair i ndiaidh uaire is gan **scrupall coinsiasa**[48] ar bith acu.

Níor thuig Jimmy **cad chuige**[49] nach raibh na fir seo ag iarraidh gabháil 'na bhaile. B'fhéidir gurbh airsean a bhí an t-ádh. Bhí Sarah agus na páistí aige; bhí, agus teach deas **seascair**.[50] **Ina dhiaidh sin**,[51] ní raibh an teach chomh maith sin nuair a cheannaigh siad é; ceithre mhíle punt a thug siad don *Housing Executive* **ar son ballóige**,[52] féadaim a rá, a raibh brící sna fuinneoga ann. Bhain sé **bunús bliana**[53] as **deis a chur**[54] ar a theach, ag obair ag deireadh na seachtaine agus achan oíche, **amach ó**[55] oíche Aoine, ar ndóigh.

Ach ba í Sarah a rinne baile de, na cuirtíní a rinne sí as **fuílleach éadaigh**[56] a cheannaigh sí ag aonach na hAoine, nó na cathaoireacha nach dtug sí ach deich bpunt orthu i *jumble* agus ar chuir sí **snas úr**[57] orthu. Ní raibh aon tseomra sa teach nár **chóirigh sí**[58] go raibh siad cosúil leis na pictiúir **a tchífeá**[59] ar na **hirisí loinnreacha ardnósacha**.[60] Anois, agus é ag fanacht **lena sheal**[61] ag an bheár, b'fhada le Jimmy **go dtaradh**[62] oíche Shathairn nuair a bheadh sé féin agus Sarah ábalta **teannadh**[63] le chéile ar an tolg ag amharc ar *video* agus buidéal beag fíona acu.

Ceisteanna

1. Déan cur síos ar an teach tábhairne.
2. Cén t-am é ag tús an scéil?
3. Cén sórt daoine iad Jimmy, John, a mhac, agus Sarah, a bhean chéile?
4. Cé mhéad clainne a bhí ag Jimmy? Cén aois a bhí acu?
5. Cén fáth a n-úsáideann an t-údar na focal 'oilithreacht' agus 'tobar Bhacais', dar leat?
6. Cad a thaitin le Jimmy faoin teach tábhairne?
7. Cén fáth ar lean Jimmy den nós dul go dtí an teach tábhairne ar an Aoine?
8. Cad a deir sé seo linn faoin gcaidreamh idir an lánúin?
9. Cén sort duine é Billy, comrádaí Jimmy?
10. Cén fáth ar bhraith Jimmy go raibh an t-ádh air?
11. Cad a rinne Sarah leis an teach?

Faigh agus foghlaim

Faigh agus foghlaim focail a chiallaíonn:

guilty	moderation	complaint	ruin	stubborn
ritual	pride	drunkards	bookkeeper	
under her thumb	celebrating	promise	destruction	

Ar lean...

'Seacht bpionta Guinness agus ceann beag, le do thoil, a Mhicí.'

'**Cad é mar atá na girseacha**[64] beaga, a Jimmy? Is dóiche nach bhfuil tú ag fáil mórán codlata **ar an aimsir seo**…'[65]

'Gabh mo leithscéal, a Mhicí, dean sé phionta agus ceann beag de sin, murar miste leat.'

Thug caint Mhicí mothú ciontach chun tosaigh in intinn Jimmy, cé gur mhaith a bhí fhios aige gurbh iad Elizabeth agus Margaret na páistí ab fhearr a cuireadh chun tsaoil riamh. Anois b'fhada le Jimmy go dtógfadh sé iad, duine ar achan lámh agus go dteannadh sé lena chroí iad agus go dtéadh sé a cheol **daofa**[66] agus ag éisteacht leo **ag plobaireacht**.[67]

Chuir Micí dhá **losaid**[68] fána lán gloiní ar an chuntar agus thug Jimmy chun tábla fá dheifir iad. Chaith sé siar deireadh a phionta, d'fhág sé slán ag an chuideachta agus rinne a bhealach a fhad le biatheach na Síneach.

Amuigh ar an tsráid, agus ceo na Samhna thart air, ní raibh in Jimmy ach duine gan ainm. **Thiontaigh**[69] sé aníos **coiléar a chasóige**[70] agus shiúil na cúpla céad slat a thug fhad leis an *Jasmine Palace* é. Istigh ansin bhí an t-aer trom le boladh spiosraí agus **teas bealaithe**.[71]

Bhí triúr nó ceathrar de dhéagóirí istigh roimhe agus iad ar meisce ar **fhíon úll**.[72] Bhí **a n-aird**[73] ar an bhiachlár ghealbhuí **fána lán mílitriú**[74] agus bhí siad **ag cur is ag cúiteamh**[75] eatarthu féin fá cad é a cheannódh siad ar na pinginí a bhí fágtha acu.

Bhí Liz, mar a thug achan chustaiméir uirthi, ag freastal – girseach **scór**[76] mbliain, í **díomhaoin**,[77] cé go raibh iníon bheag ceithre bliana aici, rud a d'inis sí do Jimmy i **modh rúin**.[78]

'An gnáthrud, a Jimmy. Tá tú **rud beag**[79] luath anocht, nach bhfuil?'

'Tá, nó ba mhaith liom **gabháil na bhaile**[80] go bhfeice me cad é mar atá na páistí.'

'Níl mórán de **do mhacasamhail**[81] ag gabháil ar an aimsir seo. Bunús na bhfear, ní bhíonn **ag cur bhuartha orthu**[82] ach iad féin agus na cairde agus a gcuid piontaí.'

Tháinig an **deargnáire**[83] ar Jimmy. Ní raibh **lá rúin**[84] aige an tseanchuimhne **nimhneach**[85] sin a mhúscailt i gceann Liz – an **stócach**[86] a bhí **seal**[87] i ngrá léi agus a d'fhág ina dhiaidh sin í nuair a **theann**[88] an saol go crua orthu. Bhí **tost míshuaimhneach**[89] eatarthu agus bhí Jimmy sásta nuair a tháinig duine de na stócaigh óga chuige ag iarraidh **mionairgead briste**[90] ar bith a bheadh fá na pócaí aige. Thug Jimmy **traidhfil airgead rua agus boinn**[91] chúig pingine dó. Rinne sé **gnúsachtach**[92] mar bhuíochas, **phill**[93] ar a chairde agus **d'fhógair daofa**[94] go raibh a **sáith airgid**[95] anois acu le hiasc agus sceallóga a cheannach, agus tobán beag curaí **lena chois**.[96]

[64] (U) conas atá na páistí
[65] na laethanta seo, *these days*
[66] (U) dóibh
[67] *babbling*
[68] tráidire
[69] (U) d'iompaigh
[70] *his jacket collar*
[71] teas gréiseach
[72] *cider*
[73] *their attention*
[74] lán de bhotúin
[75] ag caint agus ag comhrá
[76] fiche
[77] *idle*
[78] mar rún, *in confidence*
[79] beagán
[80] (U) dul abhaile
[81] do leithéid-se, *your type*
[82] ag cur isteach orthu, *worrying them*
[83] náire, *embarrassment*
[84] Ní raibh sé ar intinn aige
[85] *bitter, poisonous*
[86] fear óg
[87] tamall, tréimhse
[88] ghoill
[89] *uneasy truce*
[90] sóinseál, *loose change*
[91] *coppers and coins*
[92] *grunt*
[93] d'fhill
[94] d'fhógair orthu
[95] a dóthain airgid
[96] chomh maith, freisin

Rinne Jimmy staidéar ar na stócaigh seo. Shílfeadh duine gur bhaill iad de **chumann rúnda inteacht**[97] **ina raibh sé de dhualgas**[98] ar gach ball **beannú dá chéile**[99] sa chuid **ba ghairbhe**[100] de **chaint ghraosta, ghraifleach, ghnéasach**[101] na Sacsanach. **D'fheách Jimmy lena chluasa a dhruidim in éadan na tuile seo**.[102] Ach, ar ndóigh, ní féidir an rabharta a chosc.

Rinneadh **foscladh**[103] ar an **chomhla**[104] bheag sa bhalla ar chúl an chuntair, agus cuireadh mála bia agus ticéad amach. Thiontaigh Liz a súile ó na stócaigh gharbha a bhí ag diurnú bhuidéal an *Olde English*.

'Seo duit, a Jimmy, oíche mhaith agus slán abhaile.'

Chlaon Jimmy a cheann mar fhreagra, thóg an mála donn agus d'fhoscail doras trom na sráide. Chonacthas dó gur éirigh an oíche **iontach fuar**.[105] Chuir sé mála an bhia taobh istigh dá chasóg in aice lena **chliabhrach**[106] leis an teas a choinneáil ann, cé nach raibh i bhfad le siúl aige.

Chuaigh sé ag smaointiú ar an **chraos tine**[107] a bheadh sa **teallach**[108] roimhe, agus ar an dá phláta agus an dá fhorc a bheadh réidh ag Sarah, agus í ag súil leis na bhaile. Ba mhian leis luí aici agus **inse di**[109] cad é chomh sásta is a bhí sé le linn iad bheith le chéile.

Chonaic sé ina intinn féin í, fána gruaig **chatach**[110] bhán. **Chóir a bheith**[111] go dtiocfadh leis an boladh a chur, ach a Dhia, chomh mór agus ba mhaith leis a lámha a chur thart uirthi agus luí aici.

Caillte ina smaointe féin, ní raibh fhios ag Jimmy cad a bhí ag **gabháil ar aghaidh**[112] thart air. Níor chuala sé an carr gan solas a bhí ag **tarraingt air go fadálach**[113] as dorchadas na hoíche. Ní fhaca sé an **splanc solais**,[114] ach ar an tsaol seo dáiríre, scaoil stócach a raibh caint ní ba ghraiflí aige **ná an mhuintir**[115] a bhí sa teach itheacháin, **scaoil sé urchar**[116] **a shíob leath an chloiginn**[117] de Jimmy agus a d'fhág ina luí ar an tsráid **reoite**[118] é. Bhí an fhuil **ag púscadh**[119] ar an talamh fhuar liath agus ag meascadh lena raibh sna boscaí *aluminium*.

[97] *some secret society*
[98] *where it was the duty of …*
[99] *greet each other*
[100] *the roughest*
[101] *obscene, coarse, sexual talk*
[102] *Jimmy tried to close his ears in the face of this tide*
[103] (U) oscailt
[104] *half-door*
[105] an-fhuar
[106] *chest*
[107] *fireplace*
[108] *hearth*
[109] insint di
[110] (gruaig) *curly*
[111] ba cheart go mbeadh
[112] ag tarlú
[113] *slowly approaching him*
[114] *flash of light*
[115] na daoine
[116] *he fired a gun*
[117] *that blew away half his head*
[118] préachta, *frozen*
[119] *oozing*

10

Achoimre

Scríobh an sliocht seo i do chóipleabhar ag líonadh isteach na bearnaí.

Bhí Jimmy i dteach tábhairne oíche _____ lena chomrádaithe. Ach bhí sé ag _____ ar a theaghlach sa bhaile. Bhí a fhios aige go mbeadh _____ idir a bhean chéile, Sarah agus a _____, John a bhí ceithre bliana d'aois, ach bhí a fhios aige freisin go _____ an bua ag Sarah agus go mbeadh ar John dul a chodladh.

Bhraith Jimmy _____ ag dul amach ar an Aoine, go háirithe ó rugadh an _____ sé mhí ó shin. Níor ól sé a lán agus níor thaitin an teach tábhairne leis mórán. Ba í Sarah a chuir _____ air leanúint leis an _____ dul amach Aoine. Níor, mar níor theastaigh uaithi go gceapfadh aon duine go raibh sé faoi bhois chait aici.

Shocraigh sé fágáil tar éis deoch eile a _____ dá _____. Bhí fhios aige go mbeadh a _____ Billy sa teach _____ go ndúnfadh sé. Nuair a chuaigh sé go dtí an beár chonaic sé na _____ go léir ansin. Bhí trua aige dóibh mar mheas sé nach raibh teach breá _____ acu agus bean chéile cosúil le Sarah, a _____ an teach go hálainn. Cheannaigh siad an teach ón *Housing Executive*. Bhí _____ sna fuinneoga nuair a cheannaigh siad é. Chaith Jimmy bliain ag cur _____ ar an teach, ach ba í Sarah a _____ go hálainn í. Bhí sí cliste, _____. Cheannaigh sí troscáin saor agus _____ sí iad. D'fhiafraigh Micí, an freastalaí, de conas mar a bhí na cailíní beaga agus _____ uaidh dul abhaile láithreach. _____ sé an teach tábhairne agus chuaigh sé go dtí an _____ chun bia a fháil. Bhí sé de _____ aige é sin a dhéanamh gach Aoine. Bhí _____ déagóirí ansin agus iad ar _____. Bhí Liz an freastalaí ansin, cailín óg _____ bliain d'aois nach raibh pósta, cé go raibh iníon beag ceithre bliana aici. Dúirt sí nach raibh mórán fear cosúil le Jimmy. Chuir sé _____ ar Jimmy mar bhí fhios aige go raibh saol crua aici agus bhí _____ eatarthu. Bhí na déagóirí ag caint go _____ agus ag _____. Tháinig duine acu chuig Jimmy ag _____ airgid agus thug sé _____ dó.

D'fhág sé an bhialann agus bhí sé ag _____ go mór le dul abhaile go Sarah. Níor thug sé _____ an carr gan solas ag teacht ina _____. Scaoil duine ón gcarr _____ leis agus maraíodh é láithreach.

mbeadh • Aoine • smaoineamh • ciontach • nós • meisceoirí • cheannach
chairde • deis • cúpla pingin • mhaisigh • chóirigh • chomrádaí
tábhairne • fiche • iallach • theastaigh • bhialann Shíneach • D'fhág • scata
meisce • mhiona • cúpla • compórdach • choinnigh • náire • míshuaimhneas
lorg • urchar • faoi deara • threo • tnúth • garbh • eascaine • nós
brící • mac • cumasach

An t-údar

http://www.educate.ie/próifíl

Deirdre Ní Ghrianna

Ar líne 7:22pm

Rugadh an t-údar, Deirdre Ní Ghrianna, i mBéal Feirste agus is iriseoir í leis an *West Belfast Observer.* Tá sí pósta agus cúigear clainne uirthi.

Nótaí ar an scéal

Téama an scéil

Foréigean agus an **saol brúidiúil aimsir na dTrioblóidí** i mBéal Feirste is téama don scéal seo. Is téama uilíoch é, áfach, sa chaoi is go bhfaighimid léiriú ar fhoréigean na cathrach, áit a maraítear daoine soineanta go fánach, gan cúis ar bith. Marú seicteach atá i gceist, mar ní raibh Jimmy gníomhach go polaitiúil agus ní raibh aon chúis len é a mharú. Níl a fhios againn fiú an Caitliceach nó Protastúnach atá ann, agus is cuma. Léirítear é mar dhuine cineálta, athair maith agus fear céile grámhar, rud a chuireann leis an éagóir. Tuigtear dúinn nach bhfuil ciall dá laghad leis an bhforéigean seo.

Teicníochtaí scéalaíochta

Mothúcháin

Grá, ciontacht, comhbhá, trua, déistin agus scéin, na mothúcháin atá le brath sa ghearrscéal seo. Is léir ó thús deireadh an grá atá ag Jimmy dá bhean chéile, Sarah agus dá dtriúr páistí, John, Margaret agus Elizabeth. B'fhearr leis bheith leo siúd ná bheith sa teach tábhairne lena chomrádaithe. Tá sé íorónta gurb í Sarah a chuir iallach air leanúint den nós dul amach leis na fir gach Aoine agus dá bharr, bhí sé i mbaol. Braitheann Jimmy ciontach agus míshuaimhneach nuair a bhíonn sé sa teach tábhairne. Ní maith leis bheith amuigh nuair atá a chlann óg sa bhaile. Bíonn trua aige do na meisceoirí sa teach tábhairne, mar go measann sé nach bhfuil teach agus clann álainn acu mar atá aige féin. Bíonn comhbhá aige leis an bhfreastalaí Liz, atá ina máthair aonair, tréigthe ag a buachaill. Cuireann na déagóirí sa bhialann Shíneach déistin air lena gcaint gharbh, gháirsiúil. Cuireann an íomhá dheiridh scéin orainne, an lucht léite, nuair a fhágtar Jimmy marbh, a fhuil 'ag púscadh ... agus ag meascadh lena raibh sna boscaí *aluminium*.'

10

Atmaisféar

Cruthaítear atmaisféar gruama, sceirdiúil, dorcha sa ghearrscéal. Tá an teach tábhairne lán, ach braithimid go bhfuil uaigneas ar Jimmy, an príomhcharachtar, agus nach maith leis bheith ann ar chor ar bith. Níl sé ar a shuaimhneas ann. Nuair a théann sé go dtí an bhialann Shíneach cuirtear leis an ngruaim agus leis an scéin. Tá scata déagóirí ansin ar meisce, ag caint go garbh, gáirsiúil. Oíche fhuar, dhorcha i mí na Samhna atá ann. Luaitear nach raibh i Jimmy sa tsráid ach 'duine gan ainm'. Cuireann sé seo le hatmaisféar coimhthíoch, dorcha na cathrach.

Codarsnacht

Tá codarsnacht láidir idir saol príobháideach Jimmy, a phearsantacht shéimh, ghrámhar, agus an timpeallacht ina bhfuil sé. Nuair a bhíonn sé ag an mbeár, cuireann sé saol truamhéalach na meisceoirí i gomparáid lena theach teolaí féin atá cosúil leis 'na pictiúir a tchífeá ar na hirisí loinnreacha ardnósacha'. Ba mhaith leis a bheith lena bheirt leanaí óga 'go dteannadh sé lena chroí iad'. Tá codarsnacht idir an bhialann Shíneach leis na déagóirí gáirsiúla agus Liz, bean óg atá tréigthe ag a buachaill, agus baile Jimmy, áit a bhfuil grá idir é féin agus a bhean agus a bpáistí. Úsáideann an t-údar teicníocht na codarsnachta go héifeachtach ag an deireadh. Tá codarsnacht láidir idir a smaointe den teach, den tine, dá bhean chéile agus dá ghrá di agus an fuath agus dainséar atá mórthimpeall air ar an tsráid, áit a dtagann carr suas chuige go mall agus a scaoiltear urchar leis, á mharú.

Friotal agus stíl an údair

Baintear úsáid as Gaeilge chanúnach Uladh sa ghearrscéal, rud a chuireann le nádúrthacht an scéil. Gaeilge labhartha atá i gceist. Úsáideann an t-údar focail ar nós 'oilithreacht' agus 'deasghnátha' ag cur síos ar a nósanna ar an Aoine: Tuigtear dúinn gur saol traidisiúnta, áitiúil atá acu. Friotal gonta, lom a úsáidtear sa scéal. Úsáideann an t-údar stíl shimplí, tharraingteach. Tugtar léargas dúinn ar shaol Jimmy agus ar a smaointe. Úsáidtear codarsnacht go héifeachtach. Tagann an deireadh aniar aduaidh orainn. Ní bhíonn muid ag súil le bás obann Jimmy. D'aon ghnó a dhéanann an t-údar é seo chun scéin agus uafás an tsaoil sin a léiriú. Fágtar muid le híomhá bhrúidiúil ag deireadh an scéil.

Teideal an scéil

Tá íoróin ag baint le teideal an scéil. Is é an gnáthrud an béile Síneach a fhaigheann Jimmy gach Aoine: cuid de 'dheasghnátha na hAoine'. Ach freisin, ba ghnáthrud é an dúnmharú seicteach i mBéal Feirste i rith na dTrioblóidí. Ba mhinic a scaoiltí urchar le duine neamhurchóideach mar dhíoltas ar dhúnmharú eile.

Na carachtair

Jimmy

- Tá sé grámhar. Is fear clainne é.
- Tá sé díograiseach. Dheisigh sé a theach.
- Is oibrí maith é. Oibríonn sé in ionad tógála. Is féidir brath air. Ta sé iontaofa (*reliable*).
- Tá sé stuama, séimh. Tá meas ag daoine air.
- Tá sé cineálta, báúil (le Billy, Liz).
- Tá sé ciúin, ciallmhar. Seachnaíonn sé trioblóid.

Sarah

- Tá sí údarásach, láidir.
- Tá sí cumasach, ábalta.
- Is bean chéile mhaith í.
- Tá stíl mhaith aici.
- Tá sí grámhar.
- Is í siúd atá i gceannas an tí.

Cleachtadh scríofa

Faigh samplaí sa téacs a léiríonn na tréithe thuasluaite.

Mioncharachtair eile

Billy: Tá sé tugtha don ól. Níl sé iontaofa.

Liz: Tá sí óg, níl sí ach fiche bliain d'aois. Is máthair aonair í. Tá drochthaithí aici ar fhir.

Freagraí scrúdaithe samplacha

Ceist shamplach 1

'Éiríonn leis an údar sceon agus uafás na dTrioblóidí a léiriú go héifeachtach sa ghearrscéal seo.' É sin a phlé.

Freagra samplach 1

Alt 1: Aontú

Is fíor go bhfaighimid léargas iontach ar scéin agus ar uafás na dTrioblóidí i mBéal Feirste sa ghearrscéal cumasach seo le Deirdre Ní Ghrianna. Cuireann sí atmaisféar na cathrach os ár gcomhair go héifeachtach, agus baineann sí úsáid éifeachtach as codarsnacht chun méid an uafáis a chur os ár gcomhair.

Alt 2: Atmaisféar

Cruthaíonn an t-údar atmaisféar dorcha, gruama, dainséarach Bhéal Feirste sa scéal. Sa chéad suíomh, an teach tábhairne, tá sé plódaithe le fir atá ag ól an iomarca. Tá Jimmy, an príomhcharachtar, míshuaimhneach ann agus ba mhaith leis dul abhaile. Tá a fhios aige go mbeidh a chara Billy ag ól go deireadh na hoíche. Bíonn trua aige do na meisceoirí ag an mbeár, a shuíonn ar an stól céanna gan teip. Nuair a théann sé go dtí an bhialann Shíneach, cruthaítear atmaisféar bagrach, baolach. Tá déagóirí garbha, gáirsiúla, ar meisce ansin. Is léir gur ceantar garbh é. Ansin cruthaítear atmaisféar gruama den tsráid, áit gur 'duine gan ainm' é Jimmy. Oíche fhuar i mí na Samhna atá ann. Baintear siar asainn nuair a thagann an carr agus nuair a maraítear Jimmy gan trua, gan trócaire.

Alt 3: Codarsnacht

Teicníocht eile a úsáideann an t-údar go héifeachtach ná an chodarsnacht. Déantar codarsnacht síos tríd an scéal idir teach compórdach teolaí Jimmy, le lánúin atá i ngrá le chéile agus an saol crua, gránna lasmuigh – an teach tábhairne plódaithe le meisceoirí, an bhialann le déagóirí gáirsiúla agus bean óg, leochaileach tréigthe ag a buachaill, an tsráid fhuar, dhorcha, dhainséarach. Tá codarsnacht láidir freisin idir cineáltacht Jimmy agus crúálacht lucht a mharaithe.

Alt 4: Críoch

Is iad na línte deiridh den scéal is mó a chuireann sceon agus uafás orainn, nuair a fhágtar muid le híomhá d'fhuil Jimmy ag meascadh 'lena raibh sna boscaí *aluminium*'. Níl aon dabht ach go n-éiríonn thar cionn leis an údar scéin agus uafás na dTrioblóidí ina cathair dhúchais féin a chur os ár gcomhair sa ghearrscéal seo.

Ceist shamplach 2

An gceapann tú gur teideal éifeachtach é *'An Gnáthrud'*? Cén fáth?

Freagra samplach 2

Ceapaim gur teideal an-éifeachtach é 'An Gnáthrud' don scéal seo. Ar ndóigh tá íoróin ag baint leis an teideal. Tá an t-údar ag caint faoin mbealach ina dtéimid i dtaithí ar chogaíocht agus ar fhoréigean.

Is i mBéal Feirste i rith na dTrioblóidí atá an scéal suite. Is gnáthdhuine é an príomhcharachtar Jimmy agus léirítear é sin ar mórán slite. Téann sé go dtí an teach tábhairne gach Aoine lena chomrádaithe. Oibríonn sé in ionad tógála mar bhríceadóir. Is duine macánta den lucht oibre é a cheannaigh teach ón *Housing Executive* agus a chuir deis air ina am saor. Tá teaghlach óg aige agus tá sé i ngrá lena bhean agus tá grá aige dá pháistí. Tá sé cineálta lena chomrádaí Billy agus báúil le Liz, an freastalaí sa bhialann Shíneach atá tréigthe ag a buachaill. Is gnáthoíche Aoine atá ann, cé go bhfágann Jimmy an teach tábhairne beagán níos luaithe ná mar is gnách. Ordaíonn sé 'an gnáthrud' sa bhialann Shíneach.

Tagann a bhás obann ag deireadh an scéil aniar aduaidh orainn. Baineann an t-údar geit asainn. Ach tuigtear dúinn gur gnáthrud é sin freisin – dúnmharú seicteach – a tharla go rialta i rith na dTrioblóidí i dTuaisceart Éireann. Tá codarsnacht láidir idir an gníomh uafásach – an dúnmharú – agus an cur síos a dhéanann an t-údar air. Cur síos lom, gonta atá ann, agus fágtar muid le híomhá scéiniúil, sceirdiúil de Jimmy 'ar an talamh fhuar liath'.

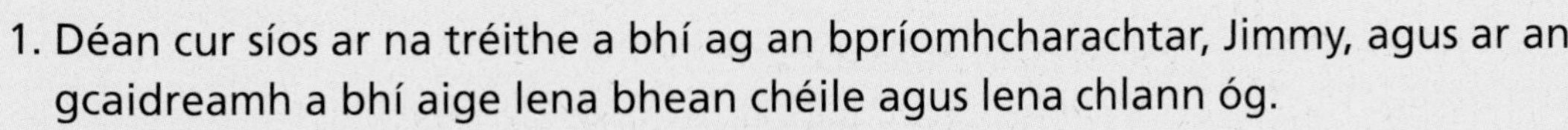

Ceisteanna scrúdaithe

10

1. Déan cur síos ar na tréithe a bhí ag an bpríomhcharachtar, Jimmy, agus ar an gcaidreamh a bhí aige lena bhean chéile agus lena chlann óg.
2. 'Cur síos ar dhá shaol a thagann salach ar a chéile atá sa scéal seo.' É sin a phlé.
3. Déan trácht ar na teicníochtaí a úsáideann an t-údar sa scéal seo chun an téama a chur os ár gcomhair.
4. 'Tugtar léargas iontach dúinn sa ghearrscéal seo ar an ngnáthshaol i mBéal Feirste.' É sin a phlé.
5. Scríobh nóta ar éifeacht na húsáide a bhaintear as friotal, codarsnacht agus íomhánna sa scéal seo.

Súil Siar: Seicliosta

- ◯ **Foghraíocht** o agus io
- ◯ **Gramadach** An Tuiseal Ginideach
  An Modh Coinníollach
- ◯ **Labhairt** Conas coiriúlacht agus fadhbanna sóisialta a phlé
- ◯ **Scríobh** Conas aiste ar fhoiréigean in Éirinn a scríobh
- ◯ **Litríocht** *An Gnáthrud* le Deirdre Ní Ghrianna

Cluastuiscint (60 marc)

FÓGRA A hAON

Mír 10.6
T39

1. Luaigh dhá ghrúpa atá i mbaol de bharr boscaí bruscair a bheith ag cur thar maoil in ospidéil.
2. Cad atá roinnt baill foirne tar éis a tholgadh?
3. Cén fáth nach fios go díreach cé mhéad a tholg an galar?

FÓGRA A DÓ

Mír 10.7
T40

1. Cén clú a bhí ar an Astráil tráth den saol?
2. Cathain a fuair mná cead vótála san Astráil?
3. Cad a deirtear linn faoi mhuintir dhúchais na tíre?
4. Cén beartas nach bhfuil an Astráil chun tosaigh ar thíortha fhorbartha eile leis?

COMHRÁ A hAON

Mír 10.8
T41

1. Cad é an spriocdháta d'iarratais CAO?
2. Cad ba bhreá le Sadhbh a dhéanamh?
3. Cad é an dara rogha atá aici, agus cén fáth?

COMHRÁ A DÓ

Mír 10.9
T42

1. Cén stáisiún teilifíse a thaispeánann spórt na mban?
2. Cén fáth go gceapann Gráinne go ndéantar éagóir ar spórt na mban?
3. Cén fáth go gceapann Seán nach bhféachann mná ar spórt?

PÍOSA A hAON

Mír 10.10
T43

1. Cad é an post atá fógraithe?
2. Cad a bheidh ar an té a cheapfar a dhéanamh?
3. Cad a bheidh ar na hiarrthóirí a dhéanamh mar chuid den agallamh?

PÍOSA A DÓ

Mír 10.11
T44

1. Cá raibh muintir Endorois ina gcónaí leis na cianta?
2. Cad a rinne fórsaí slándála na Céinia sa bhliain 1973?
3. Cad é an cinneadh a rinne Coimisiún na hAfraice um Chearta Pobail?

Ceapadóireacht

(100 marc)

Freagair do rogha CEANN AMHÁIN de A, B nó C anseo thíos.

Nóta: Ní gá níos mó ná 500-600 focal nó mar sin a scríobh i gcás ar bith.

A	– AISTE **nó** ALT NUACHTÁIN /IRISE –	**100 marc**

Scríobh ar CHEANN AMHÁIN de na hábhair seo.

(a) Is fiú go mór páirt a ghlacadh i spórt.

(b) Coiriúlacht – bochtaineacht agus leatrom is cúis leis.

(c) Is eiseamláir iontacha iad lucht spóirt don aos óg.

(d) An tábhacht a bhaineann le spórt i mo shaol

(e) Is ag dul in olcas atá fadhb na coiriúlachta sa tír seo.

B	– SCÉAL –	**100 marc**

Ceap scéal a mbeadh do rogha CEANN AMHÁIN díobh seo oiriúnach mar theideal air.

(a) Cothrom na Féinne.

(b) An t-iománaí is fearr an t-iománaí ar an gclaí.

C	– DÍOSPÓIREACHT / ÓRÁID –	**100 marc**

Freagair do rogha CEANN AMHÁIN díobh seo a leanas.

(a) Scríobh an *chaint* a dhéanfá i ndíospóireacht scoile ar son *nó* in aghaidh an rúin seo a leanas.
Níl an córas dlí sa tír seo ceart ná cóir.

(b) Chuir tú agallamh ar phearsa spóirt. Scríobh an píosa cainte a thabharfá sa rang Gaeilge do do chomhscoláirí faoi.

10

Bochtanas

SAN AONAD SEO FOGHLAIMEOIDH TÚ:

F Foghraíocht 'S' le guta caol agus le guta leathan

G Gramadach Saorbhriathar sa Mhodh Coinníollach
Céimeanna comparáide na n-aidiachtaí

t Tuiscint Píosaí cainte agus scríbhneoireachta faoi Chumann Naomh Uinseann de Pól, agus an bhochtaineacht agus na cúiseanna atá leis, scéim dílleachtaí in aimsir an Ghorta Mhóir, an tríú domhan agus bochtaineacht in Éirinn, an cúiseanna le gorta

Scríobh Conas díospóireacht a scríobh ar 'Is í an tsaint is cúis le bochtaineacht', agus tabhairt faoi aistí eile ar thopaic na bochtaineachta.

Bochtanas

Cúinne na fuaime: 's' le guta caol agus le guta leathan

Mír 11.1
T45

's' roimh/tar éis 'i' nó 'e'	= 'sh' sa Bhéarla	sé/sí
's' roimh/tar éis 'a', 'o' nó	= 's'	sa
'sh' i nGaeilge	= h sa Bhéarla	shiúil

Éist agus abair

sa	sea	sos	seol	sula	seoladh
san	sean	sona	sionna	sásta	seasta
saol	seal	súil	siúl	sáil	seál
sheas	shleamhnaigh	ró-shásta	a shála	mo shúile	shíl

Bochtanas sa bhaile

In Éirinn agus i dtíortha forbartha eile, bochtanas coibhneasta (*relative*) a thugtar de ghnáth ar bhochtaineacht. Sna tíortha sin, deirtear go bhfuil daoine ag maireachtáil faoi bhochtaineacht más rud é go mbíonn a gcaighdeán maireachtála i bhfad níos lú ná an gnáthchaighdeán maireachtála sa tsochaí. Tá 'tairseach na bochtaineachta' (*poverty threshold*) ann, is é sin an méid is lú airgid gur gá a thuilleamh le caighdeán maireachtála fónta a bheith agat. Aon duine a thuilleann níos lú ná an tairseach sin deirtear go bhfuil siad faoi bhochtaineacht.

Ceisteanna

1. Mínigh cad atá i gceist le 'coibhneasta' sa phíosa thuas.
2. Cad atá difriúil faoi bheith bocht in Éirinn agus bheith bocht san India?
3. Mínigh cad é:
   (a) caighdeán maireachtála
   (b) tairseach na bochtaineachta.

Faigh agus foghlaim

Faigh agus foghlaim focail Ghaeilge a chiallaíonn:

society | *earn* | *good standard of living*
standard | *developed countries*

Sáinn na bochtaineachta (Poverty trap)

Nuair a bhíonn daoine bocht is minic go mbíonn siad i 'sáinn' agus bíonn sé an-deacair orthu éalú as. Toisc nach mbíonn airgead acu, faigheann siad airgead ar iasacht. Níl na bainc sásta airgead a thabhairt dóibh mar go bhfuil siad bocht, mar sin faigheann siad iasachtaí ó iasachtóirí airgid a éilíonn ráta ard úis. Ní bhíonn siad in ann an t-airgead a aistíoc agus fágtar iad níos boichte ná riamh le fiacha móra. Is fáinne fí é.

Faigh agus foghlaim

Faigh agus foghlaim focail Ghaeilge a chiallaíonn:

trap — *high rate of interest* — *borrow*
debts — *vicious circle* — *demand*

Na cúiseanna atá le bochtaineacht

Is féidir an bhochtaineacht a sheachaint. Is toradh é an bhochtaineacht ar an tslí ina roinntear acmhainní mar airgead, saibhreas, poist, oideachas, tithíocht, cúram sláinte agus mar sin de sa tsochaí. Bíonn tionchar ag an gcóras polaitíochta, ag an margadh saothair, ag an gcóras leasa shóisialaigh agus ag an gcáinchóras ar dháileadh acmhainní sa tsochaí. Seo a leanas fachtóirí eile a mbíonn tionchar acu ar an mbochtaineacht:

- Dífhostaíocht nó fostaíocht ar phá íseal
- Méid an teaghlaigh agus an cineál teaghlaigh, mar shampla, tuismitheoir amháin, lánúin, lánúin le leanaí
- Aois
- Tosca sóisialta nó aicme shóisialta an duine
- Inscne: tuilleann fir níos mó airgid ná mná
- Míchumas: is minic a chuireann míchumas cosc ar dhaoine obair a fháil
- Taithí oideachais: bíonn seans níos mó ag céimithe post a fháil
- Drochshláinte: cuireann drochshláinte cosc ar dhuine dul ag obair
- Sealúchas: cibé an bhfuil teach/talamh faoi úinéireacht nó ar cíos acu
- Ag fulaingt idirdhealaithe: cleachtann fostóirí idirdhealú bunaithe ar ghnéas, aois, cine, reiligiún, aicme agus fachtóirí eile, cé nach bhfuil sé dleathach
- Gnéaschlaonadh: tá poist áirithe a dhéanann mná den chuid is mó. Is minic a bhíonn an pá an-íseal (mar shampla: feighlíocht linbh)

Ní bhíonn sé éasca ar dhaoine bochta:

- a bheith rannpháirteach sa ghnáthshaol ar comhchéim le daoine eile
- mothú go bhfuil siad mar chuid den phobal
- a scileanna agus a dtallainn a fhorbairt

Tugtar eisiamh sóisialta (*social exclusion*) nó imeallú ar an bpróiseas sin.

11

Faigh agus foghlaim

Faigh agus foghlaim focail Ghaeilge a chiallaíonn:

avoid — *marginalisation* — *discrimination* — *graduate*
labour market — *social welfare system* — *disability* — *couple*
result of — *tax sytem* — *sexism* — *suffering*
resources — *prevented from* — *gender*
participate in — *exclusion* — *social class*

Daoine i mbaol bochtaineachta

Is iad na daoine is mó a bhíonn i mbaol bochtaineachta ná:
mná, leanaí, daoine aosta, tuismitheoirí aonair, daoine a fhágann an scoil go luath, daoine faoi mhíchumas, an lucht siúil, daoine dífhostaithe, feirmeoirí beaga, imircigh agus grúpaí eitneacha mionlaigh, coirpigh agus iar-choirpigh, daoine le meabharghalar, daoine gan cháilíochtaí.

Is grúpaí an-leochaileacha (lag, *vulnerable)* iad na daoine fíorbhochta, mar shampla, daoine gan dídean.

Ceisteanna

1. Mínigh an fáinne fí a choinníonn daoine bocht.
2. Conas is féidir an bhochtaineacht a sheachaint?
3. Céard iad na hinstitiúidí éagsúla a mbíonn tionchar acu ar dháileadh na n-acmhainní?
4. Tabhair trí chúis go mbeadh daoine faoi bhochtaineacht.
5. Mínigh conas a bhíonn daoine faoi bhochtaineacht dá bharr.
6. Mínigh cad is eisiamh sóisialta ann.
7. Roghnaigh trí ghrúpa a bhíonn i mbaol bochtaineachta agus mínigh cén fáth.
8. Cén cineál scríbhneoireachta atá sa sliocht seo? Tabhair na comharthaí sóirt a bhaineann leis an gcineál sin scríbhneoireachta (Féach lth 452).

An fíorthríú domhan

Le tamall anuas, tá litreacha sna nuachtáin beagnach gach lá agus ráitis á ndéanamh ar na haerthonnta i gcónaí go bhfuil Éire (Poblacht na hÉireann) anois ina cuid den tríú domhan.

Ní fíor na ráitis sin. Is sampla iad den doirbheas meoin (*dissatisfied attitude*) atá ina ualach trom ar an tír agus, níos tábhachtaí arís, is masla ollmhór é do na billiúin daoine ar an domhan seo atá fíorbhocht agus a mhaireann san fhíorthríú domhan. Daoine nach bhfuil go leor bia acu, nach bhfuil éadaí mar is ceart acu, nach bhfuil uisce sábháilte le hól acu. Sin is ciall leis an tríú domhan. Tá géarchéim eacnamaíochta sa tír seo. Tá daoine bochta in Éirinn faraor, tá daoine dífhostaithe, tá ár gcaighdeán maireachtála chun titim.

Mar sin féin, bíodh ciall againn agus osclaímis ár súile.

Fiú má éiríonn cúrsaí eacnamaíochta níos measa arís, ní dócha go mbeidh Éire ina tír den tríú domhan dá bharr. Is é lom na fírinne é gurb í Éire ceann de na tíortha is forbartha ar an saol agus go bhfuil muintir na hÉireann i measc na ndaoine is saibhre ar an domhan seo. Samhlaigh dá bhfeicfeadh duine bocht as Banglaidéis nó as an tSomáil an tsiopadóireacht a bhíonn ar siúl ar Shráid Grafton, nó ár dtithe tábhairne lán agus an iomarca bia a itheann muid sa tír seo. Cad a cheapfaidís dá ndéarfaimís leo gur den tríú domhan sinne chomh maith? Dá smaoineoimis orthu sin ar feadh tamaillín, seans nach mbeadh an trua chéanna againn dúinn féin.

Bunaithe ar alt as *Gaelscéal*

Faigh agus foghlaim

1. *Faigh agus foghlaim focail Ghaeilge a chiallaíonn:*

imagine *huge insult* *economic crisis*
heavy burden *alas*

2. *Faigh agus foghlaim nathanna a chiallaíonn:*

is í an fhírinne ná dearcadh míshásta gan phost

Ceisteanna

1. Cad a cheapann an t-údar fúthu siúd a deir gur tír den tríú domhan í Éire?
2. Cad is ciall leis an 'tríú domhan', dar leis?
3. Tabhair trí shampla a léiríonn nach tír bhocht í Éire.
4. An aontaíonn tú leis an údar? Tabhair cúiseanna le do thuairim.
5. Cén cineál scríbhneoireachta é seo? Cad iad na comharthaí sóirt a bhaineann leis an gcineál seo scríbhneoireachta? (Féach lth 452)

Gorta: cad is cúis leis?

An raibh fhios agat?

- Go bhfuil dóthain bia sa domhan le 3,000 calra sa lá a thabhairt do gach duine beo.
- Go bhfaigheann duine amháin bás leis an ocras gach 3.6 soicind.
- Go bhfuil os cionn 840 milliún duine ocrach sa domhan.
- Go gcaitear €1055 billiún ar fud na cruinne gach bliain ar airm agus ar chúrsaí míleata.
- Go gcosnódh sé €19 mbilliún in aghaidh na bliana deireadh a chur le gorta agus míchothú ach ní chuirtear an t-airgead ar fáil.
- Go bhfuair os cionn 7 milliún bás le SEIF san Afraic cheana féin, agus táthar ag tuar go bhfaighidh 16 mhilliún bás den ghalar faoi 2020.
- Go bhfuil níos mó saibhris ag an seachtar duine is saibhre ar domhan ná mar atá ag an 41 tír is boichte ar domhan (ina bhfuil daonra de 546 milliún).
- Go bhfaigheann thart ar 10 milliún páiste faoi bhun cúig bliana d'aois bás gach bliain.
- Go bhfuil leath de pháistí an domhain (1 bhilliún) beo bocht.
- Go maireann os cionn 3 bhilliún duine (beagnach leath de dhaonra na cruinne) ar níos lú na $2.50 in aghaidh an lae
- Go bhfaigheann 1.8 milliún páiste bás gach bliain den bhuinneach, galar is féidir a leigheas go héasca.

Eolas Fánach

Sa bhliain 1963 bhí dhá aidhm ag Uachtarán Mheiriceá, J. F. Ó Cinnéide. Theastaigh uaidh duine a chur ar an ngealach, agus theastaigh uaidh deireadh a chur le gorta domhanda. D'éirigh leis an chéad aidhm a bhaint amach, ach tá daoine fós ag fáil bháis leis an ocras sa lá atá inniu ann.

Dearbhú Uilechoiteann Chearta an Duine

'Tá an ceart ag gach duine caighdeán maireachtála oiriúnach dá shláinte agus dá leasa féin agus dá chlann a bheith aige lena n-áirítear bia...'

An ghramadach i gcomhthéacs

Saorbhriathar sa Mhodh Coinníollach

Is féidir 'Ba chóir trádáil chóir **a dhéanamh** le tíortha i mbéal forbartha' **nó** 'Ba chóir **go ndéanfaí** trádáil chóir le tíortha i mbéal forbartha' a rá.

Dá **n**déan**faí** rud éigin faoi *If something were done about it*

Cuirtear **-f(a)í** (1 shiolla) nó **-ófaí** (2 shiolla) leis an mbriathar.

Mar shampla:

Dá **gcuirfí** an dlí ar bhradmharcaithe stopfaidís. *If joyriders* **were prosecuted** *they would stop.*

Dá **n-inseofaí** dóibh faoin mbaol a bhaineann le... *If they* **were told** *about the dangers associated with...*

Ceacht 1

Cuir an fhoirm cheart den bhriathar isteach agus críochnaigh an abairt.

1. Dá (cuir) dlíthe níos déine i bhfeidhm...
2. Dá (caith) níos mó airgid ar acmhainní...
3. Dá (déan) infheistíocht i bhforbairt struchtúrtha...
4. Dá (inis) do dhaoine óga faoin mbaol a bhaineann le...
5. Dá (eagraigh) feachtas chun daoine a chur ar an eolas...
6. Dá (cúisigh) tuismitheoirí na gcoirpeach óg...
7. Dá (athraigh) an éide scoile...
8. Dá (cruthaigh) poist nua...
9. Dá (éist) le daoine óga...
10. Dá (tabhair) níos mó airgid don tríú domhan...
11. Dá (cealaigh) fiacha an tríú domhain...

Ceacht 2

Is féidir freisin 'Ba chóir **go gcuirfí** dlíthe níos déine i bhfeidhm' a rá.

Scríobh na habairtí thuas arís ag tosú le 'Ba chóir go...'

Bochtanas agus gorta

Cúiseanna	Samplaí	Réiteach
Trádáil éagórach	Cuireann an tAontas Eorpach taraifí ar earraí ó thíortha eile	Trádáil chóir
Polasaithe/ polaitíocht	Bhí bia á easportáil as an tír le linn an Ghorta san Aetóip i 1984 (tharla an rud céanna le linn an Ghorta Mhóir in Éirinn)	Athrú polasaí
Fiacha	Chaith an tSaimbia €170 milliún ag glanadh fiacha agus €70 milliún ar oideachas i 2000	Cealú fiacha do thíortha bochta
Cogadh	Gach bliain scriostar barraí de bharr cogaí	Cuir stop le cogadh
SEIF	Is fadhb mhór é SEIF ar fud na hAfraice	Cuir cóir leighis ar fáil
Triomach	De bharr athrú aeráide tá triomach níos forleithne anois ná riamh	Cuir stop le hathrú aeráide
Bochtanas fadtéarmach	Gineann bochtanas bochtanas. Bíonn cúiseanna stairiúla le bochtanas, mar shampla cóilíneachas	Cabhraigh le tíortha i mbéal forbartha

Cleachtadh labhartha

1. Pléigh na cúiseanna thuasluaite le do pháirtí. An féidir libh smaoineamh ar aon chúiseanna eile? Scríobh abairtí agus tabhair an chúis, sampla agus an réiteach; mar shampla, "cúis amháin le bochtaineacht is ea trádáil éagórach". "Cuireann tíortha saibhre taraifí ar earraí ó thíortha eile chun a dtionscail féin a chosaint". "Ba chóir go ndéanfaí trádáil chóir le tíortha i mbéal forbartha". Úsáid an briathar saor sa Mhodh Coinníollach nuair is féidir.
2. Pléigh cad is ciall leis na téarmaí seo le do pháirtí: faoi bhochtaineacht, tairseach bhochtaineachta, gan dídean, sáinn bhochtaineachta, cumainn charthannachta, trádáil chóir, tíortha forbartha, tíortha i mbéal forbartha, cealú fiacha, éagothroime i ndáileadh acmhainní, géarchéim eacnamaíoch, VEID deimhneach/SEIF, dúshaothrú, triomach, gorta.

An ghramadach i gcomhthéacs

Céimeanna comparáide na haidiachta

Úsáidtear céimeanna comparáide chun comparáid a dhéanamh idir rudaí.

Tá **Seán níos cáirdiúla** ná Liam.
Is é Eoin an duine **is airde.**

De ghnáth caolaítear an consan deiridh agus cuirtear 'e' leis.

bán ➔ níos bá**ine**

daor ➔ níos dao**ire**

sean ➔ níos s**ine**

Aidiachtaí a chríochnaíonn le:

1. **-úil** ➔ níos **-úla** ➔ is **-úla**.
   leisci**úil** ➔ níos leisci**úla** ➔ is leisci**úla**
2. **-ach** ➔ níos **-aí** ➔ is **-aí**.
   brón**ach** ➔ níos brón**aí** ➔ is brón**aí**
3. Le guta, níl aon athrú.
   cliste ➔ níos cliste ➔ is cliste
4. **-(a)ir/ar** ➔ níos **-ra** (nó **re**) ➔ is **-ra/re**.
   deac**air** ➔ níos deac**ra** ➔ is deac**ra**; láid**ir** ➔ níos láid**re** ➔ is láid**re**

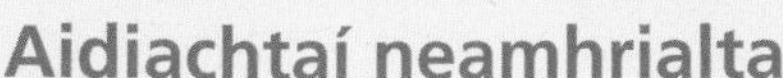

Aidiachtaí neamhrialta

Bunchéim	➔	Breischéim	➔	Sárchéim
beag	➔	níos lú	➔	is lú
mór	➔	níos mó	➔	is mó
maith	➔	níos fearr	➔	is fearr
olc/dona	➔	níos measa	➔	is measa
fada	➔	níos faide	➔	is faide
gearr	➔	níos giorra	➔	is giorra
te	➔	níos teo	➔	is teo
tréan	➔	níos treise	➔	is treise
mall	➔	níos moille	➔	is moille
tapaidh	➔	níos tapúla	➔	is tapúla
álainn	➔	níos áille	➔	is áille
furasta	➔	níos fusa	➔	is fusa

Ceacht

Freagair na ceisteanna seo le habairt iomlán (faigh eolas ón Idirlíon).

Mar shampla: Cad í an abhainn is faide in Éirinn? Is í an tSionainn an abhainn is faide in Éirinn.

1. Cad í an abhainn is faide san Eoraip?
2. Cad í an tír is mó san Eoraip?
3. Cad í an tír is lú san Eoraip?
4. Cad í an tír is mó ar domhan?
5. Cad í an tír is lú ar domhan?
6. Cad í an teanga is sine san Eoraip?
7. Cad í an teanga is sine ar domhan?
8. Cad é an mothúchán is láidre sa dán *Géibheann*?
9. Cad iad na mothúcháin is treise sa dán *Colscaradh*?
10. Cad í an íomhá is áille sa dán *An tEarrach Thiar*?
11. Cad iad na híomhánna is éifeachtaí sa dán *Mo Ghrá-sa (idir lúibíní)*?
12. Cad é an meafar is cumhachtaí sa dán *Géibheann*?
13. Cé hé/hí an lúthchleasaí is tapúla ar domhan?
14. Cé hé/hí an peileadóir is fearr ar domhan?
15. Cé hé/hí an dalta is fearr sa rang?
16. Cad é an tubaiste is measa dár tharla riamh?
17. Cad í an abhainn is faide ar domhan?
18. Cad í an tír is teo ar domhan?
19. Cad í an tír is boichte ar domhan?
20. Cad iad na tíortha is saibhre ar domhan?

Cleachtadh taighde

Faigh amach cad iad na 10 dtír is saibhre agus is boichte ar domhan agus bunaigh cur i láthair ranga air. **Mar shampla:** tá Éire **níos saibhre ná** an Aetóip; is é Meiriceá an tír **is saibhre** ar domhan; is í Poblacht an Chongó an tír **is boichte** ar domhan.

Cleachtadh scríofa

Scríobh abairtí ag déanamh comparáide idir an Aetóip agus Éire.

Mar shampla: Tá an daonra san Aetóip níos mó ná an daonra in Éirinn.

	An Éatóip	Éire
Daonra	65.8 milliún	4.5 milliún
Ioncam bliantúil	$100 an duine	$25,918 an duine
Teangacha	Amharic, Tigrinya, Oromo	Gaeilge, Béarla
Ráta báis na naíonán	98 as gach 1,000	6 as gach 1,000

Na heagraíochtaí carthanachta

Seo a leanas liosta d'eagraíochtaí carthanachta. Téigh go dtí a suíomh Idirlín agus faigh eolas faoin obair a dhéanann siad agus roinn an t-eolas sin leis an rang.

Eagraíochtaí a oibríonn leis na bochtáin in Éirinn

Cumann Naomh Uinseann de Pól www.svp.ie

Pobal Shíomóin www.simon.ie

Barnardos www.barnardos.ie

Focus Ireland www.focusireland.ie

Children's Rights alliance www.childrensrights.ie

Alone www.alone.ie

Eagraíochtaí a oibríonn leis na bochtáin thar lear

Trócaire www.trocaire.org

Goal www.goal.ie

Oxfam www.oxfamireland.org

Concern www.concern.net

Bóthar www.bothar.ie

Cúnamh Éireann (Irish Aid) www.irishaid.gov.ie/ie

Vita www.vita.ie

The Hope Foundation www.hopefoundation.ie

Fairtrade www.fairtrade.ie

Ceapadóireacht: díospóireacht

'Is í an tsaint is cúis le bochtanas sa domhan.'

Féach ar lth 441 chun foclóir don díospóireacht a fháil.

Plean

Tús: Beannú, an rún, a rá go bhfuil tú ar son/in aghaidh an rúin, do phointí, sainmhíniú. Cad is ciall le saint agus le bochtanas?

Pointe 1: Tá dóthain bia ann – staitisticí a léiríonn go bhfuil dóthain bia agus acmhainní ar an domhan chun dul i ngleic leis an mbochtaineacht

Pointe 2: Easpa tola polaitiúla, samplaí de pholasaithe a fhágann daoine ar an ngannchuid

Pointe 3: Cogadh, an t-airgead a chaitear ar airm, an tslí ina gcuireann cogadh isteach ar gheilleagar tíre

Críoch: Achoimre ar do phointí

A chathaoirligh, a mholtóirí, a lucht an fhreasúra agus a lucht éisteachta, go mbeannaí Dia daoibh. Is mise Máirtín de Búrca, agus is é an rún atá á phlé againn inniu ná gurb í an tsaint is cúis le bochtanas sa domhan. **Táimse agus m'fhoireann go huile is go hiomlán i bhfábhar an rúin seo, agus léireoimid daoibh gan dabht ar bith fírinne an ráitis seo. Beidh mise ag caint faoin** bhflúirse bia agus acmhainní atá ar fáil ar an domhan agus ag cur na ceiste: cén fáth a bhfuil daoine ocrach? **Léireoidh mé le staitisticí agus le fíricí** go bhfuil mórán daoine **ar an ngannchuid** cé go bhfuil na hacmhainní ann chun **caighdeán maireachtála fónta** a thabhairt dóibh, agus cuirfidh mé an cheist arís, cén fáth? **A chairde**, níl ach freagra amháin ar an gceist seo: saint! Saint an chine daonna. Labhróidh **mé faoi** chúrsaí polaitíochta, chúrsaí cogaidh agus faoin tslí ina bhfágtar na milliúin faoi bhochtaineacht dá bharr. **Táim cinnte, a dhaoine uaisle, go mbeidh sibh ar aon intinn liom faoi dheireadh mo chuid chainte nuair a chloisfidh sibh an méid atá le rá agam.**

Ar an gcéad dul síos, caithfidh mé sainmhíniú a thabhairt ar an rún. Cad go díreach í 'an tsaint'? Ciallaíonn saint 'dúil iomarcach' nó 'dúil as cuimse'. De ghnáth is dúil i maoin an tsaoil atá i gceist, ach uaireanta is dúil i gcumhacht nó neart a bhíonn i gceist. Agus cad is ciall le bochtanas? Ar ndóigh, nuair a fheicimid pictiúir ar an scáileán de dhaoine ocracha i dtíortha i gcéin, tuigimid go léir cad is ciall le bochtanas. Ciallaíonn sé easpa, ganntanas. Bíonn daoine fíorbhocht nuair nach bhfuil fáil acu ar uisce, bia agus dídean – bunriachtanais an tsaoil. Ach tá bochtanas coibhneasta ann freisin. Bíonn daoine bocht i gcomparáid le daoine eile sa tsochaí. Deirtear go bhfuil an bochtanas is measa sna tíortha forbartha.

Anois, a chairde, ba mhaith liom roinnt staitisticí a roinnt libh. An raibh a fhios agaibh go bhfuil dóthain bia ar an bpláinéad seo chun luach 3,000 calra sa lá a thabhairt do gach duine beo? **Ina ainneoin seo, a dhaoine uaisle**, faigheann duine amháin bás leis an ocras gach 3.6 soicind. (sos). Sea, a dhaoine uaisle, ó thosaigh mise an díospóireacht seo, cé mhéad duine atá tar éis bás a fháil? Tá os cionn 840 milliún duine ocrach sa domhan agus faigheann 10 milliún páiste bás gach bliain leis an ocras – **samhlaígí é sin**: 10 milliún páiste, ní le galar uafásach, ach leis an ocras!

Agus cén fáth a bhfuil an scéal mar atá? De bharr shaint an duine. Ceann de na cúiseanna is mó atá le bochtaineacht ná cúrsaí polaitíochta agus polasaithe rialtais. Go minic i dtír le mórán daoine faoi bhochtaineacht, bíonn grúpa beag santach i gcumhacht – rialtas míleata mar atá i gcás Burma, nó polaiteoirí cama a **bhíonn ag tochras ar a gceirtlín** féin. Daoine santacha a bhíonn i gceist, ar cuma leo faoin gcosmhuintir. Tá go leor samplaí le fáil ar **fud na cruinne**. Nuair a bhíonn daoine ag fáil bháis leis an ocras bíonn an rialtas ag easpórtáil bia. Seo go díreach an rud a tharla san Éatóip sa bhliain 1984. Bhí gorta sa tír, ní raibh dóthain bia ann do dhaoine ach bhí bia d'ainmhithe á fhás agus á easpórtáil as an Aetóip go dtí an Bhreatain ag an am céanna. Ní gá dúinn ach smaoineamh siar ar stair ár dtíre féin chun sampla eile a fháil. Nuair a bhí an Gorta Mór in Éirinn sa bhliain 1845, bhí bia á easpórtáil as an tír. Is léir gurb í an tsaint ba chúis leis an ngorta.

11

Sampla eile den tsaint is ea cogaíocht. Bíonn daoine santacha ag lorg cumhachta agus téann siad i muinín an fhoiréigin. Scriostar barraí, bia agus ainmhithe agus maraítear na mílte daoine, ach is cuma leo. Bíonn an tsaint níos láidre ná an daonnacht. Staitistic eile a chuirfidh ionadh agus uafás oraibh a chairde: an bhfuil fhios agaibh cé mhéad a chaitear ar airm agus ar chúrsaí míleata in aghaidh na bliana? $1055 billiún. **Sea, a dhaoine uaisle, baineadh geit asamsa freisin nuair a chuala mé sin**. An rud is measa faoin scéal ná nach gcosnódh sé ach $19 mbilliún chun stop a chur le gorta agus míchothú ar fud na cruinne, ach an bhfuil an cine daonna sásta an t-airgead sin a thabhairt? **Níl! Is mór an náire é!**

A chairde, tá an t-am ag imeacht agus caithfidh mé deireadh a chur le mo chuid cainte. Tá súil agam gur thug mé ábhar machnaimh daoibh agus go n-aontaíonn sibh liom nuair a deirim gurb í an tsaint is cúis leis an mbochtaineacht. Go raibh míle maith agaibh as ucht éisteacht liom.

Faigh agus foghlaim

Faigh agus foghlaim focail a chiallaíonn:

gan mórán

is éard is brí leis ná...

mar thoradh air seo

níos mó ná

i gceannas

ag smaoineamh orthu féin amháin

tíortha i bhfad uainn

na gnáthdhaoine a chónaíonn i dtír

rudaí a bhfuil gá leo le maireachtáil (bia, uisce)

ar fud an domhain

Cleachtadh ceapadóireachta

Ceap aiste ar 'An bhochtaineacht in Éirinn' nó 'An tríú domhan'.

Scrúdú Béil: Agallamh: Bochtaineacht

Léigh é seo.

Agallóir	Inis dom, cad iad na fadhbanna is mó atá againn sa tír seo sa lá inniu, dar leat?
Fiachra	Ceapaim gur fadhb mhór í fadhb na bochtaineachta agus **eascraíonn** fadhbanna eile as sin: coiriúlacht, alcólachas agus foréigean, mar shampla. Ar ndóigh, i rith thréimhse an Tíogair Cheiltigh bhí gach duine ar mhuin na muice, nó **sin a dúradh pé scéal é**. Ach tá daoine ag fulaingt anois. Tá an ráta dífhostaíochta ag ardú lá i ndiaidh lae agus tá níos mó daoine ná riamh faoi bhochtaineacht. De réir na staitisticí is déanaí ag an eagraíocht charthanachta Barnardos tá os cionn 90,000 páiste ina gcónaí faoi bhochtaineacht sa tír. Is scannal saolta é sin.
Agallóir	Gan dabht is ea. Abair liom, a Fhiachra, táid ann a deir gur tír den tríú domhan í Éire anois. Cad a cheapann tú faoi sin? An aontófá leo?
Fiachra	Bhuel, leis an bhfírinne a rá, ní dóigh liom gur fíor sin. Ceapaim gur masla é do na daoine go léir atá **ag fáil bháis** leis an ocras ar fud na cruinne. Is tír shaibhir í Éire. **É sin ráite, tá éagothroime i ndáileadh an rachmais** sa tír. Tá daoine saibhre sa tír agus **is minic nach dtuigeann an sách an seang.** Níl aon dabht ná go bhfuil go leor daoine in Éirinn faoi bhochtaineacht ach ní féidir é a chur i gcomparáid leis an mbochtaineacht sa tríú domhan.
Agallóir	Agus cad is féidir linne anseo in Éirinn a dhéanamh chun cabhrú le daoine sa tríú domhan, meas tú? An bhfuil aon smaointe agat faoi sin?
Fiachra	Tá go leor eagraíochtaí carthanachta as Éirinn ag cabhrú le daoine i dtíortha i mbéal forbartha - leithéidí Trócaire, Goal agus Bóthar. Déanann siad obair iontach agus tá ardmholadh tuillte ag na mílte oibrithe dheonacha a théann ag obair leo. Caithfidh mé a rá go bhfuil mé an-bhródúil astu, leithéidí Niall Mellon agus na daoine go léir atá ag cabhrú leis chun tithe a thógáil do na daoine is boichte san Afraic Theas. Ach ceapaim go bhféadfadh an rialtas s'againne níos mó a dhéanamh – d'fhéadfaidís troid ar son cealú fiacha do na tíortha is boichte, mar shampla.
Agallóir	Go raibh maith agat, a Fhiachra.

Faigh agus foghlaim

Faigh agus foghlaim focail a chiallaíonn:

mórtasach as	fásann sé as	saibhreas
ár	an mbeifeá ar aon intinn leo?	níl sé cothrom
daoine cosúil le	go sona sásta	ní thuigeann daoine saibhre
obair gan phá	tarcaisne	daoine bochta
tíortha atá ag forbairt	roinnt	

Cad is ciall leis na nathanna aibhsithe? Faigh amach an chiall atá leo agus foghlaim iad.

Ullmhú don scrúdú béil

Anois scríobh na ceisteanna thuas i do chóipleabhar agus tabhair do fhreagra féin orthu.

Dán faoi oibrí feirmeora san ochtú haois déag: An Spailpín Fánach

Réamhrá

Mar is eol do chách bhí fíorbhochtanas in Éirinn fadó. Seo dán a scríobhadh roimh an nGorta Mór. Scríobhadh é thart ar na 1790ídí roimh Éirí Amach 1798. Tugtar léargas dúinn sa dán ar shaol an spailpín agus ar an mbochtaineacht a bhí ann ag an am. Tá leaganacha éagsúla den amhrán, le Líadan, Dervish, agus John Spillane, ar fáil ar YouTube.

Cúlra

An 18ú haois in Éirinn

Idir 1700-1800 bhí na Péindlíthe i bhfeidhm in Éirinn, is é sin dlíthe in aghaidh na gCaitliceach agus *na dissenters*. Bhí na taoisigh Ghaelacha imithe agus mar sin ní raibh aon obair le fáil ag na filí. Bhí orthu obair a fháil mar spailpíní, is é sin obair feirme; ach leanadar orthu ag cumadh dánta agus amhráin faoina saol. Thugtaí spailpíní fánacha orthu mar go mbíodh orthu dul ó áit go háit ag lorg oibre.

Tagann sé ón bhfocal 'speal' (*scythe)* agus 'pingin' (*penny).* Bhíodh an focal '*spalpeen*' in úsáid sa Bhéarla freisin ag an am. Ciallaíonn an focal 'fánach' '*wandering*' sa chás seo (tá brí eile leis an bhfocal freisin: '*random*' nó 'randamach').

Théadh na spailpíní go dtí an margadh i mbaile agus thagadh na feirmeoirí chun iad a fhostú don lá nó don séasúr. Phiocadh na feirmeoirí agus na tiarnaí talún na spailpíní ba láidre agus ab óige. Bhí saol crua ag na spailpíní agus dhéantaí dúshaothrú orthu. Sa dán seo, tá an spailpín tuirseach dá shaol crua agus tá sé socraithe aige páirt a ghlacadh in Éirí Amach 1798 le rí na gcroppies.

Croppies a thugtaí ar dhaoine a bhí ar son Réabhlóid na nÉireannach Aontaithe mar bhí sé de nós acu a gcuid gruaige a ghearradh (*cropped haircut*) de réir nós na réabhlóidithe Francacha. Thosaigh na Sasanaigh ag gabháil agus ag tabhairt drochíde d'aon duine a raibh bearradh gruaige mar seo orthu.

Obair idirlín

Cuardaigh: 'The Croppy Boy' (amhrán), 'Requiem for the Croppies' (dán le Séamas Heaney) agus 'Boolavogue' (amhrán faoin Éirí Amach i Loch Garman) ar an idirlíon. Cad a cheapann tú fúthu?

Na Péindlíthe

Seo roinnt samplaí de na Péindlíthe:

- Ní raibh cead vótála ag Caitlicigh ná *dissenters* (Protastúnaigh nach raibh ina mbaill d'Eaglais na hÉireann).
- Ní raibh cead acu dul ar ollscoil.
- Ní raibh cead acu talamh a cheannach.
- Ní raibh cead acu capall thar luach £5 a bheith acu.
- Dá n-iompódh mac le Caitliceach ina bhall d'Eaglais na hÉireann, bheadh cead aige eastát a athar a fháil.
- Ní raibh cead acu múineadh i scoil (cé go raibh scoileanna scairte i réim).
- Ní raibh cead acu airm a bheith acu.

D'fhulaing Protastúnaigh nach raibh ina mbaill d'Eaglais na hÉireann (mar shampla, Preispitírigh) faoi na Péindlíthe freisin, agus bhíodar míshásta le rialtas Shasana. Shocraigh Preispitírigh aontú leis na Caitlicigh agus bhunaigh Protastúnach darbh ainm Wolfe Tone, Na hÉireannaigh Aontaithe (*The United Irishmen*). Thug Réabhlóid na Fraince (1789) inspioráid don chumann seo, agus shocraíodar éirí amach in aghaidh na Sasanach agus Poblacht na hÉireann a bhunú. Thug an Fhrainc cabhair dóibh ach theip ar an Éirí Amach i 1798, agus bhí Acht an Aontais (1800) mar thoradh air. Mar sin féin, 150 bliain i ndiaidh an Éirí Amach, sa bhliain 1948 bunaíodh, ar deireadh, Poblacht na hÉireann.

11

Éirí Amach 1798

Theip ar an Éirí Amach de bharr easpa eagair agus scil mhíleata. Sheas ógánaigh bhochta Éireannacha (na '*croppies*') – gan d'airm acu ach na pící a d'úsáid siad don obair feirme a bhíodh ar siúl acu (féach lth 346) – an fód in aghaidh na ngunnaí móra a bhí ag arm profaisiúnta Shasana.

Cé go raibh Caitlicigh agus Protastúnaigh áirithe aontaithe sa réabhlóid, rinne Sasana iarracht iad a dheighilt agus sa bholscaireacht a lean an tÉirí Amach, dúradh gurb iad na 'Pápaigh' ba chúis leis. San amhrán clúiteach dílseach 'Croppies Lie Down' caitear dímheas ar na '*croppies*'.

Theobold Wolfe Tone

Bhunaigh sé na hÉireannaigh Aontaithe i gcomhar le Napper Tandy agus Thomas Russell i 1791 chun Caitlicigh agus Protastúnaigh a aontú in aghaidh rialtas na Breataine.

Cleachtadh taighde

Déan taighde ar an tréimhse seo agus faigh eolas ar an Éirí Amach i 1798.

Ceisteanna

1. Cén fáth nach raibh aon obair ag na filí?
2. Cad é 'spailpín'?
3. Cad iad na Péindlíthe?
4. Cathain a scríobhadh an dán seo?
5. Cé a bhunaigh na hÉireannaigh Aontaithe? Cén aidhm a bhí acu?
6. Cathain a tharla an tÉirí Amach? Ar éirigh leis? Cad é an toradh a bhí air?
7. Cad is ciall le '*croppy*'?

Mír 11.2
T46

An Spailpín Fánach

*Im **spailpin fánach** atáim le fada*
***ag seasamh ar** mo shláinte,*
*ag siúl an **drúchta** go moch ar maidin*
*'s ag bailiú galair **ráithe;***
*ach glacad fees ó **rí na gcroppies,***
cleith is píc chun sáite
's go brách arís ní ghlaofar m'ainm
sa tír seo, an spailpín fánach

*Ba mhinic mo **thriall** go **Cluain gheal Meala***
's as san go Tiobraid Árann;
*i gCarraig na Siúire thíos do **ghearrainn***
cúrsa leathan láidir;
*i gCallainn go dlúth 's **mo shúiste im ghlaic***
ag dul chun tosaigh ceard leo
's nuair théim go Durlas 's é siúd a bhíonn agam-
"Sin chú'ibh an spailpín fánach!"

*Go deo deo arís ní **raghad** go Caiseal*
*ag díol ná ag **reic** mo shláinte*
*ná ar **mhargadh na saoire** im shuí cois balla,*
***im scaoinse** ar leataoibh sráide,*
***bodairí** na tíre ag tíocht ar a gcapaill*
á fhiafraí an bhfuilim hireálta;
'Ó! téanam chun siúil, tá an cúrsa fada'-
siúd ar siúl an Spailpín Fánach.

Foclóir

11

spailpin fánach oibrí feirme a théann ó áit go háit

ag seasamh ar ag brath ar *relying on*

drúchta *dew*

ráithe trí mhí, séasúr (tinnis shéasúir)

fees íocaíocht, táille

rí na g*croppies* ceannaire na reibiliúnach san Éirí Amach

cleith is píc *pole and pike*

chun sáite *to stick into*

mo thriall *my destination*

Cluain gheal Meala *bright Clonmel*

Ghearrainn *I'd cut*

mo shúiste im ghlaic *my flail in my fist (flail* uirlis chun arbhar a bhualadh)

chun tosaigh ceard *excelling in my work*

raghad (M) rachaidh mé

reic ag díol

ar mhargadh na saoire aonach hireála *hiring fair*

im scaoinse i m'fhear ard tanaí

bodairí *oafs*, b'iad sin na feirmeoirí móra a thagadh chun spailpíní a fhostú

Leagan próis

Is spailpín fánach, nó sclábhaí feirme mé ag síor taisteal le fada an lá
ag brath ar neart mo choirp is mo shláinte,
ag siúl ar an drúcht go luath ar maidin
is ag piocadh suas gach sórt tinnis a bhíonn timpeall
ach táim chun airgead a thógáil ó cheannaire na reibiliúnach.
Beidh cleith agus píce, uirlisí feirme, agam mar airm le sá isteach sa namhaid,
agus ní ghlaofaidh aon duine 'an spailpín fánach' orm go deo arís sa tír seo.

Is minic a chuaigh mé go Cluain Meala deas
agus as sin ar aghaidh go Tiobraid Árann;
Thíos i gCarraig na Siúire dhéanainn sraitheanna leathna a ghearradh
agus i gCallainn, le mo shúiste i mo lámh, bhíodh mé níos fearr ná éinne eile ag an obair
agus nuair a théim go Dúrlas Éile, séard a chloisim na daoine ag rá
"Féach, sin an spailpín fánach"

Ní rachaidh mé go Caiseal riamh arís
ag díol nó ag scrios mo shláinte
Nó ní rachaidh mé riamh arís go haonach hireála, i mo shuí ar an mballa
fear caol ard ar thaobh na sráide,
fir shaibhre na tíre ag teacht ar a gcapaill
is ag iarraidh orm an bhfuil mé fostaithe
tar liom anois, tá an bóthar fada
sin an spailpín fánach imithe ar shiúl.

Cleachtadh scríofa

Scríobh an dán i d'fhocail féin. Pioc trí líne ar bith agus iarr ar dhuine eile sa rang iad a mhíniú.

Obair bheirte: rólghlacadh

1. Scríobh an comhrá a shamhlófá idir duine de na tiarnaí talún ('bodairí na tíre') agus an spailpín ag an aonach hireála. Léirigh an ról-imirt don rang le páirtnéir.
2. Samhlaigh go raibh an spailpín páirteach san Éirí Amach agus go raibh air teitheadh nuair a theip air. Scríobh an comhrá faoin Éirí Amach a bheadh aige le duine den chosmhuintir a thug dídean dó (is féidir taighde a dhéanamh ar chath éigin a tharla).

Fíricí faoin bhfile

http://www.educate.ie/próifíl

Spailpín anaithnid a scríobh an t-amhrán seo ag deireadh an ochtú haois déag, is dócha, aimsir Éirí Amach 1798. Is léir go bhfuil sé i gceist aige dul ag troid san Éirí Amach. D'fhan an t-amhrán beo i mbéal na ndaoine. Níl anseo ach trí véarsa ach tá i bhfad níos mó véarsaí ar fáil. Tá leagan eile den amhrán (a chanann Líadan, atá le feiceáil ar YouTube) a chuireann níos mó béime ar an spailpín mar réice a bhí an-cheanúil ar na mná, agus (dar leis féin, pé scéal é) bhí na mná an-cheanúil air! Tá an leagan den amhrán sa leabhar seo níos polaitiúla. Cuirtear béim ar fhearg an fhir óig a oibríonn go crua i ndrochdhálaí agus a bhraitheann go bhfuil éagóir agus dúshaothrú á ndéanamh air agus atá sásta anois troid ar son a chearta.

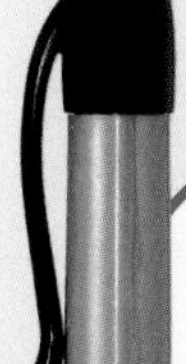

Nótaí ar an dán

Téama

Míshástacht leis an saol an téama is láidre sa dán seo. Tá an file mí-shásta leis an saol crua atá aige ag obair mar spailpín agus tá sé socraithe aige dul ag troid leis na hÉireannaigh Aontaithe ar son a shaoirse agus saoirse na tíre.

Mothúcháin

Fearg agus míshástacht na mothúcháin is láidre a léirítear sa dán seo. Léirítear **náire, fuath**, agus **brón** freisin. Braitheann an file nach bhfuil meas madaidh ag an bpobal air, agus cuireann sé as go mór dó go mbíonn daoine ag glaoch 'an spailpín fánach' air. Is léir gur ainm tarcaisneach a bhí ann ag an am, ar aon dul leis an bhfocal 'tinker' sa lá atá inniu ann, agus bhí náire air nuair a thug daoine an t-ainm sin air. Geallann sé nach nglaofar an t-ainm sin air riamh arís, ''s go brách arís ní ghlaofar m'ainm / sa tír seo, an spailpín fánach'. Tá fuath aige do na feirmeoirí móra 'bodairí na tíre ag tíocht ar a gcapaill'. Tá sé tinn tuirseach den saol crua atá aige ag 'bailiú galair ráithe' agus tá fearg air de bharr an dúshaothraithe atá á dhéanamh air, mar sin tá sé socraithe aige dul ag troid ar son na saoirse, 'ach glacfad *fees* ó rí na g*croppies*, cleith is píc chun sáite'. Tá sé bródúil as a scil mar oibrí, ''s mo shúiste im ghlaic ag dul chun tosaigh ceard leo'. Tá a mhíshástacht le brath síos tríd an dán. Tá saol crua aige ag siúl ó áit go háit agus tá sé socraithe aige éirí as, 'Go deo deo arís ní raghad go Caiseal'.

Friotal

Amhrán atá scríofa i gcaint nádúrtha na ndaoine ag an am is ea an dán seo. Tá canúint na Mumhan le sonrú sna foirmeacha táite* – 'raghad', 'im spailpín', 'glacfad'. Baineann an file úsáid as friotal na ngnáthdhaoine. Úsáideann sé béarlagar ar nós *'fees'*, *'hireálta'* agus *'croppies'* mar gurb iad sin na gnáththéarmaí a d'úsáidtí ag an am. Baineann sé úsáid as focail tharcaisneacha ar nós 'bodairí' agus 'scaoinse' lena dhéistin agus a fhearg a a chur in iúl. Níl an t-amhrán dírithe ar an uasaicme nó lucht léinn. Tá sé dírithe ar na gnáthdhaoine – spailpíní agus a leithéid agus mar sin tá an friotal in oiriúint don lucht éisteachta, agus é scríofa in *argot** na linne.

Úsáideann sé logainmneacha go minic, rud a phréamhaíonn an dán in áit faoi leith – Tiobraid Árann, áit a bhfuil talamh maith agus feirmeacha móra. Ach bhí traidisiún láidir Gaelach i dTiobraid Árann freisin, agus is dócha go raibh go leor fear óg mar é réidh le troid ar son na saoirse. Freisin, bheadh lucht éisteachta aige dá amhrán. Luann sé Callainn, freisin, i gCill Chainnigh agus Carraig na Siúire, i bPort Láirge. Ní raibh ach modh amháin taistil ag na bochtáin ag an am: siúl na gcos. Mar sin, léiríonn sé freisin an saol crua a bhí aige ag bogadh ó áit go háit. Cuireann na logainmneacha le réalachas an dáin. Scríobhadh é i dtréimhse agus in áit faoi leith. Tá sé bunaithe ar stair fhírinneach na tíre – ní aisling é an dán seo ar chor ar bith.

* táite: nuair a dhéantar focal amháin as dhá fhocal. San fhoirm tháite in áit 'rachaidh mé' deirtear 'raghad', nó bhíos (bhí mé), cheannaíos (cheannaigh mé) nó bead (beidh mé), mar shampla. Tá sé seo coitianta i gcanúint na Mumhan ach go háirithe.

**argot*: ón bhFraincis, ciallaíonn sé an friotal a úsáideann fo-chultúr sóisialta.

Meadaracht

Meadaracht an amhráin atá againn anseo. Meadaracht aiceanta atá i gceist, is é sin, cuirtear béim ar ghutaí áirithe. Tá béim ar an nguta 'á' ag deireadh gach dara líne síos tríd an dán.

Cleachtadh scríofa

1. Scríobh na nathanna seo a leanas in abairtí: ní fios cé, bródúil as, faoi leith, préamhaithe i, troid ar son a chearta, ag fulaingt de bharr, meas madaidh, ar aon dul le, tarcaisneach, caint nádúrtha na ndaoine, i mbéal an phobail, atá i gceist.
2. Scríobh nóta ar an úsáid a bhaineann an file as logainmneacha.
3. Cad é an mothúchán is treise sa dán seo, dar leat? Léirigh mar a chuireann an file an mothúchán sin os ár gcomhair síos tríd an dán.

Léargas ar shaol an spailpín

Úsáideann an file íomhánna láidre dá shaol chun an cruatan agus an t-anró a fhulaingíonn sé a léiriú dúinn. Sa chéad véarsa, tá íomhá de ag siúl go luath ar maidin agus ag fáil tinnis, 'ag siúl an drúchta go moch ar maidin / 's ag bailiú galair ráithe'. Cuirtear íomhá os ár gcomhair de dhuine tuirseach, ag dul in aois, b'fhéidir, agus an tsláinte ag briseadh air. Tá codarsnacht idir an íomhá seo den spailpín agus an íomhá de sa dara véarsa.

Sa dara véarsa, cuirtear íomhá den spailpín mar fhear óg, láidir, oilte os ár gcomhair agus é ag dul ó áit go háit – Cluain Meala, Tiobraid Árann, Carraig na Siúire agus Callainn, 'do ghearrainn cúrsa leathan láidir'. Tá sé bródúil as a chuid oibre: 'ag dul chun tosaigh ceard leo' ach goilleann sé air go nglaonn daoine spailpín air: 'S nuair a théim go Dúrlas 's é siúd a bhíonn agam- / 'Sin chú'ibh an spailpín fánach'.

Sa tríú véarsa faighimid léargas ar an saol truamhéileach, dímheasúil atá aige ag na haonaigh hireála, áit a mbíonn air seasamh agus fanacht go dtiocfaidh 'bodairí na tíre' ar a gcapaill chun é a fhostú. Ba shiombail stádais é an capall ag an am ar aon dul le carr galánta sa lá atá inniu ann. Bhíodh na feirmeoirí saibhre agus na tiarnaí talún sotalacha, ardnósacha ar a gcapaill ag féachaint anuas go tarcaisneach ar na spailpíní. Tá codarsnacht láidir le feiceáil idir stádas agus cumhacht an tiarna talún, agus leochaileacht agus easpa stádais an spailpín, a bhfuil dímheas ag cách air.

Atmaisféar

Athchruthaíonn an file atmaisféar na linne go héifeachtach sa dán seo. Sa chéad véarsa, cruthaítear atmaisféar gruama, míshocair ina léirítear cruatan shaol an spailpín agus an socrú atá déanta aige dul ag troid le 'rí na g*croppies*'. Faighimid léargas ar atmaisféar réabhlóideach na linne, áit a raibh na daoine bochta sásta dul ag troid ar son na saoirse, cé nach raibh acu ach 'cleith is píce'.

Sa dara véarsa, cruthaítear atmaisféar éagsúil den spailpín óg, láidir, ag obair go dian, dícheallach in áiteanna éagsúla i lár na tíre. Cuireann na logainmneacha le hatmaisféar agus le réalachas an dáin. Sa tríú véarsa cruthaítear atmaisféar an mhargaidh hireála, áit a mbíodh na huaisle ar a gcapaill ag féachaint anuas ar na spailpíní. Is féidir an fuath, an náire agus an éagóir a bhrath go láidir sa véarsa seo. Tá na 'bodairí' (na huaisle) ar a gcapaill, agus an file mar 'scaoinse ar leataoibh sráide'.

? Ceist shamplach

'Tugtar léargas inchreidte, réalaíoch dúinn san amhrán seo ar thréimhse chorraitheach i stair na tíre seo.' É sin a phlé.

Treoir

Nod 1: Cuir líne faoi eochairfhocail.

Nod 2: Mínigh an cúlra (an tréimhse stairiúil atá i gceist). Déan amach pointí. Téigh tríd gach véarsa ag fáil línte chun tacú le do phointí.

✓ Freagra samplach

Caithfidh mé a rá go bhfaighimid léiriú iontach ar thréimhse chorraitheach stairiúil san amhrán seo. Scríobhadh an t-amhrán seo ag deireadh an ochtú aois déag, nuair a bhí tionchar réabhlóid na Fraince ag scaipeadh ar fud an domhain. D'éirigh na bochtáin sa Fhrainc amach in aghaidh na n-uaisle agus bhunaigh siad poblacht. Bhí muintir na hÉireann faoi chois ag an am ag Coróin Shasana agus bhí na Péindlíthe i bhfeidhm sa tír. Rinne na Péindlíthe éagóir ar Chaitlicigh – tromlach na tíre – agus ar Phrotastúnaigh nach raibh ina mbaill d'Eaglais na hÉireann. Bhunaigh Wolfe Tone na hÉireannaigh Aontaithe chun éirí amach a eagrú agus poblacht a bhunú in Éirinn. Tugadh '*croppies*' ar na reibiliúnaigh seo mar ghearradar a gcuid gruaige ar nós na réabhlóidithe sa Fhrainc. Bhí bochtáin na hÉireann – daoine cosúil leis an spailpín a chum an t-amhrán seo – tinn tuirseach den anró agus den chruatan a d'fhulaing siad agus bhí siad sásta troid ar son na saoirse, cé nach raibh acu mar airm ach 'cleith is píce'.

Sa chéad véarsa, faighimid léargas inchreidte, réalaíoch ar shaol crua an spailpín, 'ag siúl an drúchta go moch ar maidin / 's ag bailiú galair ráithe' ach léiríonn sé freisin go bhfuil sé sásta troid ar son a shaoirse,'glacfad *fees* ó rí na *gcroppies.*' Úsáideann sé focail na linne '*fees*' agus '*croppies*', rud a chuireann le réalachas an amhráin.

Sa dara véarsa, cuirtear saol an spailpín os ár gcomhair. Úsáidtear logainmneacha go héifeachtach ag léiriú an saoil fhánaigh a bhí acu ag bogadh ó áit go háit agus iad ag obair go crua, 'i gCarraig na Siúire thíos do ghearrainn/ cúrsa leathan láidir'. Bhí bród ar an spailpín as a chuid scileanna, 'ag dul chun tosaigh ceard leo', ach taobh leis an mbród seo, léirítear an náire a bhí air nuair a bhíodh daoine dímheasúil leis, ''s nuair a théim go Durlas 's é siúd bhíonn agam- / "Sin chú'ibh an spailpín fánach!"'

Sa tríú véarsa, faighimid léargas réalaíoch, inchreidte de 'mhargadh na saoire', is é sin an t-aonach hireála. Tá an fuath le brath idir an spailpín agus na huaisle a thagann chun é a fhostú, 'bodairí na tíre ag tíocht ar a gcapaill'. Ní haon ionadh go bhfuil sé sásta páirt a ghlacadh san Éirí Amach. Is cinnte go bhfaighimid léargas iontach réalaíoch, inchreidte, fírinneach ar an tréimhse seo i stair na hÉireann ó dhearcadh spailpín bhoicht san amhrán seo.

Ceisteanna scrúdaithe

1. 'Tugtar léargas iontach dúinn san amhrán seo ar shaol crua anróiteach an spailpín san ochtú aois déag.' É sin a phlé.
2. Scríobh nóta gairid ar an úsáid a bhaineann an file as na teicníochtaí seo a leanas: friotal, codarsnacht, íomhánna, atmaisféar, athrá, meadaracht.
3. Déan plé gairid ar na mothúcháin a mhúsclaítear ionat nuair a léann tú an dán seo Ó fhianaise an amhráin, cén sórt duine é an file, dar leat? Faigh tacaíocht do do thuairim ón amhrán (bain úsáid as línte cuí).
4. 'Is amhrán tírghrá é an t-amhrán seo'. É sin a phlé.

Súil siar: seicliosta

- **Foghraíocht** 's' le guta caol agus le guta leathan
- **Gramadach** Saorbhriathar sa Mhodh Coinníollach
  Céimeanna comparáide na n-aidiachtaí
- **Labhairt** Conas labhairt faoin mbochtaineacht agus na cúiseanna atá leis; an Tríú Domhan agus an bhochtaineacht in Éirinn, cúiseanna atá le gorta
- **Scríobh** Conas díospóireacht a scríobh ar 'Is í an tsaint is cúis leis an mbochtaineacht' agus tabhairt faoi aistí eile ar thopaic na bochtaineachta

Ceist 1 LÉAMHTHUISCINT (100 marc)

A – 50 marc

Léigh an sliocht seo a leanas agus freagair na ceisteanna a ghabhann leis.

Scéim Inimirce Dhílleachtaí go dtí an Astráil 1848

1. Tháinig go leor Éireannach chun na hAstráile i luathstair na coilíneachta faoi scéimeanna inimirce éagsúla. Rinneadh comóradh ar na mallaibh ar scéim inimirce amháin ar ar tugadh 'Scéim Inimirce Dhílleachtaí an Ghorta Mhóir'. Cuireadh tús leis an Scéim Inimirce Dhílleachtaí ar 6 Deireadh Fómhair 1848, nuair a tháinig long darb ainm an Earl Grey i dtír i gCuas Sydney, agus 183 bean óg Éireannach ar bord. Thóg a n-aistear as Plymouth ceithre mhí. Dílleachtaí ó thithe na mbocht ba ea na mná óga seo agus ní ba dhéanaí, tháinig beagnach ceithre mhíle bean óga Éireannacha eile as na tithe chun na hAstráile faoin scéim. Bhí na mílte duine i dtithe na mbocht in Éirinn sa bhliain 1848 - go leor dílleachtaí ina measc - mar gheall ar an nGorta Mór. Ag an am céanna, bhí cúpla fadhb ag na húdaráis sa choilíneacht Astrálach. Sa chéad dul síos, bhí ganntanas oibrithe go ginearálta, ach go háirithe searbhóntaí tí. Bhí éagothroime freisin idir líon na bhfear agus líon na mban, agus b'údar imní í seo do dhaoine áirithe.

2. Le dul i ngleic le fadhb thithe na mbocht in Éirinn agus leis na fadhbanna sa choilíneacht araon, cuireadh tús leis an scéim inimirce thuasluaite. Tháinig 4,114 bean óg, a bhí idir ceithre bliana déag d'aois agus naoi mbliana déag d'aois, chun na hAstráile faoin scéim. Tháinig na mná óga sa chéad long as ceithre chontae i gCúige Uladh, ach ar an iomlán tháinig na dílleachtaí as 120 teach na mbocht as áiteanna éagsúla ar fud Éireann.

3. Aisteach le rá, cé go raibh an-tóir ar na mná óga abhus, níor cuireadh fearadh na fáilte roimh na dílleachtaí ar an Earl Grey, nó roimh a gcomhpháirtithe a tháinig i dtír ní ba dhéanaí sa scéim. Le blianta sular cuireadh tús leis an scéim, bhí díospóireacht ghéar ar siúl sa choilíneacht i dtaca le caighdeán na ndaoine a bhí ag teastáil le forbairt na tíre nua a chur chun cinn. Ní raibh daoine áirithe abhus sásta le dúnghaois inimirce na n-údarás i Londain agus thug siad "pauper immigration" ar an mbeartas a bhí i bhfeidhm sna 1830s.

4. Ní raibh mná na chéad loinge i bhfad i Sydney sula raibh ráflaí ag dul thart ag cur in iúl go raibh drochiompar i gceist leo ar an aistear mara chun na coilíneachta. Fiú nuair a fuair siad poist sa chathair agus in áiteanna eile sa choilíneacht go gairid ina dhiaidh sin, bhíodh tuairiscí sna nuachtáin go rialta ag maíomh nach raibh na mná in ann a ndualgais oibre a dhéanamh i gceart.

5. Gan amhras bhí dearcadh fríth-Éireannach – go háirithe dearcadh fríth-Chaitliceach – le sonrú sa choilíneacht roimh theacht na ndílleachtaí, agus de réir nuachtáin amháin in Sydney sa bhliain 1848, ní raibh sna mná óga ach "the sweepings of the workhouses". Léirigh an ministir Preispitéireach, John Dunmore Lang, an cineál meoin a bhí ag cuid de na coilínigh áitiúla nuair a scríobh sé chuig Rúnaí na gCoilíneachtaí i Londain ag impí air "virtuous and industrious Protestants" a chur amach ar inimirce seachas mná Caitliceacha Éireannacha, ar eagla go mbeadh an choilíneacht 'Tipperarified'! Mar gheall ar na hailt sna nuachtáin, ar na gearáin a rinne mionlach beag de na fostóirí agus ar na litreacha agus achainíocha a scríobh daoine ar nós Lang chuig na húdaráis sa Bhreatain, cuireadh deireadh leis an scéim inimirce sa bhliain 1850. Is mór an trua é gur cuireadh deireadh léi mar go raibh os cionn céad míle páiste fós i dtithe na mbocht in Éirinn ag an am.

(As 'An Bád Bán go Cuas Sydney' le Bearnaí Ó Doibhlin, Beo.ie)

Ceisteanna

1. **(a)** Cén fáth go raibh na mílte duine i dtithe na mbocht in Éirinn?
   (b) Luaigh dhá fhadhb a bhí ag na húdaráis sa chóilíneacht. (Alt 1) (7 marc)
2. Tabhair **dhá** chúis gur cuireadh tús leis an scéim inimirce seo. (Alt 2) (7 marc)
3. Cén fáth nach raibh roinnt daoine sásta leis an scéim? (Alt 3) (7 marc)
4. Luaigh dhá liamhaint a cuireadh i leith na mban óga? (Alt 4) (7 marc)
5. **(a)** Cén sórt dearcadh a bhí le sonrú san Astráil ag an am sin?
   (b) Cad a bhí i gceist le 'Tipperarified'? (Alt 5) (7 marc)
6. **(a)** Tabhair dhá shampla d'ainmfhocal teibí agus samplaí d'ainmfhocal iolra sa Tuiseal Ginideach in Alt 1.
   (b) Cén chineál scríbhneoireachta atá sa sliocht seo? Luaigh na comharthaí sóirt a bhaineann leis an gcineál seo scríbhneoireachta agus tabhair samplaí díobh. (15 mharc)

Ceist 2 PRÓS (30 marc)

A – PRÓS AINMNITHE nó PRÓS ROGHNACH – (30 marc)

Freagair Ceist 2A ***nó*** Ceist 2B thíos.

2A. Prós Ainmnithe

Faighimid léargas lom, cumhachtach ar an saol i mBéal Feirste le linn na dTrioblóidí sa ghearrscéal *An Gnáthrud*.' É sin a phlé. (30 marc)

nó

'Tá an greann chun tosaigh sa sliocht seo as *Seal i Neipeal*.' É seo a phlé.

2B. Prós Roghnach

Maidir le gearrscéal nó sliocht roghnach a ndearna tú staidéar air le linn do chúrsa, déan plé ar dhá ghné de a chuaigh i bhfeidhm ort. (30 marc)

Ceist 3 FILÍOCHT (30 marc)

B – FILÍOCHT AINMNITHE nó FILÍOCHT ROGHNACH – (30 marc)

Freagair Ceist 3A ***nó*** Ceist 3B thíos.

3A. Filíocht Ainmnithe

(i) 'Tugtar léargas cumhachtach dúinn ar éagothroime an tsaoil in Éirinn san ochtú haois déag sa dán *An Spailpín Fánach*.' Pléigh. (16 mharc)

(ii) Scríobh nóta ar mheadaracht an amhráin seo. (6 mharc)

(iii) Cén sórt duine é an file, dar leat? (8 marc)

3B. Filíocht Roghnach

(i) I gcás dán a ndearna tú staidéar air le linn do chúrsa scríobh cuntas gairid ar théama an dáin agus mar a chuirtear os ár gcomhair é. (22 mharc)

(ii) Scríobh nóta ar an bhfile. (8 mharc)

(iii) Conas mar a chuaigh an dán seo i gcion ort? (8 marc)

An Timpeallacht

SAN AONAD SEO FOGHLAIMEOIDH TÚ:

F Foghraíocht Athrú fuaime 'r' agus 'rr', 'n' agus 'nn', 'l' agus 'll', agus a leithéid

G Gramadach Iolraí na nAinmfhocal
Forainmneacha réamhfhoclacha

t Tuiscint Conas tuiscint a fháil ar phíosaí cainte agus scríofa faoi athrú aeráide, lorg carbóin, fuinneamh in-athnuaite, buaic na hola, Wangari Maathai agus an eagraíocht Green Belt.

Labhairt Conas labhairt faoi thruailliú agus faoi chaomhnú na timpeallachta.
Tuairim agus moltaí a thabhairt maidir leis an timpeallacht.

Scríobh Conas caint a thabhairt faoi do lorg carbóin.
Conas scríobh faoi thopaicí éagsúla a bhaineann leis an timpeallacht.

An Timpeallacht

Cúinne na fuaime: athrú fuaime a thagann le consain dhúbailte

Nuair a chuirtear dhá 'r', 'n' nó 'l' ag deireadh focail athraíonn an fhuaim.

Mír 12.1 T47 ***Éist agus abair***

bean	beann	lean	glean	crann	clann	
fear	fearr	peata	peann	geal	geall	feall
cean	ceann	teann	teach			

Gaoth, grian, tonn, uisce, talamh

Neamh-in-athnuaite
- breosla iontaise
- ola
- gás
- gual
- móin

Fuinneamh in-athnuaite
- fuinneamh gaoithe (muilte gaoithe)
- uisce
- bithmhais
- taoide
- bithbhreosla
- fuinneamh geoiteirmeach*

***Fuinneamh geoiteirmeach:** fuinneamh i bhfoirm teasa, a fhaightear thíos sa talamh. Má théann tú níos faide ná méadar faoin talamh, bíonn teas nádúrtha le fáil. Is féidir an teas sin a thabhairt aníos le gléasra leictreach chun teach a théamh, nó má thógtar íoslach (*basement*) i dteach tagann an teas nádúrtha aníos.

Cleachtadh éisteachta 1: athrú aeráide agus an timpeallacht

A. An aeráid, téamh domhanda agus an aimsir

Mír 12.2 T48 ***Éist le hÉanna Ní Lamhna ag míniú téamh domhanda agus freagair na ceisteanna.***

1. Cad faoi a mbíonn muintir na hÉireann ag caint i gcónaí?
2. Cad atá ag tarlú leis an aimsir? Cén toradh atá air seo?
3. Cén fáth a bhfuil an aeráid ag athrú? Tabhair dhá chúis.
4. Cad a choimeádann greim ar an teas san atmaisféar?
5. Cén fáth a bhfuil an iomarca dé-ocsaíd charbóin san atmaisféar?
6. Luaigh dhá rud a d'fhéadfaí a dhéanamh chun an ráta dé-ocsaíd charbóin san aer a laghdú.
7. Cén fáth a ndeir Éanna gur amadáin sinn?

B. An timpeallacht agus glaseolaíocht

Mír 12.3 T49 ***Éist le Mary Murphy as www.change.ie.***

1. Cad é 'change'?
2. Cad é cuspóir an fheachtais?
3. Cad eile atá déanta acu leis an suíomh idirlín?
4. Cad é aidhm an fheachtais?
5. Cén tír a tháirgeann an méid is mó astaíochtaí san Eoraip?
6. Conas is féidir do lorg carbóin a laghdú?
7. Cé mhéad duine atá tar éis cuairt a thabhairt ar an suíomh?
8. Cé mhéad duine a d'aimsigh a lorg carbóin?

Cleachtadh taighde

12

Tabhair cuairt ar an suíomh idirlín agus faigh amach céard é do lorg carbóin agus déan cur i láthair ranga mar gheall air.

C. Clár faoin bhfuinneamh

Mír 12.4 T50 ***Éist leis na daltaí seo ag labhairt faoi fhuinneamh in-athnuaite.***

1. Cén fáth nach n-úsáidimid fuinneamh in-athnuaite, dar le dalta amháin?
2. Cad ba chóir gearradh siar air, dar leo?
3. An ndéanfadh sé aon difríocht, dar leo?
4. Cén fáth nach féidir le dalta amháin siúl ar scoil?

An ghramadach i gcomhthéacs

Iolraí na nAinmfhocal

1. Athraíonn **'an'** go **'na'** san iolra agus
2. Cuirtear **'h'** tar éis **'na'** roimh fhocal a thosaíonn le guta: na haillte

Ceacht

Cuir 'na' roimh na focail seo: íomhánna, acmhainní, áiseanna, údair, áiteanna

Seo a leanas mar a **iolraítear** focail i **nGaeilge:**

1. **Caolaítear (.i. cuirtear 'i' roimh) an consan deiridh i bhfocail fhirinscneacha:**
   na f*i*r na páipé*i*r na mothúchá*i*n na meafa*i*r na meá*i*n na hábha*i*r
2. Úsáidtear *-ta*, *-te* nó *-tha*, *-the*, *-thaí* i gcás focail áirithe.
   scéal***ta*** dán***ta*** blian***ta*** coill***te*** tin***te*** bail***te*** muil***te*** aill***te***
   tíor***tha*** tor***thaí*** comhar***thaí*** ainmh***ithe*** t***ithe*** contae***the***
3. Cuirtear *-(a)í* nó *-a* le focail áirithe.
   múinteoir***í*** buachaill***í*** cáilíocht***aí*** dalta***í*** téama***í***fuinneog***a*** clann***a***
4. Cuirtear *-(e)acha* nó *-(e)anna, -(n)na* nó *(e)anta* le focail áirithe.
   foraois***eacha*** foirm***eacha*** deirfiúr***acha*** aithr***eacha*** máithr***eacha*** fadhb***anna***
   scoil***eanna*** áit***eanna*** ceist***eanna*** rang***anna*** íomh***ánna*** duais***eanna***
   laeth***anta*** oíche***anta*** comhars***ana*** pears***ana***
5. Focail a chríochnaíonn le *-(e)ach* cuirtear *-(a)igh* san iolra de ghnáth:
   port***aigh*** andúil***igh*** marc***aigh*** earc***aigh*** coirp***igh*** Éireann***aigh***
   (eisceacht: cailleacha, bealaí)
6. Cuirtear *-ra* le focail áirithe laoch***ra*** gas***ra***
7. **NB: Focail choitianta atá neamhrialta**
   duine → *daoine* bean → *mná* leaba → *leapacha* bóthar → *bóithre*

Scríobh na focail seo a leanas san iolra:

teanga	oibrí	cluiche	cathair	triail	abhainn
monarcha	máthair	lá	deartháir	aintín	aimsir
gaoth	sliabh	cnoc	col ceathrair	ócáid	bóthar
áis	acmhainn	aidhm	buntáiste	timpiste	teach
praghas	polaiteoir	foinse	muileann	cúis	constaic
réiteach	freagra	rannóg	clár	ceardlann	tír
muileann	painéal	comhlacht			

An féidir le leictreachas geoiteirmeach bochtanas cumhachta a réiteach?

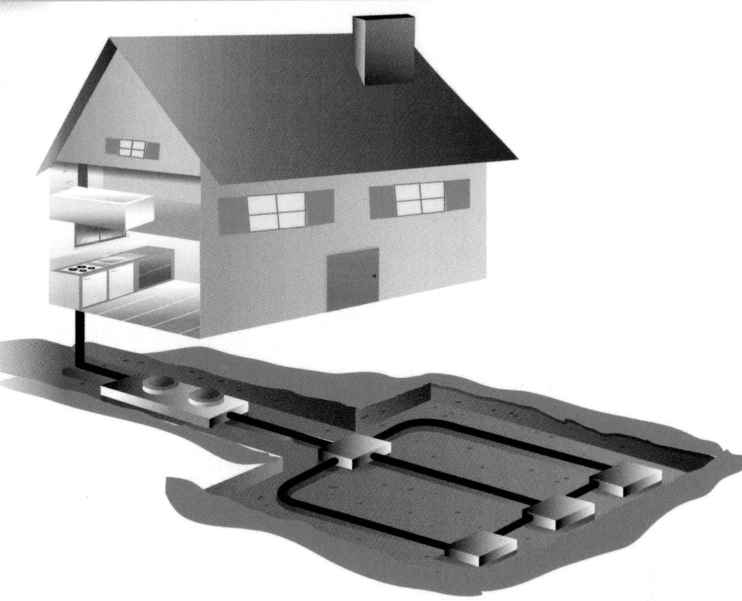

Le níos mó ná 110,000 teaghlach in Éirinn **i gcruachás**, agus iad ag iarraidh a mbillí leictreachais a íoc, tá eagraíochtaí carthanachta **buartha.**

Deir na heagrais carthanachta Cumann Naomh Uinseann de Pól agus Threshold **go bhfuil an baol ann** go bhfuil méid áirithe teaghlach ag titim isteach i 'mbochtanas cumhachta' agus nach mbeidh siad in ann teacht as an mbochtanas seo **i gcaitheamh** an gheimhridh. Bhí ar an 110,000 síniú do phlean speisialta chun stop a chur leis na soláthróirí leictreachais. Go dtí seo gearradh an soláthar leictreachais ar 11,000 teaghlach.

De bharr na figiúirí a bheith chomh hard sin, iarradh ar na comhlachtaí, Bord Soláthair an Leictreachais, Bord Gáis agus Airtricity teacht os comhair coiste Oireachtais **chun an fhadhb a phlé.**

Tá **comhlacht** eile, GT Energy, ag iarraidh a bheith mar chuid den ghrúpa comhlachtaí soláthair leictreachais sa tír **amach anseo**. Is comhlachta geoiteirmeacha iad a bhfuil pleananna curtha ar aghaidh acu chuig Comhairle Contae Átha Cliath Theas agus iad ag iarraidh **gléasra** geoiteirmeach a thógáil.

Deir an comhlacht go mbeidh an gléasra nua in ann **soláthar a dhéanamh ar** suas le 8,000 teaghlach, nó ceithre mheigeavata leictreachais. **Má éiríonn le**na n-iarratas ar chead pleanála **tá sé i gceist** go dtosófar ar an **togra** go luath sa bhliain nua.

Bunaithe ar alt as *Gaelscéal* le Treasa Bhreathnach

Faigh agus foghlaim

Faigh agus foghlaim focail a chiallaíonn: tá dainséar ann, i rith, imníoch, sa todhchaí, i dtrioblóid, compántas, tairiscint

Ceisteanna

1. Cén fáth a bhfuil imní ar eagrais charthanachta?
2. Cén fáth ar iarradh ar chomhlachtaí soláthair leictreachais teacht os comhair Coiste Oireachtais?
3. Cad atá i gceist ag an gcomhlacht GT Energy a dhéanamh?
4. Cé mhéad teaghlach a fágadh gan leictreachas?
5. Faigh samplaí d'ainmfhocail san iolra.

An Peitreal: deireadh an bhóthair ag teacht?

Alt 1

Tá fáithe ag caint faoi Bhuaic na hOla, an uair a thosóidh soláthar ola an domhain ag dul i léig, agus ag tabhairt foláirimh gur gá dúinn slite eile a aimsiú chun ár spleáchas ar an ola a laghdú. Na laethanta seo, tá timpeall 750 milliún gluaisteán agus leoraí sa domhan, agus táthar ag tuar go mbeidh 1.1 billiún ann sa bhliain 2020 (roinnt mhaith acu sa tSín!). Dá ndéanfaí iad seo a pháirceáil le chéile, shínfidís timpeall an domhain – 125 uair! Chun méadú mór ar an truailliú a sheachaint, ní foláir éirí as peitreal a dhó sna feithiclí seo.

Ceisteanna

1. Cén foláireamh atá á thabhairt dúinn?
2. Cad atáthar ag tuar?
3. Faigh sampla den saorbhriathar sa mhodh coinníollach.
4. Faigh sampla de bhriathar a thógann réamhfhocal ina dhiaidh a athraíonn brí an bhriathair.

Alt 2

Tá beagnach gach comhlacht mór gluaisteán ag cur airgid i dtaighde faoi hidrigin (in áit peitril). De réir Toyota, beidh gnáthghluaisteáin ag úsáid hidrigine faoi cheann 15 bliana agus beidh cuma dineasáir ar ghluaisteáin a mbeidh inneall peitril iontu. Tá trialacha ar siúl le busanna hidrigine in aice le Londain faoi láthair. Sna Stáit Aontaithe, tá scéim in California chun gréasán 100 stáisiún breosla hidrigine a thógáil faoi cheann cúig bliana.

Ceisteanna

1. Cad atá na comhlachtaí móra carranna ag déanamh?
2. Tabhair dhá shampla den Tuiseal Ginideach san alt.

Alt 3

Is í an chill bhreosla, inneall a dhéanann leictreachas ó hidrigin agus ocsaigin agus arb é an t-uisce an t-aon dramhaíl a bhaineann léi, bonn na teicneolaíochta. Inneall gan truailliú nach gcuireann leis an téamh domhanda – slí chun neamhspleáchas ón ola a bhaint amach? Nach iontach an rud é? Is cinnte gurb ea, ach is gá an cheist a chur: cad as a dtagann an hidrigin seo?

Ceisteanna

1. Cad is ciall le 'cill bhreosla'?
2. Conas is féidir linn ár spleáchas ar ola a laghdú?
3. Tabhair sampla de shéimhiú agus sampla d'urú ón alt agus mínigh cén fáth a bhfuil sé ann sa dá chás sin (lth 6).

Alt 4

Bhuel, más réiteach idéalach atá á lorg againn, is as 'fuinneamh malartach' (fuinneamh 'glan' as an ngaoth nó as hidrileictreachas) a dhéanfar an hidrigin (scoiltear uisce (H_2O) go leictreach chun hidrigin agus ocsaigin a tháirgeadh). Ach má tá méid mór gluaisteáin hidrigine i gceist, beidh an-chuid hidrigine (agus an-chuid fuinnimh) de dhíth. Agus níl sé soiléir an féidir leis na muilte gaoithe agus leis na hinnill tonnchumhachta an méid seo a tháirgeadh. Is dócha go mbeifear ag caint faoi stáisiúin chumhachta núicléacha nua – agus líon mór acu – go luath chun an fuinneamh a sholáthar. Beidh lucht an tionscail núicléach sásta!

Ceisteanna

1. Cén fáth a mbeidh lucht an tionscail núicléach sásta?
2. Faigh dhá shampla den saorbhriathar sa sliocht. Abair cén aimsir atá i gceist leo.

Alt 5

An drochsmaoineamh é an gluaisteán hidrigine, mar gheall ar an ngá le cumhacht núicléach a bhaineann leis? B'fhéidir nach ea, agus fad is a bheidh an ola ag laghdú, éireoidh an hidrigin níos tábhachtaí mar bhealach eile. Ach ní hé seo réiteach na buncheiste. Is é an fhadhb is mó ná go bhfuil an-éileamh ar fhuinneamh ar fud an domhain faoi láthair – leictreachas fá choinne tithe agus monarchana agus breosla do na gluaisteáin agus na SUVanna – i bhfad ró-ard chun gur féidir leanúint leis. Sa ghearrthéarma, is féidir le gluaisteáin hibrideacha peitril/leictreach a bheith beagán níos éifeachtaí. Sa mheántéarma agus san fhadtéamra, is féidir roinnt den éileamh a athrú ón ola go foinsí eile fuinnimh agus, mar sin, moill a chur ar an ngéarchéim a thiocfaidh ón easpa ola.

Ceisteanna

1. Cad í an bhunfhadhb?
2. Cad is féidir a dhéanamh sa mheántéamra?
3. Faigh sampla d'ainmfhocal baininscneach agus ainmfhocal firinscneach san alt seo.

Alt 6

Ach tá ceist i bhfad níos bunúsaí ann: conas is féidir ár sibhialtacht a athrú i rith na haoise seo chun gur féidir linn maireachtáil ar i bhfad níos lú fuinnimh? Is féidir bheith dóchasach, mar shampla, go ndéanfar freasaitheoirí comhleáite núicléacha (an próiseas céanna a tharlaíonn sa ghrian) a fhorbairt chun fuinneamh glan a dhéanamh, sa chaoi is nach mbeidh níos mó áiteanna mar Sellafield agus a leithéid riachtanach ar fud na domhain. Ach, go réadúil, sna deich nó fiche bliain atá romhainn, is dócha go dtógfar níos mó stáisiúin 'shalacha' chumhachta núicléacha chun fuinneamh a tháirgeadh leis an méadú a bheidh ar an éileamh ar hidrigin a shásamh. Ní cúis iontais é go mbíonn an tionscal núicléach ag cur na béime ar shlite áirithe chun éileamh fuinnimh an ama i láthair a shásamh.

Ceisteanna

1. Conas is féidir deireadh a chur le stáisiúin núicléacha cosúil le Sellafield?
2. Cad í an cheist bhunúsach?
3. Tabhair dhá shampla de chéim chomparáide na haidiachta (lth 339).

Alt 7

Mar sin, cé gur céim sa treo ceart atá in úsáid na hidrigine (teicneolaíocht a bhfuil níos lú den truailliú ag baint léi, nach n-úsáideann breosla gann), ní foláir dúinn éirí as ár n-andúil fuinnimh luath nó mall. Mar a dúirt Rashid bin Saeed Al Maktoum, Príomh-Aire Aontas na nÉimíríochtaí Arabacha: 'Thiomáin mo sheanathair camall, thiomáin m'athair camall, tiomáinimse Mercedes, tiomáineann mo mhac Land Rover, ach tiomáinfidh a mhac siúd camal'.

Bunaithe ar alt as *Beo!* le Pádraig Mac Éamoinn

Ceisteanna

1. Cén fáth a n-úsáidtear an focal 'andúil'?
2. Cad a bhí i gceist ag Rashid bin Saeed?
3. Tabhair dhá shampla de bhriathar ag tógáil réamhfhocail (lth 177).

Faigh agus foghlaim

Faigh agus foghlaim focail a chiallaíonn:

stopadh ag déanamh rud éigin	a fháil	daoine a thuarann
i láthair na huaire	ní mór	an todhchaí
bruscar	i gceann	caithfear
ag cur ar fáil	ag tabhairt rabhaidh	ag teastáil
ag titim (nó ag laghdú)	níl mórán de ann	

Líon na bearnaí

1. Táthar ag _____ go mbeidh an ola ídithe faoin mbliain 2050.
2. Caithfear ár _____ ar an ola a laghdú.
3. Tá eolaithe ag tabhairt foláirimh _____ le fada faoin dochar a dhéanann téamh domhanda.
4. Tá ré na hola ag dul i _____.
5. Beidh _____ mór ar charranna hidrigine amach _____.
6. Ní foláir dúinn éirí _____ an mbreosla iontaise.

An ghramadach i gcomhthéacs

Forainmneacha réamhfhoclacha

AG: AGAM AGAT AICI AIGE AGAINN AGAIBH ACU

Úsáidtear 'ag' le: seilbh: Tá rothar **agam**

fios/aithne: Tá a **fhios agam**/tá **aithne agam ar**/tá **eolas agam faoi**

le **roinnt mothúchán:**
tá **grá agam do**
tá **cion agam ar**
tá **an ghráin agam ar**
tá **trua agam do**
tá **meas agam ar**
tá **súil agam go**

AS: ASAM ASAT AISTI AS ASAINN ASAIBH ASTU

Úsáidtear 'as' mar fhorainm réamhfhoclach le:

Lig sí béic aisti	Baineadh geit asam	Tá mé bródúil asat

Úsáidtear 'as' mar réamhfhocal sna frásaí seo:

D'éirigh sé ***as*** tobac
bhí sé ***as*** ord
thit sé ***as*** a chéile
chuir sé ***as*** dom
as a stuaim féin
as riocht
as a mheabhair
bhí sé ***as*** obair
cá ***as*** thú?
bhain mé taitneamh ***as*** an tsaoire.

FAOI: FÚM FÚT FÚITHI FAOI FÚINN FÚIBH FÚTHU

Úsáidtear 'faoi' le:

briathra:
cuir faoi *to settle*
ag caint faoi *talking about*
ag magadh faoi *mocking at*
ag gáire faoi *laughing at*

m.sh:
Chuir sí fúithí i gCinn Mhara
Bíonn siad ag caint fúinn
Cad fútsa? *What about you?*
Ná bígí ag magadh fúm
Ná bí ag gáire fúthu

12

mar réamhfhocal:
Thug sé faoi le fonn *he tackled it with enthusiasm*
faoi chomaoin agat *under obligation to you*
faoi láthair *at present*
faoi smacht *under control*
faoi bhráid *in front of*
thug mé faoi deara *I noticed*
tá náire orm faoi *I'm embarrassed about it*

Ó: UAIM UAIT UAITHI UAIDH UAINN UAIBH UATHU

Úsáidtear 'ó' le:

- **Teastaíonn + ó** (*want*): teastaíonn uaim dul ann
- **Tá + ó** (*need*): tá bainne uaim
- **Éalaigh ó:** d'éalaigh sé uaim **Imigh ó:** d'imigh sé uaim

mar réamhfhocal: **ó** áit go háit **ó** am go chéile **ó** smacht *out of control*

Chuir sé **ó** dhoras í *he sent her away* **ó** tharla go bhfuil sé *since it is...*

Ceacht

Cuir an fhoirm cheart isteach:

1. Bhí sé cúthail agus bhí gach duine ag magadh (...).
2. 'Ná bígí ag gáire (...),' arsa na buachaillí.
3. Theastaigh (...) imeacht ach ní raibh cead aici.
4. Baineadh geit (...) mar chualamar scread uafásach.
5. Chuir sí (...) i mBaile Átha Cliath.
6. Tá an-mheas (...) (...) m'uncail.
7. Ar thug tú (...) deara go bhfuil an madra sin imithe (...) smacht ar fad?
8. Tá sí cairdiúil leo ach bíonn sí i gcónaí ag cúlchaint (...).
9. 'Tá súil (...) go dtiocfaidh tú,' arsa mo chara liom.
10. Oibríonn sí go dian agus tá a máthair an-bhródúil (...).

Forainmneacha réamhfhoclacha eile

ROIMH	I	DE	CHUIG	THAR
romham	ionam	díom	chugam	tharam
romhat	ionat	díot	chugat	tharat
roimpi	inti	di	chuici	thairsti
roimhe	ann	de	chuige	thairis
romhainn	ionainn	dínn	chugainn	tharainn
romhaibh	ionaibh	díbh	chugaibh	tharaibh
rompu	iontu	díobh	chucu	tharstu

Tá eagla orm **roimhe** Músclaíonn sé fearg **ionam** D'fhiafraigh sé **díom** Chuir sé litir **chucu** Rith sé **tharainn**

Nathanna eile:

an mhí seo **chugainn** tarraing **chugat** é an ród seo **romhainn**

fáilte **romhaibh** féach **romhat** an oíche **roimhe** sin

Thar

tá sé **thar** am *it's about time*

thar maoil *overflowing*

thar lear/**thar** sáile *abroad*

thar a bheith (deas) *awfully (nice)*

thar fóir *over the top*

thar barr/**thar** cionn *excellent*

thar aon ní eile *above all else*

níl sé **thar** mholadh beirte: *it's not great*

De

taobh thiar **de** *behind*

tá sé **de** nós aige *he has a habit of*

de réir *according to*

de bharr *because of* (**dá** bharr = *because of it*)

de shíor *constantly*

de ghnáth *usually*

de réir dealraimh *apparently*

tinn **de** *sick of*

I

i bponc/**i** dtrioblóid/**i** gcruachás *in trouble*

cur **i** gcéill *pretence/hypocrisy*

i gcónaí *always*

i measc *among*

i gcás *in the case of*

ag dul **in** olcas *getting worse*

i gceannas *in charge*

i bhfeighil *in charge*

Chuaigh sé **i bhfeidhm** orm = *it made an impression on me*

Cuireann sé mo mháthair **i** gcuimhne **dom** = *it reminds me of my mother*

Ceacht 2

Scríobh na nathanna thuas i do chóipleabhar. Cum abairtí leo agus foghlaim iad.

12

Taipéis an tsaoil

'Ní úsáidtear sa nádúr ach na snáitheanna is faide chun a phatrúin a fhí, i dtreo is go nochtann gach píosa dá fhabraic, cuma cé chomh beag, eagrú na taipéise iomláine.'
Richard P. Feynman, Fisiceoir agus Buaiteoir Duais Nobel.

Bithéagsúlacht – Tagann bithéagsúlacht ó dhá fhocal: 'bitheolaíocht' agus 'éagsúlacht'. Baineann sé le héagsúlacht na n-orgánach beo go léir. Is éard atá sa bhithéagsúlacht ná foirmeacha uile an nádúir.

Is éard is éiceachóras ann ná comhphobal plandaí, ainmhithe agus miocrorgánach agus a gcuid idirghníomhaithe leis an gcomhshaol. Samplaí is ea na beacha ag cabhrú le síolrú bláthanna i móinéar samhraidh.

Nuair a bhailíonn beacha neachtar, bailíonn siad pailin ó bhláth amháin agus leagann siad ar bhláthanna eile í, ag pailniú ag an am céanna. Tagann bláthanna nua mar thoradh agus bíonn siad ag idirghníomhú leis an aer os a gcionn agus leis an ithir agus uisce faoina mbun.
Is cuid lárnach den bhithéagsúlacht an t-idirghníomhú seo idir an t-aer, an t-uisce agus an ithir. Tóg crainn mar shampla. **Glanann a nduilleoga ár n-aer: Súnn siad dé-ocsaíd charbóin isteach agus scaoileann siad ocsaigin amach. Ar ndóigh, análaímidne isteach ocsaigin agus scaoilimid amach carbón, mar sin tá idirghníomhú tábhachtach idir an cine daonna agus crainn.**

Sa chaoi chéanna íonaíonn fréamhacha an chrainn ár gcuid uisce trí chothaithigh a shú isteach. Déanann na fréamhacha an ithir a dhaingniú agus a chothú freisin — fiú nuair a fhaigheann siad bás. Bain crainn ón éiceachóras agus go gairid beidh tionchar aige ar chaighdeán an aeir, an uisce agus na hithreach. Cuir crainn le héiceachóras, fiú i gcathair, agus beidh tionchar acu, ag fuarú an aeir agus á fheabhsú.

Táimid go léir mar chuid den 'chóras' seo ach is minic a dhéanaimid dearmad air sin. Tá bithéagsúlacht á múnlú agus á hathrú againn ón gcéad uair ar bhain ár sinsir áis as beacha, as plandaí agus as an móinéar chun bia a tháirgeadh tríd an rud ar a dtugaimid an talmhaíocht anois.

Ceisteanna

1. Mínigh cad iad bithéagsúlacht agus éiceachóras.
2. Conas a fheabhsaíonn crainn an t-aer?
3. Cad eile a dhéanann crainn a chuireann feabhas ar ár dtimpeallacht?
4. Cén fáth a bhfuil crainn tábhachtach i gcathracha?
5. Cad ar a ndéanann daoine dearmad go minic?

Cleachtadh éisteachta 2: An t-ollamh Wangari Maathai

Mír 12.5
T51

1. Cathain a rugadh Wangari?
2. Cén t-éacht a bhain sí amach?
3. Cén aidhm atá ag an Green Belt Movement?
4. Cén sórt oibre atá ar siúl ag an ngluaiseacht?
5. Cén feachtas ar chuir sí tús leis?
6. Cad a bronnadh uirthi sa bhliain 2004? Cén fáth?

Truailliú na timpeallachta

Cúiseanna	Toradh/iarmhairt	Réiteach
Dó ola agus breosla iontaise (i gcarranna, tithe, monarchana)	Téamh domhanda, truailliú aeir, athrú aeráide, astú gás ceaptha teasa	Úsáid a bhaint as fuinneamh glan
Úsáid ceimiceán ar an talamh (lotnaidicídí, leasacháin cheimiceacha)	Truailliú ithreach agus uisce (talamh, aibhneacha)	Cosc a chur ar cheimiceáin a dhéanann dochar
Díchoilltiú (leagadh crann)	Téamh domhanda, astú gás ceaptha teasa, athrú aeráide	Stop a chur le díchoilltiú, crainn a chur

12

Foclóir

téamh domhanda *global warming*

athrú aeráide *climate change*

lotnaidicídí *pesticides*

leasúcháin *fertilisers*

astú gás ceaptha teasa *greenhouse gas emission*

breosla iontaise *fossil fuel*

iarmhairt *consequence*

Ceapadóireacht: alt nuachtáin/irise

Scríobh alt ar gach cúis, an toradh atá leis agus an réiteach.

Cúis amháin atá le truailliú ná dó breosla iontaise ar nós ola, gáis agus guail. Gach lá dóitear ola i gcarranna, i dtithe agus i monarchana. Nuair a dhóitear breosla iontaise, scaoiltear carbón san aer. Is é an toradh atá leis seo ná téamh domhanda. Truaillítear an t-aer chomh maith. De bharr téamh domhanda tá athrú aeráide ann agus ciallaíonn sé sin go bhfuil méadú ar thuilte, ar thriomach agus ar stoirmeacha ar fud na cruinne. Is é an réiteach atá ar an scéal ná fuinneamh glan a úsáid – is é sin fuinneamh nach dtruaillíonn an timpeallacht. Ba chóir stop a chur le húsáid breosla iontaise agus ba chóir fuinneamh glan a fhorbairt.

Cleachtadh ceapadóireachta

Anois smaoinigh ar bhealaí go bhféadfaí fuinneamh glan a fhorbairt. Féach ar an dá léamhthuiscint, mar shampla. Ansin scríobh cúpla rud a d'fhéadfaí a dhéanamh, mar shampla, d'fhéadfaí carranna hidrigine a úsáid. Cad eile a d'fhéadfaí a dhéanamh?

Scrúdú béil: agallamh: an comhshaol

Éist leis seo.

Mír 12.6
T52

Agallóir	An bhfuil suim agat sa chomhshaol?
Ciara	Gabh mo leithscéal?
Agallóir	An bhfuil suim agat sa chomhshaol, caomhnú na timpeallachta?
Ciara	Ó, an timpeallacht. Tá. Ceapaim go bhfuil sé tábhachtach aire a thabhairt don timpeallacht. Is fuath liom é nuair a fheicim bruscar caite timpeall. Ceapaim go bhfuil sé tábhachtach athchúrsáil a dhéanamh. Ba chóir do gach duine iarracht a dhéanamh a lorg carbóin a laghdú. Ceapaim gur mór an náire é go bhfuil an astaíocht carbóin ard ag na tíortha saibhre agus go bhfuil na tíortha bochta ag fulaingt dá bharr.
Agallóir	An-mhaith. Agus abair liom, a Chiara, cad a dhéanfása anois chun astaíocht nó astú carbóin na hÉireann a laghdú? An bhfuil aon tuairimí agat faoi sin?
Ciara	An chúis is mó go bhfuil astaíocht na hÉireann chomh hard ná go bhfuil an oiread sin carranna ar an mbóthar. Ó na nóchaidí i leith, de bharr an Tíogair Cheiltigh, tháinig méadú ollmhór ar líon na gcarranna sa tír. Anois tá dhá charr ar a laghad ag gach teaghlach, nach mór. Chomh maith leis sin, tá an córas iompair go dona ar fad, mar sin ní bhíonn an dara rogha ag daoine. Chuirfinnse córas iompair maith ar fáil, ar an gcéad dul síos. Dá mbeadh busanna nó traenacha ag teacht go rialta, d'fhágfadh daoine a gcarranna sa bhaile.
Agallóir	An rud maith é, mar sin, an cúlú eacnamaíochta don timpeallacht?
Ciara	Is dócha gurb ea! Mar sin féin ceapaim gur féidir linn dul chun cinn eacnamaíoch a dhéanamh agus fós aire a thabhairt don timpeallacht.

Ullmhú don scrúdú béil

Anois scríobh do fhreagra féin ar an dá cheist i do chóipleabhar Gaeilge labhartha.

Ceapadóireacht: caint/óráid

Iarradh ort caint a thabhairt do do chomhscoláirí faoi conas is féidir do lorg carbóin a laghdú. (Éist arís le Mary Murphy agus téigh go www.change.ie chun smaointe a fháil faoi.)

Plean

Alt 1: Fáiltiú, beannú, cad faoi a mbeidh tú ag caint.
Alt 2: Do lorg carbóin – sainmhíniú, cad is brí leis?
Alt 3: Conas is féidir leat do lorg carbóin a aimsiú.
Alt 4: Na rudaí is féidir leat a dhéanamh chun do lorg carbóin a laghdú.
Alt 5: Rudaí is féidir le do theaghlach a dhéanamh chun lorg carbóin an teaghlaigh a laghdú.

A chairde agus a chomhscoláirí, fáilte romhaibh chuig an gcaint seo. Is mise Máire Ní Bhriain agus tá an-áthas orm a bheith anseo inniu chun labhairt libh faoin timpeallacht, ach go háirithe faoin lorg carbóin. Beidh mé ag labhairt libh faoi astú carbóin agus faoin dochar a dhéanann sé don timpeallacht. Ansin míneoidh mé cad atá i gceist le lorg carbóin. Tá lorg ag gach aon duine. Déarfaidh mé libh conas bhur lorg carbóin a ísliú agus pléifidh mé bealaí inar féidir libh lorg bhur dteaghlaigh a ísliú freisin.

I dtús báire, cad é carbón agus cén fáth a bhfuil sé ag déanamh dochair don timpeallacht? Is eilimint nádúrtha é carbón atá ann leis na mílte bliain. Cabhraíonn sé le teas na gréine a choimeád ar an domhan, mar sin is rud maith é nuair nach bhfuil an iomarca de ann. Ach mo léan, de bharr tionsclaíochta, dó breosla iontaise agus díchoilltiú, tá méadú ollmhór tagtha ar charbón san atmaisféar agus tá an domhan ag téamh ag ráta an-tapa ar fad. Feicim cuid agaibh ag gáire. Teas! Cad atá cearr le teas? Is é an fhadhb ná go bhfuil an téamh seo ag athrú na haeráide agus dá bharr, tá tuilte agus triomach ag tarlú ar fud na cruinne. Tá an leac oighir ag leá sa Phol Thuaidh agus tá ainmhithe ar nós an bhéir bháin i mbaol dá bharr. Tá gorta i dtíortha áirithe san Afraic de bharr triomaigh agus tá tuilte i dtíortha eile. Táthar ag tuar go mbeidh aeráid na cruinne trí chéim níos teo faoin mbliain 2050. Má tharlaíonn sé seo, níl insint béil ar an bhfulaingt a tharlóidh dá bharr.

Tá sé thar a bheith tábhachtach mar sin, go ndéanfaimid go léir iarracht an ráta carbóin san atmaisféar a ísliú. Ach conas? Ní foláir dúinn féachaint ar an úsáid a bhainimid as breosla iontaise ar nós ola, guail, móna nó gáis. An bhfuil teas lárnach agat sa bhaile? Cén breosla a úsáideann tú? An bhfuil carr agat? Cén modh taistil a úsáideann tú? Tá suíomh idirlín ann – www.change.ie – a chabhraíonn leat do lorg carbóin a aimsiú. Ní gá ach dul go dtí an suíomh agus ceisteanna a fhreagairt air. Tabharfaidh sé ansin d'uimhir duit agus míneoidh sé duit conas d'uimhir a ísliú.

Tá go leor rudaí is féidir a dhéanamh chun do lorg carbóin a ísliú. Mar shampla, conas mar a thagann tú ar scoil? An dtagann tú i gcarr, ar bhus, ag siúl nó ar rothar? Má shiúlann tú, beidh do lorg níos ísle ná duine a théann i gcarr. Is féidir freisin gléasra leictreach, ar nós na teilifíse, an ríomhaire nó an seinnteoir DVDanna a mhúchadh sa bhaile seachas iad a fhágáil ar siúl thar oíche.

Ansin is féidir lorg do theaghlaigh a laghdú. An bhfaigheann sibh leictreachas ó chomhlacht soláthair leictreachais a úsáideann fuinneamh in-athnuaite? Mura bhfaigheann is féidir leat ceist a chur ar do thuismitheoirí athrú. Is féidir an teach a insliú go maith – ísleoidh sé sin na billí chomh maith leis an lorg carbóin! Ba chóir an carr a fhágáil sa bhaile agus siúl nuair is féidir. Ní hamháin go mbeidh tú ag cabhrú leis an bpláinéad ach beidh tú i mbun aclaíochta freisin! Cuireann taisteal ar eitleán go mór le do lorg carbóin, mar sin buntáiste a bhaineann leis an gcúlú eacnamaíochta ná go bhfuil daoine ag taisteal níos lú! Tóg saoire sa bhaile agus cabhraigh le geilleagar na tíre seo.

Agus ós ag caint ar thaisteal atáimid, ní hamháin go mbímidne ag taisteal ach taistealaíonn ár mbia agus ár n-éadaí agus earraí riachtanacha eile na mílte míle go dtí ár ndoirse. An chéad uair eile a fheiceann tú torthaí ón tSile, smaoinigh ar an méid taistil atá déanta acu, agus ceannaigh torthaí Éireannacha – táthar ann a deir gur sláintiúla i bhfad an bia a fhásann in aice láimhe. Níos fearr fós, is féidir leat do ghlasraí féin a fhás.

Tá súil agam gur thug mé ábhar machnaimh daoibh agus go spreagfaidh an chaint seo sibh chun gníomhaíochta. Mar a deirtear 'Ní neart go cur le chéile'. Má dhéanaimid go léir ár gcuid tiocfaidh feabhas ar an scéal. Go raibh míle maith agaibh as ucht éisteacht liom. Má tá aon cheist ag aon duine beidh mé an-sásta í a fhreagairt. Go mbeannaí Dia daoibh.

Cleachtadh ceapadóireachta

Scríobh an chaint a thabharfá do do rang faoi na himpleachtaí a bhaineann le hathrú aeráide.

12

Súil siar: seicliosta

- **Foghraíocht** An t-athrú fuaime a thagann le consain dhúbailte
- **Gramadach** Iolraí na nAinmfhocal
  Forainmneacha Réamhfhoclacha
- **Labhairt** Conas labhairt faoi thruailliú agus faoi chaomhnú na timpeallachta
  Conas tuairim agus moltaí a thabhairt maidir leis an gcomhshaol
- **Scríobh** Conas caint nó óráid a scríobh faoin timpeallacht

Cluastuiscint (60 marc)

FÓGRA 1

Mír 12.7 T53

1. Cad a tharlóidh mura gcuirtear bia agus riachtanais eile ar fáil?
2. Cén fáth a bhfuil daoine díbeartha óna n-áit chónaithe?
3. Cad atá ag tarlú don bhia atá Concern ag iarraidh a dháileadh?

FÓGRA 2

Mír 12.8 T54

1. Cad atá le cur i bhfeidhm agus cén fáth?
2. Cad a dhearbhaigh Cairde Éanlaith Éireann?
3. Cad é aidhm an chláir a seoladh?

COMHRÁ 1

Mír 12.9 T55

1. Cén eagraíocht charthanach a raibh Bríd ag obair léi san Afraic?
2. Cén sórt oibre a rinne Bríd ann?
3. Cén fáth a molann sí d'Edel tréimhse a chaitheamh ann?

COMHRÁ 2

Mír 12.10 T56

1. Cad a chuala Róise ar an nuacht aréir?
2. Cad atá ag cur beatha mhuirí i mbaol?
3. Luaigh dhá shampla den dochar atá á dhéanamh do bheatha mhuirí.
4. Cén chomhairle atá ag Róise do Threasa chun an scéal a leigheas?

PÍOSA 1

Mír 12.11 T57

1. Cad atá ag tarlú don ráta dífhostaíochta?
2. Cé mhéad duine a chuaigh ar an mbeochlár an mhí seo caite?
3. Cé mhéad duine a bhí ag éileamh sochar dífhostaíochta i mí Iúil?
4. Cé acu is mó, mná nó fir, a chuaigh ar an mbeochlár i rith na míosa seo caite?

PÍOSA 2

Mír 12.12 T58

1. Cén earnáil atá á cur chun cinn i nDún na nGall?
2. Cad ba mhaith leo a dhéanamh don chontae?
3. Cad atá á dhéanamh ag an 30 mac léinn?
4. Cad faoi a bhfuil John Doran dóchasach?

CEAPADÓIREACHT 100 MARC

Freagair do rogha CEANN AMHÁIN de ***A, B nó C*** anseo thíos.
Nóta: Ní gá níos mó ná 500-600 focal nó mar sin a scríobh i gcás ar bith.

A – AISTE **nó** ALT NUACHTÁIN / IRISE – **100 marc**

Scríobh AISTE ar CHEANN AMHÁIN de na hábhair seo.

(a) An tríú domhan.

(b) Athrú aeráide – fadhb mhór na linne seo.

(c) Tá ré an fhuinnimh in-athnuaite tagtha.

(d) An tAontas Eorpach – ní chun ár leasa é níos mó.

(e) Carthanais an lae inniu.

B – SCÉAL – **100 marc**

Ceap scéal a mbeadh do rogha CEANN AMHÁIN díobh seo oiriúnach mar theideal air.

(a) Ocras.

(b) Níl aon tinteán mar do thinteán féin.

C – DÍOSPÓIREACHT / ÓRÁID – **100 marc**

Freagair do rogha CEANN AMHÁIN díobh seo.

(a) Scríobh an *chaint* a dhéanfá i ndíospóireacht scoile ar son an rúin seo a leanas **nó** ina aghaidh:
Níl meas ag muintir na tíre seo ar an timpeallacht.

(b) Tá tú i do bhall den eagraíocht charthanachta Cumann Naomh Uinseann de Pól. Scríobh an **píosa cainte** a thabharfá sa rang Gaeilge do do chomhscoláirí faoin obair a dhéanann an cumann.

Dánta Breise

SAN AONAD SEO FOGHLAIMEOIDH TÚ:

List of poems here.

Caoineadh Airt Uí Laoghaire le Eibhlín Dhubh Ní Chonaill

Éiceolaí le Biddy Jenkinson

Fill Arís le Seán Ó Ríordáin

Colmáin le Cathal Ó Searcaigh

A Chlann le Máire Áine Nic Gearailt

Tá rogha idir na dánta seo agus téacsanna éagsúla eile (A Thig ná Tit orm, An Triail, An Tóraíocht, Gafa agus Canary Wharf)

Is féidir éisteacht leis na dánta seo ar www.educateplus.ie. Tá siad le fáil freisin i ríomhleabhar Tumadh Teanga.

Caoineadh Airt Uí Laoghaire

(i)

Mo ghrá go ***daingean*** *tu!*
Lá dá bhfaca thu
ag ceann tí an mhargaidh,
Thug mo shúil aire dhuit,
Thug mo chroí taitneamh duit
D'éalaíos óm charaid *leat*
I bhfad ó bhaile leat.

(ii)

Is domhsa nárbh ***aithreach:***
Chuiris parlús ***á ghealadh*** *dhom*
Rúmanna *á mbreacadh dhom*
Bácús ***á dheargadh*** *dhom,*
Brící á gceapadh *dhom,*
Rósta ***ar bhearaibh*** *dom,*
Mairt á leagadh *dhom;*
Codladh i ***gclúmh lachan*** *dom*
Go dtíodh an ***t-eadartha***
Nó thairis dá dtaitneadh *liom*

(iii)

Mo chara go daingean tu!
Is cuimhin lem ***aigne***
An lá breá earraigh úd
Gur bhreá thíodh hata dhuit
Faoi bhanda óir tarraingthe
Claíomh cinn airgid *–*
Lámh dheas ***chalma*** *–*
Rompsáil bhagarthach *–*
Fír-chritheagla
Ar ***námhaid chealgach*** *–*
Tú ***i gcóir chun falaracht***

13

Is ***each*** *caol* ***ceannann*** *fút*
D'umhlaídís *Sasanaigh*
Síos go talamh duit,
Is ***ní ar mhaithe leat***
Ach le ***haon-chorp*** *eagla,*
Cé gur leo a ***cailleadh tú****,*
A ***mhuirnín mh'anama***

(iv)

A ***mharcaigh na mbán-ghlac****!*
Is maith thíodh ***biorán*** *duit*
Daingean faoi ***cháimbric***
Is hata ***faoi lása.***
Tar éis teacht duit thar sáile
Glantaí an tsráid duit,
Is ní le grá dhuit
Ach ***le han-chuid gráine ort.***

(v)

Mo chara thu go daingean!
Is nuair thiocfaidh chugham abhaile
Conchubhar beag ***an cheana***
Is Fear Ó Laoghaire, an leanbh,
Fiafróid díom *go tapaidh*
Cár fhágas féin a n-athair.
'Neosad *dóibh* ***faoi mhairg***
Gur fhágas i ***gCill na Martar****.*
Glaofaid siad ar a n-athair,
Is ní bheidh sé acu le freagairt.

(vi)

Mo chara is ***mo ghamhain*** *tu!*
Gaol Iarla Antroim
Is ***Bharraigh ón Allchoill***
Is breá thíodh ***lann*** *duit,*
Hata faoi bhanda,
Bróg chaol ***ghallda***
Is ***culaith den abhras***
a ***sníomhthaí*** *thall duit.*

(vii)

Mo chara thu go daingean!
Is níor chreideas riamh dod mharbh
Gur tháinig chugham do chapall
Is **a srianta** *léi go talamh,*
Is **fuil** *do chroí ar a* **leacain**
Siar go t'iallait ghreanta
Mar a mbítheá id shuí 's id sheasamh

(xix)

Níor dheineas dá chaint ach ***magadh****,*
Mar bhíodh á rá liom go minic ***cheana****.*

(xx)

Mo chara thú is is mo chuid!
A mharcaigh an chlaímh ghil,
Éirigh suas anois,
Cuir ort do chulaith
Éadaigh uasail ghlain,
Cuir ort do ***bhéabhar*** *dubh*
Tarraing do ***lámhainní umat***
Siúd í in airde ***t'fhuip****;*
Sin í do ***láir*** *amuigh.*
Buail-se *an bóthar caol úd soir.*

13

Foclóir

daingean diongbháilte, *steady*

D'éalaíos óm charaid d'imigh mé (*I escaped*) ó mo chairde

Aithreach ní raibh brón orm faoi, *I didn't regret it*

á ghealadh péinteáladh an parlús (*parlour*) dom

Rúmanna á mbreacadh á maisiú *rooms were decorated for me*

Bácús á dheargadh oigheann á lasadh dom

Brící á gceapadh builíní aráin á ndéanamh nó bric (*trout*) á fháil dom (Ní fios go cinnte an *brící* aráin atá i gceist nó leagan iolra den fhocal 'breac')

Rósta ar bhearaibh dom *roast on a spit for me*

Mairt *beef,* ba á marú dom

I gclúimh lachan leaba déanta as cleití lachan (*duck down*)

An t-eadartha mall sa lá – meán lae nó ina dhiaidh, *sleep till late morning milking time.*

Nó thairis dá dtaitneadh liom *or after if I wanted to*

Is cuimhin lem aigne *my mind remembers*

...thíodh hat dhuit d'oireadh hat duit, *a hat would suit you well*

Claíomh cinn airgid *sword with a silver head*

Calma cróga, *brave*

Rompsáil bhagarthach *threatening prancing*

Fír-chritheagla fíor-eagla (ar crith le heagla = *shaking*)

Námhaid chealgach *treacherous enemies*

I gcóir chun falaracht *ready to trot/amble on horseback*

Each ceannann capall le héadan bán *whitefaced*

D'umhlaídís chromaidís *they would bow*

ní ar mhaithe leat ní hé toisc gur thaitin tú leo *not because they liked you*

le haon chorp eagla le an-eagla romhat

a cailleadh tú is iad a mharaigh tú

a mhuirnín mh'anama a ghrá mo chroí

na mbán-ghlac leis na lámha bána *whitefisted horseman*

Biorán *brooch, pin*

Daingean faoi cháimbric daingnithe faoi línéadach *secure under cambric (linen)*

faoi lása *under lace*

Glantaí ... *the street would be cleared for you*

le han-chuid gráine ort mar bhí fuath acu duit

C. ...an cheana tuis. ginideach de 'cion' = grámhar. An mac ba shine a bhí acu.

Fear an dara mac a bhí acu

Fiafróid díom cuirfidh siad ceist orm

Neosad dóibh faoi mhairg déarfaidh mé leo go brónach

Cill na Martar an áit a cuireadh Art ar dtús

mo ghamhain mo lao óg *my calf*

Gaol Iarla Aontroim Ceaptar go raibh Art gaolta le hIarla Aontroim
Bharraigh ón Allchoill muintir de Barra ó Choill an Alltaigh. Tá sí ag maíomh anseo as sliocht uasal Airt.
lann claíomh *sword* d'oir claíomh duit (ba shaighdiúir gairmiúil é Art)
ghallda ar an stíl eachtranach *slender foreign shoes*
den abhras culaith dea-dhéanta a fíodh thar lear duit (thall = san Eoraip)
a srianta *her (the horse's) reins dangling on the ground*
fuil *blood* **ar a leacain** ar a dhá taobh *on her flanks*
t'iallait ghreanta do dhiallait (*saddle*) **ghreanta** (*polished*)
Níor dheineas… *I thought he was only joking*
Mar bhíodh á rá liom go minic cheana Níor chreid sí é mar bhíodh sé go minic ag rá go mb'fhéidir nach bhfillfeadh sé abhaile go deo
do bhéabhair *beaver hat*
lámhainní miotóga *gloves* **umat** = ort (Cuir ort do mhiotóga)
t'fhuip d'fhuip *your whip*
láir capall baineann *mare*
Bhuail-se an bóthar caol úd soir Tagann an frása i mBéarla '*Hit the road*' as seo: **soir** *east*
úd *yonder*

Leagan próis

(i)

Is tú mo ghrá buanseasmhach
ón lá sin a chonaic mé tú
os comhair teach an mhargaidh
Lean mo shúile tú
agus thit mé i ngrá leat
D'imigh mé leat ó mo chairde
i bhfad ó bhaile leat

(ii)

Ní raibh brón nó aiféala orm
Ghlan tú párlús suas dom
agus mhaisigh tú seomraí dom
Bhí an t-oigheann lasta dom
Bhí breac réitithe agat dom (nó bollóga aráin déanta dom)
Bhí feoil á róstadh ar bhior dom
Bhí ba á márú dom
bhí tocht de chlúmh lachan mar leaba agam
agus d'fhéadfainn codladh go meánlae
Nó ina dhiaidh dá mba mhian liom.

13

(iii)
Mo bhuanchara dílis
Is cuimhin liom go maith
an lá breá earraigh sin,
Gur oir do hata go breá duit
le banda óir á cheangail
Do chlaíomh le ceann déanta as airgead
Do lámh dheas chróga
Bhí tú ag geaitsíocht go bagrach
An-eagla go deo
ar do naimhde fealltacha
Bhí tú réidh le dul ag sodar
ar do chapall caol lena haghaidh bán
Chromadh na Sasanaigh síos go talamh romhat
Agus ní hé le hómós duit
ach mar go raibh siad scanraithe as a mbeatha agat,
Cé gurb iad a mharaigh tú,
a stór mo chroí

(iv)
A mharcach leis na lámha bána
D'oir biorán hata go maith duit
é fite go docht le cáimbric nó línéadach
agus hata faoi lása
Nuair a tháinig tú ar ais ó bheith thar lear,
D'fhágadh gach duine an tsráid romhat
agus ní hé mar gur thaitin tú leo
ach mar go raibh fuath acu duit.

(v)
Mo bhuanchara dílis!
Nuair a thiocfaidh do bheirt mhac abhaile
Conchubhar beag atá chomh grámhar
Is Fear Ó Laoghaire, an báibín
Cuirfidh siad ceist orm gan mhoill
Cár fhág mé tú, a n-athair
Déarfaidh mé leo go brónach
Gur fhág mé tú sa reilg i gCill na Martra
Glaofaidh siad ar a n-athair
Ach ní bhéidh sé ann chun freagra a thabhairt orthu.

(vi)

Is tú mo chara, mo lao óg!
Tá tú gaolta le hIarla Aontroime
Is le Muintir de Barra ó Choill an Altaigh freisin
D'oir claíomh go maith duit
Agus hata faoi bhanda
Bhíodh bróga caola eachrannacha agat
Is culaith dea-mhaisithe
a fíodh thar lear duit.

(vii)

Mo bhuanchara dílis!
Níor chreid mé riamh go bhfaighfeá bás
Go dtí gur tháinig do chapall abhaile chugam
Agus bhí an srian ag sileadh anuas go talamh
Agus do chuid fola ar chliatháin an chapaill
Siar go dtí do dhiallait maisithe, ornádeach
an áit a mbíteá i do shuí agus i do sheasamh.

(xix)

...Is ag magadh a cheap mé a bhí sé
Mar bhíodh sé i gcónaí á rá (.i. nach bhfillfeadh sé go deo)

(xx)

Mo chara go deo tú!
A mharcaigh leis an gclaíomh geal
Éirigh suas anois
Cuir ort do chulaith
Éadaigh uasal glan
Cuir ort do hata béabhar dubh
agus cuir ort do lámhaínní
Sin do fhuip thuas ansin
Sin í do chapall taobh amuigh
Téigh soir an bóthar caol sin thall.

13

Fíricí faoin bhfile

http://www.educate.ie/próifíl   Eibhlín Dhubh Ní Chonaill

Ar líne 6.30pm

Rugadh Eibhlín Dhubh i nDoire Fhíonáin i gCo Chiarraí timpeall na bliana 1743. Ba de theaghlach uasal Caitliceach í. Cé go raibh na péindlíthe i bhfeidhm ag an am, d'éirigh leis na Conallaigh *a dtailte* a choinneáil, mar go raibh siad in áit iargúlta in iarthar Chiarraí agus níor chuir siad olc ar aon duine. Shaothraigh siad a mbeatha ag smugláil earraí ón Spáinn agus ón bhFhrainc. Ba aintín le Dónal Ó Conaill, an *Fuascailteoir*, í Eibhlín.

De réir dealraimh ba chailín spleodrach, fiáin í Eibhlín, agus is dócha gurb é sin an fáth go ndearna a muintir cleamhnas di le seanfhear ó Na Foidhrí (Co. Chiarraí) nuair nach raibh sí ach cúig bliana déag d'aois! Fuair a fear céile bás sé mhí i ndiaidh an phósta, agus chum sí caoineadh dó siúd freisin.

Thart ar ocht mbliana ina dhiaidh sin, bhí sí ar cuairt ar a deirfiúr, Máire, a bhí pósta ar James Baldwin agus ina cónaí in aice le Maigh Chromtha, i gCo Chorcaí, nuair a chonaic sí Art os comhair Theach an Mhargaidh sa bhaile, agus thit sí dúnta i ngrá leis láithreach. Is léir gur thit seisean i ngrá léi freisin, mar go gairid ina dhiaidh sin phósadar ar an 19ú Nollaig 1767, ainneoin go raibh muintir Uí Chonaill, go háirithe máthair Eibhlín, glan in aghaidh an phósta.

Chuadar chun cónaithe i dteach athar Airt i Ráth Laoich, teach mór galánta cosúil le teach na gConallach i nDoire Fhíonáin. Bhí beirt pháistí acu, Conchubhair agus Fear, agus bhí Eibhlín ag súil lena tríú páiste nuair a tháinig capall Art abhaile leis féin le fuil ar a shleasa. D'imigh Eibhlín ar an gcapall go Carraig an Ime, áit a bhfaca sí corp a fir chéile marbh ar an talamh. Chum sí an chéad chuid den chaoineadh an oíche sin, agus mhair sé sa bhéaloideas go ceann i bhfad. Thug sí cuairt ar Dhoire Fhíonáin sa bhliain 1780 den chéad uair ó phós sí agus rinne sí cairdeas arís lena máthair. Ní fios cathain a fuair sí bás ná cár cuireadh í ach ceaptar gur mhair sí go dtí thart ar 1800.

Ceisteanna

1. Cár rugadh Eibhlín Dhubh?
2. Cén duine cáiliúil a bhí gaolta léi?
3. Conas a shaothraigh na Conallaigh a mbeatha?
4. Cén fáth a ndearnadh cleamhnas di le seanfhear?
5. Cad a tharla nuair a chonaic sí Art i Maigh Chromtha?
6. Cá ndeachaigh siad chun cónaithe?

Bhí clann Eibhlín *glan in aghaidh an phósta*, mar gur duine teasaí, trodach Art, *de réir tuairisce. Chaith sé tréimhse* sna Husáir Ungáireacha, faoin Bhan-Impire Mháire Treasa (máthair Marie Antoinette), agus rinneadh captaen de. Nuair a tháinig sé abhaile, is dócha nár theastaigh uaidh a bheith umhal, cosúil leis na huaisle Caitliceacha ag an am, agus chuir sé sin olc ar roinnt daoine, go háirithe Sasanaigh an cheantair. Chaith sé a chlaíomh go hoscailte, cé go raibh na péindlíthe* i bhfeidhm ag an am agus ní raibh cead ag Caitlicigh claíomh a iompar. (líne 56) Bhí capall breá, luachmhar aige, *cé nach raibh* cead ag Caitliceach capall ar luach os cionn £5 a bheith ina sheilbh. Bhí sé óg – ní raibh sé ach thart ar fiche bliain d'aois nuair a chas sé le hEibhlín. Agus bhí sé aclaí: sheasadh sé ar *dhiallait* a chapaill uaireanta. (féach líne 68). Ghléasadh sé go galánta sa stíl Eorpach, (línte 183–185, 57–60) agus bhí an-tóir ag na mná air.

*Geofar tuilleadh eolais faoi na péindlíthe ar lth 347.

Cleachtadh scríofa

Scríobh na nathanna i gcló Iodálach i do chóipleabhar agus foghlaim.

Ceisteanna

1. Cén fáth a raibh clann Eibhlín glan in aghaidh an phósta?
2. Cár chaith sé tréimhse?
3. Cén sórt duine a bhí ann, dar leat? Tabhair fianaise a thacaíonn le do thuairim: faigh línte ón dán a léiríonn na tréithe sin.
4. Cén fáth ar chuir sé olc ar dhaoine?
5. Luaigh dhá phéindlí a sháraigh sé.

http://www.educate.ie/próifíl — Eibhlín Dhubh Ní Chonaill

Ba ghairid go raibh naimhde ag Art, agus deirtear gur thit sé amach le hArd-Shirriam Chorcaí, Abraham Morris, de bharr mná. Dúirt Morris gur ghoid Art gunna uaidh agus *cuireadh an dlí air*, ach níor eirigh leis breith ar Art. Shocraigh Morris ansin ceann de na péindlíthe a úsáid *chun iallach a chur ar* Art a chapall – capall breá a fuair sé san Ostair – a dhíol leis ar £5. Ar ndóigh, *dhiúltaigh Art é* sin a dhéanamh. Chuir Abraham an dlí air agus bhí ar Art teitheadh.

D'éirigh Art tuirseach den teitheadh agus shocraigh sé *iarracht a dhéanamh* Abraham Morris a mharú. Bhí a fhios aige go raibh Morris i Sráid an Mhuilinn ar an 4ú Bealtaine 1773 agus chuaigh sé go Carraig an Ime *ag feitheamh air*. Chuaigh sé isteach i dteach tábhairne ansin, agus thosaigh sé ag ól agus agus *ag maíomh* go raibh sé chun Morris a mharú. D'fhág duine amháin an teach tábhairne agus *sceith sé air*. Dúirt sé le Morris cá raibh Art ag fanacht air. Tháinig Morris go Carraig an Ime le saighdiúirí. *Caitheadh urchar le* hArt agus maraíodh é. Rith an capall ar ais go Ráth Laoich agus tháinig Eibhlín Dhubh ar ais ar an gcapall chuig a fear céile. Deirtear gur chum sí an chéad chuid den chaoineadh an oíche sin.

13

Cleachtadh scríofa

Cad is brí leis na nathanna i gcló Iodálach? Foghlaim iad.

Ceisteanna

1. Cén fáth ar thosaigh aighneas idir é féin agus Ard-Shirriam Chorcaí, Abraham Morris?
2. Cad a d'éiligh Abraham Morris ar Art? Cén fáth a bhféadfadh é sin a dhéanamh?
3. Ar ghéill Art dá éileamh?
4. Cén fáth a ndeachaigh Art go Carraig an Ime? Cad a rinne sé ansin?
5. Conas a fuair Abraham Morris amach go raibh Art ag fanacht air ag Carraig an Ime?
6. Cad a tharla ag Carraig an Ime?

http://www.educate.ie/próifíl   Eibhlín Dhubh Ní Chonaill

Cuireadh Art ar dtús i gCill na Martra, ach bogadh a chorp ansin go Mainistir Cill Chré. Tá a uaigh sa reilig i gCill Chré agus an scríbhinn seo greannta air: *'Lo! Arthur Leary, generous, handsome, brave. Slain in his bloom, lies in this humble grave. Died May 4th 1773. Aged 26 years'.*

Ní fios cad a tharla don leanbh Fear nó don leanbh a bhí Eibhlín ag iompar nuair a maraíodh Art ach chuaigh Conchubhar, an mac ba shine, go Páras agus rinne sé staidéar ar an dlí. Tá sé curtha san uaigh lena athair agus lena mhac Purcell O'Leary.

Bhain Cornelius, deartháir Airt, díoltas amach tamall ina dhiaidh sin agus chaith sé urchar le Morris. Cé nár mharaigh sé é, fuair Morris bás dhá bhliain ina dhiaidh sin agus ceaptar gur chuir na gonta a d'fhulaing sé dlús lena bhás.

Obair bheirte: rólghlacadh

1. Samhlaigh gur tusa Eibhlín agus go bhfeiceann tú Art den chéad uair. Cum an comhrá eadraibh.
2. Samhlaigh Art agus Morris ag bualadh le chéile ar an tsráid i Maigh Chromtha agus an comhrá eatarthu.
3. Samhlaigh tórramh Airt lena chlann (níor tháinig aon duine de na Conallaigh as Doire Fhíonáin go dtí an tórramh).

Nótaí ar an dán

Sórt dáin

Is caoineadh (*lament*) é an dán seo. Bhí sé de nós in Éirinn caoineadh a scríobh nuair a fuair duine bás, ach is minic a scríobh file proifisiúnta é, agus ní raibh an paisean céanna ann is atá sa dán seo. Bhíodh mná caointe proifisiúnta ann chomh maith a théadh ag caoineadh na n-uasal. Mhair an caoineadh seo sa bhéaloideas, i mbéal na ndaoine go ceann i bhfad. Ba í Nóra Ní Shíndile, bean chaointe a chónaigh i mBuaile Mór in aice le Sráid an Mhuilinn, a thug an leagan seo den chaoineadh dúinn. Fuair sí bás in 1873, in aois a 100 bliain nó mar sin. Is é seo an sampla is fearr den chaoineadh a mhaireann, agus an caoineadh is cáiliúla sa Ghaeilge. Rinne Thomas Kinsella, John Montague agus Éilis Dillon aistriúcháin Bhéarla ar an dán.

Caoineadh: tréithe an chaointe

1. Déantar an té atá marbh **a mholadh** go hard na spéire. Is minic a dhéantar **áibhéil ar a dhea-thréithe**, agus **ní luaitear aon locht** a bhí air.
2. Déantar cur síos ar **ghaisce** agus ar **ghníomhartha** an té atá marbh
3. Labhraítear **go díreach** leis an té atá marbh amhail is go raibh sé fós beo.
4. Déantar cur síos ar **bhrón agus ar bhriseadh croí an fhile**.
5. Déantar cur síos ar **bhrón agus ar bhriseadh croí mhuintir an duine mhairbh**.
6. **Maslaítear a naimhde agus cuirtear mallacht orthu**.
7. Ríomhtar **ginealach** an té atá marbh agus moltar a **uaisleacht**.
8. Moltar **crógacht** agus **flaithiúlacht** an té atá marbh.
9. Déantar cur síos fábharach ar **chuma fhisiciúil** an té atá marbh.
10. Baintear úsáid as **athrá**.

Cleachtadh scríofa

Faigh sampla sa dán de gach ceann de na tréithe a luaitear thuas. Scríobh amach freagra ar an gceist seo: 'Tá tréithe an chaointe le sonrú go soiléir sa dán seo.'

Téama an dáin

Is é **brón agus briseadh croí an fhile** ar bhás tubaisteach a fir chéile is téama don dán seo. Tá a grá dá fear céile, agus an cumha a bhraitheann sí, le sonrú síos tríd an dán. Is *'cri de coeur'* an dán ó thús deireadh.

Íomhánna

Cuirtear réimse leathan íomhánna os ár gcomhair sa dán seo, a thugann léargas suimiúil dúinn ar shaol na linne.

Sa chéad véarsa, tá íomhá rómánsúil den chéad uair a bhuail Eibhlín le hArt, nuair a thit sí dúnta i grá leis. Ar nós *Romeo and Juliet*, bhí a muintir glan in aghaidh an phósta ach d'éalaigh sí lena grá geal.

I véarsa a dó faighimid léargas ar shaol an tí mhóir ag an am. Is léir go raibh Art saibhir agus chuir sé gach rud ar fáil dá bhean chéile. Bhí flúirse bia ar fáil: arán, iasc, agus mairteoil, seomraí móra, agus bhí Eibhlín in ann codladh go meán lae. Glactar leis mar sin go raibh searbhóintí ann chun an obair tí a dhéanamh. Léiríonn an véarsa seo féile agus flaithiúlacht Airt.

Sa tríu véarsa, déanann Eibhlín cur síos ar an gcéad uair a bhuail sí le hArt arís, le hata le banda óir air, a chlaíomh airgid le feiceáil go soiléir, é ar a chapall ag pramsáil timpeall ag cur eagla ar a 'námhaid chealgach'. Ghéill na Sasanaigh dó mar chuir sé eagla orthu.

Sa cheathrú véarsa déantar cur síos ar éadaí Airt arís. Is léir go mbíodh sé gléasta go galánta agus go mbíodh bród air as a fheisteas, agus bród ar Eibhlín freisin. Ba lánúin óg, fhaiseanta den uasaicme iad, bródúil as a gcuid seodra agus a gcuid saibhris, nuair ba chóir do Chaitlicigh a bheith umhal, uiríseal. Tá seans go raibh daoine ar nós Morris in éad leo.

Sa chúigiú véarsa, cuirtear íomhá bhrónach de pháistí óga Airt os ár gcomhair, ag fiafraí dá máthair cá bhfuil a n-athair: 'Conchubhar beag an cheana/ Is Fear ... fiafróid díom go tapaidh / Cár fhágas féin a n-athair'. Músclaíonn an íomhá seo trua ionainn do chlann óg Airt agus d'Eibhlín.

Sa séú véarsa déantar tagairt do ghinealach Airt agus dá éadaí galánta arís, éadaí a tháinig ón iasacht, mar sin is léir go raibh siad daor.

Sa seachtú véarsa, tá íomhá scéiniúil de chapall Airt ag filleadh abhaile gan marcach agus fuil Airt air. Tuigtear dúinn an eagla a mhúscail sé seo in Eibhlín.

I véarsa 20, impíonn Eibhlín ar a fear céile éirí agus dul an bóthar soir. Arís cuirtear béim ar fheisteas Airt: 'Éadaigh uasail ghlain ... do bhéabhar dubh' (Scríobhadh an chuid seo den dán nuair a bhí Art á thórramh ina theach. Bhí sé de nós an corp a leagadh amach agus a thórramh (***be waked***) thar oíche. Chruinníodh clann agus cairde an té a bhí marbh chun é a chaoineadh).

Cleachtadh scríofa

Scríobh na híomhánna thuasluaite amach agus faigh líne ón téacs a léiríonn an íomhá sin.

Mothúcháin

Brón, cumha, briseadh croí, bród, trua, fuath, eagla.
Brón agus cumha i ndiaidh an fhir mhairbh na mothúcháin is láidre atá le sonrú sa dán seo.

Feicimid **briseadh croí Eibhlín** síos tríd an gcaoineadh. Ach taobh leis an mbrón, feicimid **bród an fhile as a fear céile**. Arís síos tríd an dán, cuirtear íomhá d'Art mar fhear láidir, cumhachtach, cróga, os ár gcomhair. Bhí eagla ar chách roimhe, 'D'umhlaídís Sasanaigh / síos go talamh duit'.

Músclaíonn an cúigiú véarsa **ár dtrua** do pháistí Airt, agus d'Eibhlín atá fágtha gan fear céile.

Ar ndóigh mhúscail Art **fuath agus eagla** ina naimhde, 'fír-chritheagla/ar námhaid chealgach'.

I míreanna eile den chaoineadh léiríonn Eibhlín agus athair Airt a bhfuath d'Abraham Morris agus don sceitheadóir, Seán Ó hUaithne.

Cleachtadh scríofa

Faigh samplaí agus línte eile a léiríonn na mothúcháin thuasluaite sa dán agus scríobh cuntas ar na mothúcháin a mhúscail an dán ionat.

Meadaracht

Is seánra an chaointe atá anseo. Baintear úsáid as meadaracht ar a dtugtar

Rosc

Seo a leanas tréithe an roisc:

1. Bíonn línte gearra le dhá (nó trí) bhéim (*accents*) ann 'Mo ghr**á** go d**ai**ngean tú'
2. Bíonn an guta aiceanta céanna (same stressed vowel) ag deireadh gach líne, 'Mo ghrá go d**ai**ngean tú / Lá dá bhf**a**ca thú'
3. Athraíonn an guta uaireanta ó véarsa go véarsa, 'mb**án**-ghlac / bior**án** duit'
4. Bíonn samplaí de chomhfhuaim dheiridh forleathan, i véarsa a dó: 'dhom / dhom / tú / úd'
5. Bíonn uaim ann, 'i **bhf**ad ó **bh**aile / **c**laíomh **c**inn'

13

Ceist shamplach

'Is dán pearsanta grá é seo, ach tugtar léargas dúinn freisin ann ar an saol i rith tréimhse chorraitheach i stair na tíre seo.' Pléigh.

Freagra samplach

Níl aon dabht ach go bhfuil fírinne ag baint leis an ráiteas seo. I dtús báire, ní féidir a shéanadh gur dán grá é an dán seo, agus gurb é ceann de mhórdhánta grá na Gaeilge é. Braithimid ón gcéad líne an grá atá ag an bhfile dá fear céile. Déanann an file cur síos ar an gcéad lá a chonaic sí é agus ar an tslí ar thit sí i ngrá leis láithreach, 'Mo ghrá go daingean tú! Lá dá bhfaca thú / Thug mo chroí taitneamh duit'. Cé go raibh a clann glan in aghaidh an phósta, d'éalaigh sí leis, 'D'éalaíos óm charaid leat.'

Arís sa tríú véarsa déanann sí cur síos ar an lá cinniúnach sin agus ar na tréithe a mheall í – an claíomh a léirigh a chrógacht, an eagla a chuir sé ar Shasanaigh, an bród agus mórtas a léirigh sé: 'Lámh dheas chalma– / Rompsáil bhagarthach– / Fír-chritheagla / Ar námhaid chealgach.'

Is é a fhearúlacht, a mhisneach agus a dhánaíocht a mheallann í. Is minic a úsáideann sí téarmaí ceana, 'Mo ghrá go daingean tú / a mhúirnín mh'anama / Mo chara thú/ mo chuid / mo ghamhain'. Tá sí croíbhriste nuair a thagann a chapall abhaile gan Art, 'Gur tháinig chugham do chapall/Is a srianta léi go talamh,/ is fuil do chroí ar a leacain/ Siar go t'iallait ghreanta'.

Ach tugtar léargas iontach dúinn freisin ar shaol na ndaoine san ochtú haois déag in Éirinn. B'uaisle iad Art agus Eibhlín, ach ba Chaitlicigh iad freisin. Ag an am, bhí na péindlíthe i bhfeidhm agus ní raibh cead ag Caitlicigh sealúchas a bheith acu, claíomh a chaitheamh ná capall, arbh fhiú níos mó ná £5 é, a bheith acu. Ba dhuine bródúil é Art, agus sháraigh sé go hoscailte na dlíthe sin, nuair a bhí Caitlicigh eile díscréideach, ag iarraidh gan aird a tharraingt orthu féin. Mhúscail Art fuath na Sasanach sa cheantar, go háirithe fuath Abraham Morris, Ard-Shirriam Chorcaí, a thairg £5 dó dá chapall. Nuair a dhiúltaigh Art an capall a thabhairt dó, cuireadh an dlí air. Maraíodh ansin é ag Carraig an Ime. Léiríonn an dán an éagóir a bhraith Eibhlín agus muintir Airt. I gcodanna eile den dán, léiríonn Eibhlín a fearg agus a fuath do na daoine a mharaigh a fear céile. Ach sna míreanna ainmnithe is é a grá dá fear céile agus a bród as atá chun tosaigh.

Léirítear freisin an saol breá compordach a bhí ag Caitlicigh uaisle. Déantar cur síos sa dara véarsa ar an teach a bhí acu, 'Rúmanna á mbreacadh dhom / bácús á ndeargadh dhom / Brící á gceapadh dhom / Rósta ar bhearaibh dhom'. Is léir go raibh siad saibhir. Déantar tagairt go rialta do na héadaí breátha a bhí ag Art:

siombail eile dá shaibhreas, 'Hata faoi bhanda / Bróg chaol ghallda / Is culaith den abhras / A sníomhthaí thall'. Déantar tagairt dá chlaíomh 'claíomh cinn airgid,' rud eile a léirigh a shaibhre a bhí sé. An choir is mó a rinne Art ná gur thaispeáin sé a shaibhreas don saol go hoscailte, neamheaglach.

Is cinnte gur dán grá an-phearsanta é séo, ach freisin tugann sé léargas fíor-shuimiúil dúinn ar an saol in Éirinn san ochtú aois déag.

Ceisteanna scrúdaithe

1. Scríobh nóta ar éifeacht na húsáide a bhaintear as na teicníochtaí seo a leanas: íomhánna, athrá, friotal, meadaracht, siombailí.
2. Cad iad na mothúcháin is láidre atá le brath sa dán seo? Conas mar a chuireann an file iad in iúl dúinn?
3. Déan trácht ar thréithe an chaointe atá le sonrú sa dán seo.
4. Déan cur síos ar an léiriú a fhaighimid ar Art Ó Laoghaire agus ar an bhfile, Eibhlín Dhubh Ní Chonaill sa dán seo, ag úsáid fianaise ón dán.
5. Déan trácht ar an gcaoi a chuaigh an dán seo i bhfeidhm ort.

Éiceolaí

Tá bean ***béal dorais*** *a choinníonn* ***caoi*** *ar a teach*
a fear, a mac,
is a shíleann gairdín a choinneáil mar iad, ***go baileach****.*
Beireann sí ***deimheas*** *ag an uile rud a fhásann.*
Ní maith léi ***fiántas****.*
Ní fhoighníonn *le* ***galar*** *ná* ***smál*** *ná* ***féileacán bán***
ná ***piast ag piastáil***
is ní maith léi an bláth a ***ligfeadh a phiotail ar lár.***

Cuirim ***feochadáin*** *chuici ar an ngaoth*
Téann mo ***sheilidí de sciuird oíche*** *ag ithe a cuid leitíse.*
Síneann na ***driseacha*** *agamsa a gcosa faoin* ***bhfál****.*
Is ar an bhféar aici siúd a dhéanann ***mo chaorthainnse***
cuileanna glasa a thál

Tá bean béal dorais a choinneodh a gairdín ***faoi smacht***
ach ***ní fada go mbainfimid deireadh dúil dá misneach****.*

Foclóir

béal dorais *next door*
caoi ord/eagar *order*
go baileach go díreach *exactly*
deimheas *shears/secateurs*
an uile rud gach rud
fiántas fás fiáin *wildness*
Ní fhoighníonn níl foighne aici le *she has no patience with*
galar tinneas *disease*
smál locht *blot, stain*
féileacán bán *white butterfly* ní maith le garraíodóirí é mar itheann an bolb (*caterpillar*) cabáiste
piast *worm*
ag piastáil *squirming*
ligfeadh a phiotail ar lár *that would let its petals drop*
feochadáin *thistle seeds*
mo sheilidí *my snails*
de sciuird oíche *on nighttime raids*
driseacha *briars*
faoi bhfál *under the wall*
mo chaorthainnse *my rowan tree*
cuileanna glasa a thál *supplies greenflies*
faoi smacht *under control*
ní fada go mbainfimid deireadh dúil dá misneach *we'll put a stop to her efforts (we'll make her lose heart)*

Leagan próis

Tá bean ina cónaí sa teach taobh liom a choimeádann a teach, a fear céile agus a mac néata, slachtmhar agus a dhéanann iarracht a gairdín a choimeád slachtmhar freisin, mar iad. Gearrann sí le deimheas gach rud a fhásann. Ní maith léi aon rud fiáin. Níl aon fhoighne aici le haicíd, le haon rud lochtach ná leis an bhféileacán bán ná leis an bpéist a bhíonn ag lúbarnaigh. Agus ní maith léi blátha a ligeann dá bpiotail titim ar an talamh.

Seolaimse síol feochadáin isteach ina gairdín leis an ngaoth. Téann mo sheilidí, i rith na hoíche, isteach ina gairdín chun a leitís a ithe. Fásann géaga na ndriseacha i mo ghairdín faoin mballa isteach ina gairdín siúd, agus cuireann mo chrann caorthainnse cuileanna glasa ar fáil ar a féar.

Tá bean sa teach taobh liom a choimeádfadh a gáirdín faoina smacht ach cuirfimidne lagmhisneach uirthi gan mhoill.

13

Ceisteanna

1. Tabhair míniú (i nGaeilge) ar an bhfocal 'éiceolaí'.
2. Cén sórt mná í an bhean béal dorais? Tabhair fianaise ón dtéacs.
3. Cén sórt gaoil atá aici lena fear, lena mac, lena comharsa, dar leat?
4. Cad a dhéanann sí leis na plandaí sa ghairdín?
5. Léigh líne 8. Cén fáth nach maith léi blátha a ligeann dá bpiotail titim? Cad deir sé seo fúithi?
6. An gceapann tú gur maith leis an bhfile a comharsa? Cén fáth?
7. Luaigh ceithre bhealach a dhéanann an file dochar do ghairdín a comharsan.
8. An ndéanann sí é seo d'aon ghnó (*on purpose*)?
9. An maith leis an bhfile a comharsa? Tabhair fáthannna le do fhreagra.
10. Cén fáth go n-úsáideann an file an iolra 'go mbainfimid' sa líne deireanach? Cé eile atá ag cabhrú leis an bhfile?

Obair bheirte: rólghlacadh

1. Scríobh an comhrá a shamhlófa idir an file agus a comharsa.
2. Cén sórt sórt gutha a mbainfeá úsáid as? (Béasach/feargach/ searbhasach/ gealgháireach/buartha/ceartaiseach/ déistineach)
3. Scríobh an comhrá a bheadh ag an mbean béal dorais lena fear céile faoin bhfile agus a gairdín.

Fíricí faoin bhfile

http://www.educate.ie/próifíl   Biddy Jenkinson

Ainm cleite is ea Biddy Jenkinson. Rugadh an file i 1949 agus bhain sí céim amach i gColáiste na hOllscoile, Baile Átha Cliath. Tá filíocht, drámaí, prós agus scéalta do pháistí scríofa aici. Foilsíodh an dán seo sa chnuasach 'Baisteadh Gintlí' (1986).

Nótaí ar an dán

Téama

Tugann teideal an dáin leid dúinn faoin téama. Is í an timpeallacht agus dearcadh an fhile ina leith téama an dáin seo. Léiríonn an file a dearcadh féin i leith an dúlra trí chomparáid a dhéanamh idir í féin agus a comharsa béal dorais. Ba mhaith lena comharsa an dúlra a smachtú agus a chur faoi chois, ach ba mhaith leis an bhfile cead a chinn a thabhairt don nádúr agus ligean do rudaí fás mar is mian leo.

Mothúcháin

Tá magadh, greann, diabhlaíocht, searbhas, déistin agus díoltas le brath sa dán. Úsáideann an file guth magúil, searbhasach agus í ag caint faoina comharsa a 'choinníonn caoi ar a teach, a fear, a mac'.

Tá an searbhas le sonrú go láidir i líne 8 freisin: 'ní maith léi an bláth a ligfeadh a phiotail ar lár'. Ar ndóigh, ligeann gach bláth dá phiotail titim luath nó mall. Is cuid de shaolré (life cycle) nadúrtha an bhlátha é. Is léir go gcuireann fiántas agus feithidí déistin ceart ar an mbean comharsan: 'Ní fhoighníonn le galar...'. 'Beireann sí deimheas le gach uile rud a fhásann'

Sa dara véarsa tá diabhlaíocht, díoltas agus greann le brath. Tá an file ag fáil díoltas ar a comharsa. Seolann sí síol feochadán, seilidí, driseacha agus cuileann glasa isteach ina gairdín. Níl aon mhailís ag baint leis an díoltas seo, áfach. Tuigimid go bhfuil an file ag magadh agus go bhfuil an greann chun tosaigh. Tá féith an ghrinn san fhile agus baineann sí úsáid éifeachtach as an ngreann chun a tuairim i leith na timpeallachta a chur in iúl dúinn. Tá sí bródúil as a seilidí a dhéanann 'sciuird oíche' ar ghairdin na gcomharsan.

Teicníochtaí filíochtaí

Íomhánna

Sa chéad véarsa cuirtear íomhá den bhean comharsan agus a gairdín os ár gcomhair. Is bean smachtmhar, cheannasach í a 'choinníonn caoi ar a teach, a fear, a mac'. Tá smacht aici ar a teach agus a clann agus ba mhaith léi an smacht céanna a bheith aici ar an dúlra. Faighimid léiriú de bhean a théann thar fóir le néatacht: 'Beireann sí deimheas ag an uile rud a fhásann'. Tá sí chomh néata sin nach maith léi fiú na piotail ag titim ó na bláthanna. Sa dara véarsa, faighimid léiriú de fiailí 'feochadáin', 'driseacha' agus feithidí 'seilidí', 'cuileanna glasa' gur fuath le gach garraíodóir. Ach tá an file ag ionsaí gairdín a comharsan leo. Sa véarsa seo, tá an file ag rá gurb í siúd atá freagrach as na rudaí seo: 'Cuirim', 'Téann mo sheilidí', 'Síneann na driseacha agamsa', 'mo chaorthainnse'.

Níl aon leisce uirthi freagracht a ghlacadh as an ionsaí seo. Cuireann 'sciuird oíche' an seilidí airm i gcuimhne dúinn. Feicimid íomhá greannmhar den fhile lena 'hairm' seilidí, cuileanna agus piast ag ionsaí gairdín néata na gcomharsan.

Áibhéil agus searbhas

Baineann an file úsáid éifeachtach as áibhéil agus searbhas. Coinníonn an bhean béal dorais caoi ar a teach, ach freisin ar 'a fear, a mac'. Gearrann sí 'an uile rud a fhásann'. Sampla eile d'áibhéil agus searbhas is ea an líne: 'Ní maith léi an bláth a ligeann a phiotail ar lár' (Ligeann gach bláth dá phiotail titim). Sa dara véarsa tá áibhéil le brath san ionsaí a dhéanann sí ar ghairdín a comharsan agus sa chaoi a thugann sí le fios gur leí siúd na seilidí, na driseacha.

Meadaracht

Cleachtar an tsaorvéarsaíocht sa dán seo. Ach mar sin féin, tá ceolmhaireacht agus rím sa dán. Tá comhfhuaim dheiridh idir 'teach' agus 'baileach', fhásann / fiántas bán / piastáil / lár bhfál / thál smacht/misneach.
Samplaí d'uaim is ea: bean béal piast ag piastáil
Samplaí d'aicill is ea: piastáil / bláth leitíse / Síneann

Ceist shamplach

'An chodarsnacht idir dhá dhearcadh éagsúla i leith an dúlra is téama don dán seo.' É sin a phlé.

Freagra samplach

Is cinnte go dtugtar léargas suimiúil, greannmhar dúinn sa dán seo ar bheirt bhan a bhfuil dearcthaí an-éagsúla acu i leith an dúlra. Is é an dúlra, agus dearcadh na beirte ina leith, téama an dáin seo.

Sa chéad véarsa déantar cur síos ar an mbean comharsan. Sa chéad dá líne feicimid gur bean smachtúil, ceannasach í 'a choinníonn caoi ar a teach, a fear, a mac'. Léirítear dúinn ansin a dearcadh i leith an dúlra agus a gairdín. Ba mhaith léi smacht iomlán a choimeád ar a gairdín freisin. Gearrann sí gach rud a fhásann: 'Beireann sí deimheas ag an uile rud a fhásann'. Baineann an file úsáid as abairtí diúltacha chun dearcadh diúltach na mná comharsan i leith an nádúir a léiriú. Treisíonn an t-athrá ar an bhfocal 'ní' agus 'ná' an diúltachas seo: 'Ní maith leí fiántas, Ní fhoighníonn... ná ... ná ... ná ... is ní maith léi an bláth...' Tá an bhean comharsan mí-fhoighneach leis an nádúr: 'Ní fhoighníonn le galar ná smál...'. Tá sí smachtúil agus is foirfeoir í. 'Ní maith léi 'an bláth a ligfeadh a phiotail ar lár'. Ar ndóigh tá an file ag baint úsáid as áibhéal agus searbhas anseo chun dearcadh na mná béal dorais a aoradh - ligeann gach bláth dá phiotail titim luath nó mall.

Sa dara véarsa feicimid dearcadh an fhile i leith an dúlra. Tá codarsnacht láidir idir néatacht agus foirfeacht na mná comharsan agus córas '*laissez-faire*' an fhile. Tugann an file cead a cinn don nádúr ina gairdín féin. Ligeann sí do na seilidí, na cuileanna glasa, na feochadáin agus do na driseacha fás as cuimse. Baineann sí sásamh as gairdín néata a comharsan a scrios! Tá diabhlaíocht an fhile le brath sa véarsa seo. Tá sise sásta oibriú leis an nádúr agus tuigeann sí go mbeidh an bua, ar deireadh, ag an nádúr.

Cé go bhfuil an file ag aoradh a comharsan, is aoradh éadromchroíach atá i gceist. Is léir go bhfuil dhá dhearcadh éagsúla acu i leith na timpeallachta agus an dúlra.

Ceisteanna scrúdaithe

1. Déan trácht ar an léiriú a thugtar dúinn ar shaol na mbruachbhailte sa dán seo.
2. Déan trácht ar na mothúcháin a léirítear sa dán seo, agus mar a chuirtear os ár gcomhair iad.
3. 'Aoir nua-aimseartha is ea an dán seo.' É sin a phlé.
4. 'Coimhlint idir bheirt phearsa láidre a léirítear sa dán seo.' Pléigh.
5. 'Is dán faoin timpeallacht agus an dúlra é seo.' Pléigh.

Fill Arís

Fág ***Gleann na nGealt*** *thoir,*
Is a bhfuil ***d'aois seo*** *ár dTiarna i d'fhuil,*
Dún d'intinn ar ar tharla
Ó buaileadh *Cath Chionn tSáile,*
Is ón ***uair go bhfuil*** *an t-ualach trom*
Is an bóthar fada, bain ***ded mheabhair***
Srathar *shibhialtacht an Bhéarla,*
Shelley, Keats is Shakespeare:
Fill arís ar do chuid,
Nigh d'intinn is nigh
Do theanga a chuaigh ***ceangailte i gcomhréiribh***
'Bhí bunoscionn le d'éirim*:*
Dein ***d'fhaoistin*** *is dein*
Síocháin ***led ghiniúin féinig***
Is led ***thigh-se féin*** *is* ***ná tréig iad****,*
Ní dual do neach *a thigh ná a threabh a thréigean.*
Téir ***faobhar na faille*** *siar tráthnóna gréine go Corca Dhuibhne,*
Is ***chífir*** *thiar ag bun na spéire ag* ***ráthaíocht*** *ann*
An Uimhir Dhé, is an Modh Foshuiteach*,*
Is an tuiseal gairmeach ***ar bhéalaibh daoine****:*
Sin é ***do dhoras****,*
Dún Chaoin *fé sholas an tráthnóna,*
Buail is osclófar
D'intinn is ***do chló ceart****.*

Foclóir

Gleann na nGealt áit do dhaoine le meabhairghalar
d'aois seo an saol nua-aimseartha
Dún d'intinn ar ar tharla déan dearmad ar cad a tharla
Ó buaileadh ó chaill na Gaeil
uair go bhfuil mar go bhfuil
ded mheabhair de d'intinn
Srathar straddle, ualach
ceangailte i gcomhréiribh a thóg struchtúir an Bhéarla
'Bhí bunoscionn le d'éirim a chuaigh in aghaidh do dhúchais
d'fhaoistin *confession*
led ghiniúin féinig do chine, do dhúchas féin
thigh-se féin do theach féin
ná tréig iad ná fág (*abandon*) iad
Ní dual do neach Níl sé nádúrtha don duine
faobhar na faille cois aille
chífir feicfidh tú
ráthaíocht go flúirseach
An Uimhir Dhé, is an Modh Foshuiteach téarmaí éágsúla gramadaí
ar bhéalaibh daoine in úsáid ag daoine
do dhoras do shlí
Dún Chaoin áit i nGaeltacht Chiarraí
do chló ceart do theanga dhúchais (an Ghaeilge)

Leagan próis

Fág an gealtachas san oirthear
Agus an chuid díot atá nua-aimseartha
Déan dearmad ar gach rud a tharla
Ó cloíadh na Gaeil i gCath Chionn tSáile (1607)
Agus mar go bhfuil go leor bagáiste agat
Agus go bhfuil an ród fada, glan as d'aigne
Diallait chultúr an Bhéarla
Shelley, Keats agus Shakespeare:
Tar ar ais go dtí do dhúchas féin
Do theanga féin a chuaigh i bhfostú i struchtúir teangan
Abhí ag dul in aghaidh d'éirim:
Déan aithrí
Agus déan síocháin le do dhúchas féin
Agus le do mhuintir féin agus ná tabhair cúl dóibh
Níl sé ceart d'éinne cúl a thabhairt ar a mhuintir féin
Téigh taobh leis na haillte siar go Corca Dhuibhne ar thráthnóna breá
Agus feicfidh tú go bhfuil na struchtúir dhúchasacha cainte beo beathaíoch ann:
Uimhreacha, beannachtaí, agus an tuiseal gairmeach á úsáid ag daoine.
Sin é do dhoras
Dún Chaoin geal sa tráthnóna.
Cnag ar an doras, agus osclófar
D'aigne féin agus do theanga dúchasach.

Fíricí faoin bhfile

http://www.educate.ie/próifíl

Seán Ó Ríordáin

Ar líne 11.10am

Ceann de mhórfhilí na Gaeilge ón bhfichiú haois ab ea Seán Ó Ríordáin. Rugadh i mBaile Bhuirne i nGaeltacht Mhúscraí é an 3 Nollaig 1916, ach bhog sé go cathair Chorcaí le freastal ar scoil ansin nuair a bhí sé 15 bliana d'aois, agus d'fhan sé ina chónaí sa chathair an chuid ba mhó dá shaol. D'oibrigh sé ar feadh na mblianta mar státseirbhíseach in Halla na Cathrach i gCorcaigh.

Chaith sé tréimhsí fada dá shaol san ospidéal mar go raibh eitinn (TB) air nuair a bhí sé óg.

Foilsíodh a chnuasach dánta *Eireaball Spideoige* sa bhliain 1952 agus *Brosna* sa bhliain 1964 agus bhain sé clú amach dó féin mar fhile nua-aimseartha den scoth.

Chuaigh sé le hiriseoireacht freisin, agus é ag scríobh ailt go rialta san *Irish Times*.

File fealsúnach Críostaí ab ea an Ríordánach. Bhíodh rúndiamhra na beatha is an bháis, na síoraíochta is an pheaca ag cur as dó go minic. Ag an am céanna léirigh sé grá don dúchas agus do leanúnachas an chine Éireannaigh agus an traidisiúin dhúchasaigh.

Fuair Seán Ó Ríordáin bás sa bhliain 1977.

13

Nótaí ar an dán

Teideal an dáin

Ordú atá sa teideal, agus úsáideann an file an Modh Ordaitheach síos tríd an dáin. Tá sé ag caint leis féin, ag iarraidh air féin teacht ar ais go dtí a chultúr dúchais, agus a theanga dhúchais.

Cúlra an dáin

Ba mhaith leis filleadh ar an nGaeilge agus ar chultúr na Gaeilge mar a bhí fós sa Ghaeltacht in áiteanna cosúil le Dún Chaoin. Rugadh an file i gceantar Ghaeltachta Mhúscraí i gCorcaigh agus bhí an Ghaeilge timpeall air go dtí gur bhog an chlann go cathair Chorcaí nuair a bhí sé 15 bliana d'aois. Bhí sé timpeallaithe ag an mBéarla ansin agus is dócha gur cheap sé *persona* nua ansin. Mar shampla, san oifig inar oibrigh sé tugadh Jackie Riordan air. Sa dán seo, tá sé ag iarraidh cúl a thabhairt leis an gcultúr Béarla agus filleadh arís ar a chultúr agus a theanga dhúchais. Ba mhaith leis dul go Dún Chaoin chun an Ghaeilge a chloisteáil arís á labhairt go nádúrtha.

Téama an dáin

Is é an dúchas agus dúil an fhile ina theanga agus a chultúr féin a athshealbhú, is téama don dán seo. Braitheann an file go bhfuil an Ghaeilge tréigthe aige agus go bhfuil sé anois faoi anáil an Bhéarla. Ba mhaith leis teanga a óige agus a shinsir, an Ghaeilge, a úsáid arís.

Mothúcháin

Tá cumha agus aiféala le brath sa dán seo. Tá cumha ar an bhfile i ndiaidh a theanga dhúchais, teanga a óige agus a shinsir, agus ba mhaith leis í a chloisteáil arís á labhairt go nádúrtha 'ar bhéalaibh daoine' thiar i nDún Chaoin.

Braithimid aiféala an fhile freisin. Braitheann sé gur thréig sé an Ghaeilge agus a dhúchas, agus go gcaithfidh sé aithrí a dhéanamh: 'Dein d'fhaoistin is dein / Síocháin led ghiniúin féinig'. Is léir gur bhraith an Ríordánach ciontach faoi seo, gur bhraith sé go ndearna sé leatrom ar a dhúchas agus ba mhaith leis é seo a chur ina cheart. Tá *angst* an údair le brath síod tríd an dán. Tá suaimhneas le brath ag deireadh an dáin, nuair a fhilleann sé ar Chorca Dhuibhne: 'Dún Chaoin fé sholas an tráthnóna'.

Teicníochtaí filíochta

Íomhánna agus meafair

Baineann an file úsáid as mórán íomhánna sa dán seo. Sa chéad líne luann sé 'Gleann na nGealt'. Is meafar é seo do shaol nua-aimseartha an Bhéarla, an saol atá aige i gcathair Chorcaí, áit a bhí sé ina chónaí.

Leanann sé air le híomhánna d'aistear: 'Is ón uair go bhfuil an t-ualach trom/Is an bóthar fada, bain ded mheabhair / Srathar shibhialtacht an Bhéarla.'

Cuireann sé a athrú intinne i gcomparáid le haistear: an turas ar ais go dtí a dhúchas, agus cuireann sé cultúr an Bhéarla i gcomparáid le hualach trom. Cuireann an meafar seo an seanfhocal Gaeilge i gcuimhne dúinn: 'Ní haon ualach í an léinn', ach dar leis, is ualach é an léann gallda, an cultúr Béarla, Shelley, Keats agus Shakespeare, a chuireann cosc air a chultúr féin a bhlaiseadh, a thagann idir é agus a dhúchas.

Baineann sé úsáid ansin as meafair an pheaca agus na faoistine amhail is dá mbeadh coir déanta aige. Braitheann sé ciontach gur thréig sé a theanga dhúchais agus ba mhaith leis aithrí a dhéanamh:

'Dein d'fhaoistin is dein / Síocháin....' is íomhá í seo den pheacach ag lorg maithiúnais, íomhá a bhaineann leis an gCríostaíocht.

Cuireann sé íomhá de 'thigh' os ár gcomhair ansin. Is ionann a 'thigh' agus an dúchas, an baile, agus deir sé nach 'dual do neach a thigh ná a threabh a thréigean'.

Críochnaíonn an dán le híomhá aoibhinn, suaimhneach de Ghaeltacht Chiarraí:

'faobhar na faille siar tráthnóna gréine...

Dún Chaoin fé sholas an tráthnóna'.

B'fhéidir go bhfuil beagán den mhaoithneachas *(sentimentality)* san íomhá seo. Is minic lucht na cathrach agus lucht Gaeilge na cathrach ag féachaint ar an nGaeltacht mar útóipe, Hy-Brasil na Gaeilge, áit a fhaigheann siad suaimhneas, síocháin agus ar ndóigh Gaeilge chruinn, líofa, gan bhotún, gan séimhiú fágtha ar lár (nó níos measa fós, curtha in áit nár chóir dó bheith)!

Meadaracht an dáin

Is í an tsaorvéarsaíocht a chleachtar sa dán. Is minic comhfhuaim idir dhá líne: 'tharla / tSáile', 'Béarla / Shakespeare', 'gcomhréiribh / d'éirim'.

Tá samplaí d'uaim freisin: 'faobhar na faille'.

Agus aicill: 'do dhoras, / Dún Chaoin 'fé sholas' an tráthnóna.'

Tá comhfhuaim idir na trí líne dheiridh: 'an tráthnóna / osclófar / do chló ceart'. Cuireann an guta 'ó' faoiseamh in iúl.

Ceisteanna scrúdaithe

1. 'An choimhlint idir chultúr nua-aimseartha an Bhéarla agus cultúr dúchasach na Gaeilge is téama don dán seo.' É sin a phlé.
2. Déan trácht ar éifeacht na húsáide a bhaineann an file as meafair sa dán seo.
3. Cad iad na mothúcháin is láidre atá le brath sa dán, dar leat?
4. 'Cuireann an file a ghrá dá dhúchas in iúl go héifeachtach sa dán seo.' É sin a phlé.
5. Déan plé gairid ar dhá cheann de na teicníochtaí filíochta seo a úsáideann an file sa dán 'Fill Arís': codarsnacht, friotal, íomhánna, siombailí agus atmaisféar.

Ceist shamplach

'Faighimid léargas sa dán seo ar mheon agus ar dhearcadh an fhile i leith na Gaeilge agus a dhúchas.' Pléigh.

Plean

Alt 1: Óige an fhile.

Alt 2: Dearcadh an fhile: gur 'thréig' sé an Ghaeilge

Alt 3: Ní féidir leis an dá theanga a fhreastal: caithfidh sé cúl a thabhairt leis an mBéarla.

Freagra samplach

Is fíor go bhfaighimid léargas sa dán seo ar dhearcadh agus ar mheon an fhile i leith na Gaeilge. Rugadh an file i gceantar Ghaeltacht Mhúscraí i gCorcaigh agus bhí an Ghaeilge timpeall air go dtí gur bhog an chlann go cathair Chorcaí nuair a bhí sé 15 bliana d'aois. Bhí sé timpeallaithe ag an mBéarla ansin agus is dócha gur Béarla ar fad a labhair sé sa chathair.

Sa dán seo, is léir go mbraitheann sé ciontach gur 'thréig' sé an Ghaeilge. Ba mhaith leis filleadh ar an nGaeilge: 'Fill arís ar do chuid'.

Braitheann sé go bhful a intinn 'salach' nó truaillithe ag an mBéarla: 'Nigh d'intinn is nigh / Do theanga'.

Ceapann sé gur chóir dó aithrí a dhéanamh agus dul ar faoistin. Braitheann sé ciontach mar go raibh sé mí-dhílis don Ghaeilge: 'Dein d'fhaoistin is dein / Síocháin led ghiniúin féinig'.

Tuairim eile a léiríonn sé sa dán ná go gcuireann an Béarla isteach ar an nGaeilge. Molann sé 'srathar shibhialtacht an Bhéarla' a bhaint. Deir sé: 'dún d'intinn' agus cuireann sé an Ghalltacht i gcomparáid le 'Gleann na nGealt'. Is léir nach gceapann sé gur cuid dá thraidisiún féin é saol an Bhéarla. Ba mhaith leis an saol sin a fhágáil agus filleadh ar a theanga dhúchais agus ar an nGaeltacht áit a mbíonn an Ghaeilge 'ar bhéalaibh daoine'. Ceapann sé gurb é an Ghaeilge a 'chló ceart'.

Níor cheap an file go bhféadfadh sé an dá thrá a fhreastal, go bhféadfadh sé glacadh leis an dá theanga. Roghnaíonn sé filleadh ar an nGaeilge.

Colmáin

I gcead do Sigurdur Pálsson

*An cat **úd** ar an **seachtú hurlár** de theach*
*ard cathrach, shíl sé ansiúd ina **áras spéire***
*gur **colmán** a bhí ann **ó dhúchas**.*

***Ó saolaíodh** é ba é an seachtú hurlár –*
***crochta ansiúd** idir an saol is an **tsíoraíocht** –*
*a bhaile agus a **bhuanchónaí**.*

*Ní fhaca sé a **mhacasamhail** féin ariamh,*
*cat dá **dhéanamh**, dá dhath, dá **dhreach**.*
*Ní fhaca sé ach daoine agus colmáin ar a **aoirdeacht**.*

Shíl sé ar dtús gur duine a bhí ann,
*gur ionann dó ina **dhóigh agus ina chosúlacht***
leo siúd ar dhá chois a bhí ina thimpeall.
*Chuirfeadh sé naipcín **fána bhráid***
*agus shuíodh sé ag an mbord **go béasach***
*le greim bídh a ithe le **lánúin** óg an tí.*
*Ní raibh de thoradh air sin ach **scread eitigh**.*
*Thógfaí ar **shiúl é láithreach***
*agus dhéanfaí **prácás bídh** as canna stáin*
*a **shá go míbhéasach faoina shoc**.*

Is minic a shuíodh sé ina aonar
*ar **leac na fuinneoige**, ag féachaint*
ar na colmáin nach dtiocfadh ina láthair.
*Amanta theastaigh uaidh **téaltú chucu***
go ciúin, súgradh leo go binn;
*a **chrúb** a chur iontu ar **son grinn**.*
*Ar na laethe úd a mhothaíodh sé **dáimh as an ghnáth***
*leis na colmáin, bheadh **iontas an domhain** air*
*nach ndéanfadh siad **cuideachta leis i dtráth ná in antráth***

13

Sa deireadh, lá buí Bealtaine le luí gréine,
***chinn sé** léim an cholmáin a thabhairt ó leac na fuinneoige*
*leis na **heiteoga** a bhí **in easbaidh** air ... **faraoir**.*

*An lá a **cuireadh i dtalamh é i bpaiste créafóige***
***sa chúlchlós**, a chorp beag ina **phraiseach**,*
*bhí colmáin **ag cuachaireacht** ó gach leac fuinneoige.*

Foclóir

úd sin, *yonder*
seachtú hurlár *seventh storey*
áras spéire *high-rise apartment*
colmán colúr, *pigeon*
ó dhúchas ó nádúr, *by nature*
ó saolaíodh é ó rugadh é
crochta ansiúd *hanging there*
an tsíoraíocht *eternity*
a bhuanchónaí áit chónaithe bhuan, *permanent residence*
a mhacasamhail cat eile, *his like*
dá dhéanamh dá shórt, *of his type/breed*
dá dhreach dá chuma, *of his appearance*
ar an aoirdeacht in airde, *on the height*
na dhóigh agus ina chosúlacht go raibh sé mar an gcéanna i gcruth le
fána bhráid timpeall a mhuineál
go béasach go múinte, *well-mannered*
lánúin *couple*
scread eitigh diúltú *shout of rejection*
Thógfaí ar shiúl é láithreach *he was taken away immediately*
prácás bídh praiseach *messy food*
a shá ... faoina shoc *shoved rudely under his snout*
leac na fuinneoige *window sill*
téaltú chucu *creep up on them*
a chrúb a lap, *his paw*
ar son grinn don spórt *for fun*
dáimh grá dá shórt féin
as an ghnáth *out of the ordinary*
iontas an domhain ionadh *surprised*
cuideachta leis i dtráth... cairdeas leis ar chor ar bith
chinn sé shocraigh sé
na heiteoga sciatháin
in easbaidh in easnamh, nach raibh aige.
faraoir mo léan, ochón
cuireadh i dtalamh é *was buried*
i bpaiste créafóige *in a patch of soil*
sa chúlchlós *in the backyard*
ina phraiseach *in a mess*
ag cuachaireacht ag canadh

13

Leagan próis

An cat sin ar an seachtú hurlár de theach ard sa chathair,
cheap sé, thuas ansin in árasan ard,
gur colúr a bhí ann ó nádúr.

Ó rugadh é b'é an seachtú hurlár,
leathbhealaigh idir talamh agus neamh
a áit chónaithe bhuan.

Ní fhaca sé cat eile cosúil leis féin riamh –
cat dá chineál féin, dá dhath féin, dá chuma féin.
Ní fhaca sé aon rud ach daoine agus éin thuas ansin ar an airde.

Cheap sé ar dtús gur duine a bhí ann,
go raibh sé cosúil leo siúd a shiúil timpeall ar dhá chois,
agus dá bhárr, chuir sé naipcín air féin agus shuigh go múinte ag an mbord
chun ithe le muintir an tí – lánúin óg.
Ach bhéic siad air go crosta
agus thóg siad é ón mbord
agus chuir siad praiseach as canna stáin
faoina shrón go mí-mhúinte.

Shuíodh sé go minic leis féin ar leac na fuinneoige ag féachaint
ar na colúir nach dtiocfadh in aice leis.
Uaireanta, theastaigh uaidh sleamhnú suas chucu go ciúin agus súgradh leo,
a lapa a chur iontu don spórt.
Ar na laethanta a mbíodh grá as cuimse aige do na colúir,
níor thuig sé cén fáth nach dtiocfadh siad in aice leis ar chor ar bith.

Ar deireadh, ar lá breá Bealtaine le clapsholas
Shocraigh sé eitilt ó leac na fuinneoige
leis na sciatháin nach raibh aige...mo léan!

Ar lá a shochraide, nuair a cuireadh é,
bhí colúir ag canadh go binn ó gach leac fuinneoige.

Ceisteanna

1. Cén fáth gur cheap an cat gur éan é, nó duine? An gcreideann tú é sin?
2. An bhfaca tú an scannán 'Babe'? An bhfuil aon chosúlachtaí idir 'Babe' agus an cat?
3. Cad a tharla nuair a shuigh sé chun boird? Cén sort gaoil a bhí aige lena úinéirí?
4. Cén fáth nach raibh na héin cáirdiúil leis?
5. Cén fáth gur léim sé? An gceapann tú go ndéanfadh cat rud chomh hamaideach leis sin?
6. Cén fáth go raibh na colúir ag canadh? An raibh áthas nó brón orthu? Pléigh sa rang.
7. An gceapann tú gur siombal é an cat? Cad dó a sheasann sé?
8. An bhfuil ceacht le foghlaim ón dán seo? Cad é?
9. Briseann an dúchas trí shúile an chait. An fíor é seo? Pléigh.

Fíricí faoin bhfile

http://www.educate.ie/próifíl

Cathal Ó Searcaigh

Ar líne 6.30pm

Rugadh Cathal Ó Searcaigh i nGort a'Choirce, i nGaeltacht Dhún na nGall, sa bhliain 1956. Ba pháiste aonair é agus tógadh le Gaeilge é. Bhain sé céim amach sa Léann Cheilteach in Ollscoil Mháigh Nuad agus chaith sé seal i Londain agus i mBaile Átha Cliath sular bhog sé ar ais chuig a áit dhúchais. Chuir sé an-suim sa Neipeal agus thosaigh sé ag caitheamh tréimhsí ansin freisin. Scríobh sé leabhar ag cur síos ar a thréimhse ann, 'Seal i Neipeal' (féach lth 258) Tá suas le deich gcnuasach filíochta leis i gcló. Tá sé aerach (homaighnéasach).

Nótaí ar an dán

Téama

Coimhthíos, féiniúlacht, an choimhlint idir dúchas agus dúil agus an gá atá againn go léir le comhluadar agus comhmhuintearais: sin iad cuid de na téamaí a fheictear sa dán seo. Tá saol mínádúrtha, coimhthíoch á chaitheamh ag an gcat in árasán thuas ard i dteach cathrach. Tá sé scoite amach ón ngnáthshaol agus ní fheiceann sé cait cosúil leis féin aon áit. Dá bhrí sin ceapann sé ar dtús gur duine é ach nuair a thugtar le fios dó go borb nach ea, 'dhéanfaí prácas bídh as canna stáin a shá go míbhéasach faoina shoc' tosaíonn sé ag lorg muintearais leis na colúir a sheachnaíonn é freisin 'bhíodh iontas an domhain air nach ndéanfadh siad cuideachta leis i dtráth ná in antráth'. Ba mhaith leis bheith ina bhall de ghrúpa éigin, agus dá bhrí sin déanann sé aithris ar na colúir. Ach mo léan, ní thuigeann sé go bhfuil sé ag dul in aghaidh a dhúchais féin agus nuair a dhéanann sé iarracht eitilt, titeann sé go talamh agus maraítear é. Mar bharr ar an donas, is cosúil go bhfuil áthas ar na colúir go bhfuil sé imithe mar bíonn siad ag canadh nuair a chuirtear sa talamh é. Léiríonn an dán an saol tragóideach a bhíonn ag an duine corr nach réitíonn lena chomh-mhuintir. Tugtar léargas sa dán ar an gcaoi ina seachnaíonn an grúpa an duine corr, an duine atá éagsúil. Tá coimhthíos na cathrach mar théama lárnach sa dán freisin, áit a chaitheann daoine saol mí-nádúrtha, scoite amach óna ndúchas. Tá an cat i dtimpeallacht mhí-nádúrtha agus níl aon eolas aige ar a dhúchas ná ar a nádúr. Mar sin, déanann sé aithris ar na daoine agus ar na héin.

Faigh agus foghlaim

Faigh agus foghlaim na focail seo a leanas as Gaeilge.

they avoid
he tries
he doesn't get on with
different
oddball
alienation
nature and desire
conflict
identity
isolated from
he imitates
to make matters worse
company
his own nature
looking for company
he is let known
a member of

Ceisteanna

1. Cad iad téamaí an dáin seo?
2. Cén sórt saoil atá ag an gcat?
3. Cad a dhéanann na daoine leis?
4. Cad a dhéanann na héin leis?
5. Cén fáth go ndéanann sé aithris ar na colúir? Cad a tharlaíonn dá bharr?

Mothúcháin

Is iad brón, trua agus uaigneas na mothúcháin is treise sa dán seo. Is ainmhí corr é an cat atá scoite amach óna dhúchas agus óna mhuintir agus músclaíonn sé trua ionainn. Feicimid go bhfuil sé uaigneach mar nach bhfaca sé, 'a mhacasamhail féin ariamh / cat dá dhéanamh, dá dhath, dá dhreach'. Nuair a dhéanann sé iarracht bheith cosúil le duine caitear go dona leis agus cuirtear, 'prácas bidh as canna stáin...go míbhéasach faoina shoc'. Léiríonn sé sin crúálacht agus easpa tuisceana a úinéirí. Déanann sé iarracht bheith cáirdiúil leis na colúir ach diúltaíonn siad dó freisin agus seachnaíonn siad é. Ní thuigeann sé cén fáth.

Músclaíonn sé ár dtrua agus ár gcomhbhá nuair a dhéanann sé aithris ar na colúir agus maraítear é dá bharr. Braithimid an-trua dó nuair a bhíonn áthas ar na colúir go bhfuil sé marbh ag an deireadh. Ar ndóigh is féidir linn ionannú leis an gcat mar tá taithí againn go léir ar dhiúltú nó eiteach - is é sin, nuair a sheachnaíonn cara nó grúpa éigin muid nó nuair a bhíonn duine éigin gránna linn.

B'fhéidir, ó tharla go bhfuil an file aerach, go bhfuil sé ag caint freisin faoin gcaoi ina gcaitheann an sochaí uaireanta le daoine atá éagsúil.

Ceisteanna

1. Cad iad na mothúcháin is treise sa dán seo, agus faigh linte sa dán a léiríonn na mothúcháin sin.
2. Cén mothúchán a mhúsclaíonn an dán ionat?
3. Cén fáth go ndéanaimid ionnanú leis an gcat?

Teicníochtaí filíochta

Íomhánna

Is é an cat an phríomhíomhá sa dán seo. Feicimid an cat scoite amach ón ngnáthshaol, sáite in árasán ar an seachtú urlár. Tá greann ag baint leis ar dtús nuair a deirtear linn gur cheap sé gur colúr bhí ann. Arís is íomhá ghreannmhar, áiféiseach í an cat ag suí chun boird agus naipcín air. Déantar pearsantú ar an gcat, is é sin tugtar tréithe daonna dó. Cuireann sé cartún i gcuimhne dúinn. Ach músclaíonn an chéad íomhá eile den lánúin ag cur an ruaig air ár gcomhbhá leis agus arís, tugtar íomhá dúinn de chat uaigneach ag féachaint ar na colúir – íomhá atá an-bhrónach ar fad. Fágtar muid le híomhá thragóideach den chat á chur sa talamh agus na colúir go léir ag canadh le háthas.

Áiféis

Baineann an file úsáid as áiféis sa dán. Íomhá áiféiseach is ea an íomhá den chat agus naipcín air. Tá áiféis ag baint leis an gcat ag léim freisin. Is aoir an dán ar an saol nua-aimseartha, neamhphearsanta, stoite.

Meadaracht

An tsaorvéarsaíocht a chleachtar sa dán. Tá véarsaí gearra ag tús agus deireadh an dáin, agus dhá véarsa fhada ina lár. Níl aon rím rialta ach tá rím dheiridh anseo is ansiúd: aonar / féachaint; binn / grinn; as an ghnáth / in antráth; créafóige / fuinneoige

Tá samplaí d'uaim: a **bh**aile is a **bh**uanchónaí; **dá** **dh**ath **d**á **dh**reach; **f**uinneoige ag **f**éachaint; sa **ch**úlchlós, a **ch**orp; **c**olmáin ag **c**uachaireacht; agus tá samplaí d'aicill: láithreach (deireadh líne 17) prácás (lár líne 18) stáin (18) /shá (19)

Samplaí de rím idir dhá fhocal san aon líne is ea: d**á**imh as an ghn**á**th; lá **buí** Bealtaine le **luí** gréine

Cleachtadh scríofa

Cuir Gaeilge ar na habairtí seo.

he is like

we identify with

the cat is personified

he is stuck in an apartment

he is isolated from his nature

he suffers from an identity crisis

this is an allegorical poem,

that is it can be read on many different levels

pathetic

they try to imitate other people's habits

he is chased away

he is referring to

people who turn their back on their own culture and inheritance*

It is like a conversation

it is written in free verse

he's inclined to use two words instead of one

uprooted

ridiculous

absurdity

satire

he is satirising modern life

Ceist shamplach

'Léargas ar an té a thugann cúl dá dhúchas agus dá oidhreacht atá sa dán seo.' Pléigh.

Freagra samplach

Is cinnte gurb é ceann de mhórthéamaí an dáin seo ná an dúchas, fhéinaithne agus cad a thárlaíonn nuair a shéanann an duine a dhúchas. Ar an gcéad dul síos, is dán fáthchiallach é, is é sin is féidir é a léamh ar go leor leibhéil éagsúla. Ach is léir gur siombail nó meafar an cat don té a thugann cúl dá dhúchas agus dá nádúr. Ar ndóigh, tá bá againn leis an gcat mar ní thuigeann sé a nádúr féin. Tá sé scoite amach óna dhúchas i dtimpeallacht atá mínádúrtha, 'ansiúd ina áras spéire'. Níl aon teagmháil aige leis an ngnáthshaol. tá sé 'crochta ansiúd idir an saol is an tsíoraíocht'. Ní fhaca sé 'a mhacasamhail' riamh. Tá seans go bhfuil an file ag caint faoin Éireannach nach bhfuil aon eolas aige ar a theanga ná ar a dhúchas féin nó faoin duine atá scoite amach óna chultúr féin i dtír iasachta.

Toisc nach dtuigeann an cat a nádúr féin, déanann sé aithris ar dhaoine ar dtús agus suíonn sé chun boird le 'naipcín fána bhráid'. Cuireann lánúin an tí an ruaig air go borb, 'agus dhéanfaí prácás bidh as canna stáin/ a shá go míbhéasach faoina shoc'. Ansin déanann sé iarracht cairdeas a dhéanamh leis na colúir ach 'bhíodh iontas an domhain air nach ndéanfadh siad cuideachta leis i dtráth ná in antráth'. Is léir go bhfuil an pobal timpeall air á sheachaint.

Ag deireadh an dáin, tárlaíonn tragóid. Socraíonn an cat iarracht a dhéanamh eitilt agus, ar ndóigh, titeann sé ón seachtú hurlár agus maraítear é, 'chinn sé léim an cholmáin a thabhairt ó leac na fuinneoige / leis na heiteoga a bhi in easbaidh air faraoir.

Léiríonn sé seo an truamhéala (*pathos*) a bhaineann leis an té a iompaíonn a dhroim ar a nádúr agus ar a dhúchas, agus a dhéanann iarracht aithris a dhéanamh ar dhaoine eile. Mar bharr ar an donas, bíonn na colmáin ag canadh nuair a chuirtear é. Ní bhíonn aon mheas ar an té a thugann cúl dá dhúchas. Is féidir, ar ndóigh an dán a léamh ar mhórán bealaí, ach is cinnte go dtugann sé léargas dúinn ar an duine a théann in aghaidh a náduir.

Ceisteanna scrúdaithe

1. Scríobh nóta ar éifeacht na húsáide a bhaineann an file as (i) siombailí (nó meafair) (ii) codarsnacht (iii) áiféis sa dán seo.
2. Cad é príomhthéama an dáin *Colmáin*, dar leat, agus déan trácht ar an gcaoi ina gcuireann an file an téama seo os ár gcomhair.
3. Cosúil leis an ainmhí sa dán *Géibheann* tá an cat seo i ngéibheann san árasán. Pléigh.
4. 'Cé go bhfuil greann sa dán *Colmáin* tá téamaí dáiríre á léiriú ann freisin.' É sin a phlé.
5. 'Aoir ar an saol nua-aimseartha is ea an dán seo.' É sin a phlé.

A Chlann

Dá bhféadfainn ***sibh a chosaint*** *ar an saol so,*
Chosnóinn!
I ngach bearna ***baoil****,*
Bheadh aingeal romhaibh!
Bheadh bhúr mbóthar réidh is socair –
Bhúr sléibhte 'na maolchnoic ***mhíne*** *–*
Bhúr bhfarraigí gléghorm
Ó d'fhág sibh ***cé*** *mo chroí*

Chloífinn *fuath agus díoltas*
Dá dtiocfaidís ***bhúr ngaor****,*
Thiocfainn ***eadar*** *sibh agus fearg Dé!*
Dá bhféadfainn, dhéanfainn rud daoibh
Nár dheineas riamh dom féin –
Mhaithfinn daoibh *gach peaca*
'S ***d'agróinn*** *cogadh ar phéin!*

Fada uaim a ghluaisfidh sibh,
Ar bhúr mbealach féin
I bhfiacail ***bhúr bhfáistine****,*
Ná feicim ach im' ***bhuairt***
Is cuma libh faoin ***anaithe****,*
Nó sin a deir sibh liom –
Ag tabhairt dúshláin faoi aithne na dtuar*!*

Ní liomsa bhúr mbrionglóidí ná bhúr mbealaí,
Ná ní liom bhúr smaointe ná bhúr ndearcadh!
Níl baint agam le rogha bhúr gcroí –
le fuacht ná teas
Le lá ná oíche
Níl rogha agam i ***bhúr dtodhchaí***
Níl agam ach ***guí****…*

Foclóir

sibh a chosaint *to protect you*
baoil dainséar
mhíne *smooth*
cé cuan, *harbour*
Chloífinn *I would defeat*
bhúr ngaor i ngar daoibh/in aice libh
eadar idir
Mhaithfinn daoibh I would forgive you
d'agróinn fógair, *I would declare*
bhfáistine *your future* (aimsir fháistineach)
bhuairt imní
anaithe anró, cruatan, *hardship*
Ag tabhairt dúshláin faoi aithne na dtuar *challenging predictions*
bhúr dtodhchaí *your future*
guí paidir, *wish*

Leagan próis

Dá bhféadfainn sibh a choinneáil slán, dhéanfainn é sin.
Chuirfinn aingeal i ngach áit ina mbíonn dainséar agus
aon deacrachtaí a bheadh agaibh, laghdóinn iad,
agus bheadh an saol geal nuair a d'fhágfadh sibh mé.
Chuirfinn deireadh le fuath agus díoltas
i bhúr saol, chosnóinn sibh ó fhearg Dé
agus dhéanfainn rud nach ndearna mé fiú dom féin:
mhaithfinn sibh gach olc
agus chuirfinn an ruaig ar phian.
Rachaidh sibh i bhfad uaim,
ag leanúint bhúr dtodhchaí –
rud a chuireann imní orm.
Níl eagla oraibh roimh anró,
nó sin a deir sibh,
ag bréagnú aon fhaisnéis.
Tá bhur mbrionglóidí, bhur nósanna,
bhur smaointe agus bhur meon féin agaibh.
Níl baint agamsa leis an rogha a dhéanann sibh,
le fuacht nó teas,
le lá nó oíche.
Ní mise a shocraíonn bhúr dtodhchaí.
An taon rud atá agamsa ná guí.

13

Ceisteanna

1. Cé leis a bhful sí ag caint le sa dán seo?
2. Sa chéad leath cén aimsir a úsáidtear? Cén fáth?
3. Cén sórt máthar í, dar leat? An bhfuil sí ag dul 'thar fóir'?
4. Cad é an difríocht idir an chéad dá véarsa agus an dá véarsa dheiridh?
5. Cad é an mothúchán is láidre sa dán?

Fíricí faoin bhfile

http://www.educate.ie/próifíl

Máire Áine Nic Gearailt

Rugadh Máire Áine Nic Gearailt i mBaile an tSléibhe in Iarthar Dhuibhneach. Bhain sí céim amach i gColáiste Mhuire gan Smál, Luimneach, sa bhliain 1966 agus Céim M.A., in Ollscoil Mhaigh Nuad sa bhliain 1995. Tá idir fhilíocht, ghearrscéalta agus phrós foilsithe aici. Ina measc tá Éiricuatha (Clócómhar 1972). Tá cúig leabhair léi folisithe ag Coiscéim: *Tulchabhán* 1991; *Leaca Liombó* 1991; *Mo Chúis Bheith Beo* 1992; *Ó Ceileadh an Breasáil* 1992; agus *Inis agus Dánta Eile*, leabhar don aos óg 2010. Tá saothair léi foilsithe i 'Feasta', 'Cómhar', 'Nua Filí 3' agus obair léi foilsithe i nGearmáinis freisin: *Und suchte mein Zunge ab nach Worten*, aistrithe ag Andrea Nic Thaidhg (NUI Maigh Nuad).

Nótaí ar an dán

Téama

Guí tuismitheora dá pháistí is téama don dán seo. Tá an tuismitheoir ag labhairt lena pháistí. Sa chéad leath den dán labhraíonn an file faoi na rudaí a dhéanfadh sí dá bhféadfadh sí, chun saol sona, suaimhneach gan stró a thabhairt dá páistí: 'Bhúr sléibhte 'na maolchnoic mhíne'. Choinneodh sí slán ó dhainséar iad agus dhéanfadh sí aon rud ar a son: 'Thiocfainn eadar sibh agus fearg Dé!'
Sa dara leath den dán, tuigeann sí nach féidir léi saol a páistí a shocrú dóibh. Tuigeann sí go gcaithfidh sí ligean dóibh a a mianta féin a chomhlíonadh: 'Níl baint agam le rogha bhúr gcroí'. Sa deireadh, níl ach rud amháin aici: 'Níl agam ach guí...'.

Íomhánna agus meafair

Úsáideann an file íomhánna idéalacha, gleoite sa chéad véarsa: 'aingeal', 'farraigí gléghorm', 'maolchnoic mhíne' chun an saol suaimhneach ar mhaith léi dá clann a chur os ár gcomhair.

Sa dara véarsa tá íomhánna agus focail a léiríonn cruatan agus anró an tsaoil: 'fuath agus díoltas', 'fearg Dé', 'peaca', 'cogadh'. Ba mhaith leis an bhfile a clann a chosaint ar na rudaí seo go léir.

Cuirtear meafar os ár gcomhair sa tríú véarsa: 'I bhfiacail bhúr bhfáistine'. Comhartha aoise is ea fiacla. Nuair a fhaigheann páistí a gcuid fiacla, is comhartha é go bhfuil siad ag fás suas, ag éirí neamhspleách, ag fágáil shábháilteacht an bhaile, naprún a mamaí agus ag dul amach sa saol. Baineann an file úsáid as meafar an 'anaithe' freisin – a sheasann do chruatan agus d'anró an tsaoil.

Sa cheathrú véarsa, tá codarsnacht idir 'fuacht' agus 'teas' 'lá' agus 'oíche'. Tá an file ag caint faoi éagsúlacht na beatha. Beidh áthas agus brón le brath ag a clann i rith an tsaoil. Tá críoch dheas leis an dán. Tuigeann an file nach féidir léi saol a páistí a stiúradh. Níl aon chumhacht aici níos mó, níl aici ach guí.

Mothúcháin

Is iad grá, imní agus agus buairt na mothúcháin is láidre sa dán seo. Is é grá cosantach na máthar dá páistí a léirítear, mar aon le buairt agus imní faoina bhfuil i ndán dóibh, nach bhfuil aon smacht aici air. Léirítear grá síos tríd an dáin. Sa chéad leath, dhéanfadh sí rud ar bith dóibh: 'Dá bhféadfainn sibh a chosaint ar an saol so, / Chosnóinn!' Tá a grá chomh láidir sin go gcosnódh sí iad ó Dhia fiú, 'Thiocfainn eadar sibh agus fearg Dé!' Tá imní uirthi faoina bhfuil i ndán dá páistí: 'Ná feicim ach im bhuairt'. Ba mhaith léi iad a choinneáil slán ó bhaol ach tuigeann sí sa deireadh nach féidir leí é sin a dhéanamh. Caithfidh sí a saoirse a thabhairt dóibh.

Meadaracht

Saorvéarsaíocht atá sa dán seo, le meadaracht an-scaoilte. Tá comhfhuaim ghutach síos tríd an dáin. Sa chéad cheithre líne tá comhfhuaim idir 'chosnóinn' agus 'romhaibh'. I línte 5–8 tá comhfhuaim dheiridh idir 'mhíne / chroí / díoltas.'
I línte 10–16 tá comhfhuaim dheiridh idir 'Dé / féin / phéin'.
Leantar le comhfhuaim idir 'bhuairt / dtuar' (línte 18–21).
I línte 22–28 tá comhfhuaim idir 'mbealaí / ndearcadh / teas agus gcroí / oíche / todhchaí / guí'.

Tá samplaí freisin d'aicill (is é sin nuair a bhíonn comhfhuaim idir an focal deiridh i líne amháin, agus focal ag tús nó i lár an chéad líne eile): línte 7–8, 'chroí / chloífinn'; línte 10–11, 'Dé / dhéanfainn'.
Tá an mheadaracht seo éifeachtach, taitneamhach agus meallann sé cluas an éisteora (Éist leis an dán arís, agus tabhair faoi deara an éifeacht a bhaineann leis). Tá samplaí d'uaim freisin (is é sin nuair a thosaíonn focail leis an litir nó an fhuaim céanna). Teicníocht é seo a chuireann go mór le ceolmhairearacht an dáin: '**b**earna **b**aoil', 'i **bh**fiacal **bh**úr **bh**fáistine', 'bhúr **mb**rionglóidí bhúr **mb**ealaí'.

Ceist shamplach

'Is cumasach an tslí ina léirítear grá máthar dá páistí sa dán seo.' É sin a phlé.

Freagra samplach

Caithfidh mé a rá go n-aontaím leis an ráiteas seo. Is fíor go bhfaighimid léiriú cumasach ar ghrá máthar dá páistí sa dán seo. Is é grá máthartha téama an dáin. Tá an mháthair ag caint go díreach lena páistí. Úsáidtear an Tuiseal Gairmeach i dteideal an dáin 'A Chlann'. Tosaíonn an dán le liosta guíonna. Ba mhaith leis an bhfile a páistí a chosaint. Úsáideann sí íomha d'aingeal ag coinneáil súil orthu: 'Dá bhféadfainn sibh a chosaint ar an saol seo / Chosnóinn! / I ngach bearna baoil, / Bheadh aingeal romhaibh!' Baineann an file úsáid as dhá mheafar, sléibhte a sheasann do dhúshláin an tsaoil, agus farraigí a sheasann don saol féin. Ba mhaith léi go mbeadh saol deas, réidh, taitneamhach ag a páistí agus nach mbeadh aon chruatan acu: 'Bhúr sléibhte 'na maolchnoic mhíne / Bhúr bhfarraigí gléghorm'.

Sna línte a leanann, léiríonn an file an grá cosantach atá aici dá páistí. Ba mhaith léi iad a chosaint ó gach olc: 'Chloífinn fuath agus díoltas / Dá dtiocfaidís bhúr ngaor'. Úsáideann sí an Modh Coinníollach agus deir sí go gcosnódh sí iad fiú ó Dhia: 'Thiocfainn eadar sibh agus fearg Dé'. Léiríonn sí a grá dóibh arís nuair a deir sí go ndéanfadh sí rud dóibhsean nach ndéanfadh sí di féin fiú: 'Dá bhféadfainn, dhéanfainn rud daoibh / Nár dheineas riamh dom féin – / Mhaithfinn daoibh gach peaca / 'S d'agróinn cogadh ar phéin!' Grá gan choinníoll atá i gceist aici, grá doshrianta.

Athraíonn tuin an dáin sa dara leath. Guth paiseanta atá sa chéad leath. Labhraíonn sí faoi na rudaí go léir a dhéanfadh sí dá páistí. Cuireann sí a grá in iúl dúinn go láidir. Sa dara leath, tá sí ag smaoineamh ar a bhfuil i ndán dá páistí. Tuigeann sí nach féidir léi a saol a stiúradh nó smacht a choinneáil orthu. Ainneoin a dteastódh uaithi siúd, déanfaidh a páistí a gcinntí féin. Tuigeann sí go bhfágfaidh siad lá éigin, agus glacann sí leis seo: 'Fada uaim a ghluaisfidh sibh, / Ar bhúr mbealach féin / I bhfiacail bhúr bhfáistine.' Tuigeann sí go bhfuil a dtuairimí agus a smaointe féin ag a páistí, agus go bhfuil siad neamhspleách: 'Ní liomsa bhur mbrionglóidí ná bhúr mbealaí, / Ná ní liom bhúr smaointe ná bhúr ndearcadh / Níl baint agam le rogha bhúr gcroí.'

Mar is eol do gach tuismitheoir, caithfidh tú slán a rá le do pháiste uair éigin agus ligean dó nó di a cinntí féin a dhéanamh. Ag deireadh an dáin tuigeann sí nach bhfuil ach rud amháin gur féidir léi a dhéanamh: guí. 'Níl rogha agam i bhúr dtodhchaí / Níl agam ach guí...'.

Léirítear sa chéad leath den dán an grá cosantach, paiseanta a bhíonn ag máthair dá páistí. Sa dara leath feicimid an grá aibí, neamhleithleasach. Ainneoinn a grá, tuigeann an file gur gá saoirse a thabhairt dá páistí agus nach féidir iad a stopadh ó imeacht. Léirítear grá máthar dá páistí go héifeachtach sa dán seo.

Ceisteanna scrúdaithe

1. 'Grá cosantach na máthar is téama don dán seo.' É sin a phlé.
2. Scríobh nóta ar an úsáid a bhaintear as siombailí agus meafair sa dán *A Chlann*.
3. Cad é téama an dáin seo agus conas a chuirtear os ár gcomhair é?
4. Cad é an mothúchán is treise sa dán seo, dar leat?
5. Scríobh nóta ar théama an dáin seo.

Fócas ar an nGramadach

SAN AONAD SEO FOGHLAIMEOIDH TÚ:

An Chopail

Briathra: Na hAimsirí

An Saorbhriathar

An Chaint Indíreach

Séimhiú agus Urú

An Tuiseal Ginideach

Uimhreacha

Fócas ar an nGramadach

1. An Chopail = Is (Aonad 1)

Úsáidtear **'Is'** uaireanta in áit an bhriathair **'to be'** i mBéarla.

Úsáidtear é le **hainmfhocal.**

Mar shampla: *He is a farmer* ➔ Is feirmeoir é

It is a problem ➔ Is fadhb í

Is agus Tá:
Tá dhá bhriathar '*to be*' sa Ghaeilge.
(tá sa Spáinnis freisin: '*ser*' agus '*estar*'.)

Úsáidtear

'Is' le hainmfhocal (*Noun*) agus 'Tá' le haidiacht (*adjective*) mar shampla:

Is feirmeoir **é.**	Tá sí óg.
Is múinteoir mé.	An bhfuil siad réidh?
An ball thú?	Tá Pól go deas.
Is fadhb **í.**	Tá Máire mór.
Is baill iad den chlub.	An bhfuil tú sásta?
Is mná muid.	Tá muid (Táimid) go maith.
Is daltaí sibh.	Tá mé tuirseach.

Úsáidtear an chopail 'Is' le nathanna eile:

Is maith liom	Is fuath liom	Is fíor go	Is léir go
Is dócha go	Is cinnte go	Is cuma le	Is féidir le
Is trua go	Is baolach go	Is geall le	Is breá le

14

gur agus **go bhfuil**

Athraíonn	**Is**	go dtí	**gur**
agus	**Tá**	go dtí	**go bhfuil** sa chaint indíreach

mar shampla

Is fadhb mhór í.	Ceapaim **gur** fadhb mhór í.
Tá sé go dona.	Ceapaim **go bhfuil** sé go dona.

Nuair a thagann guta tar éis 'gur' úsáidtear 'gurb'

Is é grá dá áit dúchais téama an dáin: Ceapaim **gurb é** grá...

Ceacht

(lch 69 gur/go bhfuil)

Cuir na frásaí in A le B ag úsáid **go bhfuil** nó **gur/gurb.**

Sampla: A. Is fíor — B. is fadhb mhór í ➔ Is fíor **gur** fadhb mhór í

A. Is léir	B. Tá méadú mór tagtha ar dhífhostaíocht
A. Is fíor	B. Is maith an scéalaí an aimsir
A. Caithfear a admháil	B. Tá an scéal ag dul in olcas
A. Níl aon dabht ná	B. Is ceist chasta í
A. Tuigtear dúinn	B. Tá brón ar an bhfile
A. Tugtar le fios dúinn	B. Is é Fionn an duine is sine
A. Ní féidir a shéanadh	B. Tá cúrsaí feabhsaithe go mór
A. Is cinnte	B. Tá a lán fós le déanamh
A. Tá sé soiléir	B. Is maith leis í
A. Deir na saineolaithe	B. Tá sé go dona don tsláinte

An agus An bhfuil

Ag cur ceiste, úsáidtear	**An** le **Is agus An bhfuil** le **Tá**	
Mar shampla:	**An** fadhb í?	**Is** fadhb í.
	An bhfuil sé fuar?	**Tá** sé fuar.

Ceacht

Cuir ceisteanna a mbeadh na freagraí seo orthu.

1. Is ceantar tuaithe é.
2. Is é mata an t-ábhar is fearr liom.
3. Tá feabhas tagtha ar an scéal.
4. Tá sé ar fheabhas.
5. Is dóigh liom go bhfuil.
6. Tá mé tuirseach.
7. Is múinteoir maith í.
8. Is maith liom gach sórt ceoil.
9. Tá sé sin soiléir.
10. Is fíor sin.

Ní agus Níl

Ag diúltú	**Is/Ní**	agus	**Tá/Níl**
Mar shampla:	**Ní** dóigh liom é		**Níl** sé soiléir
An é sin?	**Ní hé sin...**		

Ceacht

Tabhair freagra diúltach ar na ceisteanna seo a leanas.

Mar shampla: An leatsa an cóipleabhar seo? Ní liomsa é.
An bhfuil sé fuar? Níl sé fuar.

An leatsa an mála sin?
An maith leat ealaín?
An bhfuil slaghdán ort?
An bhfuil tú níos sine ná Áine?
An é Seán an duine is fearr sa rang?
An baile beag é?
An é sin do theach?
An clár grinn é sin?
An bhfuil sé ard?
An bhfuil tú tuirseach?
An múinteoir do mháthair?
An scéal deas é sin?
An tusa an duine is óige/sine sa chlann?
An bhfuil tú sásta?
An fear mór é?
An bhfuil an clár sin greannmhar?
An ceacht deacair é sin?
An é sin do dheartháir?

Ba agus bhí

Ba = an Chopail san Aimsir Chaite

Bíonn **séimhiú** tar éis **'ba'**

Mar shampla: Is múinteoir é → **Ba** mhúinteoir é

Ceacht

Scríobh na habairtí seo san aimsir chaite.

Is feirmeoir é.
Is mainicín í.
Is siopadóir é.
Is file é.
Is ceoltóir í.
Is amhránaí í.
Is saighdiúir é.
Is fear cróga é.
Is mór an trua é.
Is cléireach é.
Tá sé saibhir.
Tá sí dathúil.
Tá sé gnóthach.
Tá sé cáiliúil.
Tá sí an-mhaith.
Tá sí ar fheabhas.
Tá sé trodach.
Tá sé láidir.
Tá sé truamhéalach.
Tá sé cliste.

Uaireanta ciallaíonn **Ba** *would.* (Aonad 8)

Mar shampla: Is maith liom *I like* **Ba** m**h**aith liom *I would like*

Níl aon aimsir fháistineach ag an gCopail. Má theastaíonn uait *He will be a teacher* a rá, deirtear: Beidh sé **ina** mhúinteoir.

2. Briathra: na hAimsirí

An Aimsir Chaite	An Aimsir Láithreach	An Aimsir Fháistineach	An Modh Coinníollach	An Aimsir Ghnáthchaite
		An chéad réimniú		
c**h**uir	cuir**eann**	cuir**fidh**	c**h**uir**feadh**	c**h**uir**eadh**
thóg	tógann	tógfaidh	thógfadh	thógadh
b**h**ain	bain**eann**	bain**fidh**	b**h**ain**feadh**	b**h**ain**eadh**
c**h**aith	caith**eann**	caith**fidh**	c**h**aith**feadh**	c**h**aith**eadh**
g**h**laoigh	glao**nn**	glao**faidh**	g**h**lao**fadh**	g**h**laodh
d'f**h**éach	féach**ann**	féach**faidh**	**d'**f**h**éach**fadh**	**d'**f**h**éach**adh**
t**h**aispeáin*	taispeán**ann**	taispeán**faidh**	t**h**aispeán**fadh**	t**h**aispeán**adh**
		An dara réimniú		
c**h**ruthaigh	cruth**aíonn**	cruth**óidh**	c**h**ruth**ódh**	c**h**ruth**aíodh**
d'oscail	oscl**aíonn**	oscl**óidh**	**d'**oscl**ódh**	**d'**oscl**aíodh**
d'athraigh	athr**aíonn**	athr**óidh**	**d'**athr**ódh**	**d'**athr**aíodh**
d'éirigh	éir**íonn**	éir**eoidh**	**d'**éir**eodh**	**d'**éir**íodh**
b**h**ailigh	bail**íonn**	bail**eoidh**	b**h**ail**eodh**	b**h**ail**íodh**
s**h**ocraigh	socr**aíonn**	socr**óidh**	s**h**ocr**ódh**	s**h**ocr**aíodh**
m**h**othaigh	moth**aíonn**	moth**óidh**	m**h**oth**ódh**	m**h**oth**aíodh**
c**h**eannaigh	ceann**aíonn**	ceann**óidh**	c**h**eann**ódh**	c**h**eann**aíodh**
c**h**abhraigh	cabhr**aíonn**	cabhr**óidh**	c**h**abhródh	c**h**abhr**aíodh**
t**h**osaigh	tos**aíonn**	tos**óidh**	t**h**os**ódh**	t**h**os**aíodh**
d'inis	ins**íonn**	ins**eoidh**	**d'**ins**eodh**	**d'**ins**íodh**

Briathra neamhrialta: Tá na briathra nach leanann an riail aibhsithe.

An Aimsir Chaite	An Aimsir Láithreach	An Aimsir Fháistineach	An Modh Coinníollach	An Aimsir Ghnáthchaite
rinne	déanann	déanfaidh	dhéanfadh	dhéanadh
dúirt	**deir***	**déarfaidh**	**déarfadh**	**deireadh**
fuair	faigheann	**gheobhaidh** **ní bhfaighidh**	**gheobhadh** **ní bhfaigheadh**	**d'fhaigheadh**
chonaic	feiceann	feicfidh	d'fheicfeadh	d'fheiceadh
bhí	**tá**	**beidh**	**bheadh**	bhíodh
chuaigh	téann	**rachaidh**	**rachadh**	théadh
tháinig	**tag**ann	**tiocf**aidh	**thiocf**adh	**thagadh**
chuala	cloiseann	cloisfidh	chloisfeadh	chloiseadh
thug	**tugann**	tabharfaidh	thabharfadh	**thugadh**
rug	beireann	b**éar**faidh	bh**éar**fadh	bheireadh
d'ith	itheann	**íos**faidh	d'**íos**fadh	d'itheadh

Cé go ndeirtear 'deireann' níl sé ceart de réir an chaighdeáin: deirim, deir tú/sé/sí/ sibh/siad, deirimid

Tá 6 bhriathar neamhrialta a thógann 'An' agus 'Ní' san Aimsir Chaite (Féach lth 98)

Bí	Bhí	Ní raibh	An raibh?	Bhíomar / Ní rabhamar
Déan	Rinne	Ní dhearna	An ndearna?	Rinneamar / Ní dhearnamar
Feic	Chonaic	Ní fhaca	An bhfaca?	Chonaiceamar / Ní fhacamar
Téigh	Chuaigh	Ní dheachaigh	An ndeachaigh?	Chuamar / Ní dheachamar
Faigh	Fuair	Ní bhfuair	An bhfuair?	Fuaireamar / Ní bhfuaireamar
Abair	Dúirt	Ní dúirt	An ndúirt?	Dúramar / Ní dúramar

Tá 4 bhriathar eile neamhrialta san Aimsir Chaite:

Tabhair	Thug	Ar thug?	Níor thug	Thugamar
Clois	Chuala	Ar chuala?	Níor chuala	Chualamar
Tar	Tháinig	Ar tháinig?	Níor tháinig	Thángamar
Beir	Rug	Ar rug?	Níor rug	Rugamar

Tá 'ith' rialta san Aimsir Chaite:

Ith	D'ith	Ar ith?	Níor ith	D'itheamar

3. An Saorbhriathar

Cad é?

Seo nuair a bhíonn an briathar 'saor' ó phearsa, is é sin 'saor' ó mé, tú, sé, sí, muid, sibh, siad. Nuair nach dteastaíonn uait a rá cé a rinne rud, nó nuair nach fios cé a rinne gníomh:

Gortaíodh an buachaill: *the boy was hurt*

Goideadh an carr: *the car was stolen*

I mBéarla tugtar *the passive form* air: *when an action is done to something:*

he was killed maraíodh é; *he was born* rugadh é; *the shop will be opened* osclófar an siopa

Saorbhriathar

An Aimsir Chaite	An Aimsir Láithreach	An Aimsir Fháistineach	An Modh Coinníollach	An Aimsir Ghnáthchaite
		An chéad réimniú		
cuir**eadh**	cuir**tear**	cuirfear	chuir**fí**	chuir**tí**
caith**eadh**	caitear	caith**fear**	chaith**fí**	chai**tí**
tóg**adh**	tógtar	tógfar	thóg**faí**	thóg**taí**
ceap**adh**	ceap**tar**	ceap**far**	cheap**faí**	cheap**taí**
		An dara réimniú		
tuairisc**íodh**	tuairisc**ítear**	tuairisceofar	thuairisceofaí	**th**uairisc**ítí**
léir**íodh**	léir**ítear**	léir**eofar**	léir**eofaí**	léir**ítí**
cruth**aíodh**	cruth**aítear**	cruth**ófar**	chruth**ófaí**	chruth**aítí**
ceann**aíodh**	ceann**aítear**	ceann**ófar**	**ch**eann**ófaí**	**ch**eann**aítí**
mar**aíodh**	mar**aítear**	mar**ófar**	**mh**ar**ófaí**	**mh**ar**aítí**
gort**aíodh**	gort**aítear**	gort**ófar**	**ghortófaí**	**gh**ort**aítí**
athr**aíodh**	athr**aítear**	athr**ófar**	**d'**athr**ófaí**	**d'**athr**aítí**

Briathra neamhrialta

rinneadh	déantar	déanfar	dhéanfaí	dhéantaí
dúradh	deirtear	**déarfar**	**déarfaí**	deirtí
tugadh	**tugtar**	**tabharfar**	**thabharfaí**	**thugtaí**
rugadh	beirtear	béarfar	bhéarfaí	bheirtí
fuarthas	faightear	**gheo**far	**gheofaí**	d'fhaightí
chonacthas	feictear	feicfear	d'fheicfí	d'fheictí
thángthas	**tagtar**	**tiocfar**	**thiocfaí**	**thagtaí**
chualathas	cloistear	cloisfear	chloisfí	chloistí
itheadh	itear	**íosfar**	**d'íosfaí**	d'ití
bhíothas	bítear	beifear	bheifí	bhítí

Ceacht

Athscríobh na habairtí seo leis an leagan ceart den bhriathar.

1. Má thiomáineann daoine níos moille, (laghdaigh) ar líon na dtimpistí.
2. Mura (déan) rud éigin faoin scéal (maraigh) níos mó daoine.
3. (Cuir) an dlí ar aon duine a chaitheann bruscar go neamhdhleathach.
4. (Gabh) fear inné agus (cúisigh) é as mangaireacht drugaí
5. (Cruthaigh) atmaisféar bagrach sa dara véarsa den dán.
6. (Déan) faillí ar cheantair áirithe, níor (cuir) áiseanna ar fáil do mhuintir an cheantair agus tá fadhbanna móra sóisialta iontu anois dá bharr.
7. Dá (cuir) níos mó béime ar scileanna sóisialta agus pearsanta ar scoil, bheadh níos mó féinmhuiníne ag déagóirí.
8. Ní mar a (síl) a (bí).
9. (Ceap) go mbeidh an bua ag Sasana sa chomórtas seo.
10. (Faigh) corp fir tráthnóna inné ar an Trá Bhán.
11. (Scrios) an t-ózón.
12. Dá (athraigh) na rialacha bheadh sé níos fearr.
13. (Oscail) siopa nua sa bhaile Dé Sathairn seo chugainn.
14. (Beir) agus (tóg) é ar oileáin Árann.
15. (Gortaigh) na mílte duine go dona ar na bóithre gach bliain.

4. An Chaint Indíreach

(Féach 'An Chopail' do chaint indíreach le 'Is' agus 'Tá')

An Aimsir Láithreach

Cuirtear 'go' *(that)* + urú leis an mbriathar (+ 'n-' le guta)
Úsáidtear 'nach' + urú (+ 'n-' le guta) san fhoirm dhiúltach

Caint dhíreach	Caint indíreach
Téann sé. *(he goes)*	Deir sé **go d**téann sé. (*He says* ***that*** *he goes*)
Imríonn sé.	Ceapaim **go n-**imríonn sé.
Ní chaitear.	Is léir **nach g**caitear.
Ní íslíonn.	Is dócha **nach n-íslíonn.**

Ceacht

Déan abairtí le frása as A agus abairt as B.

A	B
Is cosúil	Déantar leatrom ar sheandaoine
Is léir	Téann daoine thar fóir leis an scéal
Deirtear	Caitheann daoine óga an iomarca ama ar an idirlíon
Is cinnte	Oibríonn múinteoirí go crua
Is fíor	Tiocfaidh feabhas ar an scéal
Is dócha	Faigheann na mílte duine bás den ocras sa tríú domhan
Meastar	Cruthaíonn sé seo fadhbanna eile
Ceaptar	Ní bhíonn aon rud le déanamh ag déagóirí
Tá sé soiléir	Tá an ráta dífhostaíochta ag ardú
Creidtear go forleathan	Níl aon athrú tagtha ar an scéal
Samhlaítear dom	Itheann daoine go leor seacláide in Éirinn.

An Aimsir Chaite

Cuirtear 'gur' agus 'nár' roimh an mbriathar.
(ach amháin na 6 bhriathar thíos – cuirtear go/nach rompu siúd.)

Bhí: Dúirt sé **go raibh/nach raibh**
Chonaic: Ceapaim go bhfaca/nach bhfaca

Chuaigh: Is fíor **go ndeachaigh/nach ndeachaigh**
Rinne: Is dócha **go ndearna/nach ndearna**

Dúirt: Ceaptar **go ndúirt/nach ndúirt**
Fuair: Deirtear **go bhfuair/nach bhfuair**

Caint dhíreach	Caint indíreach
Tháinig méadú air.	Is fíor **gur** tháinig méadú air.
Níor athraigh aon rud.	Tá sé soiléir **nár** athraigh aon rud.

Ceacht

Úsáid na frasaí a leanas chun abairt indíreach a scríobh:
Is fíor, Is dócha, Ceaptar, Dealraítear, Dúirt sé, Dúradh, Is léir, Deirtear, srl.

Mar shampla: 1. **Is fíor gur** ardaigh an ráta dífhostaíochta.

1. D'ardaigh an ráta dífhostaíochta.
2. Cheannaigh go leor daoine dhá nó trí theach.
3. Maraíodh 230 duine ar na bóithre anuraidh.
4. Tháinig meath ar an eacnamaíocht.
5. Chonaiceamar an borradh agus fás a tháinig ar an nGaeilge.
6. Chuaigh an scéal in olcas.
7. Níor chuala sí an nuacht.
8. Chuir sé lámh ina bhás féin.
9. Fuair sí bás le hailse.
10. Bhí an fhadhb ag éirí níos measa.

An Aimsir Fháistineach

Cuirtear 'go' agus 'nach' roimh an mbriathar.

Cuireann siad urú ar an mbriathar (+ n- roimh ghuta).

Is dócha go **n-**ardóidh an ráta cánach.
Is dócha **nach d**tiocfaidh laghdú ar an ráta dífhostaíochta.
Is léir **go m**beidh ar dhaoine dul ar imirce arís.

Ceacht

Cuir 'Is léir', 'Is dócha', 'Tá súil agam', 'Tá seans go', nó frása eile roimh:

1. Rachaidh an scéal in olcas.
2. Éireoidh cúrsaí níos measa.
3. Tiocfaidh feabhas ar an scéal.
4. Cuirfear acmhainní ar fáil.
5. Ní ardóidh an ráta dífhostaíochta níos mó.
6. Gheobhaidh mé áit ar an gcúrsa sin.
7. Ligfidh mé mo scíth.
8. Saothróidh mé a lán airgid.
9. Caithfidh mé seal san Astráil.
10. Bainfidh mé céim amach san eolaíocht.

Athraíonn an Aimsir Fháistineach go dí an Modh Choinníollach tar éis 'Dúirt sé'.

Mar shampla: Tiocfaidh sé. **Dúirt sé go d**tioc**fadh** sé.

Ceacht

Cuir 'Dúirt sé' roimh gach abairt agus athraigh mar is gá:

1. Rachaidh sé abhaile amárach.
2. Cuirfidh sí fios ar an dochtúir.
3. Tiocfaidh feabhas ar an scéal de réir a chéile.
4. Cuirfear níos mó béime ar scileanna praiticiúla.
5. Déanfaidh sí a dícheall.
6. Gheobhaidh sé post samhraidh.
7. Caithfidh sé trí uair an chloig gach oíche ag staidéir.
8. Cuirfidh sé feabhas ar staid na tíre.
9. Ní thógfaidh lúthchleasaithe óga drugaí.
10. Ní fheabhsóidh an eacnamaíocht go ceann tamall fada.

5. Séimhiú agus Urú

Séimhiú = 'h' tar éis na chéad litreach. Athraíonn sé fuaim an fhocail
(Féach Cúinne na Fuaime Aonad 1)

Tógann na litreacha seo séimhiú: b, c, d, f, g, m, p, s, t

Urú = litir a chuirtear roimh fhocal a athraíonn fuaim an fhocail
(Féach Cúinne na Fuaime Aonad 2)

Tógann na litreacha seo urú:

b (mb) c (gc) d (nd) f (bhf) g (ng) p (bp) t (dt)

Cuirtear séimhiú nó urú ar fhocail i nGaeilge de réir na rialacha seo a leanas.

Cuirtear séimhiú tar éis:	Cuirtear urú tar éis:
1. **Mo, do agus a (his):** Mo b**h**róga, do t**h**each, a m**h**áthair (*his mother*) (a máthair = *her mother*)*	**1. ár, bhur agus a (their)** Ár ngairdín, bhur **b**peata, a **n**deirfiúr
2. **Ní:** Ní t**h**agann, ní b**h**eidh **Níor/Ar** t**h**áinig	**2. An:** An **d**téann, An **m**bíonn
3. **Sa:** Sa b**h**aile, sa p**h**áirc, * **ach amháin focail a thosaíonn le d, t, s*:** sa teach, sa seomra, sa díon	**3. i:** i **n**Doire, i **g**Corcaigh
4. **Réamhfhocail: de, do, den, don, ó, trí, faoi, ar, roimh** ar d**h**aoine, faoi b**h**un, do P**h**ól den c**h**arr, trí t**h**ine, ó M**h**éabh	**4. Réamhfhocail + an: ar an, ón, faoin, tríd an, roimh an** ar an **bh**file, faoin **m**bord tríd an **bh**fuinneog, ón mBíobla
5. **Má:** Má t**h**éann	**5. Mura: Mura n**déanann
6. **Uimhreacha 1-6** aon c**h**eann, dhá d**h**án, trí t**h**each, ceithre p**h**íosa	**6. Uimhreacha 7-10** seacht **g**cinn, ocht **m**bliana, naoi **b**punt, deich **g**cloch
7. **a + briathar:** Nuair a t**h**agann aon duine a b**h**íonn	**7. go + briathar:** Is fíor go **g**cuireann Ceapaim go **d**téann
8. **Aimsirí Caite, Gnáthchaite agus Modh Choinníollach** T**h**óg, T**h**éadh, C**h**uirfinn	**8. Modh Choinníollach tar éis dá:** Dá **g**cuirfeadh
9. Tar éis **an-** (*very*) ach amháin d, t, s; an-mhór; an-bheag ach an-te, an-dána Agus tar éis **ró** *(too)* (i gcónaí) róm**h**ór; rób**h**eag; róthe; ród**h**ona (agus tar éis **fíor/sár:** sárm**haith,** fíorb**h**eagán)	
10. Focail bhaininscneacha tar éis **'an'**: an b**h**ean Focail fhirinscneacha sa ghinideach: meon an f**h**ile	**10.** Iolra ginideach: praghas na **d**tithe; líon na **n**daoine; córas na **b**pointí

Riail na 'dentals'

DNTLS: Má chríochnaíonn focal le d, n, t, l, s agus má thosaíonn an chéad fhocal eile le ceann de na litreacha seo, ní thógann an focal séimhiú: An-daor, ao**n t**each, ar a**n d**oras, sa **s**eomra

***Sa agus réamhfhocal + an:** cuirtear **'t' roimh fhocail bhaininscneacha** ag tosú le **'s'**: sa **t**slí, ar an tsráid, faoin tsiúr.

Ceacht

Athscríobh na sleachta seo agus cuir isteach séimhiú nó urú nuair is gá:

1. Tá eagla ar daoine go caillfidh siad a post. An bliain seo caite, mar shampla, caill m'athair a post sa banc agus bhí sé dífhostaithe. Ach anois tá sé ar muin na muice. Cuir sé isteach ar post mar múinteoir sa pobalscoil agus tairg siad an post dó. Nuair a fágann sé an teach gach maidin, tógann sé a mála agus téann sé sa carr ar scoil. Tá dhá cóta aige ach tá cóta amháin an-beag mar sin ní tógann sé cóta eile. Ní tugann sé síob do mo máthair mar tá a carr féin aici.
2. Bhí cluiche peile ar siúl i Páirc an Chrócaigh Dé Sathairn seo caite. Bhí Ciarraí in aghaidh Tír Eoghain. Séid an réiteoir a feadóg agus tosaigh an cluiche. Bhí mé féin agus mo Daid inár suí sa céad shraith agus baineamar an-taitneamh as an cluiche. Bhí imreoir amháin ar foireann Chiarraí a bhí an-mhór agus an-tapa. Fuair sé 2 cúl agus 7 cúilín. Tug an réiteoir cic pionóis do Tír Eoghan agus bhí an slua an-crosta. Ach bhí an bua ag Ciarraí sa deireadh.

6. An Tuiseal Ginideach

Cad é?

Léiríonn sé **úinéireacht.**

Tá sé cosúil le **'s'** i mBéarla nó **'of '.**

Mar shampla:

The man's hat: hata **an fhir**

The map of Ireland: léarscáil **na hÉireann.**

Úsáidtear an tuiseal ginideach freisin:

1. Nuair a úsáidtear **ainmfhocal mar aidiacht.**
2. Mar shampla: múinteoir Fraincise; clár teilifíse; Domhnach Cásca
3. Tar éis **ainm briathartha.** Mar shampla: ag déanamh na hoibre; ag tógáil tí; ag lorg oibre; ag imirt peile
4. Úsáidtear an Tuiseal Ginideach tar éis na réamhfhocail seo a leanas:
    - ar chúl (an tí); ar feadh (na hoíche); ar aghaidh (na trá)
    - ar fud (na háite); ar son (na cúise); de réir (an údair)
    - le linn (an chogaidh); i rith (na bliana); os comhair (na scoile)
    - i gcomhair (an lóin); i lár (an lae); in aice (na tine)

Ceacht

1. Féach ar na focail idir lúibíní thuas agus cuir in dhá cholún iad: focail a thógann 'na' sa tuiseal ginideach agus focail a thógann 'an'. Cad é an difríocht eile idir an dá ghrúpa sa tuiseal ginideach? An bhfuil pátrún le feiceáil?
2. Léigh an píosa seo agus pioc amach na focail atá sa tuiseal ginideach:

Beidh clár nua ar an teilifís faoi stair na hÉireann ag féachaint ar shaol na ndaoine i rith an Ghorta Mhóir. Is é Briain Ó Sé léiritheoir an chláir agus beidh sé ag caint leis an tráchtaire teilifíse Siúin Ní Bhroin faoi ar Nuacht TG4 anocht. Beidh rásaí na gcapall ar siúl ag deireadh na míosa agus beidh agallamh á chur ar úinéir an stábla i mBaile an Teampaill faoi rogha na coitiantachta i rás na mbuaiteoirí ar Dhomhnach Cásca.

Tá 5 ghrúpa ainmfhocal (ar a dtugtar 5 dhíochlaonadh) sa Ghaeilge

An chéad díochlaonadh	An dara díochlaonadh	An tríú díochlaonadh	An ceathrú díochlaonadh	An cúigiú díochlaonadh
Focail fhirinscneacha a chríochnaíonn ar chonsan leathan	Focail **bhaininscneacha** a chríochnaíonn ar chonsan	*Focail **fhirinscneacha** a chríochnaíonn ar **-úir, -éir, -óir (slite beatha)** *focail **bhaininscneacha** a chríochnaíonn ar **-acht, -ocht, -áil**	Focail fhirinscneacha a chríochnaíonn ar **ghuta nó -ín** (tá cúpla focal baininscneach ann freisin)	Focail **bhaininscneacha** a chríochnaíonn **ar ghuta nó -il, -ar, -an** **(tá cúpla focal firinscneach ann freisin)**
		An Tuiseal Ginideach		
Caolaítear é, agus cuirtear **séimhiú tar éis 'an':** An fear ➔ hata an f**h**ir	**Caolaítear** é, agus cuirtear **-e leis:** Fuinneog ➔ bun na fuinneo**ige**	Leathnaítear é, agus cuirtear **-a leis:** An dochtúir ➔ teach an docht**úra**	Cuirtear **séimhiú** ar fhocail fhirinscneacha tar éis 'an': An file ➔ meon an f**h**ile (baininscneach: oíche ➔ lár na hoíche	Cuirtear **-ch, -r, -l, -n nó -d leis** An litir ➔ clúdach litreach
		Focail choitianta sna grúpaí		
Scéal à tús an scéil dán pobal airgead údar ocras rialtas saol oideachas bochtanas comhshaol samhradh ceantar clár marcach (-aigh)	Aimsir à tuar na haimsire gaoth obair ócáid seachtain caint fadhb aois scoil an Fhrainc* áit Fraincis* tír feirm	Buachaill à fón an bhuachalla múinteoir feirmeoir athchúrsáil iriseoir filíocht carthanacht urraíocht polaitíocht Gaeltacht timpeallacht cumhacht oiliúint (oiliúna)	Cailín à lámh an chailín aire duine teanga (b) oíche (b) Gaeilge (b) rúnaí príomhoide cluiche dalta tine (b) timpiste (b) Béarla	Traein à stáisiún traenach monarcha cara Nollaig máthair deirfiúr deartháir (f) comharsa cabhair Éire Alban triall lacha

- Tá an chuid is mó de na tíortha agus de na teangacha sa Dara Díochlaonadh.
- **I mBéarla deirtear** *'the' people of France*, ach ní chuirtear **'an'** riamh roimh fhocal nuair a leanann an Tuiseal Ginideach é.
- mar shampla: **the flag of Spain → bratach na Spáinne**

Ceacht

Scríobh i nGaeilge:

the solution to the problem, the state of the country, sundown, the north of Poland, the team coach, the weather forecast, top of the field, the people of Ireland, the price of houses, the amount of people, the points system, the teenagers of today

- ***Má thagann ainmfhocal sa ghinideach i ndiaidh focail, ní bhíonn an chéad fhocal sa ghinideach.**

Mar shampla: ag déanamh oibre **ach** ag déanamh **obair bhaile**

Ceachtanna breise

Grúpa 1: An Chéad Díochlaonadh

Ceacht

Scríobh na frásaí seo agus athraigh an focal idir lúibíní mar is cuí

1. i rith (an geimhreadh)
2. tús (an scéal)
3. téama (an dán)
4. de bharr (ocras)
5. in aghaidh (an rialtas)
6. ar feadh (tamall)
7. ag lorg (post)
8. siopa (ceol)
9. cleachtadh (corp)
10. de bharr (foréigean)
11. de réir (an t-údar)

Grúpa 2: An Dara Díochlaonadh

Ceacht

Cuir A le B agus athraigh, mar shampla: bun **na fuinneoige.**

A	**B**	**A**	**B**
bun	an fhuinneog	lár	an pháirc
deireadh	an chaint	méid	an fhadhb
chun	an chúirt	captaen	an fhoireann
ag insint	bréag	ag lorg	obair
ar fud	an tír	bus	scoil
ag déanamh	agóid	páirc	peil
lár	an tseachtain	éirí	an ghrian
deisceart	an Spáinn	easpa	féinmhuinín

Grúpa 3: An Tríú Díochlaonadh

Ceacht

Cuir sa ghinideach

an t-am: i rith an ama	cumhacht: easpa...	an Ghaeltacht: údarás...
filíocht: cúrsa...	an Cháisc: saoire...	an tsíocháin: ar son...
troid: fonn ..	oiliúint: coláiste...	an oidhreacht: ar son…
an timpeallacht: truailliú...	an rang: barr...	an fheoil: blas...
athchúrsáil: ionad...	an Eoraip: tíortha...	an mhóin: bord...
polaitíocht: lucht...	urraíocht: ag lorg...	an bhliain: tús...

Grúpa 4: An Ceathrú Díochlaonadh

Ceacht

Scríobh sa ghinideach i do chóipleabhar

an t-aire: carr an aire	an t-ainmhí: cruachás...	an balla: in aghaidh...	caife: ag ól...	an coláiste: ar chúl...
an cluiche: le linn....	an cailín: ainm...	an dalta: leas...	an duine: cearta...	an t-eolaí: de réir...
an eachtra: i rith...	an file: dearcadh...	an fharraige(b)*: in aice...	an garda: ról...	an t-iománaí: camán…
an t-oibrí: cearta an...	an oíche (b)*: i lár...	an príomhoide: oifig...	an páiste: forbairt...	rúnaí: dualgais...

Grúpa 5: An Cúigiú Díochlaonadh

Focail sa ghrúpa seo:

cabhair: ag lorg cabhrach	cara (b): súil carad*	an chathair: lár na cathrach	litir: clúdach litreach
traein: stáisiún traenach	Nollaig: cárta Nollag	caora: bearrthóir caorach	mainistir: amharclann na mainistreach
an t-athair (f)*: ainm an athar	máthair: grá máthar	deirfiúr: cara mo dheirféar*	deartháir (f): scoil mo dhearthár
an phearsa: tréithe na pearsan	Éire: muintir na hÉireann	cáin: oifig cánach	an abhann: cois na habhann

Ceacht

Scríobh as Gaeilge:

first aid, Christmas tree, the edge of the city, writing a letter, train ticket, her sister's husband, sheep shearer, the mother's love, the father's son, the character's weakness, the gate of the factory, the river bank, the neighbour's garden, in favour of the enemy

7. Uimhreacha

Ag comhaireamh...

1. a haon	2. a dó	3. a trí	4. a ceathair	5. a cúig
6. a sé	7. a seacht	8. a hocht	9. a naoi	10. a deich
11. a haon déag	12. a dó dhéag	13. a trí déag	14. a ceathair déag	15. a cúig déag
16. a sé déag	17. a seacht déag	18. a hocht déag	19. a naoi déag	20. fiche

fiche a haon, fiche a dó, fiche a trí... (NB i gConamara deirtear fiche 's a haon, fiche 's a dó, srl.)

20. fiche	30. tríocha	40. daichead	50. caoga	60. seasca
70. seachtó	80. ochtó	90. nócha	100. céad	1,000. míle

Ag comhaireamh rudaí...
Ní iolraítear* an focal: **trí dhán, dhá chathaoir**

Eisceachtaí: bliain, ceann* agus uair*:
*chun *'hour'* a rá deirtear 'uair an chloig'

bliain amháin	ceann amháin *one (of them)*	uair amháin *once*
dhá bhliain	dhá cheann	dhá uair *twice*
trí bliana (gan séimhiú)	trí cinn (gan séimhiú)	trí huaire
ceithre (5, 6) bliana	ceithre (5, 6) cinn	ceithre (5, 6) huaire
seacht (8, 9, 10) mbliana	seacht (8, 9, 10) gcinn	seacht (8, 9, 10) n-uaire
aon bhliain déag srl.	aon cheann déag srl.	aon uair déag srl.

Bíonn **séimhiú** **tar éis** **1–6** cúig theach
Bíonn **urú** **tar éis** **7–10** ocht gcéad

Athraíonn **a haon** go **amháin, dó** go **dhá, agus ceathair** go **ceithre**
bliain amháin, dhá phointe, ceithre roth

Ceacht

1. Scríobh amach:

10 teach	18 bliain	5 teilifís	7 aiste
5 peann	15 ceann	3 carr	4 ceist
6 seachtain	2 teanga	28 cóipleabhar	9 capall
4 rud	4 seomra	15 dán	9 uair

2. Cuir ceist ar do pháirtí:
   Cé mhéad:
   1. seomra 2. seomra leapa 3. seomra folctha 4. teilifíseán atá ina t(h)each?

   Cé mhéad:
   1. cathaoir 2. bord 3. fuinneog 4. doras 5. ríomhaire atá sa seomra ranga?

   Cé mhéad:
   1. oifig 2. saotharlann 3. seomra ranga 4. páirc peile 5. teach réamhdhéanta 6. cláir bhána idirghníomhacha 7. ríomhaire 8. cúirt cispheile atá sa scoil?

Na huimhreacha pearsanta

Ag comhaireamh daoine:			
		duine	**seisear**
		beirt	**seachtar**
		triúr	**ochtar**
		ceathrar	**naonúr**
		cúigear	**deichniúr**
	aon duine dhéag	**dhá dhuine dhéag**	**trí dhuine dhéag**
	deartháir amháin	**beirt deartháireacha**	**triúr deirfiúracha**

Na horduimhreacha

An chéad	1ú	an séú	6ú
An dara	2ú	an seachtú	7ú
An tríú	3ú	an t-ochtú	8ú
An ceathrú	4ú	an naoú	9ú
An cúigiú	5ú	an deichiú	10ú

11ú = an t-aonú lá déag 23ú = an tríú lá is fiche 31ú = an t-aonú lá is tríocha

* Bíonn **séimhiú** tar éis **an chéad**: an chéad b**h**liain, an chéad p**h**ictiúr
ach ní bhíonn tar éis aon orduimhir eile: an dara bliain, an tríú pictiúr

* Le guta ní bhíonn aon rud tar éis an chéad: an chéad áit
Bíonn **h** roimh ghuta tar éis an dara, an tríú, agus na horduimhreacha eile go léir: an dara **h**áit, an tríú **h**áit, srl.

Fócas ar an Scrúdú

SAN AONAD SEO FOGHLAIMEOIDH TÚ:

Ceapadóireacht

Litríocht

Cluastuiscint

An Béaltriail

Tá rogha idir:

Cineál	**Seánra** (Féach cineálacha scríbhneoireachta lth 452)	**Samplaí**
1. Aiste	Tuairisc /plé /míniú	lth 14, 25
2. Alt nuachtáin/irise	Tuairisc/plé/áititheach	lth 50, 190
3. Scéal	Scríbhneoireacht chruthaitheach/insint	lth 12, 445
4. Díospóireacht	Plé/scríobh áititheach	lth 204, 342
5. Óráid	Míniú/scríobh áititheach	lth 224, 191

Tá 'fráma' ann do ghach sort ceapadóireachta:

1. Aiste: Tá trí shórt aiste:

- Aiste a phléann **fadhb** éigin (i.e coiriúlacht/athrú aeráide)
- Aiste a phléann na **buntáistí/míbhuntáistí** a bhaineann le rud (i.e. Is iontach an áis an Nua-theicneolaíocht)
- Aiste **eolais,** ag déanamh cur síos ar ábhar éigin (An tAontas Eorpach/Saol an Duine Óig)

Fráma don aiste nó alt nuachtáin/irise

Alt 1: Tús: San alt seo ba chóir do phointí go léir a thabhairt (mar sin caithfidh tú plean a dhéanamh ar dtús)> Cad a bheidh tú ag labhairt faoi i ngach alt)
Alt 2: Sainmhíniú: Uaireanta bíonn sé usáideach sainmhíniú a thabhairt ar fhocail i dteideal na haiste (na meáin/ daoine óga/ saibhreas) Is féidir freisin cur síos a dhéanamh ar an staid/mar atá faoi láthair/ ar an bhfadhb
Alt 3: Cúiseanna: leis an bhfadhb (nó **buntáistí**)
Alt 4: Na hiarmhairtí (cad a tharlaíonn de bharr na faidhbe) **(nó míbhuntáistí)**
Alt 5: Fuascailt na faidhbe/réiteach na ceiste (deileáil le míbhuntáistí)
Alt 6: Alt scoir: achoimre ar do phointí/do thuairim féin/focal scoir

Foclóir ginearálta don aiste nó alt nuachtáin/irise

Seo a leanas abairtí usáideacha don aiste agus don cheapadóireacht go ginearálta.

Alt 1: Tús: Abairtí oiriúnacha

Abairtí oiriúnacha don chéad alt:

- Bhuail cúpla smaoineamh mé nuair a chonaic mé teideal na haiste seo.
- Is fíor go bhfuil roinnt den fhírinne sa ráiteas seo, ach bíonn dhá insint ar gach scéal.
- Caithfidh mé a rá go n-aontaím/nach n-aontaím leis an ráiteas seo.
- Níl aon dabht ná go dtugann teideal na haiste seo ábhar machnaimh dúinn.

Aimsir Fháistineach

Ag tús na haiste, is féidir a rá cad a bheidh tú ag labhairt faoi:
San aiste seo labhr***óidh*** mé faoi …

féach***faidh*** mé ar …

lua***faidh*** mé …

pléi***fidh*** mé an cheist

tabhar***faidh*** mé mo thuairim phearsanta féin ar an scéal

Buntáistí agus míbhuntáistí

Pléifidh mé na buntáistí agus na míbhuntáistí a bhaineann le…
Tá súil agam go dtabhar***faidh*** mé ábhar machnaimh daoibh...

go gcuir***fidh*** mé ag smaoineamh sibh.

Alt 2

San alt seo, is minic is féidir sainmhíniú a thabhairt ar fhocal nó ar choincheap i dteideal na haiste. Is féidir, freisin, cur síos a dhéanamh ar an bhfadhb mar atá.

- Cad go díreach is ciall le…? Is éard is ciall leis ná…
- Cad go díreach atá i gceist le…? Is éard atá i gceist le...ná…
- Ar an gcéad dul síos, labhróidh mé faoi…
- Féach timpeall ort cuir ceist ar ... agus déarfaidh siad leat go...
- Ní haon ionadh go (bhfuil an scéal mar atá)
- Ní nach ionadh!
- Ní gá ach sracfhéachaint a thabhairt ar an nuacht chun (méid na faidhbe seo a fheiceáil).
- Tá a fhios ag gach duine/tá a fhios ag gach mac máthar/tá a fhios ag madraí an bhaile/tá a fhios ag cách.
- De réir an taighde is déanaí/de réir na staitisticí/de réir na saineolaithe tá .../deir na saineolaithe go…
- Anuas air sin/chomh maith leis sin/mar bharr ar an donas/an rud is measa faoin scéal ná …
- Ar ndóigh ní féidir gan … a lua.
- Tá an scéal níos measa anois ná mar a bhí riamh.

Alt 3

Má theastaíonn uait is féidir an taobh eile den scéal a thabhairt

- Ach ar an lámh eile/ach ar an taobh eile den scéal
- Caithfear a admháil go mbíonn dhá insint ar gach scéal.
- Táid ann a deir go/nach bhfuil...
- Ní chuirtear dóthain béime ar/cuirtear an iomarca béime ar...
- Tá buntáistí/míbhuntáistí ag baint le...
- Tá idir mhaitheas agus dhonas ag baint le...

Alt 4

San alt seo is féidir na cúiseanna a thabhairt:

- Cad is cúis leis (an mbochtaineacht/an gcoiriúlacht/an slad ar na bóithre, srl)?
- Ar ndóigh, mar a deir an seanfhocal: 'Níl sprid ná púca nach bhfuil fios a chúise aige' (*There's a reason for everything*)
- Is iomaí cúis atá leis ...
- Cúis amháin is ea...
- Cúis eile is ea...
- Is í an chúis is mó atá leis, dar liom, ná...
- Táid ann a deir gurb é/í ... is cúis leis...
- Ní féidir a shéanadh go bhfuil baint, nach beag, ag ... le(is)...
- Tá tionchar ag ... ar

Alt 5

An réiteach atá air, cad ba chóir a dhéanamh?

- Conas is féidir an cheist achrannach seo a fhuascailt?/an fhadhb seo a réiteach?
- Cad é réiteach na faidhbe nó an bhfuil réiteach ar bith ar an scéal?
- Caithfear dul i ngleic leis an bhfadhb seo.
- Caithfear réiteach a fháil ar an bhfadhb seo.
- Ar an gcéad dul síos, ceapaim féin gur chóir go / gur cheart go...
- Ba chóir... (mar shampla: ba chóir bia níos sláintiúla a ithe)
- Ba cheart ... (mar shampla: ba cheart dlíthe níos déine a chur i bhfeidhm)
- Caithfear ... (mar shampla: caithfear níos mó a dhéanamh chun...)
- Ní mór (mar shampla: ní mór iarracht a dhéanamh)
- Ceapaim féin gur chóir go/gur cheart go

Is féidir an Modh Choinníollach a úsáid anseo:
Ceapaim gur chóir go mbeadh ... níos mó béime ar/dlíthe níos déine ann/níos mó áiseanna agus acmhainní ann

Alt 6

Focal scoir. Anseo ba chóir achoimre a thabhairt ar na pointí a rinne tú san aiste:

- San aiste seo labhair mé faoi ... Luaigh mé ... Phléigh mé ... Agus thug mé (aimisir chaite)
- Níl aon dabht ach gur ceist achrannach í an cheist seo.
- Níl aon réiteach simplí ar an scéal.
- Mar a deir an seanfhocal '*Ní lia duine ná tuairim*'.
- Tá sé in am ag an rialtas beart a dhéanamh de réir a mbriathar agus a ngeallúintí a chomhlíonadh.
- Muna ndéantar rud éigin faoin scéal, is dúinne is measa é.
- Más mall is mithid

Díospóireacht

Is féidir an-chuid den fhoclóir don aiste a úsáid sa díospóireacht, ach tá foclóir a bhaineann leis an díospóireacht amháin anseo thíos:

Alt 1

- A chathaoirligh, a mholtóirí, a lucht an fhreasúra agus a dhaoine uaisle, is é an rún atá á phlé againn anseo inniu ná go/gur ...
- Táimse agus m'fhoireann go huile is go hiomlán ar son / i gcoinne (nó i bhfábhar/ in aghaidh) an rúin seo, agus tá súil agam go n-aontóidh sibh liom ag deireadh mo chuid cainte *nó* tá súil agam go mbeidh sibh ar aon intinn liom nuair a chloisfidh sibh mo chuid argóintí.
- Beidh mise ag caint faoi/luafaidh mé/léireoidh mé.

Alt 2: Sainmhíniú

- Ach i dtús báire, ba mhaith liom sainmhíniú a thabhairt ar an rún. Cad go díreach atá i gceist le...
- I mo thuairim-se, is éard atá i gceist leis seo ná...
- Glactar leis gurb ionann ... agus ...

Alt 3 agus 4

(Féach an foclóir don aiste. Is féidir, freisin, reitric na díospóireachta thíos a úsáid)

- A chairde/a dhaoine uaisle...
- Is léir don dall gur/nach fíor é seo.
- Ná habair liom, a dhaoine uaisle, go gceapann sibh/ go gcreideann sibh...
- A chairde Gael, conas is féidir le haon duine a rá...?

Alt 5: Bréagnú/ionsaí ar lucht an fhreasúra

- A Eoin, dúirt tusa go ... Níl ansin ach truflais/ní fíor sin ar chor ar bith.
- Céard faoi.. .?
- Níl bun ná barr le hargóintí an fhreasúra.
- Ná habair liom nár chuala tú riamh faoi ...?
- An bhfuilimid ag maireachtáil ar an bpláinéad céanna, a Chiara?
- A Phádraig, níl cuma ná caoi ar do chuid argóintí.
- A chairde, ná lig do lucht an fhreasúra dallamullóg a chur oraibh lena gcuid cainte.
- Níl fírinne ar bith leis sin.
- Ní aontaím ar chor ar bith leat, a Chaitríona.

Alt 6: Críoch

- Faraor, a chairde, tá an t-am ag imeacht agus tá sé in am agam deireadh a chur le mo chuid cainte
- Ba mhaith liom achoimre ghairid a thabhairt daoibh ar mo chuid argóintí; labhair mé faoi/dúirt mé go /léirigh mé go/thug mé samplaí de...
- Is daoine ciallmhara macánta sibhse, a dhaoine uaisle,
- Táim cinnte go n-aontaíonn sibh anois liom nuair a deirim...

Gheofar samplaí de dhíospóireachtaí ar 206, 344

Alt nuachtáin/irise

Bíonn alt nuachtáin nó irise dírithe ar an bpobal i gcoitinne, mar sin ba chóir go mbeadh na tréithe seo a leanas ann:

- Leagan amach cosúil le haiste: tús ag tabhairt do phointí, ansin ag plé agus achoimre ar deireadh
- Stíl éadrom, éasca a mheallfaidh daoine
- Sonraí suimiúla a spreagfaidh spéis an léitheora
- Staitisticí agus fíricí a léiríonn pointí áirithe
- Go minic déantar trácht ar dhaoine agus cad a dúirt siad chun údarás a thabhairt do phointe, mar shampla: 'Dúirt urlabhraí ón eagraíocht Alone go bhfuil líon na seandaoine atá ina gcónaí ina n'aonar ag fás.'
- Úsáidtear caint dhíreach ó dhaoine freisin: ' "Tá 300 duine ag lorg dídine i mBaile Atha Cliath," a dúirt urlabhraí ón eagraíocht Focus Ireland.'
- Is féidir cur síos ar thaithí pearsanta a bhí agat atá bainteach leis an ábhar, má cheapann tú go mbeadh sé spéisiúil go leor don léitheoir.
- Is féidir tuairim láidir a thabhairt in alt nuachtáin

Tá samplaí d'alt ar lth 50, 190, 105, 184

Óráid

Nuair a bhíonn óráid á scríobh agat, bíonn tú ag labhairt go díreach le daoine, mar sin ba cheart duit tagairt a dhéanamh dóibh go minic: A chairde, a scoláirí, a chomhscoláirí, a dhaoine uaisle.'

Alt 1: Tús: Seo slite éagsúla chun tosú:

- Go mbeannaí Dia daoibh, a dhaoine uaisle.
- Tá an-áthas orm bheith anseo inniu chun labhairt libh faoi.../Go raibh maith agaibh as ucht cuireadh a thabhairt dom teacht anseo inniu chun labhairt libh faoi... /Is mór an onóir dom bheith anseo os bhur gcomhair inniu.
- Beidh mé ag caint faoi...
- Ba mhaith liom labhairt libh inniu faoi...

Alt 2, 3, 4 agus 5

Arís is féidir struchtúr na haiste a usáid ach déan cinnte go gcuireann tú ceisteanna ar an lucht éisteachta agus labhair leo go minic:

- A chairde, ceist agam oraibh, an siúlann sibh ar scoil nó an dtagann sibh i gcarr?
- Ar chuala sibh riamh trácht ar bhithéagsúlacht?
- An bhfuil aon chur amach (eolas) agaibh ar...
- An raibh sibh ag féachaint ar an nuacht aréir? An bhfaca sibh an clár...
- An bhfuil spéis agaibh i...
- An raibh fhios agaibh go...

Críoch

- Tá súil agam gur bhain sibh taitneamh as an gcaint seo
- Bhain mise an-taitneamh as agus is lucht éisteachta iontach sibh.
- Má tá aon cheist agaibh, bheinn an-sásta iad a fhreagairt
- Go raibh míle maith agaibh as ucht éisteacht liom

Tá samplaí d'óráidí ar lth 224, 191

Scéal

Seo an seánra is deacra ar fad! Ach tá daoine áirithe atá go maith ag insint scéalta. Tugtar dhá theideal sa rannóg seo: Seanfhocal nó Ainmfhocal Teibí.

Samplaí: Dílseacht/Bród/Cairdeas

'Is ar scáth a chéile a mhaireann na daoine'; 'Is minic a bhris béal duine a shrón'

Is féidir spreagadh do scéal a fháil ó áiteanna éagsúla:

- do chuimhní cinn féin: rud éigin a tharla duit féin. Cuimhnímid ar rudaí a bhí as an ngnáth – an bhfuil aon chuimhní agat ar d'óige/an bhunscoil/an Ghaeltacht?
- cuimhní do mháthar/d'athar: scéalta a chuala tú ó do mhuintir/do mhamó...
- eachtra i nuachtán/iris: scéal éigin a chonaic tú sa pháipéar a mhúscail suim ionat
- duine neamhghnách ar bhuail tú leis

I scéal maith bíonn:

Suíomh/carachtair/struchtúr/plota/buaicphointe *(climax)*

(Tá dhá shampla mhaithe de scéal sa sliocht as *Seal i Neipeal*, lth 258 le Cathal Ó Searcaigh agus sa ghearrscéal *An Gnáthrud,* lth 317 Tá rogha ar an gcúrsa idir an dá scéal seo ach b'fhiú an dá scéal a léamh. Féach freisin ar an sliocht as leabhar Bhreandáin Uí Eithir *An Nollaig Thiar,* lth 12)

Suíomh: an áit a tharlaíonn an scéal.

Is féidir cur síos ar áit/am/aimsir.

An bhfuil sé suite taobh istigh nó amuigh?

Bhí sé ag éirí dorcha.../Maidin bhreá bhrothallach a bhí ann...

Bhí an áit plódaithe le daoine./Ní raibh duine ná deoraí le feiceáil.

Déan iarracht cur síos níos suimiúla a thabhairt. In áit 'Bhí an ghaoth ag séideadh' a scríobh, d'fhéadfá 'bhí leoithne bhog bhrothallach gaoithe ag siosarnach tríd na gcrann' nó 'bhí an ghaoth ag réabadh na hoíche, ag feadaíl tríd an bhfuinneog' a úsáid.

Ceacht

(a) Anois déan iarracht abairtí níos suimiúla a chruthú as:

Lá breá a bhí ann | Oíche dhorcha a bhí ann | Maidin fhuar a bhí ann

(b) Léigh an sliocht seo agus ansin scríobh alt ag déanamh cur síos ar shuíomh éigin.

Bhí an bhialann plódaithe. Shuigh Seóna síos ar chathaoir in aice an dorais. Bhí daoine ag teacht isteach agus amach de shíor, agus gach uair a d'osclaídís an doras thagadh séideán gaoithe isteach uirthi. Níor thaitin na cathaoireacha plaisteacha dearga léi in aon chor. Bhí siad greamaithe de na boird agus ní raibh dóthain spáis ann do do chosa. Bhí dhá scuaine ag an gcuntar agus beirt bhuachaillí a raibh cuma an-óg ar fad orthu ag cur burgairí agus sceallóg ar thráidirí agus ag fáil deochanna. Chuir an callán as di. Níor thaitin an áit seo léi ar chor ar bith. Cén fáth ar shocraigh sí bualadh leis anseo?

Anois pioc aon sórt suímh: seomra leapa/trá/stáisiún traenach/aerfort agus scríobh 10–15 líne ag déanamh cur síos air.

Carachtair: i ngach aon scéal bíonn carachtair. I ngearrscéal níl ag teastáil ach príomhcharachtar amháin ná beirt agus ansin cúpla mioncharachtar a thacaíonn leis an bpríomhcharachtar.

1. Nuair a bhíonn tú ag déanamh cur síos ar dhuine, tá sé níos fearr má léiríonn tú tréithe an duine seachas iad a insint. Sa scéal *An Gnáthrud* ní deirtear linn go bhfuil an-ghrá ag Jimmy dá chlann ach léirítear dúinn é mar go bhfuil sé ag smaoineamh ar a theaghlach agus é sa teach tábhairne. Insíonn na rudaí a dhéanann an carachtar dúinn cén sórt duine é.

   Tháinig Niamh i dtreo Aislinge, thug sí sracfhéachaint uirthi agus í ag dul thar bráid agus ansin thosaigh sí ag gáire. Bhraith Aisling thar a bheith míchompordach – an raibh an stíl nua ghruaige a fuair sí gránna? Cad a dhéanfadh sí? Bhí sí náirithe amach is amach.

   Ón rud a rinne Niamh, tugtar le fios dúinn nach duine ró-dheas í. Is féidir tréithe nó nósanna fisiciúla daoine a thabhairt. Féach ar an gcur síos a thugtar ar an bhfear in *Seal i Neipeal:*

   Tháinig fear beag beathaithe isteach … gnúis dhaingean air, a thóin le talamh … bhí sé do mo ghrinniú lena shúile beaga rógánta.

   Samplaí eile:

   Buta beag fir a bhí ann a raibh an chosúlacht air nach raibh aon mhuineál aige in aon chor agus go dtabharfadh an chéad racht feirge eile taom chroí dhó.

   Is léir ón gcur síos nach maith leis an údar an carachtar.

2. Sampla: (Léigh an cur síos seo agus tarraing pictiúr den bhean.)
   Beainín bheag mhacánta í bean an tí. Tá gruaig fhada liathdhonn uirthi a bhíonn ceangailte suas i gcónaí, srón chuartha 'Rómhánach', súile beaga dorcha a bhíonn ag faire de shíor ar gach rud, agus bearna mhór idir an dá fhiacail tosaigh aici. Déarfainn go raibh sí dathúil tráth dá saol ach tá cuma chráite, chloíte anois uirthi. Is dócha gur chaith na blianta go dona léi: a clann tógtha agus gach aon duine acu imithe go Meiriceá.

   Tá sé de nós aici gach rud a sciúradh go fuinniúil, faobhrach: sciúrann sí na potaí, sciúrann sí an t-urlár, na cófraí, na ballaí, amhail is go raibh fearg uirthi leo. Bíonn sí de shíor ag glanadh.

Ceacht

Anois déan cur síos ar dhuine a bhfuil aithne agat orthu. Déan cur síos ar dhuine is maith leat agus ar dhuine nach maith leat. Tabhair a dtréithe fisiciúla agus déan cur síos ar nós atá acu.

3. Plota: Tá an **plota** tábhachtach. Ba chóir go dtarlódh **eachtra** éigin sa scéal a chruthaíonn **athrú** éigin sa phríomhcharachtar. Foghlaimíonn sé/sí rud, fásann nó forbraíonn sé/sí. Nuair a tharlaíonn an t-athrú, sin **buaicphointe** an scéil. Uaireanta bíonn **denouement** ina dhiaidh, is é sin críoch nó socrú síos tar éis an bhuaicphointe. Bíonn sé go deas freisin nuair a bhíonn casadh gan choinne sa scéal. Ar ndóigh tá casadh gan choinne sa scéal *An Gnáthrud.*

   Smaoinigh ar scéal a thaitníonn leat (gearrscéal/úrscéal/scannán/dráma), agus tabhair achoimre ar an scéal, an eachtra, an t-athrú a tharlaíonn dá bharr, an buaicphointe, agus an denouement. (Pioc ceann atá ar eolas ag gach duine ar nós 'Shrek' nó 'Romeo and Juliet'.)

4. **Comhrá:** cuireann comhrá agus caint dhíreach le beocht scéil.

   Sampla:

   'Cá raibh tú?' a d'fhiafraigh sí díom.

   'Amuigh,' a d'fhreagair mise.

   'Éist liomsa anois, a chailín,' arsa sise, agus faobhar ina guth.

   'Tá sé trí a chlog ar maidin...'

   Léiríonn comhrá maith an caidreamh idir bheirt.

Ceacht

Scríobh comhrá idir tú féin agus (1) duine a bhfuil tú i ngrá leis; (2) duine atá feargach leat.

Seo sampla de scéal atá bunaithe ar dhuine ar bhuail an t-údar léi ar eitleán.

IN AERFORT JFK, chonac bean uaim.

Ina haonar di bhí sise agus roinnt céadta eile, Éireannaigh nó Gaelghaolta a bhformhór, ag feitheamh le bordáil ar eitilt Aer Lingus go Baile Átha Cliath.

Ar an gcéad shracfhéachaint dom níor dhíol suntais í, níor sheas sí amach ón slua glórach, sceitimíneach.

Duine mar chách, ag filleadh ar Éirinn, ar aon dul liom féin i mo thaistealaí aonair, leis.

Níor bhac mé a thuilleadh léi. Isteach liom ar bord i gcorp an eitleáin agus gan aon mhórspéis ná puinn tnútháin agam i dtaisteal os cionn mara ar a raibh taithí agam le blianta.

Le dul tríd na rúibricí athuair, eolas ar shlándáil, deoch-roimh-bhéile, éisteacht le ceol, b'fhéidir, prasbhéile eitilte a ithe, seans suain dá dtitfeadh an t-ádh orm, tuirlingt, bailithe ag an aerfort agus baile.

I lár midheamhna dom, cé a shuigh taobh liom ach an bhean mar chách a leagas straeshúil uirthi ó chianaibhín.

Níor cheileas riamh mo shuim i ndaoine ach ní mór dom a admháil gur fearr liom comhluadar ban.

B'eol dúinn go raibh turas sách fada romhainn agus níorbh fhada go dtiteamar isteach i gconair chomhrá, óir thuigeamar go bhféadfaimis an t-aerbhóthar a ghiorrú dá mba mhian linn beirt.

Gnáthábhar cainte i dtosach gan aon ní as an gcoitiantacht.

Go dtí gur thosaigh sí ag cur síos ar a huncail.

Agus dúirt sí liom go raibh sé ag comhthaisteal léi. Níor thuigeas a cuid chainte go cruinnbheacht.

Ní fhaca mé aon duine ina comhluadar le linn di bheith ag feitheamh chun bordála, ba léir go raibh sí ina haonar.

Caithfidh gur thug sí faoi deara an cruth ceisteach ar mo ghnúis.

"Tá m'uncail os ár gcionn, tá sé sa phróca a thugas liom."

Láithreach bonn bhí deireadh le gnáthchomhrá agus ar aghaidh léi ag trácht ar shaol an uncail a d'fhág Baile Átha Cliath, a chathair dhúchais, nuair a bhain sé 18 mbliana d'aois amach.

Murab ionann is an lá inniu, ní de dheasca gan post a bheith aige a thug sé a chúl le hÉirinn, ní hea, ach toisc go mba dhuine éagsúlta é.

Tríd an gcaint agus an bplé fuaireas amach ón bhean nár bhean mar chách í a thuilleadh, nach bhféadfadh an t-uncail a shaol a chaitheamh in Éirinn a linne, nárbh fhiú dó fiú triail a bhaint as.

Theith sé ón tír a luaithe agus ab fhéidir dó agus níor leag cos ar shráideanna Bhaile Átha Cliath ná ar fhód dúchais i dtír a shinsear choíche.

Ó chuaigh sé sa seans conas a d'éirigh leis i dtír mhór na ndeiseanna?

Cruatan ar dtús gur éirigh leis post a fháil i gceann de na hollstórais.

Diaidh ar ndiaidh dhruid sé i dtreo comhluadar fear den chuid is mó.

Thit sé i ngrá le Gearmánach, is chaith a shaol leis go sona sásta go bhfuair seisean bás, le breis is 60 bliain sroichte aige.

Maoleolas ag a chlann in Éirinn ina thaobh, agus an túisce is a ndeachaigh mo pháirtnéir aerthaistil ar eisimirce chun na Stát Aontaithe thug sí faoi dhul i dteagmháil leis.

Chuir sí aithne cheart air den chéad uair, bhuail leis agus leis an nGearmánach go minic, go róspeisialta i dtrátha na Nollag, na Cásca agus Lá Fhéile Pádraig.

Le himeacht aimsire buaileadh breoite an t-uncail, tógadh chun an ospidéil é, agus thug sé sonraí teagmhála a neachta d'údaráis an ospidéil.

Ar ball d'éag sé. Chuaigh cúpla lá thart sular éirigh leis an ospidéal teacht ar a neacht.

Faoi dheireadh cuireadh fios uirthi agus d'imigh léi chun seilbh a ghlacadh ar an gcorpán.

Sula bhféadfadh sí é sin a dhéanamh, bhí uirthi an corpán a aithint lena chinntiú gurbh é an t-uncail a bhí ann.

Ar an drochuair, níorbh ea!

Um an dtaca seo bhí na corpáin curtha i dtarraiceáin i halla na marbhlann agus thóg sé tamall ar na húdaráis ospidéil sular aimsíodh an t-uncail bocht.

Dá mbeadh lá moille eile ar a neacht, agus níorbh uirthi an locht a bheith déanach, cuireadh in iúl di go mbeidís d'éis fáil réidh leis an gcorpán.

Cé gur iomaí cor gan choinne a ropann isteach go míthrócaireach i saol an duine, bhlais an t-uncail a chion féin ina bheo eisimirceach. Is faoi mo chomhthaistealaí a fágadh fadmhian a chroí a chomhlíonadh dó.

Ag ard nóin lá iar dtuirlingt na heitilte dodhearmadta.

Sheas an neacht le próca agus luaithreach a huncail istigh ann ar chiumhais na mara ag Cé an Phoirt Thuaidh.

(as Beocheist, The Irish Times, Dé Luain 2 Aibreán 2012, le Micheál W Ó Murchú)

Ceisteanna

1. Cá bhfuil sé suite? Conas a dhéanann an t-údar cur síos ar an eitleán?
2. Cé hiad na príomhcharachtair? Conas a dhéanann sé cur síos orthu?
3. Cén fáth ar fhág a huncail Éire?
4. An gceapann tú go bhfuil sochaí na hÉireann fós chomh cúngaigeanta is a bhí?
5. Cad é téama/aidhm an phíosa? An gcuireann sé ag smaoineamh tú?
6. Cad é an eachtra/an t-athrú/an buaicphointe/an denouement atá sa scéal?
7. An gceapann tú go n-oibríonn sé mar scéal?
8. An féidir leat smaoineamh ar theidil éagsúla a bheadh oiriúnach don scéal seo? Smaoinigh ar oiread teideal agus is féidir leat.

Anois scríobh do scéal féin faoi aon rud faoin spéir! Bain taitneamh as!

Is féidir stór nathanna agus frásaí a fhoghlaim de réir a chéile don aiste. Seo liosta nathanna as gach píosa ceapadóireachta sa leabhar. Téigh siar orthu go rialta.

Aiste 1: Saol an duine óig sa lá atá inniu ann (Aonad 1)

Foghlaim agus úsáid na nathanna seo:

- Caithfear a admháil go bhfuil athrú mór tagtha ar...
- Sa lá atá inniu ann...
- Is iomaí athrú duine/fadhb a...
- Ar na gcéad dul síos, féachaimís ar
- Níl lá dá dtéann thart nach gcloistear...
- Is é an chúis atá leis seo ná...
- Is minic a bhíonn...
- De réir tuairisce, is in olcas atá an scéal ag dul.
- Tá saol an mhadaidh bháin ag...
- De bharr.../dá bharr...
- Nó níos measa fós...
- Anuas ar sin...
- Tá ... forleathan
- I measc an aosa óig...
- Is minic a bhíonn easpa féinmhuiníne...
- Déanann siad aithris ar...
- Aos óg an lae inniu...

Aiste 2: Is mór idir inné agus inniu (Aonad 2)

Foghlaim agus úsáid na nathanna seo:

- Bhí mé ag caint le … le déanaí
- Thug sé faoi deara…
- Is beag (duine)
- Cé is moite de…
- Thug sé ábhar machnaimh dom…
- I gcomparáid le saol an lae inniu…
- Cé nach raibh/cé go bhfuil…
- Mar sin féin…
- Tá an iomarca (brú ar…)
- Bhí/tá buntáistí ag baint le…
- Is fíor gur maith an scéalaí an aimsir.

Aiste 3: Níl an córas oideachais sa tír seo oiriúnach do shaol an lae inniu (Aonad 3)

Foghlaim agus úsáid na nathanna seo:

- Ní oireann sé do…
- Is fíor go bhfuil roinnt den fhírinne sa ráiteas seo.
- Tá dhá insint ar gach scéal
- Agus mar sin de.
- Níl aon dabht ach go…
- I mo thuairim-se, is maith an rud é seo
- Ar an lámh eile…
- Caithfear a admháil go…
- Ní chuirtear dóthain béime ar…
- Pé scéal é…
- Déantar iarracht (freastal ar…)
- Féach timpeall ort/ní gá ach féachaint timpeall ort
- Táthar ag caint le fada faoi…
- Mo léan, níl ann ach caint san aer.
- Tá sé in am ag an rialtas beart a dhéanamh de réir a mbriathar agus a ngeallúintí a chomhlíonadh
- Ní féidir gan … a lua
- Ceapaim féin gur chóir go mbeadh…
- Muna ndéantar é seo, is dúinn is measa é

Alt: Tionchar an cheoil ar an aos óg (Aonad 4)

Foghlaim agus úsáid na nathanna seo:

- Féach ar/cuir ceist ar
- (Is féidir leis) … a chur faoi gheasa…
- go huile is go hiomlán
- Tá feabhas mór tagtha ar…
- I ngan fhios do…
- I bhfolach…

- Tá iomaíocht...(idir ... agus...)
- Níl i do chaint ach guth fánach i lár an fhásaigh.
- Ní féidir a shéanadh go bhfuil an-tionchar ag ... ar...
- Agus a leithéid...
- B'fhiú ... a dhéanamh.
- Mise á rá leat go...
- De réir an taighde is déanaí...
- Ní nach ionadh...
- Tá sé thar am ag...

Aiste 4: Cumhacht na meáin (Aonad 4)

Foghlaim agus úsáid na nathanna seo:

- Léiríonn sé go soiléir go...
- a bhuí le...
- Tá idir mhaith agus olc ag baint le...
- ag agóid (ag léirsiú)...
- cuireadh ... ina leith...
- Glactar go forleathan leis go...
- chun teagmháil a dhéanamh le...
- leithéidí...
- don chéad uair riamh...
- Is sampla é seo de...
- Tá idir mhaitheas agus donas ag baint le gach rud...
- Is minic a...
- Téann siad thar fóir leis...
- Déantar ionsaí ar...
- Tugtar le fios do...

Díospóireacht: Níl sa spórt ach gnó (Aonad 6)

Foghlaim agus úsáid na nathanna seo:

- Ba mhaith liom sainmhíniú a thabhairt ar an rún.
- Is léir don dall go/nach (gur/nár)
- Ag déanamh urraíochta ar...
- (ní) ar mhaithe le...
- Ar ndóigh...
- Tapaíonn siad an deis...
- Cuirtear brú ar...
- Is cuma faoi...
- Níl ach ... le feiceáil
- Fiú má...
- Níl ann ach cur i gcéill
- Má theipeann orthu/tá ag teip ar (an gcóras)
- An bhfuil sibh dall amach is amach?
- Ná habair liom...

Caint ag spreagadh do chomhscoláirí (Aonad 7)

Foghlaim agus úsáid na nathanna seo:

- Ní amháin sin...
- Tá sé fite fuaite i...
- Ba mhór an trua é dá (gcaillfí...)
- Ba chóir dúinn bheith bródúil as (ár dteanga dhúchais)
- níos mó ná mar a bhí riamh...
- Ní gá ach... (éisteacht/féachaint ... chun méid na faidhbe seo a fheiceáil)
- Mar a deir an seanfhocal, nI troimide an cholainn an léann.
- Tá dul chun cinn mór déanta (le fiche bliain anuas)...
- Tá méadú mór tagtha ar...
- Lasmuigh den/taobh amuigh den...
- Tá tóir ar (bealach chun *popular* a rá: tá tóir ar an albam sin)
- Tá borradh agus fás tagtha ar...
- Tá go leor rudaí gur féidir a dhéanamh...
- D'fhéadfá = is féidir leat
- Ní neart go cur le chéile...
- Má dhéanann gach duine a chuid... (tiocfaidh feabhas ar an scéal)

Aiste 5: An foréigean in Éirinn sa lá atá inniu ann (Aonad 10)

Foghlaim agus úsáid na nathanna seo:

- Caithfear a admháil go...
- (Níl) aon laghdú ag teacht ar...
- Tabharfaidh mé staitisticí a léiríonn méid na faidhbe.
- Sa tsochaí...
- Caithfear féachaint ar an bhfianaise atá ann.
- An rud is measa faoin scéal ná go...
- Ní bhíonn aon leisce orthu... (an lámh láidir a úsáid)
- Is in olcas atá an scéal ag dul.
- Tugtar drochíde do... (déantar dúshaothrú ar...)
- Is minic a chloistear ar an nuacht faoi...
- Nó níos measa fós...
- Mar a deir an seanfhocal, níl sprid ná púca nach bhfuil fios a chúise aige.
- Ní hé sin/is é sin bun agus barr an scéil.
- Tá baint nach beag ag ... le
- Leanann an fáinne fí...
- Téann daoine i muinín... (an fhoiréigin/na ndrugaí)
- Caithfear dul i ngleic le...
- Is ceist chasta í agus níl aon réiteach amháin uirthi.
- Ba chóir cur ina luí orthu.../ceapaim féin gur chóir...
- Lena chois sin...
- An lámh láidir...
- Is iomaí slí chun muc a mharú seachas é a thachtadh le him.

Díospóireacht: An tsaint is cúis le bochtanas (Aonad 11)

Foghlaim agus úsáid na nathanna seo:

- Tá daoine ar an ngannchuid
- É sin ráite...
- (tá tú) ar aon intinn liom...
- Sna tíortha forbartha...
- In ainneoin (seo)...
- Samhlaigí é sin...
- Bíonn siad ag tochras ar a gceirtlín féin...
- Ar fud na cruinne...
- Is mór an náire é...

Caint ar do lorg carbóin (Aonad 12)

Foghlaim agus úsáid na nathanna seo:

- Ach go háirithe...
- (tá sé) ag déanamh dochar do...
- Ach mo léan...
- Tá sé thar a bheith tábhachtach go (ndéanfaimid iarracht...)
- Táthar ag tuar go...
- Níl insint béil ar an bhfulaingt a tharlóidh dá bharr
- Táid ann a deir...
- In aice láimhe...
- Ós ag caint ar ... atáimid...
- In aice láimhe...
- Ní foláir dúinn...
- Cuireann ... go mór le...
- Go spreagfaidh sé sibh chun gníomhaíochta...
- Mar a deirtear 'Ní neart go cur le chéile'.

Cúpla seanfhocal don aiste

Seanfhocal	Míniú
Ní lia duine ná tuairim	*Tá a thuairim féin ag gach duine*
Ní bhíonn in aon rud ach seal	*Ní mhaireann aon rud go deo*
Ag tús na haicíde is fusa í a leigheas	*Tá sé níos éasca fadhb a réiteach ag an tús.*
Níl sprid ná púca nach bhfuil fios chúise aige	*Tá cúis le gach rud*
Is glas iad na cnoic i bhfad uainn	*Ceapaimid go bhfuil áiteanna eile níos fearr*
Ní mar a shíltear a bítear	*Ní bhíonn rudaí I gcónaí mar a cheapaimid*
Ní neart go cur le chéile	*Má oibríonn daoine le chéile beidh siad láidir*
Níl ann ach sop in áit na scuaibe	*Ní leor é. Caithfear níos mó a dhéanamh*
De réir a chéile a thógtar an caisleán	*Tógann sé am rudaí a dhéanamh*
Is maith an scéalaí an aimsir	*Beidh fhios againn sa todhchaí (Time will tell)*
Ní fiú bheith ag seanchas nuair atá an anachain déanta	*Ní fiú bheith ag caint nuair atá an dochar déanta*
Ní thagann ciall roimh aois	*Bíonn daoine óga amaideach uaireanta*
Briseann an dúchas trí shúile an chait.	*Bíonn páistí cosúil lena dtuismitheoirí*
Is fearr leath-bhuillín ná bheith gan arán	*Is fearr píosa beag ná bheith gan rud ar bith.*
Bailíonn brobh beart	*Píosa ar phíosa, is gearr go mbíonn go leor*
Is fearr an tsláinte ná na táinte	*Tá sláinte níos fearr ná saibhreas*
Filleann an feall ar an bhfeallaire	*Karma, tagann rudaí timpeall, what goes around comes around*
Ní thuigeann an sách an seang	*Ní thuigeann daoine saibhre daoine bochtaC*

Cineálacha scríbhneoireachta

Is gnách ceist a chur faoin seánra nó faoin gcineál scríbhneoireachta a bhaineann le sliocht. Seo a leanas tábla ina léirítear na cineálacha éagsúla scríbhneoireachta atá ann agus an aidhm, an struchtúr agus na comharthaí sóirt a bhaineann le gach cineál. Nuair a bhíonn tú ag léamh sleachta, ba chóir duit a bheith ag smaoineamh i gcónaí ar cén sórt scríbhneoireachta atá i gceist. Nuair atá tú ag scríobh, freisin, ba chóir go mbeadh a fhios agat cén cineál scríbhneoireachta atá á scríobh agat.

Cineál	Aidhm	Struchtúr	Comharthaí sóirt
Insint Mar shampla: scéalta; cuntais phearsanta; beathaisnéisí	Insint ar imeachtaí, cuimhní, mothúcháin, cuntas pearsanta, tuairimí, scéal	Cruthaítear suíomh Imeachtaí de réir ama Bíonn carachtair ann Tuairim phearsanta – an saol trí shúile duine Críoch cinnte	Aimsir Chaite Ord croineolaíoch Ainmfhocail agus gníomhbhriathra Comhrá: caint dhíreach
Tuairisc Mar shampla: Ailt nuachtáin; ailt faisnéise; neamhfhicsean	Cur síos ar chúrsaí ar spéis le daoine Eolas a thabhairt	Réamhrá Cur síos ar na sonraí Achoimre	Aimsir Láithreach Ní gá ord croineolaíoch a úsáid Friotal neamhphearsanta agus teicniúil uaireanta Pointí cinnte i ngach alt Úsáidtear an saorbhriathar
Treoir Mar shampla: Irisí; Sainleabhair (leabhar cócaireachta mar shampla); téacsleabhair; treoir	Cur síos ar conas rud éigin a dhéanamh – céim ar chéim Tugtar an t-eolas cuí	An cuspóir léirithe Ábhair riachtanacha Na céimeanna is gá chun an tasc a chur i gcrích	Aimsir Láithreach nó Modh Ordaitheach Ord croineolaíoch Foclóir faoi leith ag baint le hábhar. Gníomhbhriathra
Míniú Mar shampla: Téacsleabhair; leabhair saineolais; ailt	Míniú ar conas a oibríonn rud Deimhniú a thabhairt	Ráiteas ar a bhfuil le míniú Na céimeanna/míniú Ráiteas scoir	Aimsir Láithreach, saorbhriathar Nathanna cosúil le: mar sin, dá bhrí sin, ansin… Friotal teicniúil Gníomhbhriathra
Scríobh Áititheach Mar shampla: Bróisiúr a chuireann rud éigin chun cinn (eagraíocht/coláiste/ ócáid/ saoire áit éigin); fógraíocht a scríobhtar chun custaiméirí a mhealladh	Dearcadh nó tuairim áirithe a chur chun cinn Daoine a mhealladh chun aontú leat/áitiú ar dhaoine Moladh a dhéanamh	Ráiteas tosaigh Na hargóintí le fianaise agus samplaí Achoimre: athrá ar an ráiteas tosaigh	Aimsir Láithreach Caint ghinearálta Cónaisc loighciúla: dá bhrí sin, de bharr, ar an mbonn sin Ainmfhocail agus aidiachtaí moltacha cosúil le 'luachmhar', 'den scoth', 'tábhachtach'
Plé Mar shampla: Díospóireachtaí; eagar fhocail; ailt pholaitiúla	Dearcadh agus argóintí a thabhairt ach cloí le ceann amháin Seasamh nó taobh a ghlacadh Tuairimí a thabhairt Rogha a chur in iúl	Ráiteas tosaigh ag tagairt do na príomhargóintí Sainmhíniú Argóintí, fianaise, sampla Ar son agus in aghaidh Moladh/seasamh amháin ag an deireadh	Aimsir Láithreach Caint ghinearálta Cónaisc loighciúla: dá bhrí sin, mar sin, dá bharr, seachas

Léigh na píosaí seo a leanas agus plé an cineál scríbhneoireachta atá i gceist.

Gaeltacht Mhaigh Eo

Is fiú Gaeltacht Mhaigh Eo a thaiscéaladh. Is é barúntacht Iorrais i dtuaisceart Mhaigh Eo an ceantar is lú daonra, é suite i dtimpeallacht ársa atá cothaithe go cúramach. Don té a bhfuil suim aige iontu, tá aillte, sléibhte, talamh bhogaigh, tránna agus flúirse rudaí suimiúla eile ar fáil. Tá rud éigin le gach duine a shásamh i nGaeltacht Mhaigh Eo; an teanga, an béaloideas, nó an timpeallacht shainiúil. Léiríonn an flúirse uaigheanna réamhstairiúla, caisleán agus iarsmaí eile an saibhreas oidhreachta atá in Iorras.
(as suíomh idirlín Gaelsaoire, www.gaelsaoire.ie)

Margadh na Seachtaine ag CIC

Fiche amhrán san iomlán, idir Bhéarla agus Ghaeilge, atá san albam 'Nancy Bhán'. Déanann na hamhráin ceiliúradh ar stair agus ar thraidisiúin Chonamara, le hamhráin in ómós do John Mannion, an dornálaí as Ros Muc, agus do Phádraic Dharach, an bádóir as Garumna, san áireamh, chomh maith le hamhráin a cheiliúrann traidisiún na mbád ar nós 'An Mary Ann' agus 'Púcán Mhicil Pháidín'. Is stíl Ghaelcheol tíre atá sna hamhráin ar an albam seo, stíl ar chuir Beairtle agus John Beag Ó Flatharta tús léi, agus atá le cloisteáil go forleathan anois i gConamara. Is í Dympna Carroll an t-amhránaí taca ar an albam agus tá tionlacan ceoil air ó Mick Conneely, Eugene Kelly, Ger Fahy agus Eugene Killeen.
(as Nuacht24.com 18 Deireadh Fómhair 2011)

Toirtín almóinne le sú craobh

110 gram ime **110 gram almóinní meilte** **110 gram siúcra**

Líonadh

sú craobh

Téigh an t-oigheann go 180 céim Celsius (350 Fahrenheit).

Buail an t-im, an siúcra agus na halmóinní meilte le chéile go dtí go mbíonn taos deas agat.

Déan toirtín beag as taespúnóg den taos agus leag ar mhias stáin é. Déan 24 toirtín ar fad.

Cuir an mhias san oigheann ar feadh 20-30 nóiméad nó go dtí go mbíonn dath órdhonn ar na toirtíní.

Lig dóibh fuarú ar feadh cúig nóiméad, ansin bain as an mias iad. Ná fág sa mhias iad nó greamóidh siad di.

Nuair a bhíonn siad fuar, cuir sú craobh i ngach toirtín. Glónraigh le glóthach cuiríní dearga agus maisigh le huachtar agus duilleoga lus na meala líomóide.

Caimiléireacht is cúis le fadhbanna na tíre seo

Caithfidh mé a rá go n-aontaím go huile is go hiomlán leis an ráiteas seo. Níl dabht i m'aigne gurb í an chaimiléireacht is cúis leis na fadhbanna eacnamaíochta atá againn sa tír seo. Tá an chlaontacht, an chaimiléireacht, an mhímhacántacht go smior ionainne, muintir na hÉireann – a bhuí leis na céadta bliain ag troid in aghaidh dlíthe a bhí éagórach . Glacaimid leis gur chóir dúinn bob a bhualadh ar an rialtas. Ceapaimid go bhfuil sé ceart go leor gan cáin a íoc, mar shampla. Is minic a chloisim daoine ag rá go raibh aithne acu ar dhuine in áit éigin agus gur éirigh leo gar a fháil uathu. Ní haon ionadh mar sin go dtéann lucht gnó go polaiteoirí, go meallann siad iad le breabanna agus go lorgaíonn siad garr dá bharr – agus mar is eol do chách, sin díreach a tharla le cúrsaí pleanála agus sin an fáth go bhfuil tithe folmha agus scáileastáit scaipthe fud fad na tíre. Tá meon an choilíneachais go smior ionainn.

Conas a dhéantar scamaill?

Cruthaítear scamaill nuair a éiríonn aer tais in airde sa spéir, nuair a fhuaraíonn sé agus nuair a éiríonn sé sáithithe. Déanann gal-uisce tais comhdhlúthú sa spéir chun braonacha bídeacha uisce a dhéanamh agus cruthaíonn sé sin scamall. Foirmíonn scamaill éagsúla ag brath ar cé chomh tais is atá an t-aer. Tá go leor sórt scamall ann, agus is féidir an aimsir a thuar ach féachaint ar chruth scamaill. Bíonn scamaill cumalais chlúmhacha bhána le feiceáil ar lá breá. Nuair a bhíonn scamall cosúil le leathán tanaí oighir sa spéir le fáinne timpeall na gréine, is comhartha é go bhfuil báisteach ar an mbealach. Ciorrastratas a thugtar ar an sórt scamaill seo. *(as Met Éireann, www.met.ie)*

Cuimhní ar an nGaeltacht

Is cuimhin liom an chéad mhaidin. Dhúisigh mé an-luath. Ní raibh fuaim le cloisteáil. D'éirigh mé as an leaba agus d'fhéach mé amach an fhuinneoigín bheag sa seomra. Bhain áilleacht na háite anáil asam, na carraigeacha suite go foirfe i lár garraí, raithneach agus aiteann, na ballaí beaga cloiche le spotaí buí agus bána orthu. Ar chóir dom éirí? Trí mhí a bheinn san áit seo, trí mhí sa seomra lom seo, trí mhí ag féachaint amach ar an radharc seo. Bhí crúiscín agus báisín sa chúinne. Dhoirt mé uisce as an gcrúiscín sa bháisín agus nigh mé m'aghaidh leis an uisce fuar.

Nuair atá tú ag scríobh faoi dhánta, tá foclóir áirithe atá úsáideach. Seo a leanas focail, nathanna agus abairtí a chabhróidh leat scríobh faoi litríocht:

Dánta:

Sa chéad / dara / tríú / cheathrú véarsa / sa véarsa deiridh
Sa chéad líne / sa chéad dá líne
Sa líne dheiridh / sa dá líne dheiridh
Sa chéad leath den dán / sa dara leath den dán.
Sna línte seo a leanas '........'

Tá go leor bealaí ann chun '*uses*' *a rá i nGaeilge:*
Úsáideann an file ... teicníochtai filíochta ar nós
Baineann an file **úsáid as**...
Baineann an file **feidhm** éifeachtach **as**...(íomhánna athrá/codarsnacht)

Abairtí úsáideacha

Cuireann an file (íomhá.os ár gcomhair *The poet presents us with (an image)*
Tugann an file léargas dúinn ar *The poet gives us an insight into*
Léiríonn an file saol na tuaithe *The poet shows (country life)*
Déanann an file cur síos ar *The poet describes.*
Cruthaíonn an file atmaisféar... *The poet creates (an) atmosphere*
Déanann an file comparáid idir/agus *The poet compares...with...*
Tugann an file tús áite don *The poet gives priority to*
Cuireann an file béim ar *the poet emphasizes*
Déanann an file tagairt do *the poet refers to*
Déanann an file comhbhá le... *the poet sympathises with...*
Tugann an file sampla dúinn de *the poet gives us an example of...*
Labhraíonn an file faoi... *the poet talks about*
Déanann an file aoradh ar... *the poet satirizes*
Tá an file ag magadh faoi... *the poet is laughing at*
Músclaíonn an file...ionainn: *the poet awakens (pity) in us...*

Is féidir an saorbhriathar a úsáid: 'cruthaítear atmaisféar', srl.
Tá rogha leathan **seanraí scríbhneoireachta** sa cheapadóireacht don Ardteist. San aonad seo féachfaimid ar na cineáil éagsúla agus ar an bhfoclóir is gá chun tabhairt fúthu.

Teicníochtaí filíochta

- Úsáideann an file teicníochtaí filíochta go héifeachtach sa dán...
- Baineann an file úsáid as teicníochtaí filíochta.
- Úsáidtear a lán teicníochtaí filíochta sa dán seo.
- Baintear úsáid as teicníochtaí filíochta amhail...
- Íomhánna (ón dúlra, ón mbíobla, ón gCríostaíocht, ón mbéaloideas), meafair, siombailí, friotal, codarsnacht, atmaisféar, athrá chun... a chur in iúl/a chur i gcuimhne dúinn/a léiriú dúinn
- Tá béim láidir ar theicníochtaí filíochta sa dán seo.

Téama(í) (is é an daoirse an téama is treise sa dán Géibheann)

- Is é ... téama an dáin seo.
- Is é ... príomhthéama an scéil seo.
- Is é ... ábhar an dáin seo.
- ...an téama is láidre sa dán seo.
- Is léir gurb í an ... téama an dáin/tsleachta seo.

Íomhá(nna) (pictiúir: 'Fear ag glanadh cré')

- Is íomhá an-éifeachtach í/tá an íomhá seo an-éifeachtach.
- Íomhánna éifeachtacha iad seo.
- Íomhá den dúlra/de shaol na tuaithe/den fharraige.
- Íomha (a thagann) ón mbíobla/ón mbéaloideas/ón gCríostaíocht.
- Cuireann an file ... os ár gcomhair.
- Cuirtear (íomhá álainn) os ár gcomhair.
- Cruthaíonn an íomhá seo pictiúr dúinn de...
- Cuireann an íomha seo ... i gcuimhne dúinn.
- Sa chéad véarsa tá íomhá de...
- Sa dara/tríú/cheathrú véarsa...
- Sa véarsa deiridh tá an íomhá is éifeachtaí/is láidre/is deise...
- Tá fallás na truamhéala le feiceáil sa tríú véarsa, is é sin nuair a shíleann an file go ndéanann an dúlra comhbhá léi nó leis
- Tugtar le fios dúinn go ...
- Déantar cur síos ar...

Meafa(i)r (íomhá le brí eile: 'taobh den bhríste)

- Baineann an file úsáid as meafar lárnach síos tríd an dán.
- Is meafar leanúnach é seo.
- Tá an meafar seo bunaithe ar...
- Is meafair éifeachtacha iad.
- Cuirtear meafar os ár gcomhair.

Siombail í (íomhá a sheasann do rud eile: 'úlla')

- Seasann an ... do(n)...
- Is siombail é ... ar...
- Baineann an file úsáid as an-chuid siombailí.
- Baintear úsáid as siombalachas.
- Is féidir an dán/scéal a léamh ar leibhéal siombalach.

Friotal (sórt teangan/focail a úsáidtear)

- Úsáideann an file friotal atá an-oiriúnach d'ábhar an dáin.
- Tá an friotal sa dán seo simplí/gonta/bunaithe ar chaint na ndaoine/bunaithe ar an dteanga nádúrtha/bunaithe ar rithim na cainte.
- Cuireann an friotal go mór le hábhar an dáin.
- Tá ceol agus rithim sa fhriotal a úsáideann an file.
- Baintear feidhm as: comhfhocail/onamataipé.

Codarsnach t (dhá rud an-éagsúil: Géibheann: na teochreasa/an zú)

- Tá codarsnacht láidir idir ... agus...
- Feicimid codarsnacht idir ... agus ... sa tríú véarsa.
- Cuireann an chodarsnacht seo go mór le héifeacht an dáin.
- Baineann an file úsáid éifeachtach as codarsnacht sa tríú véarsa.
- Baintear úsáid as codarsnacht chun ... a léiriú.

Atmaisféar (tá atmaisféar shuaimhneach ciúin sa dán An tEarrach Thiar)

- Cruthaíonn an file atmaisféar draíochtúil/scanrúil/diamhrach/bagrach.
- Úsáideann an file (friotal/íomhánna...) chun atmaisféar (scanrúil/taitneamhach) a chruthú. Athraíonn an t-atmaisféar sa...
- Leantar leis an atmaisféar seo sa dara véarsa.
- Treisítear an t-atmaisféar sa tríú véarsa, áfach...
- Atmaisféar (míshuaimhneach, aithríoch) a chruthaítear sa dán seo.

Uaim (Alliteration) (dhá fhocal ag tosnú leis an litir chéanna: 'crainnte na coille')

Is éard is uaim ann ná nuair a thosaíonn dhá fhocal nó níos mó leis an litir chéanna.

- Tá uaim le fáil in 'Caoineadh Airt Uí Laoghaire': i *bh*fad ó *bh*aile/claíomh cinn
- Feictear uaim in 'Éiceolaí': *b*ean *b*éal; *p*iast ag *p*iastáil
- Úsáidtear uaim sa dán 'An tEarrach Thiar': caitheamh cliabh; *dhá dh*roim
- Tá uaim le feiceál in 'Fill Arís': *f*aobhar na *f*aille
- Baineann Pádraig Mac Suibhne úsáid as uaim sa dán 'Colscaradh'
- 'A Chlann': *b*earna *b*aoil; i *bh*fiacal *bh*ur *bh*fáistine; bhur *mb*rionglóidí bhur *mb*ealaí

Aicill

Is é sin rím idir focal deiridh i líne amháin agus focal i lár líne eile.

Athrá (focal nó frása a rá arís: 'San Earrach thiar')

Is é sin nuair a úsáideann an file an focal céanna arís agus arís eile.

Baineann an file úsáid éifeachtach as athrá chun atmaisféar éadrom (gealgháireach) a chruthú.

San aonad seo, féachfaimid ar an bhfoclóir a theastaíonn chun cabhrú leat sa chluastuiscint. I dtús báire, ba chóir go mbeadh logainmneacha coitianta ar eolas agat.

Contaetha agus cúigí na hÉireann

Cúige Laighean		Leinster
Baile Átha Cliath	Co. Átha Cliath/Co. Bhaile Átha Cliath	*Dublin*
Ceatharlach	Co. Cheatharlach	*Carlow*
Cill Chainnigh	Co. Chill Chainnigh	*Kilkenny*
Cill Dara	Co. Chill Dara	*Kildare*
Cill Mhantáin	Co. Chill Mhantáin	*Wicklow*
An Iarmhí	Co. na hIarmhí	*Westmeath*
Laois	Co. Laoise	*Laois*
Loch Garman	Co. Loch Garman	*Wexford*
An Longfort	Co. an Longfoirt	*Longford*
Lú	Co. Lú	*Louth*
An Mhí	Co. na Mí	*Meath*
Uíbh Fhailí	Co. Uíbh Fhailí	*Offaly*

Cúige Mumhan		Munster
Ciarraí	Co. Chiarraí	*Kerry*
An Clár	Co. an Chláir	*Clare*
Corcaigh	Cathair Chorcaí/Co. Chorcaí	*Cork*
Luimneach	Cathair Luimnigh/ Co. Luimnigh	*Limerick*
Port Láirge	Co. Phort Láirge	*Waterford*
Tiobraid Árann	Co. Thiobraid Árann	*Tipperary*

Cúige Chonnacht		Connaught
Gaillimh	Cathair na Gaillimhe/Co. na Gaillimhe	*Galway*
Liatroim	Co. Liatroma	*Leitrim*
Maigh Eo	Co. Mhaigh Eo	*Mayo*
Ros Comáin	Co. Ros Comáin	*Roscommon*
Sligeach	Co. Shligigh	*Sligo*

Cúige Uladh		Ulster
Aontroim	Co. Aontroma	*Antrim*
Ard Mhacha	Co. Ard Mhacha	*Armagh*
An Cabhán	Co. an Chabháin	*Cavan*
Doire	Co. Dhoire	*Derry*
Dún	Co. an Dúin	*Down*
Dún na nGall	Co. Dhún na nGall	*Donegal*
Fear Manach	Co. Fhear Manach	*Fermanagh*
Muineachán	Co. Mhuineacháin	*Monaghan*
Tír Eoghain	Co. Thír Eoghain	*Tyrone*

Téigh chuig *Aonad 6: An Ghaeilge* agus *Aonad 5: Na Meáin* agus foghlaim na seoltaí, na ríomhphoist agus na huimhreacha gutháin atá ag na heagraíochtaí agus na meáin Ghaeilge. Seo a leanas sráideanna i mBaile Átha Cliath a bhfuil eagraíochtaí Gaeilge lonnaithe orthu:

Baile Átha Cliath

Sr. Fhearchair (Conradh na Gaeilge)
Domhnach Broc (RTÉ)

Cearnóg Mhuirfean (Foras na Gaeilge)

Sr. Chill Dara (An Dáil)

Droim Conrach (Coláiste Phádraig)

Sr. Fhreidric Thuaidh (An Gúm)

Sráid an Dáma (Gael Linn)

Foclóir eile atá úsáideach don Chluastuiscint. Téigh tríd na liostaí seo go minic agus bí cinnte go dtuigeann tú an foclóir.

Tairiscint poist

foirm
cáilíocht
an fhoirm iarratais (*application form*)
taithí riaracháin
an fhoirm iontrála
agallamh
iarrthóirí
trialacha
spriocdháta
tástálacha
riachtanais
scileanna ríomhaireachta
riachtanach
Gaeilge líofa
ardchumas/ardchaighdeán Gaeilge
ba bhuntáiste é...
tuarastal/pá/íocaíocht
teistiméireachtaí
costais
moltóirí
pearsantacht thaitneamhach
rannóg pearsanra
á lorg
ceapacháin

feighlí linbh
earcú/earcaíocht
taithí ar aire a thabhairt do pháistí
folúntas le líonadh
feidhmeannach
tráchtaire
príomhfheidhmeannach
craoltóir/craoladh
ceann roinne/ceannaire
tuairisceoir
riarthóir
iriseoir
caidreamh poiblí
aisteoir
oifigeach
fáilteoir
comhairleoir
eagarthóir/fo-eagarthóir
rúnaí
láithreoir
léiritheoir
stiúrthóir

Tionscal

togra
fondúireacht
aontas
tionscnamh
urraíocht/urraithe ag
fostóir
fiontar
infheistíocht
fostaí
comhlacht
maoiniú/maoinithe ag
eagras/eagraíocht
earraí
monarcha
tionscail na tógála

Coláiste/oideachas

teastas
céim (bunchéim)
céimí/fochéimí
léacht
iarchéim
iarchéimí
ollamh
dochtúireacht
ardteastas san oideachas
ceann roinne
scoláireacht
forbairt ghairmiúil
(neamh)litearthacht
deontas
tríú leibhéal/ollscoil
réamhscolaíocht/naíonra
sparánacht
iar-bhunscoil/meánscoil
liúntas

Cúrsaí ollscoile

eacnamaíocht
innealtóireacht
ailtireacht
dlí
leigheas
cuntasaíocht
ríomhaireacht
margaíocht
cógaseolaíocht
teicneolaíocht an eolais
eagrú gnó
Gaeilge fheidhmeach
teastas sa chumarsáid

Féilte

Pléaráca Chonamara
Sean-Nós Cois Life
Féile na Bealtaine (Dún Chaoin)
Féile na hEaragaile
An tOireachtas
oscailt oifigiúil
comóradh/in ómós
seoladh leabhair/dlúthdhiosca
ceiliúradh/cuimhneachán
lainseáil
siamsaíocht
óráid/léacht
ceardlann
siúlóid treoraithe
comórtais (ardáin)
duais/bronnadh na nduaiseanna
gradam
bonn/boinn cré umha/corn

Amharclanna

Taibhdhearc na Gaillimhe
Siamsa Tíre
Amharclann na Mainistreach
Cultúrlann McAdam Ó Fiaich
Áras na nGael
Ionad Pobail…

Coistí

coiste na dtuismitheoirí/na ndaltaí
ciste/cisteoir
Aontas na Mac Léinn
rúnaí
cathaoirleach
urlabhraí
(leas)uachtarán
áiseanna
acmhainní
trealamh/fearas
aidhmeanna
cuspóirí
spriocanna

An Rialtas: Téigh go dtí an suíomh idirlín www.gov.ie, téigh go Roinn an Taoisigh agus faigh comhaltaí den Rialtas. Faigh ainmneacha Gaeilge na nAirí sa Chomh-Aireacht. (Brúigh an cnaipe 'Gaeilge' ag bun nó ag barr an leathanaigh agus tiocfaidh an t-eolas aníos as Gaeilge.)

Na Ranna Rialtais

- An Roinn Talmhaíochta, Bia agus Mara
- An Roinn Ealaíon, Oidhreachta agus Gaeltachta
- An Roinn Leanaí agus Gnóthaí Óige
- An Roinn Cumarsáide, Fuinnimh agus Acmhainní Nádúrtha
- An Roinn Cosanta
- An Roinn Oideachais agus Scileanna
- An Roinn Comhshaoil, Pobal agus Rialtais Áitiúil
- An Roinn Airgeadais
- An Roinn Gnóthaí Eachtracha agus Trádála
- An Roinn Sláinte
- An Roinn Post, Fiontar agus Nuálaíochta
- An Roinn Dlí agus Cirt agus Comhionannais
- An Roinn Caiteachais Phoiblí agus Athchóirithe
- An Roinn Coimirce Sóisialaí
- Roinn an Taoisigh

Canúintí

Tá tri mhórchanúint sa Ghaeilge: Canúint Ulaidh
Canúint Chonnachta
Canúint na Mumhan

Tá difríochtaí foghraíochta sna canúintí. Seo a leanas na difríochtaí is mó:

- I gcanúint Ulaidh ní fhuaimnítear 'á' mar 'aw', mar shampla: lá = laa
- Fuaimnítear 'u' mar 'ú' i gcanúint Ulaidh, mar shampla: subh = sú
- I gcanúint Ulaidh cuirtear béim ar an gcéad shiolla i bhfocal dhá-shiollach.
- I gcanúint Chonnachta cuirtear béim ar an dá shiolla.
- I gcanúint na Mumhan cuirtear béim ar an dara siolla.
- I gcanúint na Mumhan fuaimnítear 'tinn' mar 'righin'.

Úsáidtear focail éagsúla freisin . Seo liosta de na focail is coitianta:

Uladh	Connacht	Mumhan
uilig	uilig	go léir
millteanach (mór)	uafásach (mór)	an-(mhór)
achan (duine)	chuile (dhuine)	gach (duine)
de dhíth orm	ag teastáil uaim	tá … uaim (tá gá le)
fosta	chomh maith	freisin
thig le	is féidir le/tá sé in ann	tá sé ábalta
measartha	sách	cuíosach
girseach/gearchaile	cailín	cailín
stócach	buachaill	garsún
meancóg	dearmad	botún
goitse	gabh i leith	tar anseo
druid an doras	dún an doras	dún an doras
tábla	bord	bord
cha	ní	ní
faduda	faoi	faoi
caidé mar atá tú?	cén chaoi bhfuil tú?	conas ata tú?
cad taoi?	tuige?	cén fáth?
cóir a bheith	beagnach	beagnach
taisme	timpiste	timpiste
doiligh	deacair	deacair
bomaite	nóiméad	nóiméad
tchím	feicim	chím
amharc	breathnaigh	féach

Leagan Amach na Béaltrialach:

Beannú	*5 mharc*	*1 nóiméad*
Filíocht	*35 marc*	*2 nóiméad*
Sraith pictiúr	*80 marc*	*4 nóiméad*
Comhrá	*120 marc*	*8 nóiméad*
Iomlán	*240 marc*	*15 nóiméad*

Beannú

Tá cúig cheist sa Bheannú:

1. Cad is ainm duit?
2. Cén aois thú?
3. Cén dáta breithe atá agat? (Cathain a rugadh tú?)
4. Cén seoladh atá agat? (Cá bhfuil tú i do chónaí?)
5. Cad í an scrúduimhir atá agat?

Iarrtar ort freisin páipéar a shíniú.

Filíocht

Iarrtar ort dán amháin as na cúig dhán ainmnithe a léamh. Ní bheidh rogha agat. Piocfaidh an scrúdaitheoir an dán.

I gcás *Mo Ghrá-sa (idir lúibíní)*, *An tEarrach Thiar*, agus *An Spailpín Fánach* ní bheidh ach dhá véarsa i gceist, ach roghnóidh an scrúdaitheoir an dá véarsa.

Bí cinnte go bhfuil na dánta ar eolas go maith agat. Bí cúramach leis an bhfoghraíocht: síneadh fada, séimhiú, urú.

Sraith Pictiúr

Tá na sraitheanna pictiúr ar fáil i leabhrán breise. Cleachtaigh go rialta iad agus bí cinnte go bhfuil siad ar eolas agat.

Bí cúramach le: Claoninsint: go/gur agus go bhfuil/nach bhfuil
Réamhfhocail: aige/aici/acu; leis/léi/leo; srl

Comhrá

Seicliosta: Seo a leanas na ceisteanna go léir a bhaineann le gach topaic. Bí cinnte go bhfuil freagraí ullmhaithe agat dóibh.

Aonad 1: Mo Chlann

1. Dia dhuit, cén chaoi a bhfuil tú?
2. Inis dom, cad is ainm duit?
3. Cén aois thú?
4. Inis dom faoi do chlann/do theaghlach/do mhuintir. Cé mhéad atá i do theaghlach? Cé mhéad deirfiúracha agus deartháireacha atá agat?
5. Cén aois iad?
6. Cé hé an duine is sine? Cé hé an duine is óige?
7. An bhféadfá cur síos a dhéanamh dom ar dhuine éigin i do theaghlach?
8. Cá bhfuil sé/sí sa teaghlach? Cár rugadh é/í? Cá bhfuil sé ina chónaí? (Cá bhfuil sé ag cur faoi?) Cad atá á dhéanamh aige/aici? Cad ba mhaith leis/léi a dhéanamh? Céard is maith leis/léi? Céard a dhéanann sé/sí mar chaitheamh aimsire? Cén sórt duine é/í?
9. An réitíonn tú go maith le do dheirfiúr/do dheartháir/do thuismitheoirí?
10. Cad a chuireann déistin ort faoi do (theaghlach/mháthair/dheirfiúr?)
11. Cé a dhéanann obair an tí?

Aonad 2: Mo cheantar

12. Anois, inis dom faoi do cheantar. Cá bhfuil tú i do chónaí?
13. Cá as duit? / Cé as thú? / Cár rugadh tú?
14. Cén sórt ceantair é?
15. Cad iad na háiseanna (agus na seirbhísí) atá ar fáil ann? Cá dtéann tú ag siopadóireacht?
16. An bhfuil mórán le déanamh ann do dhéagóirí? Cad a dhéanann déagóirí an cheantair mar chaitheamh aimsire?
17. Céard a dhéanann tú istoíche/ag an deireadh seachtaine?
18. An bhfuil aon fhadhbanna sóisialta sa cheantar?
19. Cad é an rud is fearr leat (nó is measa) leat faoi do cheantar?
20. Cad atá in easnamh sa cheantar?
21. Cén sórt fostaíochta atá i do cheantar?
22. Cad a dhéanfá chun feabhas a chur ar do cheantar?* (Lth 62 An Modh Coinníollach)
23. Cé acu is fearr, saol na cathrach nó saol na tuaithe?
24. Cén cineál tí atá agat? (teach scoite/teach leathscoite/bungaló)
25. Cá bhfuil do theach suite?
26. An dóigh leat go socróidh tú síos i do cheantar?
27. An maith leat do cheantar?

Aonad 3: Cúrsaí scoile

28. Cá dtéann tú ar scoil?
29. Cén sórt (cineál/saghas) scoile í? (pobalscoil, meánscoil do chailíní, scoil chuimsitheach, Scoil chónaithe)
30. Cad iad na **háiseanna** atá ann?

31. Cén bhliain ina bhfuil tú ar scoil?
32. Cad iad na h**á**bhair atá **á** ndéanamh agat?
33. Cad é an t-ábhar is fearr leat? (Cad **iad na h**ábha**i**r is fearr leat?)
34. An bhfuil aon ábhar nach maith leat? (Cad é an t-ábhar is measa leat?)
35. Cad a dhéanfá chun **feabhas a chur ar** an scoil? / dá mbeifeá i do phríomhoide?
36. An maith leat d'éide scoile? Déan cur síos ar d'éide scoile. (Inis dom faoi.)
37. Inis dom faoi ghnáthlá scoile.
38. An gceapann tú gur chóir deireadh a chur leis an éide scoil?
39. Ar chóir an éide scoile a athrú?
40. An athrófá an éide scoile?
41. Cad a cheapann tú faoi rialacha na scoile?
42. An bhfuil aon riail amaideach?
43. An athrófá aon riail?
44. Cé acu is fearr, scoileanna aonghnéis nó scoileanna measctha?
45. Cad a cheapann tú faoin gcóras oideachais in Éirinn? (Lth 427 Claoninsint)
46. Cad a cheapann tú faoi chóras na bpointí?
47. Cad ba mhaith leat a dhéanamh nuair a fhágann tú an scoil?
48. Cad a dhéanfá dá mbeifeá i d'Aire Oideachais?

Aonad 4: Ceol

49. Cén sórt ceoil a thaitníonn leat féin?
50. An seinneann tú aon uirlis? An gcanann tú?
51. Cén t-amhránaí/grúpa ceoil is fearr leat?
52. An raibh tú riamh ag ceolchoirm/féile cheoil? Inis dom faoi.* (Ba chóir freagra fada a ullmhú.)
53. An bhfuil aon sórt ceoil nach maith leat?
54. Ar sheinn tú riamh i gceolchoirm?
55. An gceapann tú go bhfuil drochthionchar ag ceol agus ag ceoltóirí áirithe ar dhaoine óga?
56. Ar chas tú riamh le ceoltóir cáiliúil?

Aonad 5: Na Meáin

57. An bhféachann tú ar an teilifís?
58. Cad iad na cláir is fearr leat?
59. An gcaitheann tú mórán ama ar an idirlíon?
60. An bhfuil tú ar Facebook nó ar shuíomh sóisialta eile?
61. Cad a cheapann tú faoin idirlíon mar áis?
62. An bhféachann tú ar an nuacht?
63. An léann tú nuachtáin nó irisí?
64. An éisteann tú leis an raidió? Cén stáisiún a n-éisteann tú leis?
65. An gceapann tú go bhfuil an iomarca cumhachta ag na meáin?
66. An bhféachann tú ar aon chláir ar TG4?

67. An éisteann tú le Raidió na Gaeltachta/Raidió na Life/Raidió Rí-Rá?
68. An léann tú Seachtain nó aon iris nó nuachtán Gaeilge eile?
69. An gceannaíonn do thuismitheoirí aon nuachtán?An léann tú aon nuachtán?
70. An gceapann tú go bhfuil an iomarca tionchair ag na meáin ar an aos óg?
71. An bhféadfá maireachtáil gan d'fhón póca?

Aonad 6: Sláinte

72. An itheann tú bia sláintiúil?
73. An gceapann tú go n-itheann daoine óga bia folláin? / An dtugann siad aire don tsláinte?
74. An itheann tú mearbhia go minic?
75. Cad a cheapann tú faoi fhadhb an mhurtaill? / faoi neamhord itheacháin?
76. Cad a cheapann tú faoi fhadhb an óil i measc daoine óga?
77. Cén fáth a dtosaíonn daoine óga ag ól agus ag tógáil drugaí dar leat?
78. An bhfuil fadhb mhór óil nó drugaí i do cheantar?
79. Conas is féidir réiteach a fháil ar an bhfadhb seo, dar leat?
80. An ndéanann tú cleachtadh coirp?
81. Cad é do thuairim faoin slad ar na bóithre? An gceapann tú go dtiomáineann daoine óga ar ardluas? Conas is féidir a chur ina luí ar thiománaithe óga a bheith níos cúramaí?
82. An raibh tú riamh i dtimpiste/san ospidéal/go dona tinn? Inis dom faoi.
83. An maith leat spórt?
84. Cén sórt spóirt a imríonn tú?
85. Cé mhéad uair sa tseachtain a imríonn tú é?
86. An raibh tú riamh ag cluiche peile? / i bPáirc an Chrócaigh? Déan cur síos air. (Mura raibh, déan cur síos ar spórt eile a chonaic tú beo: .i. leadóg/cispheil/ dornálaíocht srl)
87. Cén tairbhe a bhaintear as spórt a imirt?
88. An bhféachann tú ar spórt ar an teilifís?
89. Cad a cheapann tú faoi spórt iomaíoch? An bhfuil an iomarca béime ar bhuachan?
90. Ar chóir do spórt a bheith gairmiúil ná amaitéarach? Ar chóir d'imreoirí CLG a bheith gairmiúil? Cad é do thuairim faoi sin?
91. Cad a cheapann tú faoi dhrugaí i gcúrsaí spóirt? / faoi lúthchleasaithe a thógann drugaí?
92. An maith leat na Cluichí Oilimpeacha?
93. Cé hé an phearsa spóirt is fearr leat? Inis dom faoi.

Aonad 7: Gaeilge

94. An maith leat an Ghaeilge?
95. An labhraíonn tú Gaeilge riamh/go minic?
96. Cad a cheapann tú faoi thodhchaí na Gaeilge? An dóigh leat go mbeidh sí á labhairt i gceann fiche bliain?

97. An gceapann tú go bhfuil meas ag daoine óga ar a n-oidhreacht?
98. An gceapann tú go bhfuil cultúr na hÉireann i mbaol – an Ghaeilge san áireamh?
99. Cad is féidir a dhéanamh chun daoine óga a spreagadh chun Gaeilge a labhairt?
100. Cad ba chóir don rialtas a dhéanamh chun labhairt na Gaeilge a chur chun cinn?
101. An raibh tú riamh sa Ghaeltacht/ar choláiste samhraidh? Inis dom faoi.
102. Cad a cheapann tú faoi ghaelscoileanna?

Aonad 8: Taisteal

103. An ndeachaigh tú ar laethanta saoire aon áit an bhliain seo caite? Inis dom faoi.
104. An dtéann tú ar laethanta saoire go minic? An dtéann tú le do theaghlach?
105. An raibh tú riamh ar saoire thar lear?
106. Ar thaitin sé leat? Cad a thaitin/nár thaitin leat?
107. Cé acu is fearr leat, saoire thar lear nó saoire sa bhaile?
108. Cad iad na difríochtaí idir ________ agus Éire?
109. An bhfuil aon tír ar mhaith leat cuairt a thabhairt uirthi?
110. Cad í an tír is deise leat ar fad agus cén fáth?
111. Ar mhaith leat tréimhse a chaitheamh i dtír eile?
112. An gceapann tú gur maith an rud é taisteal? Ar chóir do dhaoine óga taisteal agus tréimhse a chaitheamh ag obair, b'fhéidir, i dtír eile?

Aonad 9: Saol na hOibre

113. Cad ba mhaith leat a dhéanamh nuair a fhágfaidh tú an scoil? Cén fáth?
114. Conas a bhainfidh tú cáilíocht amach?
115. An bhfuil na pointí ard don chúrsa sin?
116. An dóigh leat go mbeidh poist ar fáil amach anseo san earnáil sin?
117. Cad a rinne tú mar thaithí oibre san idirbhliain? Inis dom faoi, ar thaitin sé leat?
118. An raibh obair pháirtaimseartha nó post samhraidh agat riamh? An raibh an pá go maith? Cad iad na dualgais a bhí agat? Ar thaitin sé leat? Inis dom faoi ghnáthlá oibre*.
119. An bhfuil sé i gceist agat post samhraidh a lorg tar éis na hArdteistiméireachta?

Aonad 10 Cothrom na Féinne

120. An bhfuil fadhb le coiriúlacht sa cheantar seo?
121. Cad is cúis le foréigean ar na sráideanna/coiriúlacht dar leat?
122. An bhfuil aon réiteach ar an scéal? Cad a dhéanfása chun feabhas a chur ar chúrsaí? / chun dul i ngleic le coiriúlacht/foréigean?

123. An gceapann tú go bhfuil an córas dlí cothrom sa tír seo?
124. An gceapann tú go bhfaigheann gach duine cothrom na féinne?
125. An ndéantar leatrom nó faillí ar aon duine sa tír?
126. An bhfuil géarleanúint á déanamh ar aon ghrúpa?
127. Cad a cheapann tú faoi chiníochas/aoiseachas/ghnéasachas? An gceapann tú go bhfuil éagóir á déanamh ar dhaoine ar bhonn aoise, cine, gnéis, reiligiúin nó ar aon bhonn eile?

Aonad 11 Bochtaineacht

128. Cad iad na fadhbanna is mó atá againn sa tír seo sa lá atá inniu ann, dar leat?
129. An gceapann tú go bhfuil fadhb mhór le bochtanas sa tír seo?
130. Deirtear gur tír den tríú domhan í Éire anois. Cad a cheapann tú faoi sin?
131. Cén réiteach atá ar fhadhb na bochtaineachta?
132. Cad a dhéanfása chun dul i ngleic le fadhb na bochtaineachta?
133. Cad is féidir linne a dhéanamh anseo in Éirinn chun cabhrú le daoine sa tríú domhan, meas tú? An bhfuil aon smaointe agat faoi sin?
134. Ar mhaith leat dul ag obair go deonach le cumann carthanachta?
135. Cad a cheapann tú faoi fhadhb na dífhostaíochta?
136. An gceapann tú go mbeidh post ann duitse nuair a fhágann tú an coláiste?
137. An gceapann tú go mbeidh ort dul ar imirce?
138. Ar chóir do na tíortha forbartha cabhrú leis na tíortha i mbéal forbartha?
139. Cad a d'fhéadfaí a dhéanamh chun cabhrú leo?

Aonad 12: Timpeallacht

140. An bhfuil suim agat sa chomhshaol? / i gcaomhnú na timpeallachta?
141. Cad a dhéanfása chun astaíocht nó astú carbóin (lorg carbóin) na hÉireann a laghdú?
142. Cad a cheapann tú faoi dhaoine a chaitheann bruscar timpeall na háite? Cad a cheapann tú faoi dhumpáil mhídhleathach?
143. Cad a dhéanfá chun stop a chur leis seo?
144. Cad a cheapann tú faoi fhuinneamh in-athnuaite?
145. Cad a cheapann tú faoin gComhaontas Glas?
146. An gceapann tú gur fadhb mhór é an t-athrú aeráide? Cén tionchar atá aige ar an timpeallacht?
147. Cad ba chóir dúinn a dhéanamh chun ár dtimpeallacht a chaomhnú?
148. An bhfuil aon chur amach agat (*Do you know anything about*) ar Chomórtas na mBailte Slachtmhara? (bithéagsúlacht/éiceolaíocht srl)
149. An gceapann tú go bhfuil dóthain á déanamh ag an rialtas chun dul i ngleic leis an bhfadhb seo?

Freagraí samplacha ar thopaicí eile

1. Mo Theach

Freagra samplach: Cónaím i dteach scoite ar imeall bhaile Thrá Lí. Tá ceithre sheomra leapa agus dhá sheomra folctha i mo theach. Tá cistin bhreá, mhór sa teach agus seomra suite. Is breá liom suí sa seomra suite ag féachaint ar an teilifís le mo theaghlach nuair a bhíonn m'obair bhaile críochnaithe agam. Tá mo sheomra leapa thuas staighre. Is aoibhinn liom mo sheomra leapa. Tá sé deas teolaí agus tá sé maisithe go deas agam le póstaeir agus pictiúir. Éistim le ceol ann agus bím ag caint le mo chairde ar Facebook. Is breá liom mo theach.

2. Na hAimsirí

Bíodh freagraí agat ar na ceisteanna seo. (Féach lth 424)

Cad a rinne tú an deireadh seachtaine seo caite/an samhradh seo caite?

Cad a dhéanann tú ag an deireadh seachtaine/de ghnáth sa samhradh?

Cad a dhéanfaidh tú an deireadh seachtaine seo chugainn/an samhradh seo chugainn?

3. An Modh Coinníollach:

Téigh siar ar na ceisteanna atá ullmhaithe agat

(Féach Aonad 3 lth 62 Aonad 10 lth 311)

Cad a dhéanfá dá mbuafá an Crannchur Náisiúnta?

Dá **mbuafainn** an Crannchur Náisiúnta, **cheannóinn** teach deas agus carr nua. **Rachainn** ar saoire fada timpeall an domhain agus **thabharfainn cuairt ar** áiteanna áille. **D'fhanfainn** in óstáin ghalánta agus **d'íosfainn** sna bialanna is fearr!

Ar ndóigh **bheinn** ciallmhar freisin, **chuirfinn** roinnt airgid i dtaisce agus **thabharfainn** roinnt airgid do charthanais ar nós Trócaire nó Vita a bhíonn ag cabhrú le daoine sa tríú domhan.

4. Caitheamh aimsire

Freagra samplach: Is aoibhinn liom marcaíocht ar chapall, cispheil agus siopadóireacht! Téim ag marcaíocht ar chapall trí huaire sa tseachtain. Tá mo chapall féin agam – Bonnie is ainm di, agus tá capaill ag m'athair. Is minic a chaithim an lá ag cabhrú leis ag glanadh na stáblaí. Nuair a bhí mé níos óige, théinn go comórtais seóléime ach anois b'fhearr liom dul ag marcaíocht seachas a bheith san iomaíocht i gcomórtais. Is breá liom an fiach freisin. Uair sa mhí téim ag fiach le slua mór. Bainim an-taitneamh as.

Imrím cispheil freisin agus táim i mo bhall den chlub cispheile áitiúil. Táim ar fhoireann cispheile na scoile freisin agus anuraidh d'éirigh linn Craobh Laighean a bhuachan sa chispheil. B'iontach an gaisce é. Bhíomar thar a bheith sásta mar chaitheamar go leor ama ag traenáil. Is breá liom cluichí foirne mar foghlaimíonn tú conas comhoibriú le daoine eile. Chomh maith leis sin is bealach iontach é chun cairde a dhéanamh agus chun fanacht aclaí.

Caitheamh aimsire eile gur breá liom ná an tsiopadóireacht! Téim ag siopadóireacht le mo dheirfiúr nuair a bhíonn airgead agam. Is breá liom dul go Baile Átha Cliath go hionad siopadóireachta Dhún Droma. Tá siopaí den scoth ann – Hollister, Pull and Bear agus Urban Outfitters mar shampla. Tá an t-ádh liom mar cónaíonn mo chol ceathracha in aice le Dún Droma, agus is féidir liom fanacht leo. Ba bhreá liom dul go Nua-Eabhrac ag siopadóireacht lá éigin! Bhí mo chara ann an bhliain seo caite agus dúirt sí go raibh sé dochreidte. Ach beidh orm m'airgead a shábháil...!